D1371020

L'époux divin

FRANCISCO GOLDMAN

L'époux divin

traduit de l'anglais (États-Unis)
par Guillemette de Saint-Aubin

ÉDITIONS DE L'OLIVIER

L'édition originale de cet ouvrage est parue
chez Atlantic Monthly Press en 2004,
sous le titre : *The Divine Husband.*

ISBN 2.87929.453.3

Pour Yolanda Molina, ma mère (ma *Niña de G.*)
& *quatre complices*: Amy, Beatriz, Bex, Esther
& Aura Por *el arranque nuevo*

El sol despierta:
Un alma de mujer llama a mi puerta.
Le soleil se lève :
L'âme d'une femme appelle à ma porte.

José Martí

CHAPITRE

UN

Quand María de las Nieves Moran passa du pensionnat au cloître du couvent pour devenir novice, c'était afin d'empêcher Paquita Aparicio, sa bien-aimée compagne d'enfance, d'épouser l'homme que toutes deux appelaient «El Anticristo». Bien sûr, ce n'est pas la version que l'histoire a retenue. María de las Nieves devint l'une des deux dernières novices de la «nonne anglaise», et prit pour nom Sor San Jorge – Pourfendeur de dragons, Défenseur des vierges. Elle avait bien compris que l'époque dans laquelle elle vivait exigeait des actes de bravoure désintéressés, et que par son sacrifice elle scellait éternellement le vœu sacré prononcé par Paquita de ne pas prendre époux avant qu'elle – María de las Nieves / Sor San Jorge – ne l'ait fait.

Que ce vœu unissant deux pensionnaires d'un couvent âgées de treize ans soit respecté ou enfreint allait non seulement influencer l'histoire de cette petite république d'Amérique centrale, mais aussi changer la vie de certaines des plus illustres figures de la politique, la littérature et l'industrie de notre hémisphère américain. Et si nous lisions l'histoire comme nous lisons des poèmes d'amour, ou même les Vies des saintes vierges sacrées? Et si l'amour, profane ou divin, était à l'histoire ce qu'est l'air à un ballon en caoutchouc? Je tiens entre les mains un ballon gonflé il y a plus de cent ans, globe quasiment sans poids, encore souple et chaud de l'haleine qu'il contient. Et si je le dénouais pour laisser s'échapper l'air fantôme ou, mieux encore, si je l'aspirais moi-même...? (Peut-être ce ballon, du moins pour le moment, devrait-il être considéré comme métaphorique.) Ce projet, que tu n'as pas vécu assez long-temps pour voir achevé, Mathilde, prend son origine dans une vieille photographie de presse qui, il y a plus de trente ans de cela, m'a mené chez toi à Wagnum, Massachusetts. Cette photographie parue dans le *Wagnum Chronicle* était une reproduction de celle publiée plus tôt dans *Le Figaro* à Paris, et représentait un habitant de Wagnum, portrait craché de l'un des plus grands poètes-héros d'Amérique latine, non seulement du dix-neuvième siècle mais de *tous les temps*, et pour toujours et à jamais. Le résultat de cette visite fut que je passai les années suivantes à déterrer et écrire cette histoire de María de las Nieves Moran et de ceux qui lui furent proches.

Un après-midi alors qu'elles étaient encore pensionnaires au couvent de Nuestra Señora de Belén, Francisca Aparicio – Paquita, pour les intimes – convia María de las Nieves à un rendez-vous secret dans l'un des innombrables patios du pavillon de l'école. Elle voulait partager avec María le dernier billet en provenance de son terrifiant soupirant, introduit en fraude dans le couvent par son allié et ami secret, l'éminent chanoine Ángel Arroyo : «... *Nous allons bientôt fermer les couvents, Paquita. Alors tu ne pourras plus te cacher de moi. Vois-tu comment l'amour conquiert tout, mi dulce monjita?*» Paquita rit, bien que le papier tremblât dans ses mains. Le patio sentait le moisi de la saison des pluies et l'urine des filles, qui, aux petites heures de la nuit, n'atteignaient jamais à temps les toilettes situées au fond du jardin. «Sa douce petite nonne! s'exclama-t-elle. Mais cet homme est si impudent et pernicieux, petite sœur! Regarde comme il m'appelle! Regarde les messages diaboliques qu'il m'envoie!» À l'entendre on aurait cru qu'elle venait de découvrir une nouvelle façon, hautainement adulte, de parler, comme s'il eût fallu, pour ce faire, qu'elle se couvrît la moitié du visage derrière un éventail adroitement manié.

Prise de peur, María de las Nieves arracha le billet à Paquita et annonça avec véhémence : « J'apporte ça à la directrice générale *ahorititita* !» (Le diminutif double : « petit-petit tout de suite », signifiant généralement, dans cet idiolecte local, un *plus*, en l'occurrence une immédiateté plus immédiate.) Les mains de Paquita, en retour, se tendirent promptement pour saisir la lettre, et la déchirèrent en deux. Comme dans des images réfléchies, chacune tirait sur la moitié de lettre de l'autre. Raides dans leurs jupons, leurs robes chasubles identiques qui descendaient jusqu'aux chevilles et leurs chemisiers à haut col, l'uniforme des pensionnaires, elles finirent enlacées telles des danseuses gitanes, tournant lentement, un bras derrière la tête tenant une demi-lettre hors d'atteinte de sa rivale et l'autre tendu au maximum, doigts gigotant – une fille, Paquita, la peau aussi blanche qu'une amande effilée et des yeux noirs brillant de larmes, la poitrine déjà ample qui se soulevait et retombait, la chevelure abondante, bruissement de boucles ébène cascadant jusqu'à la taille, le nez élégant, distingué, dressé en l'air tel son propre ange vengeur ; et l'autre, María de las Nieves, couleur de cannelle mouillée et maigre comme un mannequin de bois articulé, sans aucune poitrine, le cheveu fin, raide et veiné de rouille des croisements indio-yankees, les narines de son petit nez plat dilatées de rage, et sous des sourcils en lames de cimeterre ses yeux remarquablement opaques, d'une teinte de boue, comme ceux d'un ivrogne intelligent, dont le regard semblait toujours dirigé vers l'extérieur, l'intérieur et nulle part à la fois. Quatre mains maintenant entrelacées en un poing frémissant, elles vacillèrent face à face, jusqu'à ce que María de las Nieves abandonne, repousse Paquita, et jette à terre son bout de lettre froissé en boule. Paquita recula en titubant, se redressa, finit par s'affaler et, levant les yeux, fut transpercée par le regard glacé et méprisant de María de las Nieves.

« Je n'ai pas besoin de cette lettre, petite-petite tête de mule. Je me contenterai d'en parler à la madre directrice. » María de las

Nieves tourna les talons et manqua tomber tête la première tandis que les bras de Paquita se refermaient sur ses genoux. Et c'est ainsi que Paquita se retrouva agenouillée devant la fille d'un salarié de la famille Aparicio (une Indienne, même si elle avait des terres) à supplier et implorer : «Mais ça n'est que du vent! Il dit toujours des choses comme ça! Fermer les couvents? Il ne le pourrait pas même s'il le voulait. Hermanita mía, tu sais aussi bien que moi que tant que la femme du président sera la patrona de notre mère prieure...» et ainsi de suite.

Le visage de María de las Nieves s'adoucit, se fit songeur, jusqu'à ce qu'elle finisse par dire : «Bueno. Mais tu dois me promettre juste une chose.

– Claro, claro, tout ce que tu voudras.

– Tu resteras vierge jusqu'à ce que je ne le sois plus moi-même.

– Sí, sí, claro, je te promets.» Et elle saisit la main de María de las Nieves et la baisa.

Cela ressemblait bien à un retour aux tortueuses méthodes de certains de leurs jeux d'enfance, quand Paquita avait appris à craindre les accès de perversité occasionnels de María de las Nieves, jusqu'à ce qu'elle découvre qu'elle pouvait toujours réduire «Las Nievecitas» («Les Petites-Neiges») à une crise de fous rires contrits, grâce à un sourire bien placé d'amour stupéfait et tolérant. Cette fois-ci pourtant le sourire de Paquita sembla n'avoir pour résultat que d'aggraver son fanatisme : María de las Nieves saisit le poignet de Paquita, la hissa sur ses pieds, et la mena, presque en courant, jusqu'à l'école et l'oratoire voué à la Virgen del Socorro, celle qui, dénudant son sein et érigeant son téton, secourt Son Divin Enfant de Son Divin Lait. Elle poussa Paquita à genoux et s'agenouilla tout près d'elle pour sceller leur serment par la prière. Paquita obéit, mais jeta un coup d'œil de côté à son amie d'enfance, sûre de rencontrer un regard espiègle de gaieté complice. Au lieu de quoi María de las Nieves lui renvoya un regard théâtral et vertueux de colère et de douleur, et Paquita se mordit l'intérieur de la joue pour s'empêcher de rire. Mais l'instant suivant elle était envahie par la peur : María de las Nieves la saisit de nouveau brutalement par le poignet, posant le dos de la main de Paquita contre sa joue baignée de larmes et l'y tenant comme si c'était un mouchoir, puis elle la repoussa contre les lèvres de Paquita en ordonnant : « Lèche mes larmes ! » Non, dit Paquita, elle ne lécherait pas ses larmes. María de las Nieves murmura : « Francisca Aparicio, fille à soudards, lèche mes larmes ou je hurle ! » Et Paquita fit entendre un hoquet de surprise.

Ce n'est que lorsque Paquita finit par lécher les larmes salées de son amie sur le dos de sa propre main que María de las Nieves relâcha son poignet, et lança : « C'est un serment sacré à la Santísima Virgen María et celle qui le violera nous damnera toutes les deux. Et maintenant il ne pourra jamais t'épouser. Je te jure que je ne t'en délierai jamais avant qu'il ne soit mort, ce qui j'espère ne tardera pas… » Et ayant exprimé un tel désir peut-être coupable, María de las Nieves se signa rapidement, murmura un acte de contrition, passa ses bras minces autour des épaules raidies de Paquita, couvrit ses joues de doux baisers, et murmura : « Ay ma pauvre hermanita, maintenant nous partageons même nos péchés. »

C'est ainsi que le serment historique – jusqu'alors ignoré de l'histoire – fut prononcé. Si le serment était violé, l'histoire et la vie d'hommes illustres iraient dans un sens ; s'il était respecté, l'histoire et les hommes en seraient, pour le moins, un petit-petit peu différents.

Deux années auparavant, Juan Aparicio avait envoyé sa fille au pensionnat du couvent situé dans la lointaine capitale de la République pour la mettre hors de portée de son méprisable soupirant : un homme de presque trente ans son aîné, le nouveau gouverneur civil et militaire du département de Los Altos, dépêché par le gouvernement révolutionnaire libéral. María de las Nieves avait été également inscrite au pensionnat par les Aparicio afin que leur fille n'ait pas trop le mal du pays et qu'elle fût la fidèle moucharde de la famille. Également pour parfaire l'éducation, les talents domestiques et les vertus chrétiennes des deux filles – il était bien connu qu'il n'y avait pas de meilleur pensionnat de jeunes filles dans toute l'Amérique centrale que celui du couvent de Nuestra Señora de Belén. Juan Aparicio disait souvent à sa fille et à María de las Nieves qu'une femme n'était pas belle si la lueur de l'intelligence et du savoir ne luisait pas dans ses yeux.

Los Altos était le département le plus libéral du pays, du moins si on ignorait les allégeances opposées pour la plupart de la majorité indienne ; et les Aparicio, qui habitaient Quezaltenango, la capitale de la province, faisaient partie des premières familles *criollas* libérales. C'étaient des catholiques romains consciencieux qui allaient jusqu'à envoyer leurs fils étudier chez les jésuites, n'ayant pas de meilleur choix à Quezaltenango, mais ils vénéraient plus encore les idéaux du Progrès. Nul n'avait été plus heureux lorsque les rebelles libéraux, invincibles grâce à leurs nouveaux fusils à chargement par la culasse et leurs sanctuaires mexicains de l'autre côté de la frontière, firent leur entrée triomphale dans leur petite ville impatiente de les accueillir. Juan Aparicio avait été l'un des premiers à signer le document décrétant l'expulsion de ces mêmes jésuites, ces «Assassins Perpétuels de la Pensée», et la fermeture de leur école. Mais pour une chose au moins les Aparicio n'étaient pas comme les autres : en dépit de leur héritage purement ibérique, ils semblaient immunisés contre le mépris du travail pseudo-aristocratique affiché par l'élite locale. Quand le café était encore la graine de l'avenir, Juan Aparicio avait fondé la première plantation de la famille au fin fond du piémont tropical du Costa Cuca «de ses propres mains», avec une armée d'ouvriers agricoles indiens. Maintenant le café était la graine du présent, et la demeure de Juan Aparicio, avec son style italien et sa construction sur deux niveaux, était l'une des plus imposantes de Quezaltenango, sinon de toute l'Amérique centrale. Lorsque les conservateurs avaient enfin été chassés du pouvoir dans la capitale de la République, les Aparicio s'étaient immédiatement sentis à l'aise avec le premier président des libéraux, l'affable et bon vivant général « Chafandín » García Granados. L'homme avait déclaré que malgré la période sombre de plus de trois décennies de pouvoir dictatorial quasi théocratique des conservateurs, qui avait fait de lui un révolutionnaire, il refusait catégoriquement l'utopie. Naturellement, le nouveau gouverneur civil et militaire libéral de Los Altos, l'agitateur radical indispensable à la Révolution, était un habitué de la maison des Aparicio. Au cours de plusieurs de ses visites, Paquita, alors âgée de onze ans, avait docilement joué du piano, dans un style rudimentaire mais énergique, pour le légendaire guerrier métis, qui approchait de la quarantaine. Les Aparicio étaient prêts à se sentir honorés par l'amitié de l'homme qui, en dépit de sa jeunesse scandaleuse et même criminelle, avait déjà marqué l'histoire des Amériques dans le sens des Lumières et du progrès. Mais l'homme du peuple avait souillé la générosité de la famille en choisissant pour objet de sa flamme et de ses ambitions conjugales leur fille, encore dans l'enfance la plus pure et innocente. Le père de Paquita avait résisté avec un dédain tempéré quoique résolu. Il était notoire qu'El Anticristo avait menacé Juan Aparicio de lui faire payer ce refus de sa vie et avait commencé à causer des ennuis à la famille d'innombrables façons irritantes voire menaçantes dans cette ville où les Aparicio vivaient depuis quatre générations. Peu après avoir envoyé Paquita et María de las Nieves au pensionnat, Juan Aparicio était allé vivre à New York, afin, apprit-on plus tard aux deux filles, d'y fonder une société pour importer son propre café aux États-Unis et exporter des produits yankees en Amérique centrale.

Pendant presque trois ans après cet épisode, Paquita n'avait vu son blâmable prétendant qu'une fois, au cours de sa deuxième année au pensionnat, quand le gouvernement révolutionnaire avait organisé un examen public des pensionnaires de Nuestra Señora de Belén afin de juger si la pensée et l'esprit des jeunes filles étaient déformés par le régime médiéval des bonnes sœurs, et de décider si l'école devait être autorisée à poursuivre son activité ou fermée sans délai. C'est ainsi qu'il se trouvait devant elle, ce jour-là, El Anticristo, qui avait fait le long voyage de Los Altos, assis avec le président-général García Granados et sa femme, Doña Cristina, ancienne pensionnaire devenue la plus éminente protectrice du couvent. La prieure, Madre Melchora, et Sor Gertrudis, passée à la postérité sous le nom de «La Monjita Inglesa» – la bonne sœur étrangère était encore la directrice de l'école, bien qu'elle dût être élue maîtresse des novices l'année suivante –, visages voilés, étaient les deux seules religieuses présentes dans le salon. Paquita le repéra au bout de la longue rangée de délégués du gouvernement qui se levèrent presque à l'unisson quand elle entra. Il était encore habillé comme il l'était chaque fois qu'il venait chez eux à Quezaltenango : veste courte – la mère de Paquita prétendait qu'il ne la portait que parce que la tunique des officiers le faisait paraître ridiculement court sur pattes – et un panama, bien que pour une fois il ne fût pas muni de son fameux fouet. Le chapeau, bord tiré sur les yeux, cachait peut-être les épis de sa coiffure, mais sa paire de moustaches horizontales, sa barbe carrée grisonnante, et ses favoris ne parvenaient pas à faire de l'ombre au teint basané de sa peau de métis et à la minceur sévère de ses lèvres, bien que le tout contribuât à lui donner l'air d'essayer de se cacher derrière un déguisement élaboré dont sa raideur martiale et sa réputation effrayante étaient les atours. Paquita récita un sonnet de Quevedo – « *Mírale el cielo eternizár lo humano*» –, résolut calmement tous les problèmes mathématiques qu'on lui posait, fut interrogée en géographie et en espagnol mais pas en grammaire latine, prononça quelques phrases simples en anglais, et fit un bref discours d'une voix modeste, sur les vertus chrétiennes telles qu'elles devraient être incarnées à la maison par une mère et épouse chrétienne aimante. L'un de ses cahiers d'interrogation circula parmi les dignitaires afin qu'ils puissent examiner sa calligraphie comme si c'étaient des échantillons de ses travaux d'aiguille. On ne posa pas de questions de théologie ni d'histoire religieuse. Elle sentait ses yeux continuellement posés sur elle, sa tête rejetée en arrière tandis qu'il la fixait dans l'ombre du bord de son chapeau. À mi-chemin de l'examen elle s'avisa avec surprise qu'elle n'avait pas même rougi, comme chaque fois qu'elle se trouvait en sa présence à Los Altos, avant même qu'elle eût compris ce qui se passait. Avec un étonnement détaché, elle se dit : Voilà l'homme qui en déclarant son intention de m'épouser à mon père s'est rendu ridicule et a causé des malheurs infinis à ma famille – et à María de las Nieves aussi, parce que, sans lui, ni l'une ni l'autre d'entre nous ne serions ici, nous serions encore à la maison, nous serions de simples externes à l'école des Belemitas. Finalement, alors que son discours sur l'épouse et mère pieuse touchait à sa fin, elle le vit sortir un petit calepin et un petit crayon de l'intérieur de sa veste et baisser les yeux pendant qu'il notait quelque chose, la libérant de son regard, et ce n'est qu'alors que son visage s'empourpra de confusion et de honte. Lorsqu'elle eut terminé il fut le premier à applaudir frénétiquement, et tous les autres, se levant, suivirent, ce qui aurait pu donner l'impression que son numéro avait sauvé l'école, quoi que ce ne soit absolument pas vrai, car chacun savait que l'école ne courait pas de véritable danger tant que les filles du président et de la première dame y seraient externes. Plus tard, María de las Nieves raconta à Paquita que quand ce fut à son tour d'être interrogée, El Anticristo sommeilla tout le long, la tête agitée de soubresauts, finissant par ronfler si bruyamment qu'elle en oublia son discours sur les devoirs domestiques de la chrétienne et s'arrêta, jetant un regard suppliant à Sor Gertrudis et Madre Melchora, tandis que la femme du président murmurait quelque chose à son mari, qui avait l'air endormi lui-même et finit par soulever de son siège sa longue et languide charpente revêtue d'un habit, alla jusqu'à El Anticristo et, saisissant son chapeau par la couronne, le lui souleva puis le lui remit, le réveillant ainsi. El Anticristo n'avait pas du tout apprécié et avait lancé au dos de son maître qui retournait s'asseoir le regard d'un chien qui gronde ; il se reprit et sourit à María de las Nieves, la rangée égale de ses petites dents apparaissant entre ses favoris comme un bout d'os jauni.

Au cours des promenades du vendredi après-midi qui menaient les écolières à l'une ou l'autre des églises situées au sommet des deux collines aux deux extrémités de la ville, El Calvario ou El Cerro del Carmen, Paquita s'attendait toujours à ce que son abominable soupirant apparaisse au premier coin de rue, debout au milieu d'un des groupes d'écoliers, d'employés de bureau et de soldats qui suivaient régulièrement leur trajet, sifflant et allant jusqu'à crier les noms de certaines filles tandis que les servantes et les matrones qui les escortaient leur enjoignaient : *Les yeux baissés et en avant, niñas* ; elle l'imaginait dominant la foule juché sur son cheval, l'épiant de sous son chapeau. Mais il n'apparut jamais nulle part, pas une fois. Pourtant il se passait rarement un jour sans qu'elle reçoive au moins une phrase laconiquement affectueuse ou purement informative écrite de sa propre main, ou même un message discrètement délivré par un inconnu, comme lorsque, juste quelques semaines auparavant, le nouveau coiffeur de l'école, alors qu'il taillait les extrémités pleines de nœuds de ses cheveux, lui avait murmuré un message d'affection et de salutation de la part d'«El Héroe de la bataille de Malacate». Mais l'émissaire en qui il avait le plus confiance était encore Padre Ángel Arroyo, homme à tête de coq dont l'haleine sentait toujours l'alcool rance et les grains d'anis qu'il mâchait pour en cacher l'odeur. Étant prêtre, il avait le droit de la voir sans chaperon dans le parloir des internes. Padre Ángel prétendait être un vieil ami de la famille de Paquita, ruse qui ne contenait pas une once de vérité. Paquita n'en était qu'à sa troisième semaine au couvent quand le prêtre lui avait glissé un mot à travers les barreaux en fer forgé, qu'elle lut plus tard dans l'ombre dense de l'arbre amate qui croissait dans un coin du jardin. Le héros de la Révolution libérale, alors âgé de trente-huit ans, chef de sa faction la plus radicalement anticléricale, avait écrit à sa bien-aimée de onze ans pour l'informer de l'expulsion des jésuites. C'est ainsi qu'elle avait été avertie, avant même Madre Melchora, bien que ce fût la Compagnie de Jésus qui fournissait le couvent en prêcheurs et confesseurs, dont le petit prêtre bégayeur irlandais qui venait uniquement pour confesser Sor Gertrudis – la Monjita Inglesa – en anglais.

La nuit du serment historique, Paquita écrivit la lettre de loin la plus longue qu'elle eût jamais écrite à son soupirant exaspérant – El Anticristo, comme elle s'adressait souvent à lui pour le taquiner, même dans une missive aussi sérieuse que celle-ci, sachant qu'il aimait cela, sachant qu'elle le détestait d'aimer cela, ravivant ce besoin, si étrangement, profondément agréable, d'être furieuse contre lui, de le réprimander et de le tancer –, déversant ainsi sa confusion sur l'incident avec María de las Nieves. *Peut-être vaudrait-il mieux que pour un petit-petit moment vous cessiez de partager avec moi vos petits-petits secrets*, écrivit-elle. Quelques jours plus tard, Padre Ángel lui apporta sa réponse, roulée en un mince tube, nouée d'un ruban bleu pâle, et passée à travers les barreaux du parloir. Dans cette lettre El Anticristo prenait le ton réconfortant d'un père protecteur, lui disant de ne pas s'inquiéter, blanche colombe de mon cœur. C'était pourtant précisément à cause de tels serments, aux relents si moyenâgeux et contre nature, qu'il allait envoyer toutes ces vieilles sorcières folles et pleines de fumisteries là-bas même, loin de nos rives, où il avait envoyé les jésuites, suivis de près par tous les autres moines et frères inutiles des ordres religieux masculins, et encore l'archevêque : *Bientôt leurs vœux et professions de foi ne signifieront plus rien ici. Dis à ta bâtarde de soi-disant sœur, en mon nom, que si durant le court moment qui te*

reste à passer ici elle te fait le moindre ennui, je le lui ferai payer.
Je crois qu'elle sait de quoi est fait mon fouet.

Paquita fut incapable de résister à la tentation de partager cette
nouvelle lettre avec María de las Nieves. Elles se retrouvèrent dans
un coin du verger, également interdit aux élèves, bien que nulle
n'ignorait comment y accéder, par la porte des entrepôts derrière la
cuisine de l'école. Paquita dévora du regard María de las Nieves tandis qu'elle lisait et relisait la lettre. Souriant calmement, lui rendant
la lettre, María de las Nieves dit: «Bien. Tu es devenue hérétique?

– Claro qué no. Qué no, qué no, mais j'ai pensé que je devais
te prévenir.

– Quand il dit en son nom, à quel nom fait-il allusion?»
demanda alors María de las Nieves, car elle savait qu'avant la guerre
le nom d'El Anticristo était José Rufino et qu'il s'appelait maintenant Justo Rufino. Rufino le Juste!

Paquita replia le papier et le fourra à l'intérieur de sa manche.
Quand elle releva les yeux, María de las Nieves s'éloignait déjà
à travers les orangers. À peine deux semaines plus tard, María de
las Nieves stupéfia tout le monde en quittant l'école pour devenir
l'une des deux novices qui restaient à Sor Gertrudis. La maîtresse
des novices aux yeux gris, au visage pâle piqueté de taches de
rousseur était alors déjà connue dans toute la ville et même au-
delà sous le nom de la Monjita Inglesa, bien qu'elle fût d'ascendance irlandaise et non anglaise, et native de Yonkers, New York.
Selon celle-ci, María de las Nieves, au cours de ses presque trois
années en tant que pensionnaire, avait montré suffisamment d'aptitude à une vie de chasteté, de pauvreté, d'obéissance et de prière,
et les vingt-deux bonnes sœurs du couvent l'acceptèrent donc à
l'unanimité, avec une dispense pour son jeune âge et l'absence de
dot. Le fait que Sor Gertrudis n'ait que deux novices à éduquer
était un signe du déclin dont souffraient toutes les communautés
de femmes au cours de ces années d'insécurité et de danger. Le
gouvernement libéral pouvait interdire la prise de voile à tout

moment. La mort de la personnalité individuelle, recherchée avec tant de zèle et de prières par celles qui s'étaient enterrées dans les couvents, constituant une sorte de suicide, selon le raisonnement des libéraux radicaux, n'était-il pas immoral de n'y pas mettre un terme ? Car la femme avait été faite pour être la compagne de l'homme, pas pour enterrer le trésor de sa beauté et de sa grâce dans la triste solitude d'un couvent.

Un peu plus d'un siècle plus tard, en 1927, à Madrid, en Espagne, Padre Santiago Bruno publierait *La Monjita Inglesa*, son hagiographie de Sor Gertrudis de la Sangre Divina. Le livre du jésuite espagnol fournit le seul compte rendu connu des événements à l'intérieur d'un couvent durant la dernière année cataclysmique de ceux-ci, dont une description de la cérémonie de prise de voile de María de las Nieves qui eut lieu dans la chapelle.

Et comment la religion pourrait-elle prendre fin dans notre République puisqu'Il appelle aujourd'hui cette vierge à se vouer à une vie de pénitence pour nos péchés et à devenir Son épouse ? Soyons reconnaissant à Sor San Jorge de prononcer ses vœux, car son humble obéissance apaise la colère divine, et grâce à ses prières et à sa dévotion l'anarchie de notre cher petit pays sera muselée... Ainsi se poursuivait le sermon de l'évêque Julián Ibes, alors que María de las Nieves était étendue sur le sol en pierre devant l'autel, les jambes tendues et les bras en croix (comme une ombre du crucifix, attendant d'être emplie de Sa souffrance). *Songez un instant au gouffre immense qui sépare le lieu que cette vierge sacrée laisse aujourd'hui derrière elle, de celui où elle vient habiter, où l'austérité sera sa compagne constante, le jeûne ses seuls banquets, les mortifications et les disciplines ses seuls luxes et ses seuls présents. Quelles seront ses récompenses ? La tranquillité d'une bonne conscience, et la gratitude éternelle des pieux patriotes...* Ce sermon de l'évêque Ibes, promis à un prochain exil, circula rapidement sous la forme d'un pamphlet imprimé clandestinement parmi les fidèles de la religion et du parti conservateur. Selon Padre Bruno, de nombreux mois encore après la cérémonie, dans les foyers chrétiens riches et pauvres, de petites filles obéissantes s'agenouillaient devant des oratoires privés, des autels et des saints domestiques pour dire une prière pour la petite novice du fameux sermon, qui avait pris le nom de Sor San Jorge.

Il est donc possible que la conception initiale qu'avait María de las Nieves de sa vocation n'ait pas été si différente, en esprit sinon en échelle, de la version historique de Padre Bruno, après tout. Le jour de sa prise de voile, alors qu'elle était allongée, le visage empourpré de honte, sur le sol en pierre froid tandis que l'évêque Ibes prononçait son sermon, n'avait-elle pas voulu bondir sur ses pieds pour jeter un regard de défi vers l'endroit où Paquita et les autres pensionnaires se tenaient assises, derrière leur propre tribune grillagée, et crier : Voyons si maintenant tu oses épouser El Anticristo ?

L'évêque Ibes était enfin descendu de la chaire et, prenant María de las Nieves par le bras, l'avait conduite vers le fond de la chapelle et la porte donnant sur le chœur inférieur. Tenant son nouveau voile blanc consacré dans ses deux mains, elle marchait le regard fixé devant elle, le dos droit, les épaules rejetées en arrière, un sourire rêveur sur le visage – *Je suis fiancée à Notre-Seigneur!* (Oh, peut-être était-ce la dernière fois que tout cela avait été sincèrement éprouvé sans honte ni doute!) Derrière la grille opaque du chœur inférieur ses nouvelles sœurs entonnaient le *Regnum Mundi* à la manière étouffée de celles qui tâchent de cacher l'imperfection de leurs voix. Baissant la tête, elle franchit la porte du chœur inférieur avec un petit trébuchement brusque et le voile se déroula de ses mains; les bonnes sœurs l'entourèrent, se bousculant pour l'étreindre, couvrant son visage de leurs baisers puants, quelques-unes ayant la lèvre supérieure, même les joues et le menton aussi velus que ceux d'un homme. (*C'était horrible*, se rappellerait-elle bien des années plus tard en décrivant ce moment ainsi qu'alors elle n'aurait jamais pu le faire. *J'étais une auge dans une étable pleine de bêtes affamées.*) Doucement poussée à genoux, elle regarda ses cheveux, coupés à l'aide de grands ciseaux, tomber au sol en fines éclaboussures. Sor Gertrudis lui ordonna de garder les yeux fermés tandis que deux des sœurs les plus âgées la dévêtaient vigoureusement de son uniforme d'écolière, puis ses vêtements religieux lui furent passés sans ménagement par-dessus la tête, ce premier contact avec la laine rugueuse contre la peau surprise provoqua un frisson comme une fièvre qui descendit le long de son torse et lui endolorit le bout des seins. Elle se sentit si transformée par le poids sombre de son habit et l'épaisse coiffe en lin qui encapuchonnait étroitement sa tête, lui couvrant les oreilles, emmaillotant son cou et son menton, qu'elle tendit les mains pour reprendre équilibre, alors que le voile blanc était cérémonieusement abaissé sur ses yeux et que Sor Gertrudis entonnait : « Tu n'as plus besoin de voir, Sor San Jorge, parce que tu verras tout au paradis. » À cet instant elle eut envie d'un miroir plus que tout au monde. Mais les miroirs étaient interdits dans le cloître ; elle ne devait plus se regarder dans une glace tant qu'elle vivrait. À partir de ce jour elle ne devait plus avoir d'autre miroir que ses sœurs en religion et les exemples lumineux des religieuses saintes et sanctifiées de l'histoire. Le premier livre que la maîtresse des novices, Sor Gertrudis, lui donna à lire était plein de récits des destins effroyables de jeunes novices qui, contre la volonté de Dieu, avaient décidé de retourner au monde. Lorsque ces histoires lui revenaient à l'esprit, tout agitée de frissons, elle fermait les yeux de toutes ses forces et serrait les poings.

María de las Nieves étant en période probatoire, n'était-elle pas libre de renoncer à ses vœux ? Quelle innocence ! Elle devait obéissance absolue à la maîtresse des novices et à son confesseur, à présent uniques gardiens de sa conscience et de sa volonté.

Quand elles étaient encore au pensionnat, María de las Nieves et Paquita avaient appris à gérer l'économie d'un foyer chrétien, utilisant au lieu de monnaie les biscuits quasi immangeables cuits dans ce but par les religieuses. Les deux filles avaient ensuite transformé ces leçons en un jeu bien à elles, le jeu de la marchande, auquel elles s'adonnaient toujours autour du lit de l'une ou l'autre dans le dortoir. Le lit représentait le magasin et les marchandises consistaient en un assortiment d'objets personnels étalé dessus, même si la plupart étaient extrêmement ordinaires, conformément aux règles strictes de l'école. Dans le dortoir, toute conversation autre qu'absolument nécessaire étant interdite, elles se livraient à un jeu silencieux et subtil, exigeant prudence et tact. Surprises, elles seraient obligées de s'agenouiller dans la cour de l'école sur des grains de maïs séchés, les bras tendus, une pierre dans chaque main pendant des heures – ou pire! Mais qui regardait María de las Nieves et Paquita, qu'elle fût Madre Monitor ou pensionnaire, ne voyait que les deux inséparables debout comme figées par la contemplation ou l'ennui ou faisant le tour d'un lit sur lequel étaient posés, par exemple, un plumier, un peigne en écaille, et un livre de catéchisme. Le rôle de la « marchande » était de décider en quoi chacun de ces objets pouvait être transformé, et là était vraiment le cœur du jeu: un livre de catéchisme pouvait être changé en flacon de cristal contenant un parfum de Paris, atomiseur compris, et ainsi de suite. La cliente, qui faisait le tour du lit, s'étant arrêtée pour lorgner la « vitrine » décidait presque toujours d'entrer – renoncer à entrer mettait immédiatement fin au jeu, bien que cela n'arrivât presque jamais. Les rares fois où c'était arrivé, ç'avait toujours été à l'initiative de María de las Nieves, ce qui n'est pas si surprenant car de cette manière elle compensait un peu la connaissance bien plus étendue qu'avait Paquita des articles de luxe; mais c'était aussi parce qu'elle était encline à de telles rebuffades apparemment déroutantes, comme si en réalité elle n'aimait pas être traitée avec douceur et se trouvait obligée d'y mettre un terme, parfois brutalement. Une fois dans le magasin, si la cliente ne se rappelait pas en quoi avait été changé un objet ordinaire, elle n'avait pas le droit de le demander, pas même par allusion. D'un geste, d'un sourcil levé, elle pouvait s'enquérir du prix, et à l'aide des doigts ou même dans un murmure, il lui était communiqué ; elles ne marchandaient jamais ainsi qu'on faisait au marché ; chaque fille payait avec les vraies pièces de ses économies.

Paquita avait montré à María de las Nieves comment tenir le flacon de parfum d'une main et le petit bulbe en caoutchouc rose de l'autre, le pressant pour faire sortir de l'atomiseur un nuage brumeux de parfum déposé dans le cou comme un baiser. Elle l'avait payé six centavos, acquérant ainsi le volume fatigué du *Catéchisme* de Padre Ripalda relié en peau d'agneau de Paquita.

Quand María de las Nieves devint novice, ce mince volume fut le seul témoin de sa vie séculaire qu'elle eut le droit d'emporter avec elle dans le cloître. Elle le gardait dans le coffre en pin au bout de son lit étroit, un matelas de paille posé sur des planches, avec son bréviaire, son livre de méditations, le *Contempus Mundi*, son *cilicio* et son rosaire.

Elle était maintenant novice depuis cinq mois. C'était le premier jeudi de la Pentecôte, quelques semaines après le début d'un des hivers les plus pluvieux de mémoire d'homme. Dans la cellule qu'elle partageait avec la maîtresse des novices et Sor Gloria de los Ángeles, son unique sœur novice, María de las Nieves venait juste de se réveiller – *avant cinq heures, mais bien après quatre heures*, conformément à la règle de l'ordre. En silence, dans l'obscurité qui précède l'aube, elle récita les prières assignées avant le coucher par la maîtresse des novices et alla au pied du lit s'habiller *avec une modestie profonde, tout en rendant grâce à Dieu, qui a veillé sur toi durant la nuit*. Ses vêtements de religieuse étaient pliés sur le coffre. Accroupie sous sa chemise de nuit en laine humide, elle s'en délivra en gigotant-sautillant, saisit la tunique en toile de jute et la revêtit avec effort. Ce n'est qu'alors qu'elle put se redresser et passer la tête par le col et les bras dans les manches. Elle se coiffa de la capuche, épingla le voile blanc, et noua sa ceinture de corde noire. Jetant un coup d'œil sur la cellule sombre, elle vit Sor Gloria qui se débattait encore à l'intérieur de son habit telle une bête sans tête ni membres et cette image profane provoqua une bouffée de rire silencieux qui demeura suspendue en elle comme un petit nuage dans un ciel de plomb ; un petit nuage, songea-t-elle piteusement, gorgé de péché au lieu de pluie. Elle souleva le couvercle du coffre pour y prendre son manuel de méditation, mais en sortit à la place le vieux livre de catéchisme de Paquita et le porta à son nez.

Était-ce encore le flacon de parfum de Paris, ou s'était-il de nouveau mué en *Catéchisme* de Padre Ripalda ?

Il n'y a que Vous qui sachiez la vérité, mon Dieu, pria-t-elle consciencieusement. Oh, *s'il Vous plaît*, faites que ce soit un livre de catéchisme.

La nouvelle vie cloîtrée de María de las Nieves, toute de rigueur et de soumission, s'était écoulée au cours de ces premiers mois tel un rêve profond dans lequel elle se regardait devenir chaque jour plus faible et plus infirme, disparaissant lentement comme une tache de lumière d'après-midi sur le sol de la forêt. Vois quelle petite chose languide et abattue je suis devenue ici, s'avoua-t-elle un jour, avec un frisson intérieur de sincérité et d'apitoiement solitaire. Moi, qui dans mon enfance étais si vive et effrontée que même les adultes me craignaient ! Mais cela signifiait-il que sa personnalité était en train de mourir ? Ne devait-elle pas se réjouir que son futur Époux ait décidé si vite de la favoriser ? Cependant, ce qu'elle perdait devait encore être remplacé par ne fût-ce qu'un soupçon de la splendeur promise de Son divin amour.

Chaque jour elle priait : *S'il Vous plaît, mon Dieu, s'il Vous plaît faites que je sente quelque chose de ce que je suis censée sentir.*

Depuis cinq mois que María de las Nieves était devenue Sor San Jorge elle n'avait pas vu, ni même aperçu Paquita une seule fois, pas plus qu'elle n'avait reçu le moindre message d'elle, ou n'avait entendu prononcer son nom. Elle n'avait pas non plus reçu de visites de chez elle : ni sa mère ni la mère de Paquita ni le frère aîné de Paquita, Juan, qui tous venaient de temps à autre de Quezaltenango quand elle était pensionnaire ; et elle n'avait pas reçu de lettres. En tant que novice les visites et les lettres, même de sa mère, lui étaient interdites pendant une année.

Chaque jour elle priait aussi pour avoir des nouvelles de Paquita. Mais il était clair qu'elle n'avait pas le moindre talent, ni même la moindre aptitude pour la prière.

L'histoire qui avait mené María de las Nieves à Paquita et sa famille, quand les filles n'avaient que six ans, était étrange mais fascinante, et Juan Aparicio ne se lassait jamais de la conter. Avec le temps, de nombreuses personnes, dans de nombreuses parties du monde, l'entendraient de ses lèvres, et se la rappelleraient souvent, de sorte qu'elle se répandrait à la manière d'un bon conte de voyageur, provoquant habituellement hochements de tête et lieux communs bien sentis touchant le destin et la façon dont les choses peuvent aller sous les tropiques américains, allant parfois jusqu'à stimuler l'imagination de manière plus personnelle. Tout commençait par une légende ou des rumeurs rapportées par des Indiens à Quezaltenango, selon lesquelles dans les montagnes lointaines deux femmes et une petite fille vivaient seules au cœur de la forêt. La petite fille avait des cheveux d'or, une des femmes avait la peau noire et tannée et elles se parlaient, prétendaient les Indiens, dans une langue inintelligible et démoniaque. Après avoir entendu ces histoires durant quelques années, Juan Aparicio avait fini par payer un Indien Mam pour le conduire à ces femmes mystérieuses. Pendant une longue journée, et durant toute la nuit, ils avaient parcouru crêtes boisées, flancs montagneux et vallées. En arrivant finalement au petit campement rustique dans la forêt, ils avaient trouvé une fillette seule dans une cour en terre battue. Un faon tacheté, qui se tenait tranquillement à ses côtés, sa robe d'un brun vif presque de la même couleur que la peau de l'enfant, détala au bruit de leur approche, et la petite fille se tourna pour poser sur Juan Aparicio un regard si direct et si calme que ce fut lui le plus surpris. L'odeur d'un feu encore fumant était suspendue dans l'air, bien qu'il n'y eût pas trace des deux autres femmes de la légende. La petite fille portait une blouse en tissu grossier noirci de crasse, ses cheveux étaient nattés en de nombreuses pousses pendantes nouées par des chiffons et elle tirait sur un cigare grossier confectionné avec des feuilles de tabac sauvage. D'une main elle balançait un objet bizarrement élastique, allongé et cependant gélatineux, une sorte d'idole ectoplasmique faite, semblait-il, d'une sorte de matière sale et translucide que Juan Aparicio s'irrita de ne pouvoir identifier. Mais le regard de l'enfant était tout aussi déconcertant. Ses yeux, à l'éclat sombre et à la teinte mousseuse de la lumière des profondeurs de la forêt, observaient sans trouble ni crainte la lente progression de Juan Aparicio qui lui parlait du ton qu'on utilise pour calmer un animal effrayé. Elle éructa quelques mots d'un charabia incompréhensible et brandit l'idole comme pour l'empêcher d'approcher – vu sa taille et la façon dont elle la tenait, bizarrement tremblotante et presque flottante, en équilibre sur ses deux paumes, il comprit que la chose était quasiment sans poids. Elle semblait avoir un petit visage dessiné à l'aide de sang ou de quelque colorant rouge, et de longues oreilles. Juan Aparicio avait alors eu besoin d'un long instant pour se reprendre. Entre-temps le visage de la petite fille qui souriait de toutes ses dents, les yeux écarquillés, avait pris une expression d'espoir et d'émotion exaltés.

«Mama et Lucy allé chéché eau, Papa, hurla-t-elle, d'un ton aussi emphatique que précédemment. Tu apportes des crêpes de neige comme tu as promis, Pa? Jaja! Gade le lapin m'a fait Pakal Chon!»

La langue démoniaque était de l'anglais. Les cheveux de la petite fille n'étaient pas dorés mais d'une nuance rousse qui devait s'assombrir avec l'âge. L'idole se révéla être un jouet, sorte de poupée anthropomorphe, fabriquée par l'un de ses voisins indiens à l'aide d'intestins de pécari gonflés, ingénieusement tordus et noués ensemble pour obtenir la forme grossière d'un lapin. Juan Aparicio était le premier Blanc que voyait María de las Nieves depuis la mort de son père, Timothy Moran, survenue presque trois ans auparavant. Bien qu'elle sût que son père était mort et où il était enterré, dans sa confusion et son excitation – probablement amplifiées par les effets légèrement psychotropes du tabac sauvage sur un cerveau si jeune – elle pensait également que son père était revenu d'un long séjour à New York, d'où il était originaire. À New York, son *Pa* aimait-il lui raconter, les petites filles mangeaient des crêpes faites avec de la neige. Quand il l'avait prénommée Marie des Neiges, n'avait-il pas pensé à ces crêpes particulières et aux heureuses petites filles qui les mangeaient? Dans ses rêves elle avait toujours imaginé que quand son Pa reviendrait, il lui rapporterait des crêpes de neige. C'est ce qu'affirmerait María de las Nieves bien des années plus tard, dans «Mes mémoires de la forêt», opuscule non publié, écrit à la main dans le style simple des histoires pour enfants et composé pour au moins un très jeune lecteur. (Il s'était trouvé là un matin, dans une simple chemise en manille, posé sur le bureau auquel j'avais été invité à travailler.)

C'est donc ainsi que Juan Aparicio trouva María de las Nieves, la servante noire du Honduras-Britannique, Lucy Turner, et une jeune Indienne, Sarita Coyoy, mère de la fille et «veuve» de l'immigrant yankee Timothy Moran, qui les avait amenées en cet endroit isolé, dans l'intention de fonder une plantation de café. Timothy Moran avait à peine commencé à déboiser lorsqu'il avait péri, abandonnant là ses femmes. Il était mort, comme Sarita Coyoy l'apprit peu après à Juan Aparicio, d'un coup de pied de mule au ventre. Du moins avait-il eu le temps de construire à sa famille une hutte en bois, recouverte d'une toile cirée résistante. Les trois femmes fumaient presque constamment ces cigares roulés à la main qui leur noircissaient les dents. Elles faisaient pousser leur maïs, leurs courges et leurs piments, mais étaient indéniablement dépendantes de la frugale générosité à double sens de leurs voisins indiens. Elles portaient les tissus et vêtements rustiquement tissés des Indiens des forêts montagneuses, et aussi les restes déguenillés des habits de la civilisation. Timothy Moran avait laissé après lui, entre autres objets personnels, un sac à dos plein de bouteilles de whisky irlandais ; le sac de bouteilles, enfoui dans la terre, fut déterré par Lucy Turner le jour de leur délivrance. Il y avait aussi un cahier à couverture de cuir de deux cents pages dans lequel, étrangement – bien que ce ne soit pas le seul mystère de cette histoire que je ne sois pas arrivé à résoudre –, il n'avait écrit que les noms de quatre genres d'orchidées en latin fautif, laissant les pages suivantes parfaitement vierges. Dans sa cantine il y avait encore une petite collection de magazines maintenant quasiment pourris, surtout des numéros de *Harper's Weekly* et de *Punch*, grâce auxquels Lucy Turner avait appris à lire l'anglais à la petite fille.

Sarita Coyoy déclara qu'elle venait du Yucatán où elle avait rencontré Timothy Moran qui y dirigeait une plantation de sisal. Elles étaient toutes chrétiennes, insista Sarita, bien qu'elles ne possédassent ni Bible ni livre de prières. Sa fille avait été baptisée, affirma Sarita Coyoy, juste après sa naissance et juste avant qu'ils ne fuient le Yucatán, chassés par la sanglante révolte des Indiens contre les étrangers et les Blancs, franchissant la frontière et s'établissant d'abord à Amatitlán. De nombreuses années passeraient avant que Juan Aparicio démêle finalement le faux du vrai dans les déclarations de Sarita Coyoy et Lucy Turner à propos de leur passé. Née le 5 août, fête de Marie des Neiges, l'extraordinaire petite fille parlait et lisait l'anglais et l'espagnol en plus de parler le mam, une langue indienne.

Juan Aparicio ramena le trio à Quezaltenango, où il élevait sa propre famille, dont une fille, Paquita, du même âge que la fillette qu'il avait sauvée. Lucy Turner devint bientôt la gouvernante de la maison, bien que la position de servante de Sarita Coyoy, vu le peu de travail demandé, fût encore plus privilégiée : on lui alloua deux pièces près des écuries, où elle habitait avec sa fille, qui était sinon traitée quasiment comme un membre de la famille par les Aparicio.

Paquita et María de las Nieves allaient ensemble à l'école des sœurs de Bethléem de Quezaltenango et, pendant les semaines et les mois qu'elles passaient à la plantation de café Aparicio, vagabondaient et jouaient aussi librement que si elles avaient grandi ensemble dans la nature. Paquita partageait librement ses vêtements – même ses robes à l'époque venaient de Paris – et toutes ses autres possessions avec María de las Nieves. L'éducation isolée de María de las Nieves avait fait d'elle une lectrice précoce, malgré le peu qu'elle avait eu à sa disposition. Les livres étaient nouveaux pour elle, mais elle fut immédiatement aussi à l'aise avec eux que si les livres en au moins deux langues avaient poussé sur les arbres des forêts de la montagne. On n'avait jamais besoin de lui demander deux fois de lire à haute voix, et souvent on n'avait même pas besoin de le lui demander du tout. Juan Aparicio se mit à chercher des livres pour María de las Nieves dans l'espoir qu'elle communiquerait à sa fille une partie de son enthousiasme et de ses habitudes de lectrice, ainsi que sa familiarité avec l'anglais, langue du progrès et de l'avenir. María de las Nieves et Paquita passaient effectivement des heures à lire ensemble. En conséquence de quoi, Juan Aparicio trouvait même parfois sa fille toute seule dans un coin de la maison avec un livre ; alors il savait qu'il était récompensé pour avoir recueilli les femmes abandonnées. Les après-midi pluvieux, en ville ou à la campagne, María de las Nieves et Paquita aimaient grimper dans le lit de l'une ou de l'autre et rester allongées sous l'une de ces couvertures grossières et velues confectionnées par les Indiens Momostenango avec de la laine de mouton des montagnes. Elles tiraient aussi minutieusement qu'inlassablement des touffes de laine qu'elles scrutaient avant de les jeter, jusqu'à ce que l'une d'elles trouve enfin un poil suffisamment long pour l'insérer dans sa narine tout en le faisant rouler entre le pouce et l'index, chatouillant la membrane jusqu'à ce que ses yeux s'emplissent de larmes et que tous les nerfs de son visage se mettent à se contracter délicieusement et se dissolvent en un gratouillement exquisément prolongé qui finissait par devenir intolérable et provoquer un éternuement explosif. Ce vice agréable, leur secret, une fois réveillé, devenait souvent insatiable. María de las Nieves et Paquita passaient de nombreux après-midi de la saison des pluies sous des couvertures indiennes rugueuses, à éternuer jusqu'à ce qu'elles aient la migraine et que leurs membres douloureux leur semblent vides. Combien de couvertures abandonnèrent-elles, l'air complètement mangées par les mites, dépouillées de laine, ne laissant voir que la trame nue?

C'est un livre de catéchisme, se dit María de las Nieves en silence et sans hésiter. C'est Lui qui l'a fait ainsi et a voulu qu'il soit ainsi, et *pas* un flacon de parfum. Elle reposa le livre dans le coffre et en sortit le volume des méditations – *Exercices spirituels de saint Ignace, adaptés à l'état et profession des épouses vierges du Christ* – qu'elle porta jusqu'à la faible lumière échappée de la niche où se trouvait la petite lampe du sanctuaire. La maîtresse des novices et Gloria de los Ángeles la rejoignirent, livres ouverts à la main, bien qu'aucune ne prononçât un mot. *Une fois vêtue, lisez vos méditations, et méditez dessus pendant un moment. Priez jusqu'à prime.* Le chant des oiseaux et le cri des coqs parvenaient par la fenêtre rectangulaire encore sombre ménagée dans la hauteur du mur, ainsi que les senteurs humides de la nuit qui commençaient à peine à s'élever de terre. Elle tira un peu sur son capuchon, l'ajustant sous son menton et, faisant aller et venir le bout de sa langue à travers l'espace entre ses deux incisives supérieures, trouva sa place dans le manuel. Les méditations assignées par la maîtresse des novices concernaient *La Règle de Chasteté, et ses deux pôles: N'aimez que votre Époux. N'aimez particulièrement aucune créature vivante... Premier Point: Consacrez à Dieu votre corps et vos sens, renonçant à tout plaisir charnel... Deuxième Point: L'éminence suprême de la Pureté Virginale. Les Vierges sont des Anges sur Terre, tout comme les Anges sont des Vierges au Ciel... Troisième Point: Méditez ce Point. La Virginité, parfaitement gardée, est un martyre prolongé. Premièrement, à cause des tentations dont l'assaille le Démon. Deuxièmement, à cause de la guerre menée en nous par notre corps, notre âme, notre imagination, et cetera. Qui vous défendra de pareils ennemis? Les armes des ennemis sont les mêmes traits et les mêmes charmes que ceux que Dieu vous a donnés pour Son plaisir. Si vous abdiquez, vous déclarez la guerre à Dieu, à la beauté, la santé, aux appâts et aux qualités qu'Il vous a donnés. Et s'Il les reprend, à l'aide d'une maladie grotesque et contagieuse, ainsi qu'Il l'a fait à tant, qu'adviendra-t-il alors de vous? Méditez-le bien...* Une pauvre *anciana* indienne, le nez dévoré par la lèpre des montagnes, voilà ce que María de las Nieves se rappelait maintenant, et méditait sans profit... Enfin la maîtresse des novices ferma son livre et, derrière elle, les deux novices quittèrent la cellule, traversèrent le cloître et pénétrèrent dans le chœur supérieur pour prime, tierce et la messe.

Paquita, cette nuit-là, comme presque toutes les nuits, avait quitté discrètement le dortoir pour venir se glisser dans le lit de Modesta Sabal, la servante. Depuis qu'elle était toute petite, Paquita se glissait dans leur lit pour dormir avec les servantes indiennes. Comment une fille, ainsi que le faisaient pourtant quelques-unes, pouvait préférer se glisser dans le cloître pour dormir dans un lit dur et étroit aux côtés d'une vieille religieuse osseuse ou flasque qui puait la cire, l'encens, la mauvaise haleine et les cheveux sales, ou même avec une des sœurs plus jeunes? L'aube approchante n'avait pas encore fendu la pénombre quand Paquita, endormie dans la chambre où les volets fermés retenaient une épaisse obscurité, fut réveillée par la porte qui s'ouvrait et l'air qui pénétrait, frappant sa peau brûlante telle l'écume glacée de l'océan alors qu'elle était allongée, le menton niché entre la dure épaule et le cou moelleux au goût piquant de l'Indienne endormie. Les narines de Modesta étaient bouchées par un rhume de saison des pluies perpétuel, et la salive qui coulait de sa bouche grande ouverte avait à ce point mouillé la joue de Paquita que quand elle leva la tête pour jeter un regard aveugle en direction de la porte, l'air lui brûla ce côté du visage.

« Niñas, aujourd'hui ramenez-en trois, dit la voix qui parlait dans l'obscurité. Trois Inditos, hein? » Après un instant la voix répéta: « Trois Inditos », et ajouta: « Vous m'entendez, espèces de mules paresseuses? »

Paquita se raidit de confusion et de terreur. La petite voix aux accents fragiles était celle de Madre Melchora. Elle savait qu'elle allait être découverte dans le lit de la servante, et horriblement punie. Mais il semblait incroyable que la prieure ait quitté le cloître à pareille heure, par la seule porte qui menât à l'école, juste pour venir jusqu'à la chambre de la servante afin d'y délivrer ce message.

Généralement Paquita et les autres pensionnaires ne voyaient Madre Melchora que durant les retraites ou ses visites à l'école le premier vendredi après-midi de chaque mois. Ces jours-là elle aimait faire courir les filles autour du jardin jusqu'à ce qu'elles soient hors d'haleine, leur frappant les jambes et les fesses avec un bâton tandis qu'elles passaient devant elle. Ensuite, elle s'asseyait sous le pêcher du jardin, improvisant cantiques de Noël et autres hymnes religieuses, et invitant les filles groupées autour d'elle à improviser les leurs. Au cours de ces visites du vendredi, les petits yeux bruns sans éclat de Madre Melchora, qui avaient la jolie forme d'une gousse d'ail, s'éclairaient souvent, une légère rougeur filtrait jusqu'à ses joues ravinées par l'âge et l'austérité, et ses lèvres rudes, au dessin pourtant délicat, esquissaient un sourire de douceur pénétrante et Paquita se rappelait que Madre Melchora était en vérité l'aristocratique adolescente représentée sur la toile accrochée dans le parloir, couronnée de fleurs le jour de sa profession de foi, plus d'un demi-siècle auparavant, quand la République elle-même baignait encore dans l'enfance. À cette époque, la profession de foi d'une jeune religieuse, en particulier si, appartenant à l'une des familles les plus riches et influentes, elle avait bien plus à abandonner pour Dieu qu'une fille ordinaire, était l'occasion de réjouissances dans toute la ville, de feux d'artifice et de bals élégants.

Paquita fixa l'obscurité, n'osant pas même battre des paupières, écoutant les coups de son cœur et le bruit de succion de cocotte de la respiration de Modesta comme si c'était le sien. Mais peut-être est-ce un rêve, se dit-elle. Je rêve les yeux ouverts. Même si c'est un rêve... Les rêves mentent, avait-elle appris en classe de théologie, toutefois certains disent la vérité. La mère de saint Augustin, sainte Monique, avait le don de pouvoir dire quand un rêve devait être ignoré et quand c'était un message de Dieu. Si c'était la prieure qui lui apparaissait dans un rêve mystique, alors Paquita savait pourquoi. Oui, il n'était pas difficile d'imaginer ce qui pouvait l'inquiéter. Bien sûr que j'aiderai à vous protéger, Madre Melchora, promit-elle silencieusement, serrant fort sa chemise de ses deux poings. Je ferai tout ce que je pourrai... Elle ferma les yeux, qui lui faisaient presque aussi mal que s'ils avaient subi la pression de larmes en train de sourdre : je vais épouser El Anticristo. J'ai dit oui il y a une semaine. Même ma mère ne le sait pas.

« Sí, Madre Reverenda. Trois », dit Josefa Socorro, l'autre servante, allongée dans le lit voisin. C'était donc vraiment la prieure qui était là.

« Les plus répugnants que tu puisses trouver, hija mía, dit Madre Melchora.

– Bien sûr, mi madrecita. »

La prieure dit à voix basse: «Béni soit le Sacré Cœur de Notre Très Sainte Mère qui est aux Cieux.»

Et la servante répondit: «Béni soit le Sacré Cœur de Notre Señor.»

Paquita entendit le bruissement de l'habit de la prieure qui se tournait sur le seuil, la porte se fermant doucement, et le léger cliquetis du pêne, soulevé et relâché avec précaution. Elle souffla, mais son répit fut de courte durée. Le jour, le secret de ses fiançailles avec El Anticristo était souvent comme un conte de fées dangereux qui se racontait lui-même en silence et semblait couler dans son sang, à présent il lui donnait l'impression d'avoir creusé en elle une caverne sans fond.

À peine une semaine auparavant, Paquita murmurait un oui hésitant dans le confessionnal au dernier des émissaires de son futur époux, Padre Josefat Trevi, qui lui garantit un somptueux mariage dans la cathédrale de Los Altos, en dépit des relations tendues que Rufino le Juste entretenait avec l'Église. Le jeune prêtre diocésain autochtone, tout rose et entièrement imberbe, venait deux fois par semaine à l'école rien que pour confesser les pensionnaires. «Parce que d'ici là, Francisca, avait murmuré Padre Josefat, votre futur époux aura sans aucun doute accédé à la présidence.» C'était une question de jours, de semaines, de quelques mois tout au plus. Chacun savait que les radicaux de la junte patriotique étaient las de la lenteur des réformes, du goût des compromis du premier président libéral, de ses amitiés parmi l'ancienne élite conservatrice. En février, El Anticristo avait brièvement assumé le rôle de président par intérim tandis que Chafandín García Granados était parti réprimer une nouvelle rébellion jésuito-conservatrice à la tête de ses troupes dans la partie est du pays: ce n'est qu'alors – par le décret irrévocable du président par intérim – que les ordres monastiques masculins restants et l'archevêque avaient été expulsés.

«Il va avoir besoin de vous, Francisca, et nous allons avoir besoin de vous nous aussi, afin qu'il n'aille pas trop loin, afin que vous puissiez intercéder en notre faveur quand il essaiera.» Padre Josefat avait poursuivi: «Vous allez être la reine de l'Amérique centrale, Francisca!» L'humble prêtre diocésain ressemblait à une balle de caoutchouc rose avec des yeux ronds et rosâtres peints dessus. Padre Josefat n'avait même pas de sourcils. Les prêtres qui étaient alliés avec El Anticristo étaient-ils apostats? Ou apôtres d'un royaume de Dieu plus juste ici sur terre? Qui y avait-il ici à qui elle puisse se confier? Pas une âme!

Ses trois années à Nuestra Señora de Belén avaient ainsi accompli la mission que se fixait l'école: l'avaient remplie de terreur et d'amour de Dieu, et préparée à être une mère et épouse chrétienne modeste, dévouée et vertueuse – pour El Anticristo. Elle avait pourtant juré à la Sainte Vierge de s'abstenir de relations charnelles avant que María de las Nieves, maintenant promise au saint mariage avec le Divin rédempteur et à la chaste éternité, ne l'ait d'abord fait. L'avenir était parfois comme un miroir dans lequel son imagination exultait, se délectait, ou même pleurait, mais à présent il était voilé de noir. Elle pria silencieusement: Vous m'avez faite aussi belle pour une raison. Melchora était jadis aussi belle que moi, et Vous l'avez faite belle pour Vous. J'ai donc été faite pour quelqu'un d'autre. Peut-être ne comprendrai-je jamais pourquoi.

Paquita n'oublierait jamais la visite de mauvais augure que lui avait rendue Madre Melchora avant l'aube. D'ailleurs, soixante-dix ans plus tard, dans la dernière lettre qu'elle devait écrire à María de las Nieves, son amie et parfois ennemie de quasi toute une vie, elle confiera: *Quelque chose dans mon cœur s'est glacé à tout jamais cette nuit-là, mi hermanita.* La culpabilité et la terreur, comme des éclats de glace s'étaient logées dans son cœur, que sa longue vie d'amours et de douleurs ne ferait jamais fondre.

«Mais pour qui peut bien être le troisième Indien? marmonna Josefa dans l'obscurité. Ce n'est sûrement pas une pénitence ordinaire.»

Modesta Sabal cracha bruyamment du mucus dans son sommeil. La visite extraordinaire ne l'avait pas réveillée.

« Réveille-la, patoja ! » Josefa alluma la lampe à son chevet, projetant une lumière qui emplit la petite pièce au plafond bas, tel un liquide frémissant d'or sale.

Paquita se mit sur son séant et secoua la jeune et jolie servante. Modesta se réveilla en étouffant et crachotant, et Paquita se pencha pour l'embrasser sur la joue. Les yeux noirs et brillant de Modesta semblaient toujours sourire au monde quelle que soit la façon dont on la réveillait ! Josefa et Paquita racontèrent à Modesta ce qui venait de se passer, puis les deux servantes spéculèrent à haute voix sur ce que cela pouvait signifier, et pour qui pouvait être le troisième Indio.

« Qu'est-ce que vous voulez dire, *pour* ? demanda Paquita. Qu'est-ce qu'elle en fait ?

– Le but de notre Madre est très sacré, Señorita Francisca, dit Josefa. Mais tu ne dois pas le connaître. »

La visite sans précédent de la prieure avait semblé d'encore plus mauvais augure aux deux servantes qu'à Paquita. Tous les jeudis, quand l'aube approchait – toujours après avoir envoyé Paquita au dortoir, avant que les pensionnaires ne se réveillent pour la messe matinale –, Josefa et Modesta allaient par les rues de la ville à la recherche d'Indiens misérables. Précédemment, depuis leur entrée au service du couvent, elles étaient toujours revenues avec un Indien, mais en février Sor Gertrudis avait été élue maîtresse des novices, et avait bientôt convaincu la prieure de lui permettre de se joindre à son rite hebdomadaire : à partir de ce moment on avait eu besoin de deux Indiens. Aujourd'hui la prieure avait fait tout le chemin dans le noir jusqu'à leur chambre pour leur dire d'en ramener trois. Bien qu'elles ne fussent que des servantes – *las mandaderas*, les seules autorisées à sortir du couvent pour faire des courses – elles savaient que des changements si brusques dans les habitudes n'étaient censés advenir qu'à l'extérieur, et qu'à l'intérieur du cloître, c'étaient l'éternité et l'ordre sereins du Ciel qui devaient être le modèle. Cela semblait donc encore un signe du danger qui guettait la religion, de sa fin toute proche. Mais c'était aussi un signe de plus de l'influence grandissante de la maîtresse des novices étrangère sur la prieure. Madre Melchora del Espíritu Santo avait été réélue prieure tous les trois ans depuis bientôt trois décennies sans avoir jamais auparavant fait preuve d'autant de favoritisme, son amour pour ses sœurs et filles en religion étant – ainsi que Padre Bruno le reconnaîtrait dans sa *vida* de Sor Gertrudis – *aussi également dispersé, impersonnel et insondable que la lumière divine et les gouttes de rosée de l'aube.*

« Grosera ! » s'écria Modesta, donnant une claque sur l'épaule de Paquita, car elle venait de provoquer un magnifique éternuement qui avait secoué le lit. Les servantes désapprouvaient totalement cette manière de se faire éternuer avec des poils de couverture. Paquita essuya ses yeux et son nez larmoyants avec sa manche, s'assit et lâcha :

« Le troisième Indio est pour María de las Nieves. » Dès que les mots eurent quitté sa bouche, elle sut qu'ils devaient être justes. « Sor San Jorge, devrais-je dire. » Elle avait voulu donner à ces derniers mots un ton de dérision, mais sa voix tremblante l'avait trahie. Rien ne mettait Paquita plus mal à l'aise que l'idée d'une María de las Nieves réellement sainte et favorisée de Dieu.

« Santa Cecilia y Santa Rosa de Lima ! s'exclama Josefa. Je ne pense pas ! » Et elle ajouta un grognement de dédain féminin qui réjouit le cœur de Paquita. Josefa avait les traits classiques d'une reine maya joufflue, des yeux pareils à d'énormes graines noires, les lobes d'oreilles pendants, une grosse lèvre inférieure lugubrement retroussée, un nez royal de fourmilier. Elle souriait rarement, mais quand elle souriait, comme alors, l'effet était incroyable, car il manquait à Josefa exactement une dent sur deux à chacune de ses mâchoires, et chacune de ses dents intactes était située soit au-dessus soit au-dessous d'un trou. Il semblait impossible qu'un tel arrangement pût être accidentel, et il l'était pourtant.

« Tu ne penses pas ? demanda Paquita. Pourquoi ne penses-tu pas, mi querida Josefa ?

— Parce que cette muchachita est un petit diable. Chacun sait ça.

— Apparemment Sor Gertrudis ne le sait pas.

— Pues síííí, niña. Mais Sor Gertrudis est très sage. Elle sera prieure.

— Mais Josefa, tu viens de dire — elle devait tâcher de cacher à quel point cette conversation la faisait enrager. Josefa, alors pourquoi penses-tu que Sor Gertrudis a une si haute opinion de Sor San Jorge ? Vendredi dernier, lors de sa visite à l'école avec Madre Melchora, elle nous a dit que depuis qu'elle est novice, María de las Nieves est devenue pareille à une petite fille retournée à un état d'innocence. Car telles sont sa simplicité, son humilité et son obéissance. Ce sont les mots de Sor Gertrudis. Que penses-tu de ça ? »

Tandis que toutes trois méditaient ces paroles, leur long silence fut brisé par le fracas brusque des cloches d'un autre couvent — celui des clarisses —, qui sonnaient maintenant leur propre angélus à quelques maisons de là.

« Alors ce doit être vrai », dit tout bas Modesta.

Modesta se mit à démêler les nœuds que le sommeil avait faits dans la chevelure de Paquita, qui tombait en paquets brillants jusqu'à sa taille menue. Paquita tira une poignée de ses tresses sur ses yeux, les pressant derrière sa main ouverte tandis que ses larmes les trempaient, sourdant et tombant en gouttelettes acidulées sur sa langue tendue, parfumées — salées, sucrées, amères et aigres ! — par le mélange de pétales de rose, de fleurs d'oranger et d'huile d'amande qu'elle faisait pénétrer dans ses cheveux tous les soirs avant de se coucher, et par le vinaigre dont elle se frottait le visage. Elle éloigna sa main juste assez longtemps pour dire :

«Parce que la Monjita Inglesa aime lui parler anglais, c'est comme ça qu'elles sont devenues amies. Ça n'est pas ça qui rapproche María de las Nieves de la sainteté, hein?»

Quand Paquita rejoignit ses camarades dans la chapelle pour la messe du matin célébrée par le chapelain du couvent, Padre Lactancio Rascón, elle portait sur la tête une mantille de dentelle noire, le cadeau le plus récent d'El Anticristo. Confectionnée à Paris par les héritières des méthodes secrètes des dentellières de Chantilly décapitées pendant la Révolution française pour avoir servi l'aristocratie, la coiffe était un dessin compliqué de voies ferrées et de trains entrant et sortant de tunnels. Jusqu'alors les bonnes sœurs ne l'avaient pas remarquée, et Paquita, bien qu'elle sût que le pape Pie IX avait promulgué des bulles condamnant le progrès, la modernité et le libéralisme, n'avait pas osé demander si les mantilles comptaient comme blasphème.

«La Rome de l'Amérique centrale» et «la ville préférée du pape Pie IX», tels avaient été les surnoms donnés par les conservateurs à leur pieuse capitale. Chacun savait que dans l'intimité de son oratoire personnel à Rome, le pape priait chaque jour devant un crucifix de l'ancienne capitale coloniale, Santiago de los Caballeros, taillé dans le bois d'un oranger par le sculpteur autochtone Juan Gamusa. Les visiteurs étrangers irrévérencieux remarquaient inévitablement que la citadelle du conservatisme ressemblait à un *couvent colossal*; ils s'étonnaient qu'une visite dans une ville du Nouveau Monde, établie au milieu d'une telle abondance de verdure, puisse laisser l'âme pénétrée de tant de tristesse. Pourtant c'était l'une des capitales les plus jeunes d'Amérique. À peine cent ans avaient passé depuis que l'ancienne, parmi les plus vieilles, avait été dévastée par un tremblement de terre pour la troisième fois en un siècle et que les survivants, par décret royal, avaient dû se rendre dans la vallée des Vaches, quasiment déserte, fonder et bâtir une nouvelle ville – non sans déraciner au passage plusieurs villages indiens afin de se procurer la main-d'œuvre, qui porterait les pierres et les gravats de l'ancienne ville sur quarante-cinq kilomètres pour servir à la fondation de la nouvelle. Mais la construction d'une ville à partir de rien, interrompue par l'indépendance et les convulsions constantes des guerres civiles tout du long de l'isthme, s'était révélée effroyablement lente, en dépit des ressources apparemment inépuisables de main-d'œuvre indienne. Un autre demi-siècle passa avant que les bâtiments les plus essentiels, publics et religieux, fussent plus ou moins achevés, dont la cathédrale, qui dut attendre vingt ans de plus avant de recevoir enfin ses cloches, une chaste façade néoclassique, et une horloge mécanique qui n'avait toujours pas d'aiguilles. Comme la ville pouvait paraître radieuse et bénie pourtant, lorsqu'on arrivait des montagnes et qu'on traversait les plaines par un jour dégagé, les dômes et les clochers de ses trente-huit églises, monastères et couvents resplendissant, rose et or, dans le soleil !

Contrairement aux bonnes sœurs de Nuestra Señora de Belén – même celles qui enseignaient à l'école étaient strictement cloîtrées – Josefa et Modesta faisaient de fréquentes sorties dans les rues et marchés de cette ville, que les libéraux commençaient maintenant à appeler « le Paris de l'Amérique centrale » et « la Pequeña Paris » ; dans ce que les ecclésiastiques appelaient simplement « *el siglo* » – littéralement le siècle, mais aussi le monde. Et le siècle semblait effectivement avoir été mis à l'envers et sens dessus dessous. Chaque jour Josefa et Modesta voyaient ou entendaient parler d'un nouveau scandale. Des clowns déguisés en prêtres sévissaient dans les nouvelles écoles d'État, remplissant leurs encensoirs d'eau de Floride au lieu d'eau bénite et distribuant des biscuits de massepain clair en forme d'hostie afin d'inculquer aux enfants l'irrespect des mystères de l'eucharistie. Les confessionnaux avaient été retirés des monastères vidés pour être installés dans les jardins des libéraux élégants, où, couverts de vigne florissante, ils servaient de cabines aux galanteries et badinages. La nouvelle académie militaire était établie dans l'ancien monastère des récollets; le nouveau bureau du télégraphe dans l'ancienne église des franciscains; le Bureau des liqueurs et tabacs dans le vaste cloître des dominicains. Une nouvelle loi fut votée interdisant aux prêtres de léguer quelque propriété ou bien d'Église à leurs enfants illégitimes.

Josefa et Modesta voulaient croire que ce qu'elles entendaient souvent dire était vrai : comme la plupart des libéraux avaient des femmes, des mères, des grand-mères et des sœurs autrefois élevées par des bonnes sœurs, ils n'oseraient jamais fermer les couvents. Les sœurs de Nuestra Señora, bien sûr, avaient toujours leurs propres sources pour garder le contact avec «le siècle»: élèves, parents, visiteurs, protectrices, dont la femme du président, Doña Cristina. Elles résistaient aux sacrilèges et aux menaces quotidiens, elles rassuraient sans cesse leurs partisans, par le moyen le plus efficace qu'elles connaissaient: la prière. L'espagnol de la Monjita Inglesa était maladroit et presque dénué d'articles. «*Prières plus fortes qu'hommes*», la voix tonnante de Sor Gertrudis avait-elle rappelé aux élèves durant la visite de la prieure le vendredi précédent. Cette conviction même était la source de sa renommée.

Quand on avait craint que le prédécesseur d'El Anticristo, Serapio Cruz, accompagné de sa horde de libéraux, ne fût sur le point de conquérir la ville, quatre ans auparavant, quelques semaines après le sac sanglant et la destruction par le feu de la capitale départementale de Huehuetenango, Sor Gertrudis avait placé un petit fusil dans le berceau de l'Enfant Jésus qui se trouvait dans l'étroit oratoire à la porte de la sacristie, et l'avait supplié de défendre la ville mieux que les hommes n'en étaient capables. Pendant trois jours et deux nuits, la sœur étrangère aux taches de son avait jeûné et prié devant la crèche, jusqu'à ce qu'on apprenne que la tête de Serapio Cruz, frite dans l'huile, entourée de mousse et de feuilles de chêne, portée dans un sac sur le dos d'un étudiant libéral captif, faisait route en direction de la ville avec les troupes conservatrices victorieuses. La sombre cité avait réagi à cette nouvelle par la plus grande manifestation de joie depuis des années, lors de la proclamation par Pie IX du dogme de l'Immaculée Conception.

L'archevêque fut le premier à appeler Sor Gertrudis « la Monjita Inglesa », à la grand-messe de la cathédrale le dimanche suivant, affirmant que son exploit était égal en sainteté à celui de la bonne sœur dont les prières avaient, selon le cardinal de Richelieu, permis la victoire française sur les Anglais dans le golfe de Gascogne. Bientôt la Monjita Inglesa était connue de tout le pays et, créditée d'un miracle, faisait même l'objet de prières – tous les jours les gens glissaient des rosaires, des médailles, des scapulaires, des mantilles et autres articles dans le guichet du couvent avec des messages et des noms demandant à la « nonne anglaise » de les bénir et de les leur rendre.

Mais la défaite de Serapio Cruz fut la dernière victoire militaire de Sor Gertrudis. Le pays était maintenant aux mains des libéraux. Après leur triomphe deux années plus tard, la tête exhumée de celui qui avait été Serapio Cruz eut droit à l'honneur posthume le plus solennel que puisse accorder l'Église : l'inhumation dans la crypte de la cathédrale aux côtés du dictateur conservateur qui avait gouverné le pays pendant trente ans. Ses partisans indiens avaient commencé à le qualifier de « fils de Dieu » quand l'ancien porcher était encore adolescent, il les menait alors à la guerre muni du mandat personnel de la Reine du Ciel leur ordonnant de chasser tous les étrangers et les hérétiques.

Ramenez les Inditos les plus répugnants que vous puissiez trouver, avait ordonné Madre Melchora. Mais pour Josefa et Modesta cela signifiait qu'il suffisait qu'ils soient aussi misérables d'apparence que ceux amenés à la prieure et à la maîtresse des novices la semaine précédente, la semaine précédant celle-là, et ainsi de suite, et aussi sobres, même si ce n'était que relatif. Suffisamment sobres pour promettre de se conduire avec le respect et la crainte qui convenaient en présence de la prieure, la maîtresse des novices, et qui que soit la personne à qui le troisième Indien était destiné – c'est-à-dire, pas d'éruptions de jurons violents, obscènes ni sataniques, ni autre conduite outrageuse. Bien que tout cela se fût quand même produit, parce que lorsqu'on met des Indios, ou n'importe quels hommes en fait, prêtres compris, en présence de bonnes sœurs, on ne peut être trop vigilant, quelque polis et dociles qu'ils aient paru d'abord.

Les deux mandaderas sortirent par la porte adjacente au guichet et la sœur portière la referma derrière elles; Josefa avec un panier d'œufs durs et de petits pains en équilibre sur la tête, Modesta avec une jarre en terre pleine d'atole chaud et sucré, d'où une louche et des gourdes se balançaient. L'aube était si pleine de brouillard qu'on aurait dit la nuit car elles ne voyaient pas plus devant qu'autour d'elles. Josefa et Modesta tournèrent à l'angle pour longer le long mur aveugle au sud du couvent. Un réverbère alimenté au suif continuait à brûler devant elles comme une orange mûre flottant dans les brumes gris perle. Les rues de la ville avaient été disposées, à la manière des colons espagnols, en pente légère d'est en ouest de la Calle Real centrale, de sorte que la pluie et les eaux usées descendent des quartiers les plus élégants progressivement jusqu'aux plus pauvres. Toutefois nombre de vieilles canalisations en terre et de caniveaux centraux étaient bouchés ou s'étaient affaissés si bien que durant la saison des pluies certaines des intersections les plus importantes, creusées par la circulation, se muaient en marais pestilentiels et infranchissables.

Un des ponts amovibles enjambait l'avenue vers laquelle elles se dirigeaient, et Josefa et Modesta entendaient le grondement des roues des charrettes, le claquement des sabots, le battement sourd de tant de pieds nus ou chaussés de sandales foulant les planches en bois trempées; de même, des bruits d'animaux domestiques et sauvages de ce qui aurait pu être une arche de Noé enveloppée de brumes, se mêlaient aux cris des bébés. Sur l'avenue et le pont un flot d'Indiens se déversait, en route pour le marché derrière la cathédrale, des Indiens des villages proches de la ville et de bien plus loin, apportant à la capitale sa nourriture et ses bras.

Autrement, les seuls signes que la ville avait commencé à s'éveiller étaient l'odeur de la fumée qui s'élevait de la résine brûlée et des feux de cuisine dans l'air humide sucré par les fleurs nocturnes ainsi que des bandes de lumière à travers les volets fendus. Quand le soleil se lèverait le brouillard se dissiperait aussi, et la ville, comme chaque jour depuis maintenant deux semaines de pluie, se sentirait perdue sous les cieux gris qui gommaient l'habituel horizon de montagnes et de volcans, créant chez ses habitants l'illusion d'être seuls au lugubre sommet du monde, plutôt que sur le plateau d'une vallée exubérante.

Devant la taverne El Moro y el Oro récemment ouverte, des hommes gisaient là, affalés ; comme elles passaient devant eux à pas pressés, Josefa et Modesta purent voir – *chis !* – des visages complètement noirs de fourmis. Un ivrogne avait roulé dans le fossé d'écoulement qui passait au milieu de la rue boueuse. *La puanteur de la merde est pareille au plus doux parfum céleste pour qui est immergé dans la dévotion à Dieu.* Sí pues, Madrecita, mais pas pour celles qui vont devoir mettre El Hombre Caca sur ses pieds afin de vous l'amener. Tavernes, cantinas, salles de billard et de jeu, et autres établissements de vente d'alcool au verre ouvraient chaque semaine maintenant, sans oublier les bordels, qui jusque-là avaient été confinés à quelques ruelles aisément évitables, à proximité des casernes.

Josefa et Modesta tournèrent à gauche dans l'avenue mal pavée et, longeant le mur est du couvent, se mêlèrent à la foule en route vers le marché. La plupart des Indiens portaient leurs marchandises sur leur dos, maintenues en place par une sangle qui ceignait leur front. Les femmes tenaient également des paquets, des paniers et des cruches en équilibre sur leur tête, et leurs filles suivaient docilement, ressemblant moins à des enfants qu'à des femmes miniatures, vêtues de la même façon que leurs mères, de longues jupes tissées et de *huipiles* brodés, portant des colliers et des boucles d'oreilles faits de haricots rouges et de pièces de monnaie trouées, maintenant sans valeur, à l'effigie de l'ancien dictateur conservateur. Les servantes posèrent panier et cruche sur le trottoir de la Plazuela Habana et entreprirent de scruter la multitude des passants à la recherche de candidats appropriés.

Paquita avait deviné juste : le troisième Indien de la matinée devait être pour María de las Nieves. Sor Gertrudis savait que les premiers mois de noviciat de sa dernière novice l'avaient laissée démoralisée et pleine de doutes. Elle avait prévenu María de las Nieves que ses sentiments d'indignité étaient non seulement à prévoir mais qu'ils étaient même louables, tant qu'ils présageaient de la véritable mort de la personnalité et du soi. Plutôt qu'à un manque total de vocation, la maîtresse des novices attribuait les soucis spirituels de sa jeune charge à son immaturité, son habituelle indolence native, son obstination et son orgueil. Une fille doit grandir avant d'apprendre à mourir. Après avoir beaucoup prié, médité et parlé avec la prieure et le confesseur des bonnes sœurs, Padre Lactancio, elle avait décidé de faire prendre à María de las Nieves la voie rigoureuse de la pénitence et de la mortification – voie que Sor Gertrudis, des années auparavant, lorsqu'elle était jeune novice au Carmel de La Havane, à Cuba, avait elle-même empruntée – qui provoquerait des réactions et des émotions authentiques dans un sens ou dans l'autre, impossibles à feindre, même si elles étaient également difficiles à gérer. L'exercice de ce matin dans le chœur inférieur avec les Indiens du jeudi de Madre Melchora devait marquer le début du dur régime imposé à María de las Nieves.

Les servantes ne mirent pas longtemps à trouver leurs trois Indiens volontaires : le corpulent Antonio Kaal, un goitre de la taille d'une perdrix sous le menton, venu en ville à la recherche d'un fils qui s'était engagé dans l'armée deux années auparavant et n'avait pas donné de ses nouvelles depuis, et Domingo Toc, qui portait sa gueule de bois comme un costume puant fait de coquilles d'œufs brisées. Le troisième Indien était Juan Diego Paclom, et son nom le destinait à laisser au moins une trace de son existence dans les annales de l'Histoire. Seulement cinq ans plus tard il mourrait dans les montagnes de Momostenango en chef rebelle opposé aux libéraux dans la révolte malheureuse des Indiens, connue sous le nom de guerre des Cavernes. D'ici là Juan Diego Paclom serait un *chuchkajawib* confirmé, un « père-mère » chaman, un de ces hommes doués de la capacité particulièrement dangereuse, bien qu'utile en temps de guerre, d'invoquer les ancêtres des montagnes sacrées lors de séances dans des cavernes noires comme de l'encre, afin d'envoyer la mort à leurs ennemis. Mais ce matin-là, quand Modesta et Josefa le cueillirent dans la rue, c'était encore un jeune aspirant, accomplissant le pèlerinage auquel un rêve l'avait appelé, pour pouvoir commencer son apprentissage : la quête de la femme qui serait son épouse spirituelle et à qui il devait offrir un agneau. Une épouse spirituelle était plus importante qu'une vraie épouse car sans elle il ne pouvait pas entreprendre sa préparation, ni dans le monde des dures réalités ni dans celui de l'esprit. Et de fait, tous les signes calamiteux indiquant que Juan Diego Paclom devait être *chuchkajawib* étaient présents. Le tonnerre parlait dans son sang (éclairs et torsions de fourchettes). Mundo, la Terre mère-père, tentait sans cesse de le presser contre sa poitrine, de sorte qu'il ne cessait de trébucher et de tomber ; plus tôt, au cours de son long voyage vers la capitale, il s'était cassé le pied.

Quand la servante Modesta vit le jeune Indien passer en boitant, les cheveux lui tombant aux épaules de part et d'autre de son visage maigre et solennel, tenant un agneau malingre au bout d'une corde réparée par des nœuds, un pied nu et sale et l'autre enveloppé dans des chiffons raidis par la boue séchée, elle l'appela immédiatement : «Tu veux des œufs et du pain? Un coup d'atole?» Mélangeant le cakchiquel, sa propre langue maternelle, et l'espagnol, elle expliqua, ainsi qu'elle procédait avec les autres candidats, que Madre Melchora, une femme très sainte, l'invitait chez elle. La Madre avait une réserve d'indulgences fournies par le Santísimo Padre Pie IX, et elle lui en donnerait assez pour raccourcir de trente jours son séjour au purgatoire. Comprenait-il? Savait-il ce qu'était le purgatoire? Josefa s'exclama : «Trente jours d'attente et de torture!»

Jusqu'à ce que la portière, Sor Inés de la Cruz, les fasse entrer dans le vestibule de réception vaguement éclairé du couvent, Juan Diego Paclom n'avait jamais vu de religieuse. Le capuchon noir sans tête de la portière, qui lui évoquait un bourreau, le terrifia, mais il en sortit une voix pleine d'entrain qui lui déclara en chantonnant : «Cálmate, Don Señor, nos visiteurs ressortent toujours vivants.» Tenant sa plume d'oie entre trois doigts, la portière consigna le nom des trois visiteurs dans son livre avec de délicates fioritures, faisant preuve d'un talent artistique qui résultait d'innombrables heures d'exercices de calligraphie exécutés dans le noir. (Les noms figurent bien dans les archives archiépiscopales, à l'intérieur d'un des volumes reliés dans lesquels la portière de Nuestra Señora de Belén inscrivait les noms de chaque visiteur, y compris chacun des Indiens du jeudi de Madre Melchora del Espíritu Santo de 1847 à 1874.) La portière dit à Juan Paclom qu'il devait laisser son agneau à l'entrée parce que les animaux n'avaient pas le droit de pénétrer à l'intérieur et avertit sévèrement les trois Indiens qu'aussi longtemps qu'ils seraient dans le cloître ils devaient garder les yeux fixés au sol, faute de quoi Dieu serait mécontent et annulerait leurs indulgences.

Les trois volontaires guidés par les deux servantes traversèrent le cloître éclairé d'une lumière lugubre, puis des couloirs pareils à des tunnels jusqu'au chœur inférieur. Là, sur le sol, se trouvaient trois écuelles en terre cuite, qu'on aurait dit destinées à des animaux.

Levant furtivement les yeux, Juan Diego Paclom vit un autel fine-
ment sculpté et doré abritant une Notre-Dame somptueusement
vêtue, aux niches pleines d'objets de métal et de pierres précieux,
ainsi que de nombreux santos barbus plus petits qu'il reconnut
comme les véritables propriétaires de cette maison de saintes
femmes : c'est à l'intérieur de telles images qu'habitaient souvent les
esprits les plus puissants. La jolie servante potelée attira son regard,
prit un air fâché, se toucha l'œil d'un doigt et le pointa vivement au
sol. Quand il entendit du bruit dans l'escalier en spirale aux parois
de bois laqué il leva de nouveau les yeux et vit la première monjita
apparaître, d'un pas lent et chancelant, comme si elle marchait sur
des rondins flottants. Son voile noir était relevé sur son capuchon
blanc : elle avait un vieux visage parcheminé et fiévreux, de petits
yeux bruns. Elle était suivie par une autre religieuse, il aperçut son
grand pied chaussé d'un bas et d'une sandale qui dépassait sous
son ourlet quand elle descendit la dernière marche – ¡ Indio ! ¡ Bajo
ojos ! tonna sa voix à l'accent étranger, et il baissa les yeux de nouveau puis les leva juste à temps pour voir l'ourlet de l'habit d'une
troisième monjita se poser sur le sol, si long qu'il cachait complètement ses pieds. Et alors l'Indien au goitre fut invité à s'avancer
jusqu'à l'une des écuelles par la jolie servante et la servante aux
dents cassées aida la vieille Madre à se mettre à quatre pattes sur le
sol. Rien de ce qui se passa ensuite ne ressemblait au rêve que Juan
Diego Paclom avait fidèlement suivi jusqu'à cet endroit – l'Indien,
effrayé, laissant échapper un : « Non ! » la jolie servante lui inti-
mant : « ¡ Ishto ! ¡ Por Dios ! Chhhut ! » et ensuite la vieille Madre
baisant et lavant les pieds de cet Indien, et les paroles étranges
qu'elle prononça – mais il savait que souvent c'était l'essence insaisissable du rêve qu'il fallait déchiffrer et percer, plutôt que ses
détails trompeurs. La monja au grand pied qui lui avait crié dessus,
dont le visage massif était si pâle et parsemé de taches qu'on l'aurait
dit peint et les sourcils pareils à des langues de flammes peintur-
lurées, suivit puis elle accomplit le pénible rituel avec le deuxième

Indien de la même manière que la première, mais plus énergiquement. Avant même d'être appelé, Juan Diego Paclom jeta un regard
vers les plis cassés de l'habit brun qui s'approchait de la troisième
écuelle. Et elle aussi se mit à quatre pattes et voilà que c'était un
voile blanc, pas un noir, qui lui cachait la vue de ses pieds : son pied
nu déchiqueté recouvert de plusieurs couches de terre, les ongles
craquelés et l'autre enveloppé dans un chiffon, puant d'infection,
l'élançant régulièrement. Comme elle était maigre, dans les plis
tombant de la laine brune! Ses manches trop grandes dégoulinaient
par terre, lui cachant les poignets, cependant ses mains émergeaient,
posées sur les talons, les jeunes doigts bruns aux ongles rongés
tendus comme s'ils s'apprêtaient à griffer. La tête voilée de blanc
s'abaissa lentement vers ses pieds, puis s'arrêta. Il sentit son voile
effleurer son pied nu tel un filet d'eau glacée. Était-ce son souffle sur
sa peau? Il était malade de honte et d'attente. Étaient-ce ses lèvres,
ce doux petit choc? Il entendit une plainte lointaine dans sa gorge :
«Je suis plus abjecte que la plus abjecte, articulait l'approximation
d'une voix enfantine, l'esclave des esclaves.» C'étaient les paroles
déjà dites par les deux autres monjitas, bien qu'à la fin elles fussent
à peine audibles. La deuxième religieuse parla de nouveau d'un
ton autoritaire : «Sor San Jorge…» mais tout le reste nageait dans
un baragouin aboyé incompréhensible.

Pendant un instant la petite sœur demeura parfaitement immobile au-dessus de ses pieds. Puis son corps se recula, bien qu'elle ne
levât pas assez la tête pour qu'il pût voir son visage ; les mains
tremblantes, elle se mit à défaire les chiffons durcis par la boue et
le sang autour de son pied blessé, d'abord de manière hésitante,
ensuite avec des gestes fermes. Il souleva le pied pour l'aider. L'air
froid enveloppa la peau enflammée du pied gonflé et un éclair
glacé remonta sa colonne vertébrale, envoyant des frissons de chaleur dans son bas-ventre tandis que lentement son sexe se mettait
à grossir. La deuxième religieuse reprit la parole – « *Besar heridas
como besar heridos de Jayzoocristo ¡Hermana!*» (Embrasser plaies

55

comme si embrasser plaies de…) Et alors la petite sœur commit l'inoubliable. Elle leva la tête juste assez pour qu'il voie les arcs délicats de ses sourcils sous la bande blanche, et une paire d'yeux couleur de mélasse, vernis de larmes, rencontra les siens avec une sincérité directe et désespérée d'enfant, qui l'envahit comme une caresse insondable, la liant à lui d'une complicité grisante. («Je sens toujours cette chose qu'elle a laissée en moi, cette petite pierre muette qui sait tout, déclarerait Juan Diego Paclom, cinq ans plus tard, à ses camarades de rébellion de la guerre des Cavernes. Je savais que c'était celle que je cherchais, mon Épouse spirituelle…») La niña monjita soutint son regard un instant paralysant de plus. Puis elle abaissa la tête, et les lèvres, jusqu'à son pied brûlant et puant, et exécuta ce que l'autre religieuse venait de lui ordonner de faire.

Les mains jointes sous le menton et la langue tirée comme un chat assoiffé, María de las Nieves suivait plusieurs pas derrière la maîtresse des novices tandis qu'elles retournaient à leur cellule. Elle se sentait comme lorsque, dans son enfance, sa mère essayait de la faire vomir en lui chatouillant l'arrière-gorge avec l'extrémité d'une plume de coq trempée dans de l'huile de ricin. Plus loin dans la faible lumière du couloir, une lampe rougeoyant dans une niche marquait l'entrée voilée de la chapelle mortuaire. Chaque fois qu'elle passait par ici elle succombait toujours à une brève surprise, qui l'étourdissait de l'intérieur, comme si les pierres du couloir se dérobaient sous ses pieds à la manière du temps filant inlassablement : *Dans soixante-dix, soixante, cinquante ans, ou bien plus tôt, moi aussi on me portera à la chapelle mortuaire…* Et où se trouverait Paquita Aparicio ? Saurait-elle jamais ce que María de las Nieves avait été obligée de faire ce matin aux pieds infects de cet Indio obscène ?

Les yeux fixés sur l'ourlet de l'habit de la maîtresse des novices, elle baissa les mains pour gratter fiévreusement, à travers les couches de laine grossière et de toile de jute, une démangeaison féroce de sa peau pleine d'urticaire tout en récitant silencieusement un acte de contrition pour se faire pardonner le plaisir de gratter. Elle fut surprise par le bêlement d'un agneau – les animaux, puisqu'ils possédaient des organes génitaux visibles, forniquaient ouvertement et invitaient souvent aux caresses, étaient interdits par la constitution du couvent à l'intérieur du cloître, bien qu'il y eût de petites ouvertures pratiquées dans les portes des celliers pour que les chats puissent venir chasser les rongeurs ; il n'était même pas rare qu'une religieuse soit réveillée au cœur de la nuit par le poids ronronnant d'un chat ou même par des chatons nichés au sommet de sa tête ; à la vérité les chats étaient partout... La maîtresse des novices ne sembla même pas avoir entendu le bêlement ; son attitude et son pas demeurèrent inchangés. Elles étaient entrées dans la galerie qui longeait le jardin carré du cloître des sœurs professes dont les quatre côtés étaient bordés de rangées d'arcades semi-circulaires. Bien que cela soit interdit par la règle définissant la manière dont une religieuse devait retourner à sa cellule depuis le chœur, María de las Nieves tourna la tête de côté, suffisamment pour voir au-delà du bord de son voile. Juste après les anthuriums plantés en forme de Sacré Cœur se dressait un petit bouquet de bananiers, abritant des ombres émeraude sombre qui évoquaient l'entrée secrète d'un monde souterrain...

« ¡Sor San Jorge! »

¡*Caramba!* Elle rentra la langue et détourna les yeux, et vit Sor Gertrudis debout sur son chemin telle une énorme statue drapée. Quelques pas de plus et elles se seraient heurtées. Elle récita à toute vitesse un acte de contrition horrifié pour avoir profané leur saint lieu de ce silencieux *caramba* d'enfant perdue dans le monde ou de muletier – pas mieux que d'utiliser une exclamation apparemment innocente telle que *camarón*! car Dieu saurait que vous aviez voulu dire caramba et non pas crevette – et, levant les yeux, bouche bée, sur le large visage plein de taches de rousseur de sa maîtresse, souffla :

« Oui, ma mère. Oh, je suis désolée, ma mère. »

Mais le regard placide de la maîtresse des novices, comme d'habitude, cachait ses sentiments aussi bien que sa coiffe et son voile cachaient ses cheveux d'un rouge flamboyant. Prise de folles démangeaisons, blême d'humiliation, María de las Nieves attendit ; et sentit un faible accès d'amour, un besoin presque irrésistible – et, bien sûr, interdit – de serrer dans ses bras sa Nana Madre Gertrudis, d'enfouir son visage dans son habit laineux et de se dissoudre dans le flot de larmes d'une petite fille troublée et épuisée.

« Vous étiez, Sor San Jorge, plongée à tel point dans la contemplation de l'exercice de ce matin que vous vous êtes oubliée ? » La voix de la maîtresse des novices était monotone et distante.

María de las Nieves réfléchit si longtemps, si vainement, à une réponse que ce fut finalement Sor Gertrudis qui rompit de nouveau le silence : « Vos pensées, ma sœur ?

– Eh ben, ma mère, je sais pas quoi dire. » Elle abaissa les mains, les agita devant sa poitrine et dit : « C'était… eh ben ! » Elle haussa les épaules en signe d'impuissance.

« C'est tout, ma sœur, *Eh ben* ? » Le *eh ben* de la maîtresse des novices tomba comme une lourde goutte de soupe froide. Le Bowery natal du père de María de las Nieves, source principale de son eh ben emphatiquement traînant, était un monde ignoré du Yonkers patricien de la jeunesse de Sor Gertrudis.

« Ouais, ma mère. » Une chose qu'elle pourrait dire lui vint à l'esprit et elle se mit presque sur la pointe des pieds tandis qu'elle se hâtait de prononcer les mots : « Je ne suis pas digne d'un tel don, ma mère Gertrudis ! Oh, si indigne ! » Oh, parfait !

« Eh bien, c'est au moins une pensée, ma sœur, répondit finalement la maîtresse des novices. Qui n'a rien à voir avec un simple *eh ben*. Qui n'est pas vraiment un mot, mais un jappement d'ignorance, mi vida. »

Les autres religieuses utilisaient toujours de tels termes affectueux, mais jamais la maîtresse des novices. María de las Nieves, ébahie, dut se forcer à cesser de sourire.

« C'est par les choses visibles que nous arrivons à la connaissance de l'invisible, Sor San Jorge, poursuivit la maîtresse des novices, prenant son ton pédagogique, les yeux aussi vides que ceux des anges de pierre. Notre Époux ne peut nous atteindre qu'à travers nos sens, et par l'intermédiaire de ce que nous savons percevoir et comprendre. C'est pourquoi nous avons besoin que nos sens et nos esprits meurent, afin qu'ils n'existent que pour Lui. »

Elles reprirent leur marche. María de las Nieves (Sor San Jorge) et l'autre novice, Sor Gloria de los Ángeles (Inmaculada Concepción Moreta Lucena), partageaient la cellule de la maîtresse des novices – seule celle de la prieure était plus grande – dans un coin éloigné du cloître des professes. Le cloître plus petit, séparé, plus joli, des novices, auquel on accédait par un petit passage donnant dans le patio derrière la cuisine du réfectoire, était vide à présent mais il était entretenu comme si les religieuses s'attendaient à l'emplir du jour au lendemain de jeunes vierges voilées de blanc. Chaque matin les lampes au kérosène et les chandelles du cloître désert étaient allumées et chaque soir avant le grand silence, elles étaient éteintes une par une par l'une des deux novices ; chaque jour les deux filles balayaient, passaient la serpillière, et la cire, et coupaient des fleurs du jardin pour sa petite chapelle ainsi que d'autres, destinées à être bénites par la prieure et livrées à la femme du président, Doña Cristina, chez elle ; tous les matins, sauf le dimanche et les fêtes solennelles, elles se rendaient au cloître derrière la maîtresse des novices pour leurs trois heures de cours, et y retournaient l'après-midi pour leur lecture spirituelle.

Pour Sor Gertrudis, ses deux seules novices, toutes deux formées par elle, étaient les premières véritables filles de l'austère « réforme » de la constitution du couvent qu'elle avait patiemment préparée pendant des années. Encore plus que la déléguée de la prieure qui menait les religieuses à la prière, une maîtresse des novices, particulièrement si elle était capable de former une génération entière ou deux de religieuses, était généralement considérée comme le successeur logique de la prieure. Mais aujourd'hui que Sor Gertrudis pouvait enfin entrevoir le jour où elle serait autorisée à accomplir sa réforme, le couvent, tous les couvents devaient faire face à la menace de la fermeture. C'était comme si ses ambitions et celles des libéraux avaient progressé pas à pas en tandem pendant des années vers un affrontement qui semblait si proche maintenant qu'elles vivaient dans son ombre impénétrable mais universelle.

Convertie dans la ville de Yonkers, New York, à la seule vraie religion lorsqu'elle avait neuf ans, Sor Gertrudis (à l'époque où elle s'appelait Anne Louise Rowley) avait seize ans quand elle prit conscience que ce qu'elle désirait le plus dans le zèle du converti était l'oubli total du monde qu'offrait la vie contemplative d'un couvent. Le vicaire de l'archevêché de New York, un prêtre cubain professeur de séminaire exilé pour ses idées antiesclavagistes, avait offert son aide à l'intelligente et tenace jeune convertie aux cheveux d'un rouge ecclésiastique. Sa cousine était prieure des carmélites de La Havane, et l'ordre avait une tradition d'accueil des converties ; leur grande fondatrice, sainte Thérèse d'Ávila, était elle-même d'une famille juive *converso*. Les carmélites déchaussées de La Havane étaient célèbres pour la rigueur et la sainteté avec lesquelles elles poursuivaient l'idéal ascétique de Thérèse au milieu de la plus pécheresse, sensuelle et païenne des villes, encore sous la domination du roi très-catholique d'Espagne. En dépit du climat torride et humide des Caraïbes, elles portaient de lourds habits d'une laine grossière. À l'âge de vingt-cinq ans Sor Gertrudis de la Sangre Divina – elle avait pris ce nom d'après le saint et mystique allemand célèbre pour sa dévotion au cœur battant, brûlant et saignant de Jésus – avait failli mourir de fièvre à trois reprises. La passion avec laquelle elle se flagellait afin de mieux aimer Dieu avait à ce point ébranlé sa constitution jadis robuste que son confesseur et sa prieure lui interdirent quelque mortification que ce soit, même non sanglante. À cette époque un murmure intérieur persistant poussait déjà la religieuse yankee à se faire transférer dans un couvent où elle pourrait donner plus de plaisir à son Seigneur. Pourquoi cette voix ne cessait-elle de répéter, comme des moustiques couvrant son âme de petites piqûres enflammées, les noms obscurs des minuscules républiques d'Amérique centrale?

La permission de partir fut accordée à Sor Gertrudis. Après avoir débarqué à Livingston sur la côte atlantique, elle voyagea, le visage et les mains cachés sous des épaisseurs de capes, couvertures, voile et gants, en compagnie d'un petit groupe, en bateau et à dos de mule, à travers jungles, sables mouvants et plaines brûlantes avant d'accéder finalement au haut plateau glacé de la citadelle conservatrice. Le couvent des carmélites qui s'y trouvait avait la réputation d'être le plus strict du monde; Sor Gertrudis n'eut jamais la moindre raison d'en douter. Elle passa les huit années qui suivirent plongée dans une lassitude spirituelle impénétrable – la crise spirituelle la plus grave qu'elle devait endurer au cours de sa longue vie de religion –, enracinée dans la conviction coupable et terrifiante qu'elle ressentait que ce couvent ne pouvait être rendu plus parfait et austère à moins de pétrifier chacune de ses religieuses. Un jour, la prieure des carmélites lui apprit que la prieure de Nuestra Señora de Belén avait décidé de prendre en charge l'éducation des jeunes filles riches et pauvres et que les enseignantes pourraient ainsi assumer leurs nouveaux devoirs sans relâcher leur vœu de réclusion. Lorsqu'elle entendit le nom de ce couvent, Sor Gertrudis comprit quel était son destin. Car le sort se révèle souvent aux amants spirituels comme il le fait aux temporels; un nom nous parle, et nous nous sentons obligés de celer ce nom dans notre cœur, où nous découvrons qu'un nid d'amour a été préparé et attend, et nous oublions qu'une seconde auparavant tout était terne et sans espoir.

Sor Gertrudis n'eut aucune peine à arranger son transfert dans un nouvel ordre et un nouveau couvent. Une fois de plus, et avec la ferme croyance que c'était pour la dernière fois, ses bagages faits et dûment emmitouflée, la future Monjita Inglesa quitta la réclusion pour s'engager à pied dans *el siglo* et sur le chemin qui devait la mener à Nuestra Señora de Belén. Bien que le trajet fût bref, d'après Padre Bruno, tout du long, Sor Gertrudis fut transpercée par le sentiment de la désolation du monde.

L'ancienne carmélite trouva beaucoup à s'occuper dans son nouveau couvent et fut bientôt rendue aux vigoureuses certitudes de sa foi. Madre Melchora la nomma maîtresse générale des pensionnaires, sa première tâche consistant à apprendre aux filles à préférer dormir dans les nouveaux dortoirs des bâtiments à peine achevés de l'école plutôt que dans les cellules des religieuses. Une nuit incandescente, alors qu'elle priait, Sor Gertrudis conçut une réforme de la constitution du couvent, qu'elle écrivit en latin. Au cours de la visite d'inspection de l'archevêque, elle lui offrit l'opuscule contenant les nouvelles lois et coutumes. Le prélat convint qu'il était certes divinement inspiré, mais, sans aucun doute, trop strict et austère pour ses sœurs. Il lui conseilla la prière et la patience et lui annonça qu'elle reconnaîtrait son moment quand il viendrait. Cela faisait onze ans que Sor Gertrudis attendait.

Depuis une semaine, María de las Nieves lisait la *vida* de Sor María de Agreda pendant les études dirigées de l'après-midi dans la bibliothèque du cloître des novices. Rien de ce qu'elle avait lu auparavant ne l'avait autant impressionnée ni stimulée, n'avait éveillé en elle tant de concentration et d'appétit. Profondément plongée dans la prière, Sor María de Agreda avait quitté son couvent en Espagne pour l'autre bout du monde, le lointain Nouveau-Mexique, où elle se mêla aux tribus païennes, convertissant les âmes, enseignant le catéchisme, insufflant aux Indiens le besoin de partir en quête de prêtres espagnols qui viennent les baptiser, parcourant à pied des centaines de kilomètres, pendant des jours et des semaines, souvent dans les territoires des Apaches, suppôts damnés et meurtriers de Satan. Sor María fut souvent blessée au cours de ces voyages de mission, et plus d'une fois elle reçut le saint martyre des mains de Notre-Seigneur. Cependant, puisqu'elle était en deux endroits à la fois, au Nouveau-Mexique sans quitter son couvent espagnol, elle ne transgressa jamais son vœu de réclusion perpétuelle.

Au début de ses voyages mystiques, se dit María de las Nieves, elle n'était qu'une novice adolescente, comme moi aujourd'hui. Il y avait presque trois siècles de cela. Mais je doute d'être élue abbesse, ou prieure, à l'âge de vingt-quatre ans, comme elle. Plus de deux mois avaient passé depuis que María de las Nieves avait pris part pour la première fois au rituel indien du jeudi de Madre Melchora – et elle l'avait fait un jeudi sur deux depuis, en alternance avec sa sœur novice, Sor Gloria de los Ángeles.

Évidemment Sor María de Agreda avait fait part à son confesseur de ses exploits missionnaires, et bientôt ils furent connus de toute l'Espagne. Padre Benavides, le directeur des missions franciscaines, fut dépêché par ses supérieurs pour trouver et enquêter sur les tribus censément visitées par la religieuse miraculeuse. Les Indiens lui parlèrent de la belle fille en robe bleue qui était descendue du ciel pour prêcher parmi eux. Padre Benavides dit qu'il avait même trouvé des rosaires que la religieuse espagnole avait distribués aux Indiens. Quand le frère franciscain revint d'Amérique, il se rendit directement à Agreda pour s'entretenir avec la jeune religieuse. Elle a un beau visage, écrivit Padre Benavides dans l'un de ses rapports à ses supérieurs, très blanc, bien que rosé, avec de grands yeux noirs. Son habit est exactement le même que le nôtre. Il est fait de grossière toile de jute grise, porté à même la peau, sans tunique, jupe, ou jupon. Sor María de Agreda put décrire en détail un grand nombre des endroits qu'ils avaient tous deux visités au Nouveau-Mexique. Mes chers pères, écrivait Padre

Benavides, je ne sais comment vous exprimer les impulsions et la grande force qui soufflèrent dans mon esprit lorsque cette Madre bénie m'apprit qu'elle avait été présente avec moi au baptême des Pizos et reconnut en moi le frère qu'elle avait vu là-bas.

Le récit des rencontres de Padre Benavides avec Sor María de Agreda et de ses visites aux Indiens du Nouveau-Mexique, traduit en de nombreuses langues, rencontra un large public et finit par attirer l'attention du pape et du roi. Un siècle plus tard dans le monastère des bethléémites de Santiago de los Caballeros, Fray Antonio Labarde écrivit et publia sa *Vida de Sor María de Agreda*, contenant de longues citations et descriptions de ce récit, aussi bien que des écrits de la religieuse elle-même; c'était le volume dans lequel María de las Nieves était aujourd'hui immergée. De tous les parallèles stimulants entre sa propre vie et celle de la religieuse espagnole douée d'ubiquité mystique, celui qui concernait son habit semblait des moins remarquables, mais María de las Nieves portait elle aussi la toile de jute rugueuse contre sa peau, une tunique en toile de jute sous la laine grossière de son habit. Que cela fût une mortification constante ne souffrait aucun doute, il suffisait de voir les rougeurs et les plaies, dont certaines étaient infectées, qui couvraient maintenant son torse. Le régime des mois passés n'avait pas seulement aggravé certaines de ces infections mais avait affaibli son corps tout en empoisonnant lentement son sang; le manque de sommeil torturant, la faim provoquée par les jeûnes réguliers l'avaient épuisée et anémiée. Elle était constamment parcourue de frissons glacés, même les rares jours où le soleil d'après-midi se montrait, où elle pouvait rester un moment au jardin ou dans le verger, mijotant sous le couvercle de son habit.

Le vieux volume desséché relié en vélin, aux pages tachées de moisissures et partiellement érodées, était ouvert sur la table de la bibliothèque coincé entre les coudes de María de las Nieves qui se tenait penchée au-dessus, cachée à l'intérieur de son voile, se pinçant le nez d'une main tandis que l'autre, disposée en visière, protégeait ses yeux. Elle avait tiré de son habit une longue fibre de laine parfaite, presque droite et, la faisant tourner entre le pouce et l'index, avait fait, d'un geste expert, pénétrer sa pointe délicate dans sa narine et tentait de s'arracher un éternuement, sans se distraire toutefois de sa lecture.

Trois fenêtres à barreaux percées haut dans le mur et donnant sur le jardin du cloître laissaient passer la lumière grise de l'après-midi. Sor Gertrudis était assise à un bout de la table, son front couvert de taches de rousseur plissé par la concentration, suivant de l'index les lettres latines d'un traité de théologie. Sor Gloria de los Ángeles, à qui avait été assignée la lecture du *Temporel et l'Éternel* de Padre Nierenberg, était assise presque en face, fixant, bouche ouverte, les pages du livre, ses paupières, semblant abandonner enfin la longue lutte pour surnager, coulant lentement et paisiblement sur la gelée rougeâtre de ses yeux privés de sommeil, sous le scintillement doré de son front, tandis que sa main caressait mécaniquement le chat qui ronronnait sur ses genoux.

Depuis l'enfance, écrivait Padre Benavides, Sor María de Agreda éprouvait une grande douleur pour ceux qui sont damnés, et particulièrement pour les païens, qui, en l'absence de lumière et de prédicateurs, ne connaissent pas Dieu, Notre-Seigneur... María de las Nieves éternua délicieusement dans sa main, et si bruyamment que le chat se réveilla et bondit des genoux de Sor Gloria de los Ángeles.

«Jesucristo, dit Sor Gertrudis, d'un ton neutre, sans lever les yeux de son livre.

– Jesucristo», répéta Sor Gloria un instant plus tard, d'une voix somnolente plus douce que celle d'une colombe.

María de las Nieves demeura penchée et raide, sa paume trempée plaquée sur le nez et les lèvres, refoulant ses larmes en battant des paupières, attendant de voir si la sensation persistante se transformerait soudain en un autre éternuement, ainsi qu'il arrive souvent. Elle laissa tomber sa main et entonna d'une voix rauque : « Béni soit Son Nom, dans les siècles des siècles. » Le chat, le poil gris ardoise, l'œil jaune, avait filé sur le sol et, avant de s'arrêter, regardait par-dessus son épaule d'un air courroucé, le dos arqué. Ces éternuements si explosifs semblaient presque toujours provoquer un douloureux écho dans la moelle même de ses os, et María de las Nieves resta les bras ballants jusqu'à ce qu'il passe. Elle essuya sa main sur sa manche, tourna une page du livre de Fray Labarde, et se mit à tirer furtivement sur son habit, le long de la face postérieure de sa cuisse gauche, chassant un autre brin de laine parfait, s'arrêtant pour gratter ses démangeaisons à travers le tissu. Mais un autre éternuement la secoua et elle enfouit son visage dans son épaule juste à temps et entendit le chat cracher et le bruit rapide de sa cavalcade en direction de la porte, qui était fermée.

« Dieu vous envoie un rhume, Sor San Jorge, ajouta Sor Gertrudis, après l'habituel échange obligé.

– Oui, ma mère, il en est peut-être ainsi. »

La maîtresse des novices dit : « Vous savez que Notre-Seigneur n'aime pas que nous soyons délicates, mais je vous prie de ne pas éternuer sur le livre. C'est l'un des rares ouvrages dans cette bibliothèque qui a été sauvé du pillage de notre premier couvent dans l'ancienne capitale. Celles qui nous ont précédées devaient beaucoup y tenir. »

Six semaines plus tôt, en juin, El Anticristo avait finalement accédé à la présidence de la République libérale, triomphant du président sortant à l'issue d'une élection constitutionnelle et libre de laquelle les candidats conservateurs avaient été exclus. La passation des pouvoirs fut paisible. Peu après, la femme de l'ex-président, ancienne élève et protectrice le plus dévouée de Nuestra Señora de Belén, rencontra Sor Gertrudis et la prieure dans le bureau de celle-ci, décoré de grands et sombres portraits à l'huile des prieures précédentes, ainsi que d'autres figures et scènes religieuses. Doña Cristina était venue transmettre le surprenant message du nouveau dirigeant, selon lequel il n'avait pas oublié l'excellente performance des pensionnaires durant les examens publics auxquels il avait assisté à l'école du couvent tant de mois auparavant. Madre Melchora et la fameuse Monjita Inglesa daigneraient-elles conseiller son gouvernement dans l'établissement de nouvelles écoles pour filles?

«Alors les couvents sont sauvés?» demanda Madre Melchora, réservant sa réponse. Doña Cristina répondit qu'elle pensait que l'anticléricalisme du nouveau président avait déjà été satisfait. À présent il allait avoir une nouvelle faim à nourrir: le pouvoir suprême. Il voudrait être aimé autant qu'il était déjà craint. Bien sûr il devait savoir que même la plupart des hommes qui avaient voté pour lui étaient, au moins secrètement, contre l'expulsion des religieuses... Une fois terminée l'analyse de l'ex-première dame, Sor Gertrudis la complimenta d'un ton bourru sur sa perspicacité et sa franchise en matière de politique. Doña Cristina, savourant une grande gorgée de chocolat prise à sa calebasse, eut un éclair malicieux dans l'œil tandis qu'elle considérait le visage sérieux de la Monjita Inglesa. Puis elle reposa la calebasse dans son support en argent en forme de singe, et remarqua: «Tout ce que mon mari a accompli en politique, il le doit à ce que j'ai appris dans ce couvent, particulièrement de Nana Melchora. Il n'a pas toujours gouverné comme j'aurais souhaité, mais il n'aurait jamais persécuté nos ordres religieux féminins. Toutefois, si notre nouveau président méprise vraiment les religieuses ainsi que le prétendent certains, tous les efforts conjugués du cardinal de Richelieu et de sainte Catherine de Sienne ne pourraient le dissuader de faire ce qu'il a décidé.»

Durant l'heure d'après-midi au parloir de la communauté, où il était permis de parler librement à condition de s'en tenir aux sujets spirituels et strictement communautaires, des événements tels que l'ascension et la chute des chefs politiques dans *el siglo* étaient rarement mentionnés. Les deux novices étaient tenues encore plus isolées du monde. Pourtant au cours d'une de leurs leçons, Sor Gertrudis, sans regarder aucune de ses deux élèves, leur révéla que durant leur conversation l'ex-première dame avait confié qu'elle pensait que le nouveau président laisserait les couvents en paix, car à partir de maintenant il s'occupait de s'enrichir et de trouver une épouse. Au mot *épouse* María de las Nieves oublia de respirer. Son cœur vacilla et plongea à pic dans son âme, soudain privée d'air. La maîtresse des novices avait-elle prononcé le mot d'épouse parce qu'elle savait quelque chose à propos de Paquita ? Elle attendit, tendue, que son professeur en dise plus. Le malheur qui l'envahissait maintenant n'était fait que de confusion coupable et non confessée, et du désir de tenir dans ses bras sa Paquita perdue. Son propre sacrifice imparfait était censé empêcher Paquita de violer le serment qu'elle avait fait de rester vierge ; si cela n'était pas vrai, alors il n'y avait pas de raison d'épouser Dieu. Tel était le pacte qu'elles avaient conclu.

Et voilà que tout ce temps avait passé sans qu'elle reçoive le moindre message ou même un signe de Paquita. C'était ainsi qu'on commençait à mourir, de la douleur d'être oubliée et mal aimée et de la conscience de l'avoir provoquée.

Donc, puisqu'il semblait que rien d'autre ne pourrait plus jamais avoir autant d'importance, elle lisait la vie de Sor María de Agreda, une voix consolatrice, comme un baume sur tout son malheur et sa honte couverts de cloques, et parfois plus encore. María de las Nieves ne vivait plus à présent que pour ces après-midi en bibliothèque. Dans ses méditations, ses prières intérieures, et tandis qu'elle demeurait éveillée la nuit, elle se perdait en aventures méthodiquement narrées et en dialogues inspirés par les mystérieux voyages de la religieuse espagnole. Ces vols imaginaires devenaient si réels que dans sa grande excitation elle se demandait parfois s'ils ne pourraient pas être l'antichambre d'une expérience véritable, ce que l'avant-chœur était au chœur ; l'avant-chœur, où on pouvait faire du chocolat afin que les religieuses prennent des forces avant et après leur passage épuisant dans le chœur supérieur, où celles qui avaient le véritable don de la prière volaient aussi près que possible du rayonnement de l'amour de leur Époux sans avoir à quitter leurs corps pour toujours. Chaque fois qu'elle le pouvait maintenant, María de las Nieves essayait de se perdre dans des rêves diurnes et nocturnes d'ubiquité mystique méticuleusement guidés. Elle rentrait à Los Altos voir sa mère et Lucy et manger de la glace au citron et au jacquier. Elle allait à New York voir le père de Paquita, et le lieu de naissance de son propre père et de Sor Gertrudis. Elle fit même s'envoler tout le couvent de Nuestra Señora de Belén, avec son école et son verger ceint de murs, comme un énorme ballon d'aéronaute, et le fit naviguer parmi les étoiles. Iraient-elles au paradis ? Peut-être un jour, si elles recevaient le martyre. Mais elles cherchaient le purgatoire, pour apporter de l'eau fraîche à toutes les âmes assoiffées qui attendaient là dans les flammes. Était-il juste que ces heures dans la bibliothèque passent si agréablement à lire, rêver et se chatouiller le nez ? María de las Nieves savait que si la maîtresse des novices remarquait le plaisir qu'elle prenait elle pourrait la chasser de la bibliothèque et lui en interdire l'accès à jamais.

C'est pourquoi elle feignit un bruyant bâillement. Discrètement, un peu contrite, tout en priant pour être pardonnée, elle branla faiblement du chef, la bouche ouverte, imitant l'état de torpeur de Sor Gloria de los Ángeles. Comme s'il poursuivait une logique secrète, le chat bondit sur ses genoux. Si elle se laissait éternuer, le chat, bousculé par le tremblement de terre, enfoncerait profondément ses griffes dans ses cuisses avant de s'enfuir. Pourtant, selon l'humeur de Sor Gertrudis, le fait de chasser le chat de ses genoux pourrait être considéré comme une affirmation trop libre de sa volonté.

Sor María de Agreda devint l'amie du roi Philippe IV d'Espagne.

Le monarque espagnol fut si charmé par les histoires de la jeune abbesse, par son intelligence mystique et érudite, son savoir et sa beauté, qu'il venait fréquemment au couvent pour converser avec elle à la grille du parloir. L'habit de Sor María de Agreda exhalait souvent le parfum des roses à l'aube. D'après Fray Labarde, le parfum des roses du jardin royal suffisait à emplir ce guerrier chrétien tourmenté par ses péchés d'une émotion telle qu'il lui fallait s'asseoir comme si la vie l'avait épuisé, les yeux au sol, hochant la tête et mimant des gestes d'explication de ses longues mains pâles. Ils échangèrent plus de six cents lettres dans les années qui suivirent, vieillissant lentement ensemble, car le temps passe aussi lentement dans les palais que dans les couvents. Le roi écrivait toujours sur le côté droit de la feuille de papier et Sor María répondait toujours sur le côté gauche – deux colonnes séparées comme posées épaule contre épaule sur chacune des lettres qui voyageaient entre eux.

Tout le monde trompait le roi, écrivait Sor María de Agreda dans l'une de ses lettres à la franchise exemplaire. Seigneur, cette monarchie touche à sa fin, et tous ceux qui ne cherchent pas à y remédier seront bientôt en enfer. Elle était la conseillère la plus écoutée du roi. Le roi savait qu'il était seul à blâmer pour tous les malheurs de l'Espagne. C'était un libertin, un débauché, un adultère invétéré. Dans chacun des événements douloureux qui touchaient son pays, des défaites militaires devant les infidèles Anglais jusqu'aux crimes dans les rues de Madrid, il voyait la colère de Dieu contre lui. Le roi écrivait à Sor María : C'est pour moi un grand réconfort au milieu de tous ces soucis de savoir qu'il y a quelqu'un qui tâche de les soulager par une méthode de prière si sûre et si certaine ; seulement je crains, Sor María, d'être celui qui gâche toutes les peines que vous prenez, parce que dans la mesure où vos efforts augmentent, mes péchés augmentent, de sorte que je ne suis pas digne du bien que vous cherchez pour moi. La religieuse répondit : Sire, personne ne peut être vraiment roi qui n'est pas maître de soi-même, et ne contrôle et maîtrise totalement ses désirs et ses passions. C'est en les écrasant et en refusant d'être gouverné par eux que le cœur d'un roi est mis dans la main du Seigneur. La main de Dieu est puissante et serre fort, raison pour laquelle Dieu a dit: *Celui que j'aime, je le châtie.*

Bien que Sor María de Agreda ait été déclarée vénérable par le pape Clément X, son procès en béatification fut interrompu, car trop d'évêques la jugeaient hérétique et folle, avait expliqué Sor Gertrudis en classe un matin, se lançant dans une tirade contre l'Espagne. Car en Espagne, dit-elle, de nos jours, ils étaient embarrassés par des religieuses telles que Sor María de Agreda. «Pourquoi? parce que, mes chères petites, je veux que vous sachiez que la hardiesse et le génie spirituel d'une religieuse telle que celle-ci ne font que provoquer l'insécurité, la gêne, et la petitesse spirituelle de cette race aujourd'hui terriblement réduite. Ces Espagnols se cachent derrière leur stupide et hautaine parodie de raison depuis des générations maintenant, ohhh, ce sont de petites sardines si bien élevées, honteux qu'ils sont de leurs gloires passées, de leurs *crimes* impériaux – d'avoir apporté la parole de Dieu (et elle s'éclaircit brutalement la gorge) aux païens et aux cannibales –, un passé qui dorénavant semble *trooop* intimement lié, disons, aux visions, lévitations, envols – aujourd'hui appelés hystérie, folie, hétérodoxie, subversion d'autorité ecclésiastique! – de nos sœurs les plus glorieuses. Eh bien, au moins ici dans les cloîtres des Amériques, nous résistons à ce révisionnisme antimystique d'un rationalisme décadent. Ohhhh ces petits *monsignors* espagnols, ils mettent notre obéissance et notre humilité à l'épreuve n'est-ce pas? Ils veulent que nous soyons petites. Je préférerais affronter nos *sans-culottes* libéraux n'importe quand. Eux veulent seulement nous guillotiner.»

À la fin de cette déconcertante sortie, la maîtresse des novices se tut, les yeux durs telles des coquilles d'escargot, enchâssées dans le ciment de son visage pâlissant. María de las Nieves, comme chaque fois que la maîtresse des novices parlait anglais, traduisit calmement et quelque peu négligemment la leçon à sa sœur novice. Sor Gloria de los Ángeles demeura silencieuse, un air douloureux de concentration sur le visage et les lèvres bougeant silencieusement comme si, par un effort mental, elle reconstituait les cadences inhabituellement dramatiques et galopantes et tâchait de les faire coïncider avec la version abrégée et neutre de María de las Nieves, allongeant et étirant celle-ci comme un caramel ; puis elle se tourna vers la maîtresse des novices et demanda d'une voix tremblante :

« Est-ce qu'ils veulent vraiment nous guillotiner, Nana ? ils veulent vraiment nous couper la tête comme ils ont fait aux carmélites en France ?

– C'est question impertinente, répondit la religieuse étrangère dans son espagnol maladroit, continuant à regarder droit devant elle comme si elle ne regardait rien du tout. Vous priez tous les jours pour que nous méritions le bonheur du martyre donné à nos sœurs françaises ! »

María de las Nieves, évidemment, sous la tutelle de la maîtresse des novices, en avait déjà appris beaucoup sur les religieuses et mystiques célèbres, leurs visions durement gagnées et leurs extases. (Sainte Thérèse d'Ávila, dans sa jeunesse, agrippant les barreaux en fer du chœur alors qu'elle s'élevait vers le plafond et criant à ses sœurs de la retenir.) Mais c'était Sor María de Agreda qui illuminait réellement ces jours très difficiles du noviciat, et aidait à la guider. María de las Nieves savait maintenant que de tels envols et visions ne s'acquièrent que par la discipline, la souffrance et l'oubli de soi les plus héroïques, et par les doubles pouvoirs de la raison et de la foi. Au cours des leçons et lectures spirituelles *quotidiennes*, de son lent apprentissage, malgré sa surprenante aptitude pour l'abstraction, de l'entraînement de son intelligence aux mystères et aux divins attributs de la sainte Trinité et aux exigences complexes de la prière intérieure, elle commençait à comprendre ce qu'il fallait vraiment pour devenir un jour l'une de ces grandes religieuses. Elle savait que l'étude devait être contrebalancée par l'obéissance brutale, et aussi par la contemplation quotidienne de la volonté comme unique voie vers la perfection spirituelle qui ouvre la porte du monde séraphique des visions où les religieuses peuvent enfin devenir *de vivantes métaphores du feu sacré et de l'union extatique.* Peut-être la maîtresse des novices réussissait-elle vraiment à faire de María de las Nieves une véritable *Jesuitona.* Elle ne conseillait pas un roi, mais se jugeait secrètement à la hauteur d'un tel rôle. Oh oui. Eh bien, au moins elle faisait tout ce qu'elle pouvait pour y arriver! Car si Paquita Aparicio et El Anticristo... *ahhh* (le voici)... pues, pas *sa* faute... *ahh...*

Un formidable éternuement. María de las Nieves dut se mordre les lèvres pour ne pas crier, tant était violente la douleur causée par l'arrachement de la peau avec laquelle le chat avait détalé.

«Dieu vous bénit, Sor San Jorge. Nous devons être reconnaissantes pour tout ce que Notre-Seigneur nous envoie. Un mauvais rhume peut être une épreuve, mais il peut être aussi le premier signe de quelque chose de plus grave.

– Oh oui, ma mère!»

Jeune novice, Sor María de Agreda avait elle aussi souffert de se sentir incapable, pécheresse et rongée de doutes sur elle-même. Un jour, en classe, alors qu'il était question des épreuves endurées par Sor María dans sa jeunesse, Sor Gertrudis avait gravement déclaré: *Elle a fait de sa jeune chair tendre un abattoir.* Grâce à la pénitence et à la mortification, la novice espagnole avait fini par trouver les moyens d'échapper à son moi séculaire. Ses transes avaient commencé presque immédiatement, l'envoyant aux confins les plus reculés du Nouveau-Mexique et même au-delà sans l'enlever à son couvent. Et son propre sang, suintant dans son habit, avait imprégné la toile de sac du parfum des roses à l'aube. Mais les irritations et les plaies de María de las Nieves sentaient plutôt la mangue pourrie. Jusqu'alors, du moins, les tourments charnels et démoniaques de la jeune Agreda lui avaient été épargnés. Bien que ce ne fût pas le cas, apparemment, pour Sor Gloria de los Ángeles. Rien que la nuit dernière Sor Gloria les avait réveillées dans leur cellule en hurlant qu'elle sentait des mains invisibles sur son corps, le frottement d'une barbe invisible, et un souffle chaud sur son visage. María de las Nieves, frissonnant de tristesse et de peur en plus de ses frissons de fièvre habituels dans son lit étroit et dur, écouta la maîtresse des novices qui essayait de calmer la petite secouée de sanglots. Pauvre Sor Gloria! Comme elle désirait qu'elle ou Sor Gertrudis soient autorisées au moins à poser une main réconfortante sur le dos ou l'épaule frémissants de Sor Gloria. Il s'était passé à peine quelques minutes, puis la maîtresse des novices avait lancé d'une voix sévère: « Et maintenant ça suffit, Sor Gloria, vous allez cesser immédiatement, vous êtes stupide, Sor Gloria, maintenant *arrêtez*» et sans rien ajouter de plus elle avait rejoint son lit, tandis que les sanglots de la pauvre Sor Gloria étaient devenus encore plus profonds et étouffés.

À présent le silence bariolé par le bourdonnement des mouches de la bibliothèque était brisé par les premières éclaboussures de la pluie de l'après-midi qui, en quelques secondes, se mua en un déluge, envahissant la pièce de l'odeur de terre et de végétation mouillées au point que María de las Nieves imagina des chérubins ailés lançant des poignées de jardin et de boue par les fenêtres. Entre-temps elle continua à s'attirer au bord de l'éternuement, faisant habilement tourner son brin de laine tout en lisant.

Mon cœur ne s'est jamais délecté des choses terrestres, car elles ne comblaient pas le vide de mon esprit, écrivait Sor María de Agreda, se souvenant de ses premières années de noviciat. Pour cette raison le monde mourut en moi durant mes jeunes années, avant que je vienne à le savoir. María de las Nieves songea: Et comment donc vins-je à le savoir? L'image du visage de son confesseur, Padre Lactancio, de l'autre côté de la grille du confessionnal apparut soudain, ses yeux la fixant avec intensité, la peau moite tendue au-dessus de ses lèvres pincées comme une fine tranche de viande pas assez cuite sur un plateau luisant de graisse. Ensuite elle pensa à cette boutique dont l'enseigne annonçait : *Réparation de parapluies. Don José Pryzpyz, apprenti à Londres.* Elle se trouvait dans son dernier mois d'études quand elle l'avait aperçue pendant l'une de leurs excursions hebdomadaires, au cours desquelles les pensionnaires de Nuestra Señora de Belén étaient conduites par les rues boueuses de la ville en une longue double rangée d'écolières couvertes d'un châle se tenant par la main, passant devant les hommes et les garçons vociférants qui bordaient leur chemin. Au bas de l'enseigne peinte, en plus petits caractères, il était indiqué que Don José Pryzpyz réparait également les manteaux et capes imperméables en caoutchouc. La boutique était petite, comme généralement celles des tailleurs, sa façade étonnamment étroite percée d'un unique rectangle vertical muni d'une grille, aux volets ouverts. Cet après-midi-là il y avait un groupe d'hommes et de garçons pressés devant cette fenêtre, et bien que toutes leurs têtes se fussent tournées comme une seule pour diriger les habituels regards ardents et les appels du mâle au passage des écolières, la première chose qui attira l'œil vif de María de las Nieves fut la façon dont ces hommes et ces garçons se tenaient autour de cette fenêtre quelques instants auparavant, évidemment absorbés par ce qui se trouvait à l'intérieur. À voir la tête penchée des plus grands et la façon dont certains d'entre eux avaient dû enlever leurs chapeaux pour qu'ils ne leur tombent pas sur le visage, elle comprit que ce n'était pas quelque chose qui se trouvait dans le fond de la boutique qui attirait leurs regards, mais quelque chose qui était juste là, au bas de cette fenêtre, bien qu'elle ne pût même pas apercevoir ce que c'était à travers ce mur de redingotes et de jambes de pantalons. Puis la petite boutique disparut.

María de las Nieves avait à peine tourné la tête en pressant la main de Paquita Aparicio pour lui demander : « Tu as vu ? » Les écolières étaient censées garder le silence jusqu'à ce qu'elles atteignent les pentes herbues du Cerro del Carmen.

«¿ Quién? demanda Paquita sans bouger les lèvres, car si elles étaient prises à parler dans les rangs, elles pouvaient être punies.

– Pas qui. Ça. Cette nouvelle *boutique* qu'on vient de dépasser! Bueno. *¡Zaz!* On l'a passée.»

La semaine suivante elles allèrent au pré boueux qui s'étendait derrière El Calvario et ne prirent donc pas l'avenue qui passait devant la mystérieuse boutique. La semaine d'après, afin d'éviter les clameurs masculines de plus en plus grivoises le long de leur chemin (autre conséquence évidente de l'athéisme libéral), leurs accompagnatrices laïques et leurs surveillantes prises parmi les écolières les plus âgées les ramenèrent au Cerro del Carmen par une autre avenue, et la semaine suivante elles empruntèrent le même chemin, et la suivante elles retournèrent à El Calvario. Une semaine plus tard María de las Nieves quittait l'école pour devenir novice.

Donc, en vérité, son cœur s'était délecté de *choses terrestres*. Elle songeait toujours à cette boutique où un homme au nom inhabituel, apprenti à Londres, réparait des parapluies et des capes imperméables en caoutchouc, et montrait dans sa vitrine quelque chose de suffisamment remarquable pour attirer les foules. Bien sûr, c'était péché que d'occuper son esprit à des choses telles que les parapluies et les mystérieuses devantures quand on était au chœur, psalmodiant les cinq psaumes des Laudes. *Quand vous récitez les psaumes et les hymnes, vous devez garder dans le cœur ce que vous dites avec la bouche...*

«Jesucristo.

– Jesucristo.»

María de las Nieves leva les yeux de son livre, la main toujours pressée sur son nez et sa bouche, et sut – l'intuition l'emplit comme de l'encre versée dans l'eau – que cette fois-ci les yeux gris et inquiets de Sor Gertrudis s'étaient posés sur elle avant même qu'elle n'éternue. Rougissante, elle baissa les yeux sur sa *Vida de Sor María de Agreda*. Elle essayait de lire les mêmes quelques lignes encore et encore mais maintenant elles n'avaient plus de sens, à croire que cette nouvelle atmosphère de danger exigeait une méthode de lecture totalement nouvelle. Sa poitrine palpitait silencieusement comme si elle était essoufflée d'avoir couru. Ce n'est que lorsqu'elle risqua enfin un coup d'œil à la maîtresse des novices et la vit retourner à son livre qu'elle se sentit plus calme. Bientôt les mots se mirent à absorber son attention presque comme avant, bien qu'elle résistât au désir de tirer de son habit un nouveau brin de laine.

La lumière de Dieu, écrivait Sor María, sortant à ma rencontre tandis que j'entrais dans la vie par la porte de la pensée rationnelle, me montra la beauté et l'importance de la vérité. Dieu élève ceux qui s'humilient. Il garde Ses secrets cachés aux orgueilleux, mais Il les révèle aux humbles. – Quand la Très Sainte Vierge décida de révéler la véritable histoire de sa vie de Mère de Dieu et de Co-Rédemptrice, écrivait Fray Labarde, elle choisit María de Agreda pour être son scribe. La Reine des Cieux, par l'entremise du Saint-Esprit, dit à Sor María tout ce qu'omet la Bible : comment elle fut elle aussi conçue de manière immaculée dans le ventre de sa mère sainte Anne, comment elle eut l'idée elle-même que le fils qu'elle eut de Dieu prenne une forme humaine et soit envoyé sur terre pour racheter l'humanité mortelle, bien qu'elle pût prévoir sa douleur maternelle ; son ascension au Ciel aux côtés de son Fils ressuscité, et son retour sur terre pour conduire les Apôtres – Sor María de Agreda écrivit tout, suffisamment pour emplir huit gros volumes. Lorsqu'elle eut terminé, elle détruisit chaque page, puis les réécrivit de mémoire et ne laissa qu'un exemplaire en possession de son fidèle ami, le roi, qui jugeait que c'était le livre le plus important depuis le Nouveau Testament ; il était intitulé *La Cité mystique de Dieu, le miracle de Son omnipotence et de Sa grâce infinie. Vie divine et sainte de la Vierge Mère de Dieu, notre dame et reine María Santísima, rédemptrice des péchés d'Ève et médiatrice de la grâce.* Sor María défendit avec succès sa grande «autobiographie de la Vierge» devant deux tribunaux distincts, celui de la Sainte Inquisition et celui des sceptiques docteurs de la Sorbonne; tous deux condamnèrent l'ouvrage; mais seulement après sa mort. Parmi les religieuses du monde entier la *Cité mystique* devint l'un des livres les plus appréciés. La *vida* de Fray Labarde ne contenait que des descriptions alléchantes, quelques extraits et des paraphrases. Bientôt María de las Nieves aurait terminé la vie de la religieuse Agreda écrite par le savant frère. Elle se demanda s'il était possible de convaincre Sor Gertrudis de lui donner ensuite à lire la *Cité mystique*. Elle devrait sans doute cacher l'intensité de son désir, car la maîtresse des novices enseignait également que la lecture, mal pratiquée, représentait un des plaisirs interdits du corps.

Deux après-midi plus tard, un vendredi, dans la bibliothèque – le lundi elle aurait un nouveau livre à lire – tandis qu'elle relisait anxieusement des passages de Fray Labarde qu'elle avait déjà lus au moins une fois, elle tomba sur une phrase qui la stupéfia : *Il me donna autant de neige qu'en pouvait porter ma laine.* Il était troublant qu'elle n'ait pas relevé cette phrase auparavant. Elle comprenait son sens évident – Dieu avait donné à Sor María de Agreda autant de souffrance qu'elle pouvait en supporter – pourtant elle se trouva à la relire comme si elle ne la comprenait pas, comme si ces mots cachaient une signification personnelle et cependant mystérieuse qu'ils la défiaient de déchiffrer. Elle eut peur d'être tombée sur de tels mots, qui semblaient faire une allusion menaçante à son ancien nom séculaire – un nom qu'elle avait aimé, à cause de la résonance magique de neige et son association avec la lointaine ville de son Pa – en le juxtaposant de manière moqueuse à *laine,* un mot qui projetait maintenant une ombre menaçante dans le moindre recoin de son existence. Cela semblait une fin injuste après toute l'attention qu'elle avait portée à ce livre, et elle se sentit contrariée et même blessée. María de las Nieves éternua alors, et ferma les yeux, comme prête à recevoir un coup inévitable. Mais la maîtresse des novices ne la soumit qu'à son habituelle bénédiction prononcée à mi-voix. Elle éprouva un dégoût complet de son esprit, de son âme, de sa pensée, de son nom et de son corps, cette masse adonnée à l'éternuement, sale, pleine de démangeaisons, brûlante et suante avec sa récente distraction de petits seins nouvellement poussés et un perpétuel pétillement sombre à l'intérieur, en bas entre les jambes et même plus profond à l'intérieur. *Il me donna autant de neige qu'en pouvait porter ma laine.* À croire que son être physique dépravé, cette peau et ce sang jetant le chaud et le froid, ces cheveux, ces dents, ces os, cette moiteur, cette ordure, avaient été complètement écrasés, bouillis et réduits à une substance proche de l'encre pour imprimer ces quelques mots qui gardaient leur secret… *¡Ay Madre, ay Jesucristo, je ferai n'importe quoi, réduisez-moi en poudre, mais faites-moi sainte!*

La lumière dans la pièce avait jauni et s'était épaissie en une gélatine translucide et suffocante. Sor Gertrudis se tenait assise au bout de la table mangée de vers et de termites, immobile derrière le rythme paisible de son index suivant les lignes du texte latin. Le cœur de María de las Nieves était glacé de terreur. Elle demeura paralysée sur sa chaise jusqu'à ce que la sensation disparaisse, la laissant tremblante et épuisée.

Ce soir-là ce fut au tour de Sor Gloria de los Ángeles de quitter tôt la bibliothèque pour aller sonner la cloche de complies, et quand María de las Nieves entendit sa sonnerie étouffée, elle sut qu'il était temps de fermer son livre, de se lever de sa chaise et de remettre le livre dans le rayonnage. Toujours affaiblie par cet accès de peur, elle dit sa prière à Dieu, Le remerciant pour le don divin de la lecture et L'implorant de l'aider à apprendre à aimer le savoir sans vanité. Elle savait qu'il se passerait peut-être très longtemps avant qu'elle ne tienne à nouveau la *Vida de Sor María de Agreda* de Fray Labarde entre ses mains et elle le serra donc fort contre elle. Au revoir, beau livre bien-aimé, au revoir, je t'aime. Elle le reposa sur son étagère, les yeux emplis de larmes.

Sor Gertrudis, ayant fait quelques pas décidés vers elle, dit : « Sor San Jorge. Un instant s'il vous plaît. Ne bougez pas un instant s'il vous plaît. Merci, ma sœur. »

Son regard était fixé sur l'habit de María de las Nieves, le détaillant. Se penchant en avant, les mains sur les genoux, la maîtresse des novices se baissa pour une inspection encore plus rapprochée, cherchant comme si elle avait perdu quelque chose de minuscule dans le tissu pelucheux et râpé, taché et incrusté sur toute sa surface de mucus séché, surtout les manches. María de las Nieves se tenait droite, les bras pendant à ses côtés. Ne s'étant pas vue dans un miroir depuis bien des mois, elle ne savait pas que son obsession de l'éternuement avait commencé à la défigurer. Ses narines étaient perpétuellement enflammées et visiblement gonflées à l'intérieur, et ses lèvres étaient toujours légèrement écartées et retroussées en un quasi-sourire figé et triste. On aurait dit qu'elle était toujours au bord d'un éternuement.

La maîtresse des novices se releva et demanda : « Les mites se sont régalées de votre habit, Sor San Jorge ?

— Beut-être, bère Gertrudis, répondit-elle d'une voix presque inaudible. Bais je n'ai bas vu beaucoup de mites.

— Vous vous êtes fait éternuer avec de la laine tirée de votre habit.

— C'est brai, ba bère.

— Est-ce parce que vous jugez que c'est une mortification, ma sœur ?

— Oui ba bère.

— Ce n'est pas parce que cela vous donne du plaisir.

— Je... Oh, don, ba bère.

— Et vous vous attendez qu'on vous donne un nouvel habit quand celui-ci aura été réduit en lambeaux ? »

Quelques semaines après son accession à la présidence, un nouveau décret fut voté interdisant aux prêtres de porter l'habit ecclésiastique dans les rues à moins qu'ils ne conduisent une procession religieuse ou funèbre. L'ancien concordat signé avec le Saint-Siège par le régime conservateur, qui avait obligé l'État à tenir le catholicisme pour l'unique vraie religion, était annulé ; la liberté de culte, nouvel appât pour les immigrants, était déclarée. Le premier mariage protestant dans le pays fut célébré à la légation américaine, unissant un ingénieur des chemins de fer yankee à une cigarière récemment convertie du barrio El Sagrario. Il y avait déjà un juif qui avait une boutique de réparation de parapluies en ville et maintenant, dans la vieille Calle Real, un autre avait ouvert une boutique de fleurs, vendant des fleurs que jusqu'alors tout le monde avait cueillies dans les champs au-delà des portes de la ville ; pourquoi donc son affaire avait-elle du succès ? Puis El Anticristo porta à l'Église un coup terrible en décrétant la nationalisation de tous ses biens sans exception. Le capital exproprié serait administré par le gouvernement afin de « *développer l'agriculture*».

Par le passé, Sor Gertrudis aurait été capable d'interroger María de las Nieves sur la cause de ses éternuements, mortification ou péché et, s'il s'agissait d'un péché, de questionner un confesseur jésuite ou quelque autre frère savant sur son importance, et elle aurait bientôt reçu une réponse décisive, sans oublier les citations théologiques qui allaient avec. Mais Padre Lactancio Rascón, le chapelain de Nuestra Señora de Belén depuis l'expulsion des jésuites, comme à peu près tous les prêtres diocésains autochtones, n'avait pas étudié à Salamanque, Paris, Rome, ou l'Angelopolis de Puebla ; son érudition ne fournissait pas beaucoup plus que des citations de la Bible et des traductions méthodiques de la messe en latin. Sor Gertrudis avait hérité d'une méfiance jésuitique à l'égard de ces prêtres. Napoléon, lorsqu'il avait envoyé ses agents par toute l'Amérique latine afin de soulever les colonies contre la mère patrie, ne leur avait-il pas donné ordre de s'associer au bas clergé né de souche, dont il avait compris qu'il était son allié naturel ?

Padre Lactancio n'avait pas de réponse à ses questions touchant les éternuements de María de las Nieves, mais assura Sor Gertrudis qu'il les rapporterait au conseil ecclésiastique et à la curie. Il lui conseilla toutefois la patience. Les évêques, dernièrement, étaient très préoccupés.

« Je mets dans vos mains, avait humblement répondu la religieuse étrangère. Je savoir que je mets aussi dans les mains de Dieu. » (*Yo poner en vuestros manos. Yo saber hacer esto yo poner en manos de Dios también.*)

« Il faudra peut-être attendre longtemps, Madre. » Le prêtre ne put réprimer un sourire malicieux. « Ils vont peut-être devoir s'en référer à Rome.

– Notre-Seigneur attend longtemps aussi sur la Croix, répondit-elle d'une voix sévère. Impatience grand péché. » Le visage de Padre Lactancio s'assombrit, et il baissa les yeux. Cela lui brisait le cœur de s'entendre si fréquemment rappeler, jour après jour, l'infériorité de son intelligence et même de sa piété, et la déception qu'il avait conscience de représenter pour ces religieuses cultivées contraintes de s'en remettre et d'obéir à ses conseils spirituels. Dieu merci elles ne désiraient plus être confessées une fois par jour, comme c'était apparemment le cas à l'époque où leur confesseur était un jésuite.

Au cours de la leçon, un après-midi, María de las Nieves osa finalement demander si l'« autobiographie » de la Virgen María écrite par Sor María de Agreda pouvait être sa prochaine lecture spirituelle. La maîtresse des novices répondit que ç'avait été un de ses livres préférés quand elle était jeune et promit de méditer sa demande. Mais avant la fin de la classe, Sor Gertrudis était passée à l'anglais pour annoncer : « Ce n'est certainement pas à moi de décider si la Très Sainte Vierge a effectivement dicté la *Cité mys-*

tique à Sor María de Agreda. Mais il est vrai que l'auteur de ce livre s'identifie ouvertement à l'héroïsme et même à la personne de Notre Très Sainte et Bienheureuse Vierge, et je me demande si c'est une lecture pour une simple novice qui semble bien s'identifier tout aussi fortement et ouvertement à son auteur mortel. Hmm ? Que pensez-vous de cela, Sor San Jorge ? »

Évidemment María de las Nieves fut émue de se voir ainsi prise en considération juste au moment où elle se sentait si méprisée et déprimée. Ces mots la touchèrent donc presque comme une caresse maternelle qu'elle ne s'attendait plus jamais à ressentir, bien qu'elle comprît également leur signification : elle ne serait pas autorisée à lire le livre. Se soumettant à l'autorité de la maîtresse des novices en ceci ainsi qu'en tout autre domaine, elle répondit : « Je ne sais pas, ma mère.

— Eh bien, je pense que ce n'est pas lecture appropriée pour l'instant. Si Dieu le veut, peut-être le moment viendra. » Puis, baissant la voix en un murmure inhabituel : « Vous savez, Sor San Jorge, à nous femmes d'Église on a toujours dit que nous étions trop intrinsèquement faibles et fautives de nature pour qu'on s'attende à ce que nous trouvions ou reconnaissions la vérité par nous-mêmes. Peut-être que c'est effectivement la vérité, mi preciosa, car comment se fait-il que je ne peux pas décider toute seule au sujet de vos éternuements ? Je n'étais pas obligée de confier l'affaire à Padre Lactancio. J'aurais pu lui dire ce que j'en pensais, et je suis sûre qu'il aurait été d'accord. Mais j'ai hésité. J'ai fait comme les jésuites et les carmélites m'ont appris. Eh bien, trop tard ! Il est maintenant trop tard. »

María de las Nieves fut abasourdie de voir un petit sourire confus frémir au coin des lèvres de Sor Gertrudis et une lueur de timidité jaillir dans ses yeux alors qu'elle détournait son visage ocellé. *¡Mi preciosa!* Ce n'était que la deuxième fois que la maîtresse des novices s'adressait à María de las Nieves avec tant d'affection. Seulement la deuxième fois en un an, presque. Mais aujourd'hui, plutôt que de la remplir d'une félicité secrète, cela la rendait triste, la déprimait aussi, et elle fixa ses mains jointes sur ses genoux d'un regard vide.

C'est à cette époque qu'un panier de viande de bœuf, d'apparence exquise, fut livré anonymement au couvent des sœurs récollettes. Leur Madre Superior eut la bonne idée d'en donner un bout à l'un de ses chiens, qui mourut promptement dans d'atroces souffrances – empoisonné, nul doute, par les francs-maçons. (Mais il y en eut aussi qui, se rappelant que les jésuites avaient justifié le meurtre des monarques afin de sauvegarder leurs royaumes du protestantisme, firent observer que l'empoisonnement des religieuses d'un couvent provoquerait très probablement le soulèvement d'une grande partie de la population contre les libéraux.)

Les menaces venues de l'extérieur, ainsi que l'humidité ambiante de la saison des pluies, avaient fait grandement décliner la santé de Madre Melchora. Sa démarche était devenue hésitante, elle s'était beaucoup amaigrie, et ses mains tremblantes, dans leur emballage parcheminé de peau et de veines couvert de bleus, évoquaient des racines déterrées et fanées. Quelque quantité d'eau qu'elle absorbât, elle avait soif; elle mangeait à peine, mais son haleine était continuellement fétide. Parfois la vénérable prieure semblait perdue ou même terrifiée par les moindres choix ou problèmes. En de pareils moments, elle appelait toujours sa hijita Sor Gertrudis.

Les signes de mauvais augure se multipliaient: après s'être lamentées à fendre l'âme dans la maison du défunt, les pleureuses professionnelles tout de noir vêtues continuaient à aller de porte en porte par la ville, demandant des œufs pour les porter aux couvents. En échange de chaque *florin*, ou de trois douzaines d'œufs, les religieuses disaient une neuvaine pour l'âme immortelle des défunts. Le tocsin ne sonnait pas plus fréquemment que d'habitude, mais les œufs arrivaient aux portes de Nuestra Señora de Belén en plus grande quantité que jamais auparavant. María de las Nieves était effrayée par ces paniers débordant, presque trop lourds pour être soulevés, quelques œufs tombant et se brisant tandis qu'ils étaient portés à l'intérieur. Que savait-on au-dehors qui faisait que les gens voulaient donner tant d'œufs aux religieuses ? Les deux novices passaient de nombreuses heures assises sur le sol de la cuisine, à l'écart des sœurs et des servantes qui travaillaient devant les fours à bois, plongeant les œufs dans des seaux d'eau salée. Les œufs qui coulaient directement étaient les plus frais et étaient mis de côté pour que Padre Lactancio et son sacristain les envoient au palais archiépiscopal, où les parents en exil de l'archevêque continuaient à habiter ; ceux qui flottaient avaient été pondus au moins cinq jours auparavant et étaient donnés à l'école gratuite pour les filles pauvres ; les œufs qui hésitaient entre les deux étaient gardés pour le couvent et le pensionnat.

María de las Nieves était assise sur le sol de la cuisine occupée à plonger des œufs avec Sor Gloria quand elle entendit les religieuses et les servantes parler de trois pensionnaires de quatorze ans qui avaient été surprises nues jusqu'à la ceinture dans un débarras et expulsées. Elles se retrouvaient là chaque semaine pour dénuder, mesurer et comparer la taille et la forme de leurs seins bourgeonnants à la lueur de la chandelle. Paquita, qui avait une ample poitrine bien avant les autres filles de son âge, n'était pas du nombre. La sienne… Mais une religieuse n'était pas même censée penser à ses propres petits seins à tête de tortue, parsemés de rares poils qui émergeaient à peine, et dont la maîtresse des novices disait qu'ils étaient un signe de l'état de déchéance des femmes comme la *mala madre*, la fange horrible qui coulait en elle. Cependant, dans la cuisine, Sor Gloria de los Ángeles lui murmurait gravement : « Sorita San Jorge, tu as enfin tes chichitas toi aussi. » Et alors Sor Gloria se pencha en arrière, la main sur la bouche, se trémoussant d'un fou rire silencieux qu'elle tâchait de réprimer, jusqu'à ce qu'elle finisse étendue sur le dos, haletant et fixant le plafond d'un regard vide.

… Point Sept : Méditation continue sur la nécessité de conserver les sens inviolés, ceux des yeux, des oreilles, de la langue et du nez, par ces fenêtres la Mort de la Chasteté entre… Debout devant la lampe du sanctuaire, son livre d'exercices spirituels ouvert dans les mains, María de las Nieves se rappela le lointain consistoire de sages de l'Église qui était maintenant censé décider de son sort. Elle soupira faiblement et se dit : Ils vont me faire frire dans l'huile comme un chicharrón. Devait-elle s'enfuir ? Oserait-elle ? Mais où aller ? Avant, si une religieuse ou une novice s'enfuyait, le gouvernement envoyait des soldats et la police à ses trousses, mais y avait-il une prieure qui puisse demander pareille chose aujourd'hui ?

Son attention fut attirée par une ombre noire qui coulait verticalement dans la lumière sombre de la fenêtre. Quelques instants plus tard elle la revit et comprit que c'était un pigeon, qui passait devant la fenêtre, les ailes déployées et immobile, telle une Croix sombre qui descendait. Quand il remonta, elle aperçut et entendit ses ailes battre. Quelques instants plus tard il descendit une troisième fois devant la fenêtre, dans la même posture. Elle sentit l'odeur de sa fiente sur le rebord et vit le mince filet d'une colonne de vapeur s'élever entre les barreaux. Elle était prise d'un accès de sueur froide. De petits cailloux de lumière palpitante dansaient dans sa tête et devant ses yeux.

L'entrée principale de l'école du couvent faisait face à l'angle d'une rue qui, parce qu'elle était inclinée, se transformait souvent en torrent pendant la saison des pluies. Les pluies d'octobre étaient si importantes et continuelles qu'une nuit la rue déborda comme jamais, inondant l'école au point que les pensionnaires se réveillèrent dans trente centimètres d'eau boueuse et de débris qui s'élevaient lentement. Les pensionnaires et les servantes allèrent s'installer avec leurs matelas et leurs malles remplies à la hâte dans le cloître vide des novices. María de las Nieves ne pouvait pas supporter de savoir Paquita si près. Cependant aussi longtemps que dura l'état d'exception, nul membre de la communauté qui ne fût une enseignante ou une surveillante n'eut le droit de pénétrer dans le cloître des novices. Nuit et jour les religieuses dans les couloirs se relayaient en procession derrière une image de la Vierge miraculeuse, psalmodiant des litanies contre le vacarme constant de la pluie et les hurlements du vent, l'implorant d'épargner leur cloître du déluge.

Oh, Sor María de Agreda, priait María de las Nieves, *la prière vous a portée à l'autre bout du monde, mais mes prières ne peuvent pas même me faire entrer dans le cloître des novices pour voir Paquita.* Si seulement elles pouvaient se parler face à face, s'embrasser, et se pardonner mutuellement. Elle était sûre que leur vœu de virginité mutuel, que son martyre de religieuse devait faire durer toute leur vie, pesait terriblement sur sa vieille amie. Plus tard elle l'en libérerait, à condition toutefois que Paquita n'épouse pas El Anticristo. Elle résolut de se glisser dans le cloître des novices à la recherche de Paquita. Il ne devait pas être impossible de tromper la vigilance des sœurs surveillantes. Leur constitution voulait que les surveillantes de nuit soient les religieuses les plus âgées de la communauté. Elles étaient vieilles, bien plus vieilles que le siècle, croulantes et même séniles.

María de las Nieves passa la journée dehors dans le déluge venteux, avec les religieuses chargées de sauver ce qui pouvait l'être des sables mouvants des jardins et vergers dévastés. À quatre pattes, trempée et glacée jusqu'aux os, elle chercha, immergée dans la boue jusqu'aux cuisses et aux coudes, des bottes de carottes et des têtes de choux-fleurs inondés. Ce soir-là, épuisée et excédée, bredouillant quelques mots pour les nombreux chatons noyés, elle pleura jusqu'à s'endormir ; plus tard la maîtresse des novices et Sor Gloria ne purent la réveiller pour matines. Quand Sor Gloria la porta dans ses bras à l'infirmerie le lendemain matin, María de las Nieves était inconsciente et brûlante de fièvre.

Elle fut réveillée quelque temps plus tard par le poids et le toucher d'une grande main chaude sur son ventre nu, l'odeur du tabac, et la voix profonde et assurée d'un homme qui parlait du premier couvent jadis établi par les religieuses indiennes de Oaxaca, Nouvelle-Espagne. En ouvrant les yeux, María de las Nieves découvrit un homme en redingote noire, avec une barbe poivre et sel et des joues rubicondes encore jeunes assis près de son lit. Debout à ses côtés se trouvaient Sor Gertrudis, fixant d'un regard froid la main de l'homme sur son ventre sous sa chemise relevée, et l'infirmière, Sor Micaela. «Elles voulaient prouver qu'elles pouvaient endurer tout ce que les religieuses blanches gachupinas et criollas enduraient», poursuivit l'homme ; il ponctuait ses remarques de petits coups sonores de ses doigts contre son ventre creux. «Mais leur peau de princesses indiennes était trop délicate pour la toile de sac et elles tombèrent gravement malades d'infections cutannées et sanguines ainsi que votre pauvre novice, Madrecita. Comme elle, elles ne se plaignaient jamais non plus. La médecine en était encore à ses balbutiements, et on ne les saigna pas avant qu'il ne soit trop tard. Tout un couvent, toutes les âmes de la première à la dernière, sacrifiées ainsi à Dieu. Mais le Seigneur doit avoir éclairé leur archevêque, car il a fait changer leur *Reglemens* afin que celles qui leur succédèrent portent des tissus moins abrasifs. Je suggère la même chose pour votre petite novice, Madre. Il est évident qu'elle est allergique à la laine.

– Oui, docteur Yela, je demanderai à Madre Melchora, répondit la maîtresse des novices d'une voix terne. Toutefois notre règle est la stricte obéissance aux ordres de Dieu.

– Elle est aussi émaciée et anémique. Quand elle aura repris des forces, il faut qu'elle mange plus, et devrait être dispensée de jeûne pendant au moins une année. Entre-temps je vais vous envoyer quelques bouteilles de vino Pepsona de Chapotauet. C'est du bœuf, Madre, du bœuf de première qualité, qui a été scientifiquement traité dans une solution de jus gastriques animaux mélangée avec un peu de vin, pour la rendre plus buvable. Très fortifiant. Ça vient de France, bien sûr, mais Don Simon Goldemberg en a dans sa pharmacie de la rue des Capucins. »

María de las Nieves était dans sa deuxième semaine de convalescence, vêtue d'une tunique en lin à manches longues qui la couvrait jusqu'aux chevilles sous son habit de laine et se faisait de nouveau éternuer aussi fréquemment qu'auparavant, quand une livraison très attendue de dentelle bretonne, de brocart de soie et de plusieurs rouleaux de satin et de soie arriva au couvent gâtée par la rouille, la moisissure et une odeur de marée basse. C'était la troisième semaine de novembre, une saison de ciels dégagés et de vents vifs et exubérants. À cette époque de l'année les religieuses produisaient habituellement un flot régulier d'ornements de Noël ainsi que des décorations semestrielles pour les meilleures élèves de l'école en plus de l'habituelle fabrication de vêtements pour la sacristie. Avant, elles commandaient toujours leurs plus beaux tissus en Europe, cette année cependant elles avaient écouté le prudent conseil d'économie de Don Valentín Lechuga, le majordome séculaire du couvent : à San Francisco, en Californie, la « dentelle de Bretagne », cousue par des Chinoises, pouvait être moitié moins chère qu'en France. Les frais de transport étaient beaucoup moins élevés également, le long de la côte pacifique par vapeur, plutôt que du Havre à Aspinwall, en traversant le Panamá en train et en remontant la côte de nouveau par bateau ; ou par voiles depuis l'Europe en passant par le cap Horn. Cet après-midi dans le parloir les religieuses éperdues pleurèrent de désolation sur les tissus gâtés. Il leur faudrait célébrer la naissance du Sauveur dans un couvent peu et chichement décoré, les santons de leur crèche vêtus de leurs costumes de l'année passée. Madre Melchora, essayant de se lever de son fauteuil pour intervenir, s'empêtra dans son rosaire, qui cassa, envoyant des grains rouler sur le sol, poursuivis et relancés par un chat noir qui bondit de nulle part, et tout cela sembla une preuve encore plus sinistre de l'irritation de Dieu contre Ses épouses serviles, car personne ne se rappelait qu'une religieuse, et peu importait qu'elle fût aussi révérée que leur prieure, ait connu pareille mésaventure.

Le lendemain Don Valentín apporta une lettre, portant le cachet officiel de la légation des États-Unis d'Amérique et écrite de la main du vice-consul, que devait cosigner la prieure afin qu'elle fût envoyée à San Francisco dans l'attente d'un remboursement. «… Les marchandises européennes ne sont jamais abîmées par l'eau, lut tout haut Sor Gertrudis. Afin d'être compétitifs sur ce marché, les marchands et expéditeurs américains doivent progresser dans l'art d'empaqueter. Les textiles et les marchandises en coton devraient généralement toujours être repassés à la vapeur et enveloppés dans des couvertures grossières ou un tissu caoutchouté, qui sont exempts de droits de douane…» Un cri l'interrompit net. Une religieuse, se tournant pour examiner l'emballage fautif, avait découvert que la «dentelle de Bretagne» gâtée était à présent blanche comme la neige la plus pure, toute tache de vert et de rouille ayant disparu. Le brocart de soie était aussi comme neuf, bien que les rouleaux soient toujours dans le même état. Les religieuses se rassemblèrent en jubilant autour de la table où étaient posés la dentelle et le brocart, palpant tour à tour les articles restaurés. Certaines sautaient d'excitation, d'autres tombaient à genoux pour prier, car il n'y avait pas une religieuse dans cette pièce, jeune ou vieille, qui n'ait pas attendu durant toute sa vie cloîtrée une telle manifestation du divin amour de leur Señor.

«Oh mes sœurs, coassa Sor Gertrudis. Si les laïcs avaient seulement idée de la joie cachée dans les couvents, ils les prendraient d'assaut pour venir y vivre!»

María de las Nieves, portant à son nez un bout de la dentelle restaurée afin de découvrir l'odeur du miracle, inhala la senteur de moisi familière qu'avec le temps leur cloître donnait à tous les tissus, dont ceux qu'elle-même portait. La maîtresse des novices lui arracha la dentelle avec un tel regard de reproche que María de las Nieves fut sur le point de s'écrier qu'elle n'essayait pas de se faire éternuer. Le message que son regard lui lança l'arrêta net: Sor Gertrudis ne l'aimait plus du tout.

Le jour de la fête de l'Immaculée-Conception, Madre Melchora, gémissant à cause de la douleur infligée par les tumeurs malignes qui la dévoraient de l'intérieur, fut transportée de l'infirmerie à sa cellule pour y attendre la mort que le Dr. Yela jugeait imminente. Sor Trinidad, la surveillante de nuit, faisait son tour d'inspection deux nuits plus tard quand elle tomba sur Madre Melchora occupée à asperger les portes des cellules d'eau bénite. Le lendemain Sor Trinidad raconta à ses sœurs inquiètes que leur sainte Madre était auréolée de lumière et qu'elle semblait avoir retrouvé sa vivacité depuis longtemps perdue, bien qu'elle fût toujours aussi maigre et décharnée qu'auparavant. D'après Sor Trinidad, la révérende mère lui avait dit: «J'avais hâte de vous parler, hijita. Vous savez que très bientôt je serai avec mon Époux. Nous voulons tous deux que Sor Gertrudis de la Sangre Divina me succède.»

Bien que le matin trouvât Madre Melchora au lit, trop faible même pour lever une main, l'histoire de Sor Trinidad n'en parut que plus crédible puisque jusqu'alors elle avait été à la tête de la faction qui conspirait en faveur de la mère vicaire, opposée à la réforme, Sor Filomena del Niño Jesús, pour qu'elle devienne prieure.

La longue agonie de Madre Melchora était sûrement l'indice qu'elle avait vécu une vie bénie et sainte: ses souffrances étaient la récompense envoyée par son Señor avant de l'appeler à Ses côtés. Le cierge mortuaire brûlait seul dans la cellule interdite à toute autre lumière.

«Sí Madre mía, querida, voy, voy, murmura Madre Melchora, à peine capable de soulever ses paupières frémissantes. Muchas gracias, niñitas, por sus preciosas flores…» Ce furent les premières paroles intelligibles qu'elle prononçait depuis plusieurs jours. Une mandadera fut immédiatement dépêchée à Padre Lactancio, car ce pouvait être l'ultime occasion qu'elle aurait de recevoir les derniers sacrements en conscience. Lorsque, quelques heures auparavant, le prêtre avait quitté sa cellule, il était inconsolable, se reprochant d'avoir déjà attendu trop longtemps.

« À qui vous parlez, Madre ? demanda Sor Gertrudis, les lèvres tout près de l'oreille encapuchonnée de la prieure. Qui sont les petites filles qui vous apportent des fleurs ? » María de las Nieves, assise par terre parmi les sœurs veillant autour du lit, se pencha en avant.

« La Virgen Santísima est venue me voir, hijita, répondit la prieure, bien que ses lèvres ne semblassent pas bouger. Et voici toutes les petites filles que j'ai préparées à la première communion qui sont mortes ensuite du choléra pendant cette terrible année. Oh regardez, comme c'est beau ! J'arrive, niñas ! »

Cette année-là à Nuestra Señora de Belén les fêtes et octaves de l'avent et de Noël coïncidèrent avec les rites mortuaires. Une mort malencontreuse et ses suites donnèrent à Padre Lactancio l'occasion de visites répétées au cloître, au cours desquelles il réussit chaque fois à coincer María de las Nieves pour la harceler de remarques concernant ses éternuements et le tribunal du Vatican qui jugeait son cas, et la gratitude qu'elle lui devait déjà pour avoir intercédé en sa faveur auprès de la maîtresse des novices afin qu'elle porte une tunique de lin, sans cesser de toucher son épaule et son bras comme un chat donne des coups de patte à la flamme d'une bougie. Cinq jours après qu'elle eut prononcé ses dernières paroles, le corps saupoudré de chaux de celle qui avait été Madre Sor Melchora del Espíritu Santo, couronné des fleurs maintenant fanées qu'elle portait le jour de sa profession de foi soixante-six ans auparavant, fut porté de la chapelle mortuaire dans le chœur inférieur.

Sor Gertrudis fut élue prieure un jour après la fête de la circoncision de l'Enfant Jésus, et ce fut le chanoine Molina, gouverneur ecclésiastique en place, qui lui présenta solennellement le sceau et les clés du couvent. Son règne fut inauguré ce même jour par la lecture de la nouvelle constitution et du nouveau livre des coutumes. Il n'y avait pas un détail de la vie conventuelle qui fût trop insignifiant pour échapper à la réforme de Madre Gertrudis. Les cellules des sœurs devaient être immédiatement vidées de tous les ustensiles nécessaires à la fabrication du chocolat et des braseros personnels. Puisque le Seigneur a déclaré que celle qui aime mieux son père et sa mère qu'il ne M'aime ne mérite pas Mon amour, les membres de la famille n'auraient plus le droit de parloir ; de fait, le parloir était maintenant fermé à tous hormis aux membres du clergé en mission de direction spirituelle. Même Doña Cristina ne fut plus admise dans le cloître. Plus jamais il n'y aurait un homme qui ne fût pas prêtre ou un païen d'Indio pour profaner le chœur inférieur. À partir de maintenant les sœurs feraient elles-mêmes la maçonnerie quand il faudrait enterrer une des leurs dans la crypte. Nulle religieuse ou novice ne serait exemptée de porter une tunique en toile de sac, car le Seigneur envoie des allergies à Ses épouses afin qu'elles puissent partager Ses souffrances…

Quelques jours plus tard une des sœurs les plus jeunes, Sor Cayetana del Niño Salvador del Mundo, feignant d'aller aux toilettes durant la récréation alla droit à la grande porte, l'ouvrit et sortit dans la rue. La porte était toujours fermée durant le milieu de la journée, et personne n'avait jamais eu l'idée qu'elle devrait être verrouillée afin de ne pouvoir être ouverte de l'intérieur. C'était la première fois de mémoire de religieuse qu'une sœur s'enfuyait d'un couvent dans cette ville, tout simplement en passant par la porte. La nouvelle prieure fit venir les serruriers.

Le 9 février, le gouvernement libéral édicta un décret ordonnant à toutes les communautés de religieuses de s'agréger en un seul couvent en l'espace de dix-huit jours. Cet édit était plus choquant qu'un simple ordre d'expulsion parce qu'il était totalement inattendu, et en un certain sens plus terrible : comment neuf couvents, suivant tous une règle et des coutumes différentes pouvaient-ils coexister en un seul ? Ce même jour toute nouvelle profession de foi fut interdite – mettant fin, d'après la presse libérale, à la réduction de jeunes femmes en un esclavage improductif, aux suicides vivants, à la perversion des lois de la nature et à des pratiques médiévales qui n'avaient pas de place dans une république démocratique de libres citoyens.

Maintenant, chaque après-midi, Madre Sor Gertrudis essayait de préparer la communauté terrifiée au moment où les soldats viendraient les expulser. L'histoire des ordres religieux célèbres était une lumineuse galaxie de vierges bénies qui, plutôt que de se suicider ou de se soumettre aux brutalités des infidèles et des barbares qui mettaient les couvents à sac – Vikings, Goths, Francs, Sarrasins, Magyars, Maures, Tatares, les armées de Voltaire et de Benito Juárez – avaient résisté jusqu'à la fin : des communautés entières se coupant le nez ou les lèvres ou cachant dans leurs orifices de la viande de poulet pourrie ou trouvant un autre moyen de se rendre répugnantes, provoquant les glorieux martyres qui les expédiaient, *intactum,* dans la chambre nuptiale de leur Señor.

« Bien que Dieu puisse tout faire, déclara Madre Gertrudis, citant les écrits sacrés de saint Jérôme, Il ne peut pas relever une vierge une fois qu'elle a déchu. »

María de las Nieves laissa échapper : « Madre, savez-vous si… » avant de s'arrêter. « Oui, ma sœur ? demanda la nouvelle prieure. – Rien, Madre », répondit-elle, baissant les yeux, s'excusant brusquement. Mais le regard perçant de Sor Gertrudis avait lu sa pensée. Ce soir-là au réfectoire María de las Nieves eut à manger des haricots baignant dans de l'huile de lampe ; elle les avala sans même une grimace, remerciant son Seigneur de s'en tirer si facilement et implorant Son pardon, bien qu'elle fût incapable de s'empêcher de continuer à poser silencieusement sa question : Pourquoi pourriez-Vous ressusciter les morts, rendre la vue aux aveugles, échanger Votre cœur avec celui des religieuses et ne pourriez-Vous pas réparer une vierge? Oh Señor, avez-Vous jamais essayé?

Le gouverneur ecclésiastique en place, le chanoine Molina, donna ordre à toutes les prieures de faire l'inventaire des richesses de leurs couvents et de se préparer à les déposer chez des séculiers de confiance. Mais chaque prieure eut le droit d'envoyer une lettre de protestation au nom de sa communauté au gouvernement libéral, avec copie à la curie. Nuestra Señora de Belén produisit un credo signifiant la volonté de ses religieuses de mourir en martyres. Padre Bruno a inclus cette lettre dans sa *Monjita Inglesa*, accompagnée de la liste des vingt-deux sœurs qui la signèrent: la signature de Sor Gloria de los Ángeles figure parmi elles, mais pas celle de Sor San Jorge. Page suivante le prêtre espagnol rapporte que Madre Sor Gertrudis avait reçu instruction de libérer son *unique novice* de la manière le plus discrète possible. Tétanisée de terreur et de douleur, vêtue de vêtements séculiers et d'un manteau à capuche, Sor Gloria fut escortée à minuit par la portière, Sor Inès, et la cellérière, Sor Guadalupe, jusqu'à la porte du cloître ouvrant sur l'école – à la porte de l'école une voiture l'attendait pour la ramener à sa famille dont l'indifférence lui brisait le cœur.

Mais où était la novice Sor San Jorge?

« ... *Et toutes ces pícaras novicias et jeunes religieuses, s'entendant qualifier de señoritas et autres épithètes galantes par les soldats qui les escortaient hors de leurs couvents, oubliaient leur douleur et souriaient comme les coquettes doncellas qu'un Dieu vrai et juste, qui aime la nature, désire qu'elles soient...* Tu m'écoutes, Mamita de mon cœur? Quel prodige!» Paquita Aparicio lisait à sa mère le journal *El Tren de la Tarde* (il faudrait pourtant attendre plusieurs décennies avant que Los Altos ait son train). «Mi queridísima, Madre, peut-on douter un instant que l'une de ces novices flirteuses ait été notre Las Nievecitas?»

Au cours de ses trois premières années de pensionnat, Paquita avait été obligée de rester au couvent pendant les vacances, avec María de las Nieves. Maintenant qu'El Anticristo était président de la République et habitait la capitale, Paquita avait pu revenir à la maison, puis n'était même pas retournée à l'école pour le deuxième trimestre. Elle avait dit à sa mère, et écrit à son père à New York, qu'elle et Justo Rufino avaient l'intention de se marier en juillet, dès qu'elle aurait quinze ans.

« Je suppose que Las Nievecitas voudra revenir vivre avec nous.

– Je pense qu'il vaudrait mieux pour elle qu'elle reste avec les monjitas, mijita mía, où qu'elles aillent », dit Doña Francisca Mérida de Aparicio à sa fille de sa voix terne et étouffée, qui donnait toujours l'impression de sortir du fond d'un puits.

Mais Paquita insista pour envoyer une voiture aux mandaderas Modesta et Josefa afin qu'elles puissent la servir une fois qu'elle serait mariée, et si María de las Nieves voulait rentrer à la maison avec elles, ce serait tant mieux...

El Tren de la Tarde ricanait doucement : il était évident que les autorités ecclésiastiques avaient ordonné à la prieure de se débarrasser de leurs célèbres instruments de torture, bien qu'on ait découvert dans un couvent ce qui avait manifestement été un cachot, et dans un autre des anneaux scellés aux murs, des restes de chaînes brisées et des fers. Mais la seule référence à Nuestra Señora de Belén était une description moqueuse d'une peinture murale ornant son réfectoire qui représentait saint Augustin pleurant la mort de sa mère, sainte Monique – *mensonge total*, assurait le correspondant d'*El Tren de la Tarde*, ancien séminariste chez les jésuites, car dans ses *Confessions*, saint Augustin avoue qu'il n'a pas pleuré.

Dans le journal du lendemain Paquita lut que le gouvernement venait de décréter le couvent de Santa Catalina ouvert au public pendant les heures de bureau. Quand le gouverneur ecclésiastique en place annonça que tout laïc entrant à Santa Clara serait excommunié, Rufino le Juste réagit à cette menace comme à un acte de guerre, déclarant l'extinction immédiate de tous les ordres monastiques féminins. Les religieuses eurent trois heures pour évacuer Santa Catalina et rentrer chez elles. Toute réfractaire pouvait être arrêtée et fusillée. Ces événements étaient vieux de plusieurs jours lorsque Paquita en lut le compte rendu, mais la conscience d'arriver déjà trop tard pour envoyer une voiture était bien pâle en comparaison des derniers développements rapportés, bien que de manière moqueuse, dans cette même édition : le conseil ecclésiastique, déclarant *notre frère perdu José Rufino* apostat et anathème à toute humanité chrétienne, pharisien des temps modernes, maudit et exclu de la grâce de Dieu, avait ordonné son excommunication immédiate. *Et que le sort de l'excommunié suive tous ceux qui lui porteraient secours...*

¡Salve, María! s'écria Paquita. Les larmes coulèrent sur le dos de ses mains, que son futur époux n'avait pas encore touchées de ses doigts. Suis-je excommuniée moi aussi ? Et notre mariage à la cathédrale ? Et comment vais-je baptiser nos enfants ? Elle revint au journal et lut à travers un voile de larmes que les prêtres lui avaient aussi interdit de prendre le nom de l'un des saints du martyrologe romain : Justo... – *maudit et exclu de la grâce de Dieu!* Eh bien, trouvez des mots plus cruels, si vous le pouvez!

Quatre jours avant que les sœurs de Nuestra Señora de Belén n'abandonnent leur couvent, María de las Nieves, ainsi qu'elle faisait chaque vendredi après-midi, était allée se confesser dans le chœur inférieur. La petite porte en acajou de la fenêtre du confessionnal était décorée d'une peinture exquise, à l'huile et à la feuille d'or, représentant l'agneau de Dieu couché au centre d'une couronne de flammes ; quand elle l'ouvrit elle trouva Padre Lactancio qui l'attendait déjà de l'autre côté. Les yeux du prêtre étaient des flaques tremblantes de pessimisme solitaire. Elle éternua si soudain qu'elle n'eut pas l'occasion de lever les mains.

« Jesucristo, dit le prêtre d'un ton doucement étonné, la regardant presque bouche bée.

— Béni soit Son Nom, dans les siècles des siècles.

— Impie et scandaleuse niña, dit-il de la voix suffoquée d'un amour torturé et tenu secret. Pourquoi faut-il que ce soit maintenant que tu éternues?

— Je ne l'ai pas fait exprès, Padre, répondit-elle. Ce doit être parce que aujourd'hui il fait froid et gris et aussi que je me sens froide et grise à l'intérieur. Bientôt nous allons quitter notre cloître.

— Ce n'est pas une des causes de l'éternuement mentionnées par Aristote.» Padre Lactancio prononça le nom du philosophe avec une trace d'acrimonie personnelle. Le jugement, apprit-il à María de las Nieves, était enfin arrivé.

« De Rome?» demanda-t-elle, aussi gaiement qu'elle pouvait.

Il ne savait pas. Le jugement n'était pas signé, mais il avait été glissé sous la porte de sa sacristie dans une enveloppe portant le sceau de la curie. «Ce que je pense, Sor San Jorge, c'est qu'un théologien ou chanoine très érudit, sachant que nous nous trouvons dans un moment critique et historique pour l'Église de notre pays, n'a pas voulu voir son nom associé à une étude sur l'éternuement. J'avoue cependant que j'avais espéré une interprétation plus indulgente. Je présume que l'auteur s'est senti guidé par Dieu.»

María de las Nieves perçut en elle une montée de panique noire, elle parvint, d'une voix pourtant calme, à demander: «Notre Madre Priora est-elle au courant?

— Pobrecita, elle court en rond à essayer de régler mille problèmes à la fois. Plus tard nous parlerons de ce qu'il faut faire.»

Padre Lactancio avait apporté la lettre, qu'il déplia et se mit à lire de sa voix sérieuse et trébuchante. Padre Famianus Strada, l'auteur d'un traité du dix-septième siècle sur l'éternuement, était cité comme la source fondamentale pour une grande partie de ce qui suivait, à commencer par le mythe de Prométhée, qui, alors qu'il façonnait une statue en argile à laquelle il désirait insuffler la vie, vola un rayon de soleil à Apollon et sans y prendre garde le porta à son nez, se faisant éternuer violemment, ainsi que la statue. Dès que María de las Nieves entendit les mots : « Aristote a écrit : Il est très agréable d'éternuer, et le plaisir est ressenti dans toutes les parties du corps », elle n'eut plus de doute quant à son sort. L'auteur du jugement citait ensuite un précédent apparemment incontournable. Un peu plus d'un siècle auparavant, dans l'ancienne capitale du vice-roi, à l'époque où l'inhalation de tabac à priser était endémique dans les couvents, l'archevêque avait déclaré que l'utilisation de tabac à priser par les religieuses était un péché charnel mortel. La possession de tabatières et le fait d'accepter des prises offertes par les visiteurs furent dès lors interdits à l'intérieur des cloîtres.

« ... l'habitude d'éternuer de la novice Sor San Jorge est de la catégorie la plus grave des péchés mortels et monastiques car c'est un plaisir du corps charnel débauché et, puisqu'il satisfait la lubricité d'une manière moins évidente, une dérision de son vœu très solennel de pureté virginale. »

María de las Nieves, les yeux baissés, sentit l'indignation monter en elle. Son front la brûlait. Quand elle parla enfin, elle parvint à conserver un calme apparent : « Eh bien, Padre Lactancio, si le couvent doit fermer dans quatre jours, et que toutes les novices doivent être relevées de leurs vœux ? Vous n'allez pas le montrer à Madre Gertrudis, n'est-ce pas, Padre Lactancio ? Il n'est même pas signé. Quelqu'un nous joue un tour. Vous ne pensez pas ? »

Mais le prêtre s'était remis à lire le jugement d'une voix basse et rapide : « Le docteur angélique saint Thomas d'Aquin a écrit que la raison peut être consumée par la véhémence d'un tel plaisir jusqu'à ce qu'il n'y ait plus de place pour l'activité intelligente. Du fait que la novice San Jorge a été véhémente seulement dans la poursuite de son vice, elle doit être enfermée et mise en observation. Nous prions pour que ce soit la perte de la raison, plus que la malignité, qui explique sa conduite. Et voilà tout, Sor San Jorge. » Avec un grave hochement de tête, il conclut : « C'est donc peut-être la perte de la raison, et non la malignité, qui explique votre conduite. Vous savez que je ne peux pas enfreindre les ordres de mes supérieurs. »

Quand la nouvelle prieure lut le verdict, elle ordonna que María de las Nieves soit enfermée dans une des cellules de pénitence dans le cloître des novices. Mais Padre Lactancio crut que la novice emprisonnée avait simplement été libérée, et que, comme Sor Gloria, on l'avait fait sortir discrètement du couvent avant le départ pour Santa Catalina. Il était désolé de n'avoir pu lui faire ses adieux. Il savait aussi que María de las Nieves devait maintenant le considérer comme un odieux imbécile, et il la bénissait pour cela. Toutefois les prêtres partagent avec Dieu la grande vocation d'apporter le bonheur : au moins deux fois par jour, Padre Lactancio allait à Santa Catalina rendre visite à Madre Gertrudis et ses religieuses. Il n'osa pourtant pas demander où se trouvait Sor San Jorge avant le second jour.

« On l'a laissée dans une cellule de pénitence, Padre, fut la dure réponse de la religieuse étrangère. Les autorités la trouvent et l'envoient chez elle. Mais Padre, pas l'appeler Sor San Jorge. Sor San Jorge est plus son nom. »

Un matin María de las Nieves se réveilla au son des cloches sonnant prime à laquelle, étant emprisonnée, elle n'assisterait pas ; le lendemain, au braillement nasillard d'un clairon. Elle avait été dépouillée de son habit, de son voile et de sa coiffe. Il était impossible de tirer un fil à éternuer passable de sa tunique en toile de jute. Elle entendait les vociférations des soldats dans le cloître des professes et savait qu'ils ne tarderaient pas à la trouver, car le couvent n'était pas un labyrinthe ; ils n'auraient qu'à pousser un peu plus loin leur exploration. Ce matin-là la tirette au bas de la porte de sa cellule ne glissa pas pour laisser passer sa ration quotidienne de pain et d'eau. Mais à l'aube du jour précédent quelqu'un avait ajouté trois oranges à l'ordinaire et essayé de glisser quelque chose d'autre par l'ouverture, qui se révéla malheureusement trop étroite. Puis elle avait entendu le cri du verrou qu'on faisait glisser, la porte qui s'ouvrait et se fermait, des pas qui s'éloignaient. Lorsqu'elle se réveilla de nouveau à la lumière du matin qui se déversait par la haute fenêtre à barreaux, elle vit la grande boîte qui avait été déposée juste derrière la porte. Mais ce n'était pas une boîte. C'était une édition en un gros volume de la *Cité mystique* de Sor María de Agreda, l'«autobiographie» de la Très Sainte Vierge. Toute la journée ainsi que la suivante elle lut sans s'arrêter. Elle n'avait plus rien à manger ni à boire, elle se sentait pourtant infatigable. Elle poussait le livre ouvert sur le sol, poursuivant la lumière décroissante jusqu'à ce qu'elle ne fût plus qu'une petite flaque diluée pénétrant à travers les barreaux de fer. C'était vraiment un livre de prodiges : l'Enfant divin visible dans les entrailles soudain transparentes de la Sainte Vierge, saluant de la main les Apôtres dans les entrailles mortelles mais aussi transparentes de leurs mères ; et les aventures de la Sainte Vierge au Ciel.

Mais la Bible, la liturgie et les *vidas* des saints et des religieuses qu'elle lisait et écoutait depuis un an étaient aussi pleines de prodiges, ils n'étaient cependant pas contés de manière si réaliste. Le livre de Sor María traitait à fond de matières à peine effleurées dans la Bible et partout ailleurs, au point qu'on aurait dit que l'écran de l'instruction divine avait été déchiré, et qu'elle découvrait maintenant les événements bibliques tels qu'ils s'étaient réellement passés. Cette idée la dérangeait tant que dès que l'obscurité l'obligea à abandonner sa lecture, elle resta par terre à sucer et mâcher des pelures d'orange, grattant ses démangeaisons et pensant à ce qu'elle avait lu jusque tard dans la nuit. Elle était si absorbée qu'elle n'éprouvait aucune peur. Elle sentait une odeur de fumée et de viande grillée, et une autre, désagréable, comme si on brûlait du tissu ou même des cheveux. Elle entendit des bris de verre. Certains soldats furent pris de l'ivresse des Indiens, échangeant des cris et se querellant avec leur douleur, leur peur et leur honte. Puis elle oublia presque de respirer, car c'était comme si ces mêmes voix violentes et affligées lui envoyaient une révélation archangélique à propos de l'un des chapitres qu'elle avait lus aujourd'hui, celui dans lequel la Sainte Vierge est aux débuts de sa grossesse et où son mari, José, la découvre. *Car du fait qu'elle était parfaite en proportions, le plus petit changement était très apparent.* Sor María de Agreda relatait, page après page, ce qu'omet la Bible : la longue angoisse causée à José par l'infidélité de sa femme beaucoup plus jeune. À mesure que ses soupçons grandissaient, le charpentier devenait de plus en plus mélancolique, et disait parfois à son épouse adorée des choses dures et méchantes, ce qu'il n'avait jamais fait auparavant. Néanmoins la Sainte Vierge conservait sa douceur habituelle, et continuait à lui préparer ses repas et à satisfaire tous ses besoins. Après deux mois d'incertitude insupportable, José prit une décision. Il fit son baluchon et prit une petite part de ses gains en laissant le reste. Il dit à Dieu qu'il s'en allait, non parce que sa femme avait commis un péché mais parce que, voyant sa condition, il en ignorait la cause et ne pouvait plus le supporter.

Elle mentit donc à son époux pour qu'il ne la laisse pas seule affronter le scandale, pensa María de las Nieves. Il fit mine de la croire, parce que cela lui donnait une excuse pour rester, bien qu'il fût anéanti, parce qu'il savait qu'elle avait aussi menti en lui disant qu'elle l'aimait. Peut-être même le méprisait-elle en secret, et en aimait-elle un autre. María de las Nieves, assise dans l'obscurité de sa cellule comme au fond d'une bouteille d'encre, pria : Reine des Cieux, envoie-moi un signe, parce que je sais que Satan nous prépare pour lui en nous envoyant des pensées sataniques. L'aube approchait lorsque le verrou de sa cellule glissa, et elle s'encouragea à accepter les horreurs qui l'attendaient en juste punition.

Mais ce n'était que Padre Lactancio. Le prêtre la précéda hors du couvent des novices tandis qu'elle tenait à deux mains l'énorme volume contre sa poitrine. Dans la cuisine un soldat, accroupi devant la cuisinière, actionnait un soufflet et ne leva même pas les yeux à leur passage. Padre Lactancio lui prit le coude et lui ordonna de fermer les yeux quand ils pénétrèrent dans le jardin – mais elle désobéit, et vit des soldats et même des femmes endormis dans les corridors, certains enveloppés dans les robes en satin des statues de saintes. Elle vit le squelette parcheminé et vêtu de haillons d'une religieuse aux longs cheveux qui avait été tiré de la crypte et appuyé contre la base d'une fontaine, une bouteille d'aguardiente vide entre les os écartés de ses cuisses.

CHAPITRE

DEUX

Cinq jours après la glorieuse mort au champ d'honneur d'El Anticristo, et seulement un jour après son enterrement au cimetière, Francisca Aparicio et ses sept enfants fuirent le pays. En dépit des pieuses supplications de la jeune veuve, on refusa aux restes de celui qui avait été le persécuteur infatigable des jésuites ce qu'on avait pourtant accordé à la tête tranchée de Serapio Cruz : l'inhumation dans la crypte de la cathédrale. Paquita prendrait un vapeur de la Pacific Mail de Puerto San José à San Francisco, Californie, puis un train jusqu'à New York, trajet maintenant bien préférable, même en hiver, alors que le long périple transcontinental était souvent perturbé par la neige. Elle ne risquerait jamais, certainement pas avec ses enfants, le voyage rapide à travers le Panamá en pleine Révolution et le port de Colón infesté de fièvres, où les cimetières regorgeaient de tombes hâtivement creusées pour les voyageurs de toutes nations brusquement déroutés. Qui oublierait le jour où le vice-ministre des Grands Travaux de son défunt époux avait débarqué à Colón avec trois professeurs yankees et un boucher, expert en méthodes d'abattage dernier cri, recrutés au cours d'un séjour à New York ? Ils avaient été retardés par les fortes pluies qui avaient interrompu la circulation des trains transpanaméens, et au second matin tous, excepté un des New-Yorkais, étaient trop malades pour quitter leurs chambres. Un professeur guérit, mais celui qui n'était pas

malade succomba, il fut le premier à mourir, et le troisième professeur, une femme, veuve du premier, périt ensuite. Après dix
jours à Colón, le boucher d'origine allemande se déclara convales-
cent, et le groupe restreint traversa l'isthme jusqu'à Panama City,
où ils prirent un vapeur de la Pacific Mail qui remontait la côte.
Deux nuits plus tard, suffoquant dans la couchette où le médecin
de bord, diagnostiquant une scarlatine, l'avait mis en quarantaine,
le boucher mourut à son tour, et fut inhumé en mer au large de la
côte du Nicaragua, enveloppé dans la bannière étoilée de son pays
d'adoption. Le soir suivant un autre passager yankee, une petite
fille de quatre ans, la favorite de tous les passagers de première
classe et des officiers, une petite chanteuse douée d'une oreille et
d'une mémoire prodigieuses pour les mélodies populaires aussi
bien que pour les opéras, tomba soudain malade; elle rendit son
dernier souffle avant l'aube, et les rites funéraires furent répétés,
cette fois avec une casquette de capitaine posée sur la petite poitrine de l'enfant tandis qu'un marin jouait à l'accordéon la ballade romantique qu'elle avait chantée sur le pont le dernier soir où
elle était en bonne santé – à la suite de quoi, avait raconté le jeune
vice-ministre des Grands Travaux à Paquita, ce voyage avait été
empreint d'une tristesse des plus pensives et poétiques… Bref,
une fin tragique pour l'entreprise du vice-ministre des Grands
Travaux, et un coup, pues sí, porté aux efforts du gouvernement
suprême en vue d'attirer les immigrants. Jamais auparavant le
nom de leur pays n'avait été crié et diffamé de manière si véhémente par l'armée des petits vendeurs de journaux. Les rues de
New York résonnaient des scénarios pervers de meurtres qu'ils
braillaient dans l'air infernal, comme s'ils cherchaient à inciter les
masses d'hommes en route vers leurs foyers ou les bars à s'ameuter
pour réclamer la guerre – insinuant que le gouvernement était
responsable même de la mort de la petite fille, bien qu'elle eût
voyagé avec sa mère et ses frères et sœurs qui allaient rejoindre son
père, ingénieur des mines à Sonsonate, El Salvador. (Mais qui

avait câblé les informations aux journaux? Justo Rufino suspectait les diplomates de certaines puissances européennes, qui essayaient d'inspirer aux Yankees la crainte de la traîtrise, innée chez les habitants de l'isthme convoité.)

Comme si à New York les gens ne mouraient jamais de fièvres ou d'aliments accidentellement empoisonnés! Comme s'il n'y avait pas d'épouvantables marais de contagion même au cœur de cette grande métropole, que Paquita en était venue à aimer autant que son Quezaltenango natal. *Pour que vous puissiez le voir de vos propres yeux, monsieur et madame le Président,* elle et Justo Rufino avaient été emmenés en voiture un soir d'été dans les quartiers surpeuplés où vivaient les immigrants pauvres, où la chaleur étouffante était si délétère, si proche de celle d'un marché indien enfermé dans un pot de chambre, qu'ils avaient dû tenir tour à tour son mouchoir parfumé sur leurs narines pour pouvoir respirer!

Presque une décennie plus tard Paquita rencontrait encore des New-Yorkais qui, dès qu'ils avaient connaissance de sa qualité de Primera Dama, lui rappelaient sans délicatesse l'épisode fameux de la mort du couple de professeurs, de la petite fille et du boucher. Elle répondait toujours, avec une sincérité appropriée (tu me regardes, mi Rufinito? Voilà comment on conquiert ceux qui se croient supérieurs) et jamais en s'excusant, serrant légèrement le bras de chacun de ses interlocuteurs tout en le regardant dans les yeux: Oui, c'était très triste, et quelle perte terrible, que mon mari et moi-même commémorions tous les ans en allumant des cierges et en priant. Mais vous savez, corazón, beaucoup de gens chez nous ne prennent plus le risque de passer par le Panamá, et nous encourageons nos visiteurs à en faire autant. Cependant je suis sûre que vous serez heureux d'apprendre que le professeur qui a survécu à la tragédie, Miss James, a décidé de poursuivre son voyage, et qu'elle est maintenant directrice de l'Instituto Nacional de Señoritas, situé dans notre ancien couvent de Nuestra Señora de Belén, où j'étais moi-même pensionnaire chez les religieuses.

Miss James a pris en main notre petite école laïque afin de la tenir plus près du soleil, sauf que le soleil est en elle, et que son rayonnement est l'esprit d'entreprise yankee, et la philosophie de l'éducation d'avant-garde qui l'a formée.

Un autre boucher new-yorkais, Mr. Henry Koch, fut lui aussi attiré par la Pequeña Paris, et prospéra si bien qu'il n'y eut bientôt plus un autre boucher en ville qui ne fût pas obligé de lui acheter sa viande, ou de lui louer un étal au marché. Le chef de la police de son époux, le colonel Pratt, venait lui aussi de New York, et l'une de ses gouvernantes, Jane Pratt, engagée pour apprendre l'anglais à ses enfants ainsi qu'à elle-même, était sa nièce.

À une époque plus ancienne de leur mariage, au cours d'une visite officielle aux États-Unis, Justo Rufino avait acheté à New York une belle maison de cinq étages, au nom de sa femme, située dans une partie tout juste revenue à la mode de Fifth Avenue, face à Central Park. Depuis lors, Paquita avait passé là autant de temps que son mari et son rôle de « La Presidenta », la belle, raffinée et fertile épouse, mère et symbole de la jeune République libérale, le lui avaient permis. Le père de Paquita habitait et travaillait toujours à New York lui aussi.

Parmi ceux qui accompagnaient Paquita ce jour-là se trouvaient María de las Nieves et sa fille Mathilde (qui partageait ses noms de famille avec sa mère), âgée de sept ans. Aucun de ceux qui étaient associés au dictateur assassiné par le despotisme, le pillage ou même les liens familiaux n'était à l'abri de la plus cruelle des vengeances. Mais l'ancienne novice rêvait depuis longtemps d'habiter New York. Dans sa valise ce jour-là elle emportait son exemplaire d'un document qu'érudits et autres croyaient perdu pour toujours, ou au mieux égaré, enterré et oublié, dans les archives diplomatiques de Madrid, celles de l'agence de détectives Pinkerton, ou d'autres archives ou encore dans une collection privée en Espagne, aux États-Unis, à Cuba, quelque part.

À la gare, avant de monter pour la dernière fois à bord du

wagon présidentiel, Paquita se tourna pour s'adresser à la foule et à la garde qui l'avaient accompagnée. Rejetant vigoureusement derrière elle la longue traîne noire de sa tenue de deuil telle une hautaine danseuse andalouse, elle cria de sa voix enrouée par la douleur et la peur :

« Vous voyez ? Je n'emporterai pas même la poussière ou la terre de ce pays avec moi ! »

Pas la poussière ou la terre, raconterait plus tard María de las Nieves, mais tout le *pisto* de ce pays – pues, eso sí ! Contre toute vraisemblance, Paquita croyait, ou semblait croire, que c'était de l'argent honnêtement gagné par son époux, dans l'esprit puissant de cette époque, comme un Carnegie ou un Gould d'Amérique centrale, alors même qu'il avait accru, par son exemple et une politique audacieuse, la prospérité de son pays, le réveillant de sa torpeur espagnole longue de plusieurs siècles. Cette richesse lui revenait maintenant de droit, vu tout ce qu'elle avait accompli pendant son règne, et tout ce qu'elle avait enduré.

Au dernier moment le Dr. Joaquín Yela se précipita dans le train et remit entre les mains gantées de noir de la jeune veuve un pot en porcelaine scellé, lui annonçant gravement qu'il contenait le cœur, préservé dans l'alcool, de son défunt époux. À côté de Doña Paca se tenait une femme à la peau brune vêtue d'une robe en percale noire qui flottait sur son corps frêle. Adossée à ses jupes, reposait une petite fille aux yeux sombres et à l'air solennel ; malgré le regard ténébreux, les sourcils noirs obliques, les cheveux aux reflets de rouille relevés en un chignon lâche, le médecin barbu ne reconnut pas en elle la novice de quatorze ans dont il avait fait le diagnostic plus d'une décennie auparavant à l'infirmerie de son couvent.

Quand le train se mit en marche Paquita donna le pot en porcelaine à la servante aux dents cassées Josefa Socorro et s'assit avec ses plus jeunes enfants serrés contre elle, comme s'ils essayaient tous de rentrer dans le cadre d'un portrait photographique. Miss Pratt, la gouvernante, un plat en céramique sur les genoux, pelait à l'aide d'un couteau des oranges vertes dont elle distribuait les quartiers aux enfants. María de las Nieves caressait d'un air absent la tête de sa fille à travers ses cheveux et fixait d'un regard morne le pot que Josefa Socorro tenait délicatement entre ses bras charnus. Pouvait-il exister un cœur plus différent du Sacré Cœur de Jesucristo, enflammé, battant et adoré de Sor Gertrudis, que celui qui flottait à l'intérieur de ce pot? Comme elles descendaient vers la côte, le train s'emplit de la lourde odeur parfumée des plaines et de la fumée des feux de canne à sucre. María de las Nieves sombra dans un sommeil dodelinant et sporadique où elle ne cessait de se retrouver dans le chœur, devant un autel doré festonné de pierres scintillantes, priant pour un cœur mijotant dans un bouillon clair, écarlate et empoisonné à l'intérieur d'une coupe en verre, dont les vapeurs la suffoquaient lentement.

Les lumières éparses et lointaines de Puerto San José et les torches qui brillaient sur sa jetée étaient encore visibles à travers le crépuscule d'un vert bilieux quand Paquita porta le pot en porcelaine jusqu'au bastingage et le jeta par-dessus bord, dans les vagues écumantes que les hélices du vapeur faisaient bouillonner. María de las Nieves cria pour couvrir le vacarme rancunier des machines:

«Tu aurais dû l'ouvrir et donner son cœur à manger aux requins.»

Paquita, les mains sur le bastingage, continua de contempler la côte fuyante du pays qu'elle ne reverrait plus jamais; ses cheveux flottaient dans le vent, faisant comme une ombre lointaine au long nuage noir dont la cheminée empanachait le ciel assombri. Puis elle se tourna avec un sourire indulgent, les joues humides d'embruns et tachetées de cendre, et saisit les bras de María de las Nieves, mais son amie détourna les yeux de son regard franc embué par les larmes.

«Féroce idiote, dit Paquita, se penchant vers elle. Il avait tout sauf l'amour de Dieu, que sa dernière et plus haute ambition ne risquait pas de lui gagner. »

Ándale, chuladita, pensa María de las Nieves. Continue à faire ton petit numéro, Paquita, je sais que tu n'en reviens pas de ta chance. Elle avait mal au cœur à force de contenir sa malveillance.

El Anticristo était mort au cours du premier engagement de la campagne destinée à unir par la force, sous son commandement, en une seule république fédérale, l'Amérique centrale tout entière. Anticipant l'échec des efforts de la France pour construire le canal de Panamá, et sachant que les Yankees ou même les Anglais finiraient par en faire un au Nicaragua quoi qu'il arrive, Justo Rufino ne pouvait pas laisser ce pays devenir le plus riche et le plus puissant d'Amérique centrale, tandis que le sien serait réduit à mendier dans les marges. Puisqu'il possédait la puissance militaire nécessaire, n'étaient-ce pas son droit, son devoir et sa destinée de le faire ? Sa république d'Amérique centrale, avec son canal réunissant les deux océans, serait une nation qui compterait dans le monde bien après sa disparition. Sauf qu'il avait échoué même à faire franchir à ses troupes la frontière qui les séparait du belliqueux et fourbe El Salvador, lui, jeté à bas de son cheval par la balle d'un tireur d'élite, et son armée, frappée de panique et de désespoir, mise en déroute – enfin, telle était la version officielle, et María de las Nieves ainsi que Paquita n'en connaissaient alors pas d'autre. L'étalon élevé au Kentucky, Relámpago, qui l'avait ce jour-là porté dans sa dernière bataille, voyageait lui aussi avec elles ; il était là, crinière blanche flottant dans le vent chaud, Pégase humilié, affublé d'œillères, sur le pont avant, parqué et attaché sous une bâche en lambeaux parmi la volaille en cage.

Bientôt Paquita serait une figure familière de Central Park, chevauchant en amazone le pur-sang de bataille de son défunt époux. Entourée d'une telle aura de romantisme exotique et de richesse, il n'était pas étonnant que la belle et jeune veuve s'élevât si rapidement jusqu'aux sommets de la société de Manhattan. En dépit de l'image qu'il s'était forgée d'homme du peuple à la Garibaldi, la fortune de son époux était devenue si immense durant ses douze années de pouvoir absolu qu'à l'époque de sa mort il y avait six millions de dollars rien que dans ses banques new-yorkaises, tous légués à sa veuve, en plus de ses nombreuses propriétés et affaires dans son pays et à l'étranger. À New York, les titans de l'industrie et de la politique d'Amérique du Nord et leurs épouses se rendaient à ses réceptions fastueuses mais de bon goût en tant qu'égaux, reconnaissants à leur hôtesse d'avoir introduit dans leur société une chaleur et une hospitalité latines de bon ton.

Cela dit, même au cours des dernières années du règne de Rufino le Juste, la maison de la Fifth Avenue était déjà un rendez-vous élégant pour les étrangers riches et distingués, originaires d'Amérique latine ou encore d'Europe, particulièrement d'Espagne, malgré la sympathie avouée de son époux pour la cause de l'indépendance de Cuba. À l'époque, l'Espagne tâchait d'écraser un nouveau soulèvement de séditieux dans sa colonie la plus précieuse, et avait engagé la fameuse agence de détectives Pinkerton pour espionner les conspirateurs rebelles cachés parmi les émigrés et exilés cubains vivant aux États-Unis, surtout dans les villes populeuses de la côte est. Un soir de l'hiver 1881, l'ami de Paquita, le consul général d'Espagne, Don Hipólito de Iriarte, héritier du Condado de Perrogruño, avait spontanément régalé les hôtes de Paquita en leur lisant le rapport d'un espion yankee employé par Pinkerton : il avait réussi à prendre une chambre dans la petite pension new-yorkaise où un jeune et pauvre chef rebelle cubain habitait avec sa jeune épouse d'une élégance invraisemblable et leur nourrisson. Paquita comprit ensuite que le Cubain compromis n'était autre que José Martí, ce même bavard de « Dr. Torrente » qui, en 1877, était arrivé dans leur pays afin d'enseigner dans l'une des nouvelles écoles d'avant-garde fondées par le gouvernement de son époux ; parmi les nombreux cœurs brisés qu'il laissa derrière lui un an plus tard se trouvait celui de María de las Nieves. Elle n'avait ni beauté, ni richesse, ni nom, mais d'autres qualités suffisantes pour attirer l'intérêt de quelques soupirants étonnamment convenables, et semblait partager les sentiments d'au moins l'un d'eux jusqu'à ce que le Cubain poète-séducteur, jeune homme passionné, éloquent et cultivé, n'entre dans sa vie. La réputation et les projets de mariage de María de las Nieves avaient fini dans la boue, bien sûr, dès que sa grossesse fut visible. Les mauvaises langues attribuaient même la paternité de son enfant au Cubain controversé, bien qu'elle naquît de nombreux mois après qu'il eut quitté le pays sous un nuage noir (accompagné de son épouse cubaine elle aussi enceinte), allégation qu'elle niait avec véhémence, chaque fois que Paquita la lui rappelait. María de las Nieves aurait pu protester que pour que cette calomnie ait la moindre chance d'être vraie, vu la date de sa naissance, il faudrait que sa fille ait été conçue durant les derniers jours de Martí dans le pays ; cependant l'existence de ces quelques jours ne pouvait être niée. Un des poèmes les plus célèbres et peut-être les plus regrettables, composé plus d'une décennie après, rappelait un baiser d'adieu et un visage bien-aimé pareil au bronze brûlant. Si l'on pouvait connaître et classer les genres de baisers qui ont marqué la conception de tous les enfants nés depuis le début des temps humains, les rejetons des baisers d'adieu se révéleraient probablement bien plus nombreux que ceux des baisers de retrouvailles.

Comme le rapport confidentiel de l'agent de Pinkerton, du moins les brefs extraits que le consul espagnol avait lus à ses amis, ne présentait pas le Dr. Torrente – le surnom de cet extraordinaire bavard de Martí dans son pays, avait expliqué Paquita à Don Hipólito, qui avait réagi par un sourire entendu – sous un éclairage digne ni enviable, Paquita demanda un exemplaire, et s'en expliqua auprès de lui. Sa meilleure amie d'enfance, María de las Nieves, avait payé un lourd tribut à sa folie et son imprudence et s'était depuis lors endurcie, réfrénant à l'intérieur sa jeune féminité ; cela faisait des années, elle en était certaine, que Las Nievecitas n'avait plus entendu ne fût-ce que des mots doux, sans parler d'expressions d'amour sincère, dans la bouche d'un homme. Peut-être la lecture de ce rapport aiderait-elle, un petit-petit peu, à attendrir la pierre qui était en elle. Le diplomate espagnol dit que dans ce cas elle pouvait l'avoir, car il n'en avait plus besoin et, de toute façon, il existait un autre exemplaire à la légation de Washington. Cette hôtesse et amie enchanteresse ne lui faisait sûrement pas l'affront de penser qu'il aurait lu tout haut des secrets d'État pour amuser la galerie ?

Lorsque Paquita revint au pays plus tard dans l'année, elle donna le document à María de las Nieves. (Il était là, sur la table vermoulue à laquelle j'ai travaillé, parmi tous les autres livres et tas de papiers empilés là, y compris l'extrêmement rare exemplaire de la *Vida de Sor María de Agreda* de Fray Labarde possédé autrefois par María de las Nieves, et une première édition anglaise de *Histoire de ma fuite des « Plombs » de Venise* de Casanova, offert pour son anniversaire en 1899, un signet de velours noir marquant les pages où l'immortel libertin relate sa lecture passionnée de l'« autobiographie » de la Vierge de María de Agreda alors qu'il était dans une cellule du palais des Doges à Venise ; et, bien sûr, l'exemplaire du massif volume que María de las Nieves avait emporté avec elle en quittant Nuestra Señora de Belén ce matin de 1874 ; et un exemplaire très usé de *La Monjita Inglesa* de Padre Bruno ; les *Portraits de femmes célèbres* de Sainte-Beuve, dédicacé par « Pepe Martí » « avec sa fraternelle affection » ; et un exemplaire de ses *Versos Sencillos*, publiés à New York en 1891, également dédicacé avec affection, même si c'était de manière secrète…)

Cette nuit-là à bord du *Golden Rose*, après que les enfants eurent été mis au lit, María de las Nieves et Paquita restèrent à parler dans le salon de la suite présidentielle où s'était installée la famille proche du défunt dictateur, la plus luxueuse du bateau, à côté du fumoir, d'où provenaient des bruits d'hommes buvant et jouant aux cartes. María de las Nieves et Mathilde demeuraient dans une des petites cabines de première classe vers l'avant. Les deux femmes sirotaient du cognac coupé d'eau, mangeaient des biscuits salés et des sardines en boîte et s'éventaient tout en se rappelant les jours passés, ensemble et séparément, au couvent. María de las Nieves fumait des cigarettes roulées dans du papier ; la Primera Dama, suivant le modèle new-yorkais de comportement féminin, avait renoncé à ce vice – néanmoins, avec le toucher aérien du pickpocket, elle ne cessait de tirer des cigarettes d'entre les doigts de María de las Nieves, les portant à ses lèvres, les lui rendant ; aller-retour, comme des lucioles ivres, d'une paire de lèvres à l'autre, voyageaient les cigarritos de María de las Nieves qui ne semblait même pas s'en apercevoir.

« La chose de loin le plus bizarre et effrayante que j'aie vue au cloître a été Madre Melchora sur son lit de mort, qui prononçait ses derniers mots sans bouger les lèvres », déclara María de las Nieves.

Paquita n'oubliait pas non plus le verre de son amie. María de las Nieves n'était pas habituée à boire tant, et ses yeux étaient vitreux et gais. Le poids constant de la mélancolie et du tourment qu'elle s'infligeait ces dernières années semblait s'être miraculeusement dissipé. Bien sûr elle était excitée de sortir du pays pour la première fois, de s'élancer vers une nouvelle vie et la possibilité d'une existence plus heureuse. Elle osait même penser qu'elle n'était pas une voyageuse mais une véritable émigrante, qui pourrait ne jamais revenir, ou du moins pas avant très longtemps. Les mots coulaient donc de la bouche de María de las Nieves, tandis qu'elle était assise, jambes croisées, mains jointes sur un genou et ce genou s'agitant sans cesse de haut en bas, communiquant ce mouvement à la partie supérieure de son torse. Ce cirque japonais qui est venu au Théâtre national il y a quelques semaines ? Avec ses seize acrobates qui composaient une tour kaléidoscopique de torses et de membres oscillant en courant autour de la piste comme un mille-pattes géant; et ces deux singes en kimono qui poursuivaient une conversation extrêmement cultivée et provocante par l'entremise de cette ventriloque japonaise à queue-de-cheval...

«... Crois-tu qu'il soit possible que Sor Gertrudis ait su faire ça? C'est la seule explication à quoi je puisse penser. Que la Madrecita soit morte quelques instants auparavant, et que ce que nous entendions c'était la voix de Sor Gertrudis.»

Paquita répondit solennellement: «Tu sais très bien, mis Nievecitas, que le Saint-Esprit est le plus grand ventriloque qui soit.

— Et est-ce que le Saint-Esprit explique que Sor Trinidad ait été un agent provocateur? dit María de las Nieves en élevant la voix. *Toi*, madame Francisca, tu sais que nous en avons appris pas mal sur les complots dans notre vie, mais notre Monjita Inglesa était un maître inégalable en ce domaine.

— Maître insurpassable!» Paquita, l'air incrédule, s'avança sur son fauteuil en peluche. «Ça me fait rire. C'est toi qui dis ça, María de las Nieves. Un complot de religieuses doit être une chose aussi mondaine que de tricher aux dés. Quel genre de maître était ta Sor Gertrudis, s'il lui a fallu douze ans pour comploter une réforme qui n'a pas même duré deux mois?

— Hmm... Sí... Sí pues.» María de las Nieves ferma d'un coup sec son éventail en l'abattant contre ses genoux. «Camarón! Bien sûr, tu as raison.» Elle hocha la tête d'un air triste et dit: «Mais je n'arrive pas à la voir aussi clairement que toi, fíjase. Quand Sor Gertrudis s'est mise à me détester parce qu'elle croyait que je pensais qu'elle avait changé la dentelle, vois-tu, *ça*, ma chère Paquita, ça m'a fait au moins aussi mal que la perte de n'importe quel autre amour. Celui de Dieu y compris. Alors il m'est difficile de voir comme toi, avec ton détachement et ta clarté infiniment plus grands. De même que tu la vois, Doña Paca, avec ton savoir encore plus grand des complots et des machinations, le fruit empoisonné de tant d'années de lecture des rapports et des mensonges des espions et des traîtres. Oui, Paquita, le fruit empoisonné!»

Les yeux brillant de malice rieuse, María de las Nieves tira sur sa cigarette, prit une rapide gorgée de cognac et, avalant de travers, se mit à tousser, portant la main à sa bouche.

Paquita eut un petit sourire, comme une aveugle perdue dans ses pensées, en attendant que l'accès de toux soit passé. «Las Nievecitas. Tu sais quand nous serons à New York tu ne pourras plus me parler ainsi, pas même pour plaisanter. Les gens là-bas ne comprendraient pas ta comédie. Et le Dr. Torrente? Ça ne t'a pas fait plus mal de perdre son amour?

– Pepe ne m'aimait pas. Alors je n'ai rien perdu.» Comme beaucoup de José, Martí aimait être appelé Pepe – d'après le double P du Pater Putativus biblique.

«Qu'est-ce qui s'est réellement passé entre toi et Martí? Je t'en prie, dis-le-moi, María de las Nieves.

– Il n'y a pas grand-chose à dire. Presque rien.

– C'est le père de Mathilde?

– Oh Paquita… je t'en prie.

– Un jour, María de las Nieves, il faudra que tu révèles à ta fille qui est son père.

– On peut toujours inventer une histoire. Une histoire peut certainement être un meilleur père qu'un vrai père, Paquita.

– Dans pareil cas, les deux sont loin de l'idéal, mis Nievecitas.

– Je ne suis pas sûre. Ça dépend.» Si j'étais tes enfants à toi, pensa-t-elle, je préférerais de beaucoup avoir une histoire.

«Si tu me le dis, je te promets de te révéler ce que je sais de Martí et de María García Granados. La moitié des domestiques de la maison Chafandín étaient des espions. Ça ne te surprend pas, n'est-ce pas?»

María García Granados, la fille de Chafandín – le général Miguel García Granados, le premier président de la Révolution –

et de Doña Cristina, avait le même âge que María de las Nieves et Paquita. Environ un an après que Martí fut arrivé en ville, et peu après qu'il fut brièvement retourné à Mexico et revenu, accompagné de son épouse cubaine, pour reprendre ses fonctions de professeur, María García Granados était morte – on disait de pneumonie ou de phtisie, de toute façon un triste sort, mais qui pouvait aussi bien être celui de quiconque n'importe quand. Même avant sa mort, on disait que la fille du général s'était éprise du Cubain, et que celui-ci partageait son affection, et peut-être son amour passionné. Maintenant que cette triste histoire était quasiment oubliée, c'était bien de Paquita de l'exhumer. Il était cruel de sa part de vouloir parler de María García Granados – pour qui María de las Nieves avait eu de l'amitié, de la jalousie et tant de tristesse quand elle était morte après avoir pris le lit, toussant et toussant jusqu'à en mourir, ainsi qu'il pouvait arriver à quiconque ; María de las Nieves était mal à l'aise et confuse de penser à María García Granados à présent. De quel droit Paquita lui ressortait-elle ces secrets vieux de plusieurs années, rapports de mouchards et de détectives qui pouvaient tout aussi bien refourguer des mensonges et des ragots de seconde main ?

« Mais nous ne nous montrons pas très fidèles à nos vœux, n'est-ce pas ? des vœux que nous faisons à Notre Très Sainte Virgen de Socorro, pas moins ! »

Paquita se contenta de sourire en rougissant à sa tortionnaire dont les yeux étaient soudain froids.

« Quelle est l'utilité d'espions qui répètent des ragots et inventent des histoires, Paquita ? » Avait-elle elle aussi été obsédée par le jeune et brillant Cubain ? Ou, excepté l'argent, était-ce tout ce qui lui restait du pouvoir, et qu'elle devait donc aimer d'amour-propre ? « Dis-moi, pourquoi croire un espion plus que n'importe quel ragot ?

– Justino Rufino disait qu'il fallait savoir comment écouter un espion. Si tu n'étais pas sûre qu'il disait la vérité ou non, il y avait toujours le *bâton*.

– Il va falloir apprendre à écouter d'une façon toute nouvelle maintenant, dans un monde où tu ne pourras plus te fier aux bourreaux de ton mari. Et sans Dieu, aussi.

– J'ai toujours Dieu. Je ne suis pas comme toi, qui…

– Je voulais dire le Dieu qui fait craindre aux *autres* de mentir, espèce de gourde.» Maintenant elle se retrouvait à l'aise dans sa mauvaise volonté habituelle.

«Tu as rencontré Martí à une réception chez Chafandín.

– Oui, c'est vrai. Et une raison pour laquelle j'y suis allée de bon cœur c'était que, Don Miguel et ton mari étant devenus des ennemis, je savais que tu n'y serais pas.»

Elle aimait la poésie plus que les histoires. Idéalement. Mais combien de fois pouvait-on écouter l'exilé cubain José Joaquín Palma, le barde de Bayamés, réciter une nouvelle ode à la République libérale ou chanter sa vaillante Cuba enchaînée? Pourtant de tous les poètes aux soirées de lecture de la «Société littéraire de l'avenir» – depuis la Révolution il semblait que tous les jeunes dandys et intellectuels de la ville étaient poètes *de l'avenir* – il était alors le plus estimé. Elle avait lu et écouté de la bien meilleure poésie au couvent. Même les villancicos improvisés de Madre Melchora avaient plus de charme et d'intérêt. Il y avait la Presidenta, comme toujours dans le fauteuil d'honneur, la Muse qui fait pondre les colombes du Parnasse. À l'époque, cela lui faisait encore mal au ventre de se trouver dans la même pièce que Paquita, même avec près de cent autres personnes derrière qui se cacher. Elle était donc partie, mais pas avant d'avoir entendu José Joaquín Palma annoncer de manière emphatique l'arrivée imminente d'un jeune poète exceptionnellement doué et compatriote héroïque qui ferait honneur au nom de la Société littéraire de «l'avenir».

«Je t'ai vue ce soir-là, dit Paquita. Je te détestais encore moi aussi. Pourtant, malgré mes sentiments, je n'ai pas laissé Rufino te jeter en prison ou te suspendre dans un filet. Il voulait le faire, parce qu'il pensait que tu savais où se trouvaient Sor Gertrudis et ses religieuses. »

El Anticristo arrêtait parfois des femmes liées aux vieilles familles conservatrices ou à l'Église, qu'il soupçonnait d'être au courant de complots, ou de répandre des bruits sur le président et sa femme, ou dont les impertinences et le port aristocratiques semblaient appeler l'humiliation violente. Parfois il faisait suspendre les femmes dans des filets accrochés aux poutres des étables de la Casa Presidencial, les mêmes que les Indiens portaient sur leurs dos voûtés, chargés d'avocats et autres marchandises. Pendant des jours on laissait pendre les prisonnières, parfois nues ou presque, jusqu'à ce que la corde, qui se tendait toujours plus autour du poids qu'elle supportait, fasse dans leur chair des entailles sanglantes. On salait parfois ces cordes pour inciter les vaches à lécher les prisonnières. Paquita l'avait préservée d'un tel sort, elle le savait. Et cela l'avait aidée à finir par lui pardonner, ou au moins à mettre sa rancœur de côté – s'humiliant comme de juste, vu les aléas de son existence, sa présence sur ce vapeur en route pour la Californie en était une preuve suffisante. Que dirait Pepe Martí de sa novice qui ne cessait de lui faire la leçon sur la pureté de conscience, la pureté de tout, s'il la voyait maintenant ?

Un jour, apparemment sans raison particulière, Paquita lui avait même envoyé un message lui proposant un poste de gouvernante et de tutrice de ses enfants, l'invitant ainsi que Mathilde à les accompagner à New York où elle passait régulièrement plusieurs mois d'affilée – María de las Nieves avait refusé sans ambages ; pourtant une ou deux fois par an, la Primera Dama avait réitéré son offre (et ce n'était que quelques jours plus tôt que María de las Nieves avait enfin accepté, du moins l'invitation à New York). Et c'était cette même femme qui s'était tenue aux côtés de son mari président, en muse du Massacre, aux exécutions sur la place centrale de tous ceux que son mari avait accusés, pas toujours à tort, de comploter le meurtre de la famille du président.

« Tu savais où Madre Gertrudis et ses sœurs se cachaient ?

– Pas exactement. J'aurais pu le savoir, je pense.

– Tu l'aurais dit ?

– Si on m'avait suspendue dans un filet, ou livrée en pâture à Rosario Ariza ? » Ariza, harpie et sadique célèbre, était la gardienne de la prison des femmes installée dans l'ancien couvent des carmélites. « Oui, j'aurais parlé ! Tu crois que j'aurais souffert pour sauver Sor Gertrudis ? C'est vrai qu'il voulait la faire fusiller ?

– Je pense que tu l'aurais fait, oui. Je croyais que tu étais encore totalement fanatique, que tu faisais seulement semblant d'avoir changé. Que tu n'attendais qu'une occasion ! Mais Rufinito n'a jamais dit ça. Peut-être pour plaisanter. Exécuter la Monjita Inglesa, imagine ! Même si elle le méritait, même si elle avait trempé dans une conspiration pour nous tuer, pour tuer non seulement le président mais, n'oublie pas, mis Nievecitas, sa femme et ses enfants aussi – oh, corazón, ç'aurait causé bien plus de problèmes que ça n'en aurait résolu.

– Plus qu'un crime, une faute. Quelqu'un n'a pas déjà dit ça ? » Elle se suça légèrement la lèvre, ouvrit grand les yeux, et mentit : « Mme Roland.

– Quand tu as rencontré Martí, tu avais des soupirants. Tu aurais pu épouser l'un d'eux. Je m'étonne parfois de ta sérénité, María de las Nieves. Ça ne te tracasse jamais de penser combien ta vie s'en serait trouvée différente ?

– Les seuls que je connaissais étaient vieux ou moches ou ennuyeux ou veufs ou stupides ou solitaires ou un mélange du tout, répondit-elle. (La sérénité ! Tout sauf ça !) Et quelques étrangers de mauvaise réputation, du genre qui vous arrêtent dans la rue et essaient de vous parler, généralement ivres. Mais jamais les beaux hommes, jamais ceux qui impressionnent au premier regard, ceux qui sont éclatants de vie. De tous ces candidats disons que les solitaires avaient la meilleure chance d'ouvrir un petit angle de vision, à travers lequel je pourrais juger, à l'insu de tous, la qualité de lumière qui s'en dégageait.

– O Dios, Dios mío! Donne-moi la patience! Sor San Jorge et ses éternels sophismes jésuites!» Paquita rit, puis poursuivit. «Cet Anglais blond n'était pas si horrible. Tu aurais pu faire pire.

– Oh? Est-ce que tu te rappelles même son nom?» Après un moment, elle tenta un : « *Wehh...* »

Une nouvelle fois Paquita fit non de la tête.

«Wellesley. Prononcé presque en trois syllabes (d'un ton un peu méprisant, comme un pied glissé dans la chaussure au moment de partir). Wellesley Bludyar. Et, oui, il était solitaire. Il avait les yeux les plus bleus qui soient, mais il n'était pas très beau. Les enfants se moquaient même de lui dans la rue, pauvre Wellesley, ils criaient dans son dos : ¡El Chino Gringo!»

Cette terre sur les hautes pentes du côté Pacifique de la sierra Madre, aux confins de la frontière est du Costa Cuca, que María de las Nieves avait hérité de son père, Timothy Moran, elle l'avait vendue seulement un an après avoir quitté le couvent, alors qu'elle habitait encore à Quezaltenango avec sa pauvre mère déchue et l'éleveur de moutons indien, dans son misérable campement du barrio Siete Orejas. Elle en avait obtenu bien moins que sa valeur réelle, et avait donné la moitié de la somme à sa mère, qui avait quitté la maison Aparicio pour vivre avec l'éleveur de moutons. (Ce n'était pourtant pas un Indio pauvre, il avait plusieurs pâturages à l'intérieur des limites de la ville.) Bien qu'elle ne puisse guère espérer avoir jamais le capital nécessaire pour y planter du café ou quoi que ce soit d'autre, elle savait qu'il aurait été plus sage de conserver la terre – si elle avait eu quelque moyen d'empêcher qu'on la lui vole. L'acte de vente avait été signé sous l'ancien régime conservateur. Lorsqu'elle s'y rendit, la terre était cultivée par des Indiens Mam, qui prétendirent qu'elle leur appartenait. Depuis l'aube des temps, disaient-ils, elle avait fait partie de leurs terres ancestrales. Mais si les Mam mentaient? Son père avait signé un acte de vente. Aller voir la jeune épouse enceinte du président du gouvernement suprême était hors de question. Elle refusait même d'approcher les Aparicio, après la façon dont ils l'avaient abandonnée et avaient traité sa mère. Vers qui se tourner? Elle, réfugiée parmi tant d'autres après l'expulsion historique des religieuses cloîtrées, endurant l'humiliation de vivre avec sa mère dans le campement de l'élevage de moutons de l'Indio, dormant sur un matelas de balle de maïs dans un coin de leur hutte au sol malpropre, disputant sa place aux poulets et aux chiens galeux; retrouvant les horaires des religieuses, tirée du lit bien avant l'aube pour moudre du maïs; menant une guerre inutile contre les mouches et la vermine omniprésentes, prenant des bains de vapeur si longs qu'elle avait continuellement l'impression que ses doigts et ses orteils étaient des pommes de terre trop cuites, sa peau sentant l'aigre à cause des vapeurs des herbes médicinales, ses cheveux aussi visqueux que si elle les avait lavés aux algues. À un vendeur itinérant elle avait acheté au marché un volume moisi intitulé *Leçons d'américain parlé*, qui lui avait permis d'améliorer son anglais, et ce livre était devenu le soleil et le centre de sa vie, tout comme celui de Fray Labarde avait été un moment le centre de sa vie passée. Finalement elle avait écrit à Padre Lactancio, et son ancien confesseur lui avait télégraphié le nom d'un prêtre de Los Altos, qui, quand elle alla le voir, avait déjà commencé à négocier pour elle avec le chef d'un groupe d'ouvriers agricoles bavarois; les papiers nécessaires étaient prêts. Vendre la terre n'avait pas été chose judicieuse, mais cela l'avait sauvée, l'avait écartée du danger. C'était son père défunt, sa terre, et le fait d'avoir pu la vendre, qui lui avaient donné la vie d'une héroïne de roman romantique plutôt que celle d'une mengala ordinaire en ville, sans autre issue que le mariage, ou peut-être un emploi de domestique, ou quelque autre état encore plus sordide; elle avait réussi une évasion magique aussi merveilleuse que celles dont elle avait lu les récits dans le livre de Sor María de Agreda. Sa part de l'argent lui avait permis d'acheter une petite maison dans une étroite callejón près de la Plazuelita de las Beatas ; le peu qui lui restait avait été confié à la garde de Padre Lactancio. Elle avait une pensionnaire, Amada Gómez, veuve de Zeno, une couturière qui travaillait en atelier, roulait des cigarettes à demeure pour gagner un peu plus et s'endormait chaque soir en pleurant, et une servante indienne, de l'époque de son enfance dans les montagnes, María Chon, la nièce de Pakal Chon, celui qui faisait des lapins avec des intestins de pécari. Un autre nouveau phénomène de l'époque : des femmes vivant seules en ville, qui, afin de ne pas avoir l'air vieux jeu, devaient porter au moins un chapeau bon marché à la mode de Paris, semblable à un pot de fleurs renversé avec des fleurs artificielles, au lieu d'une mantille en dentelle. María de las Nieves avait récemment acheté un tel chapeau, quelques robes d'occasion, retouchées, de style français, et autres accoutrements nécessaires. Elle marchait souvent dans les rues sans escorte, comme seules le font les étrangères généralement, ou une mengala indienne de basse classe. À l'âge de seize ans, bien que dépourvue de diplôme, elle avait été engagée comme traductrice par la légation de Grande-Bretagne. Elle parlait et lisait l'anglais, le latin, un peu de français et le mam, avait les manières et les connaissances religieuses et domestiques d'une pensionnaire de couvent et ex-novice, et donnait aussi des leçons d'espagnol à Mrs. Gastreel, dont le mari, Mr. Sidney Gastreel, était l'ambassadeur résident de Grande-Bretagne auprès des cinq républiques d'Amérique centrale (aussi, secrètement, auprès de la République maya rebelle de l'autre côté de la frontière à Quintana Roo, et auprès du royaume en sommeil de Mosquitia, sur la côte atlantique du Nicaragua). María de las Nieves avait failli perdre son emploi à la légation quand les inévitables ragots avaient fini par atteindre l'ambassadeur Gastreel, via Mrs. Gastreel, concernant sa relation avec la femme du président du gouvernement suprême.

L'ambassadeur Gastreel avait reconnu que Doña Francisca n'était qu'une enfant, livrée par mariage à un ogre qui aurait pu être son grand-père, mais une fille charmante à l'évidence, et ayant même une influence civilisatrice sur son époux, quoique très légèrement, on ne pouvait toutefois émettre aucune certitude, María de las Nieves, et nous devons être absolument certains que vous, vous n'êtes pas une espionne.

À première vue l'ambassadeur Gastreel avait l'air d'un paysan ou d'un bûcheron de conte de fées, avec sa tignasse en broussaille, ses traits noueux et puissants, son visage buriné, et de petits yeux vifs ; ses manières étaient brusques et condescendantes, mais parfois très douces. À son interrogatoire impromptu dans la bibliothèque de l'ambassadeur se trouvait également ce jour-là le jeune premier secrétaire de la légation, Mr. Wellesley Bludyar, qui ressemblait tant à un grand Chinois rondouillard aux yeux bleus décolorés, presque albinos et qui, en étrange écho à la nationalité attribuée à tort à son ancien mentor, était réellement connu de par la ville sous le nom d'El Chino Gringo (ou, dans certains cercles fermés du *Petit Paris d'Amérique centrale, Le Chinois anglais*[1]). Elle déclara aux deux diplomates anglais qu'elle n'avait pas parlé à Paquita, *pas un mot*, depuis qu'elles étaient pensionnaires au couvent. Son regard indigné s'était empli de larmes. Ils avaient vu par eux-mêmes combien elle avait été contente de l'heureuse issue de l'incident du consul Magee, où l'ambassadeur Gastreel avait si facilement imposé ses termes dégradants aux insolentes prétentions d'El Anticristo. Le colonel González, commandant la garnison de Puerto San José, un Espagnol rustaud, ami et allié du président, se détendait à la plage avec ses soldats, un soir, quand il fut approché par un Anglais qui lui exposa une série de doléances qu'il semblait vouloir résolues sur-le-champ, il tendait en même

---

1. Les mots ou expressions en italique suivis d'un astérisque sont en français dans le texte. *(N.d.T.)*

temps des papiers, que l'irritable commandant du port était trop ivre pour lire. Le colonel González, dont la haine atavique pour les Anglais avait été instantanément aggravée par les manières dédaigneuses de celui-ci, le fit jeter en prison et fouetter. L'Anglais était Mr. John Magee, et les papiers qu'il tenait en main l'identifiaient comme le consul de Sa Majesté récemment nommé à Puerto San José. La légation britannique avait alors respectueusement informé le président du gouvernement suprême que, afin d'éviter l'envoi immédiat de vaisseaux de guerre britanniques, plusieurs exigences devraient être satisfaites. C'est ainsi que l'Union Jack fut hissé au-dessus du port et honoré avec vingt et un coups de canon par les troupes de la République après que leur propre drapeau eut été abaissé dans la boue ; l'odieux colonel González fut envoyé en prison, fouetté et roué de coups au point que la mort fut pour lui une bénédiction envoyée par Dieu ; et le gouvernement suprême fut obligé de payer cinquante mille livres en réparation, réparties entre le Trésor de Sa Majesté la reine et le consul Magee, faisant de l'ancien marin, du jour au lendemain, un homme fortuné, dont on disait qu'il cherchait déjà à acheter une plantation de café.

« Je me suis réjouie de tout ça ! conclut María de las Nieves. Je suis la première dans ce pays à haïr ce despote ! Je ne me suis même pas adressée à lui pour conserver la terre de mon père. Vous ne pensez pas que j'aurais pu le faire ? »

Wellesley Bludyar remarqua alors : « Nous employons la traductrice la plus atypique de toutes les légations du pays, sinon du monde entier, Votre Excellence. Une Yankee India, antilibérale, anticléricale qui parle souvent comme un franc-maçon mais semble aussi admirer les jésuites et certaines religieuses des siècles passés apparemment douées de pouvoirs monstrueux. Ô Vierge des Neiges ! »

Elle pensa : Un pícaro, ce señor Bludyar. Au cours des heures de repos à la légation, elle s'était laissée aller à parler avec trop de liberté et de légèreté.

«Comme tant de jeunes gens d'aujourd'hui, je ne suis pas sûre de ce que je crois, répondit María de las Nieves avec passion. Tant de choses ont été mises à bas, si rapidement. Mais ont-elles déjà été remplacées?»

Debout, les mains dans les poches, Mr. Bludyar avait les yeux fixés au sol, ses cheveux d'un jaune ivoire terne (raides comme ceux d'un Chinois) lui cachant les yeux. L'ambassadeur Gastreel avait l'expression d'une pendule arrêtée. Elle n'avait pas voulu provoquer une atmosphère d'une pareille gravité, qu'elle sentait se déposer sur eux tel un filet tandis que l'après-midi mourait lentement.

Wellesley Bludyar leva les yeux et, semblant retenir son hilarité, déclara: «Comme c'est superficiel, Neiges.»

Et l'ambassadeur Gastreel dit: «Mais personne n'a jamais accusé Mr. Bludyar d'être profond. Je suis sûr que vous avez raison, Señorita Moran, et que pour les jeunes gens sérieux de cette grande République la vie représente une énigme complexe, avec pour seuls exemples un despotisme cynique et le spectacle presque toujours aussi présent du papisme et du cléricalisme. Quelle est la foi de ce gouvernement officiellement catholique, Wellesley? Il est difficile de croire qu'il n'est pas ennemi de toute religion. Je n'arrête pas de dire aux membres de ce gouvernement que s'ils donnaient une église aux quelques protestants de cette nation, alors le peuple aurait l'exemple d'une forme de culte plus digne et sincère, d'où pourrait découler une réforme *réelle* de ce pays. Vous ne perdrez pas votre place, Señorita Moran, mais vous n'auriez pas dû nous cacher cette relation extraordinaire.»

Peu après, un soir, Wellesley Bludyar avait accompagné María de las Nieves déguisée en pirate grâce à des vêtements de marin empruntés à la légation, à une soirée costumée chez le général García Granados, l'ancien président. Bludyar avait été étonné par la chaleur avec laquelle María de las Nieves avait été accueillie par Doña Cristina – mais l'ex-Primera Dama friande d'intrigues, qu'elles fussent politiques, conventuelles ou amoureuses, était fascinée par le lien personnel de l'ex-novice avec l'actuelle Primera Dama, et était également au courant de ses relations conflictuelles avec la tracassière Sor Gertrudis, aujourd'hui entrée dans la clandestinité. En accord avec la sensibilité aristocratique, libérale et «bohème» de Chafandín, ses réceptions étaient toujours des assemblées éclectiques : ministres du gouvernement et membres de l'ancienne élite conservatrice, poètes libertins à la mode, jeunes officiers ambitieux, le corps diplomatique, la crème du clergé, les imprésarios et artistes des spectacles – opéras ou drames – en cours de représentation au Théâtre national aussi bien que ceux des cirques et corridas de passage, exilés politiques, voyageurs et aventuriers étrangers, la couturière de basse extraction du moment qui émerveillait la ville de sa beauté naissante, ou tout personnage qui avait capté l'intérêt du général ou d'un membre de sa famille. La maison de Chafandín était le seul endroit de la ville où María de las Nieves aurait pu se mêler à de telles personnes. Les autres soirs, la vie sociale des riches et des puissants se déroulait comme d'habitude, centrée en grande partie autour de l'adoration portée à la jeune et belle épouse du dictateur.

Dans l'élégante *sala* scintillante de lustres et de miroirs vénitiens reflétant une lumière dorée, un mince jeune homme aux cheveux bouclés et aux yeux en amande étincelants déclarait qu'à Waterloo les officiers de Napoléon devaient le brillant écarlate de leur uniforme à la *cochinilla* qui venait de son pays.

«C'est ainsi que nos petits et faibles pays participent aux grands événements des nations les plus puissantes, dit-il. De même que le sang circule dans le cœur et le cerveau en passant par les extrémités (prononcé avec son accent légèrement antillais, sa diction liquide et cependant précise, dont le souvenir, tandis que María de las Nieves consommait cognac et sardines en parlant avec Paquita dans le grand salon du vapeur, lui donnait encore la sensation d'une plume doucement promenée sur sa peau). Bien sûr

Le Rouge et le Noir, le titre du célèbre roman de Stendhal, se réfère au rouge des uniformes de ces mêmes officiers, et au *noir* des soutanes des prêtres, poursuivit l'éloquent jeune inconnu. Ainsi même le titre de l'un des romans les plus remarquables écrits en Europe au cours de notre siècle a lui aussi été trempé dans notre… cochenille… notre – il balaya l'air de la main, comme si tous les auditeurs cultivaient la cochenille et pouvaient maintenant ressentir la fierté d'être liés à une œuvre importante de la littérature française – dans ce même rouge originaire d'Amérique centrale où notre magnifique quetzal trempa pour les teindre les plumes de sa poitrine… »

L'inconnu sourit légèrement, comme s'il n'était pas complètement satisfait de sa péroraison, alors que ses yeux rayonnaient de l'éclat de ceux d'un enfant intelligent et un peu égaré, semblant avouer qu'il ne pouvait s'empêcher de parler ainsi tout en attendant avidement une réaction de sympathie. Ses auditeurs, femmes costumées et hommes qui ne l'étaient pas en majorité, ne la lui fournirent pas immédiatement. Qui était Stendhal? Pourquoi mêlait-il la cochenille à l'ancienne légende du quetzal et du sang du cacique maya assassiné, Tecum Uman? Qui avait envie d'évoquer la cochenille, à présent uniquement synonyme de fortunes et de sources de revenus perdues?

« Et les philosophes français qui ont conçu la Révolution française, ajouta-t-il, plus bas, tournant les paumes en l'air comme s'il avait dit ces mots bien des fois auparavant, ne l'auraient peut-être pas fait si notre café, notre divin nectar américain à nous, n'avait pas été là pour illuminer leurs pensées et accélérer leur ardeur. D'après Voltaire… »

Était-ce bien, se demandait María de las Nieves, ce même Cubain si prisé par le barde de Bayamés? La plupart des femmes se tenaient là, intriguées derrière leurs masques et leurs éventails par tant de loquacité, et par ce mince jeune homme au large front pâle de philosophe, au regard dramatique de poète, à la crinière noire rejetée en arrière, aux bonnes manières spontanées, à la moustache fringante, et à l'énergie éclectique d'un véritable métropolitain. Les hommes, moins sûrs, regardaient autour d'eux, cherchant dans les coups d'œil qu'ils s'échangeaient un signal qui leur signifierait d'éprouver soit dédain soit admiration. Mais certains étaient déjà au courant que le jeune Cubain avait été emprisonné par les Espagnols pour ses activités révolutionnaires à Cuba, et que plus tard à Paris il avait été reçu par Victor Hugo. Ils le considéraient donc en connaissance de cause, comme s'ils pouvaient déjà sentir que sa seule présence parmi eux signifiait que le destin (ainsi qu'un jeune poète, futur diplomate, qui se trouvait là l'exprimerait des années plus tard) avait inopinément tracé à travers leur obscurité un chemin menant aux collines ensoleillées de la grandeur. Un par un, la plupart des autres hommes se mirent à ajuster leur expression sur celles de ceux qui savaient.

Bien sûr les dires étranges du jeune étranger expérimenté étaient plausibles, car à l'époque des guerres napoléoniennes leur pays avait été l'un des premiers cultivateurs et exportateurs mondiaux de cochenille, les petits insectes producteurs de teinture élevés sur les larges feuilles du cactus appelé cocheniller, méticuleusement récoltés pour être cuits dans des fours en terre. Mais l'invention des teintures à l'aniline en Allemagne avait fini par mettre un terme au commerce jadis fabuleusement profitable, même s'il avait toujours été aléatoire, auquel María de las Nieves devait tant: lorsqu'ils étaient arrivés dans ce pays, son père avait travaillé en tant qu'administrateur d'un élevage de cochenilles à Amatitlán, où il avait économisé l'argent pour s'acheter sa propre terre et fonder sa nouvelle entreprise de plantation de café.

C'était donc María de las Nieves qui avait parlé la première, imitant inconsciemment ses intonations si contagieuses que c'était à vous rendre fou, même à l'époque: «J'ai grandi dans un élevage de cochenilles. Puis j'ai été novice dans un couvent. Je viens donc de deux mondes qui sont aujourd'hui obsolètes. Deux genres de vie qui ont disparu de notre Amérique centrale... notre... Eh bien, je veux dire, ce sont deux choses que nous ne faisons plus ici. Nous n'élevons plus la cochenille et nous n'emprisonnons plus nos femmes à vie dans des couvents.»

L'inconnu avait fait une pause pour se présenter poliment – José Martí, avait-il dit, à votre service – avant d'ajouter avec un sourire: «D'une religieuse à un pirate – espérons que cela ne se révèle pas être la transformation caractéristique de notre époque, Señorita Moran.

– En quoi aurais-je dû me transformer?

– En maîtresse d'école, non? Voilà encore une vocation sacrée.

– Oh! j'ai eu mon compte des vocations sacrées, Señor Martí.» Troublée, elle murmura: «J'ai été formée pour être religieuse enseignante.

– Notre époque a besoin elle aussi de martyrs et d'ascètes, quoique d'un nouveau genre...»

Mais à ce moment un homme debout derrière eux l'interrompit d'un voix puissante: «Alors elle est moitié insecte, moitié bonne sœur, une vraie bête à bon Dieu.

– Prêts à tout abandonner», poursuivit Martí, tandis que María de las Nieves se tournait pour regarder l'homme à la voix et aux paroles grossières et vit un jeune Indio trapu au cou épais, vêtu d'une redingote, lui souriant comme s'il s'attendait à ce qu'elle soit submergée de joie en le reconnaissant. Elle était sûre de ne l'avoir jamais vu. Quelque chose dans son visage ridiculement avide évoquait une grosse pierre qu'on voudrait immédiatement ramasser pour la jeter dans un étang. Prêts à tout abandonner pour quoi? Mais quand elle s'était retournée le jeune Cubain avait été attiré dans une autre conversation.

María García Granados fit une entrée tardive, costumée en Cléopâtre, ses longs bras nus décorés de bracelets, sa tunique décolletée en satin révélant ses clavicules nacrées et l'ombre jaune-gris entre ses seins, sa longue chevelure ébène soyeusement opulente ; néanmoins María de las Nieves ne remarqua pas la première rencontre fatale de ce soir-là entre Martí et la fille de l'ex-président. C'est aussi ce même soir que Wellesley Bludyar, voyant comment María de las Nieves s'était enflammée en présence du volubile Cubain, et les efforts évidents qu'elle avait faits pour l'impressionner, ressentit une crainte bien trop familière et une surprise nouvelle en prenant conscience qu'elle pouvait dévaster son cœur affamé comme nulle Anglaise n'en avait été capable. Ce soir-là María de las Nieves fit aussi sa première rencontre avec Marco Aurelio Chinchilla, l'Indio effronté qui les avait interrompus avec son histoire de « bête à bon Dieu ». C'était donc une soirée importante à bien des égards, ainsi que l'*histoire* l'a prouvé.

Plus tard, elle avait lu le livre dont avait parlé le Cubain, elle s'efforçait d'ailleurs de lire tous les livres dont il avait fait l'éloge qu'elle pouvait trouver, et y rencontra l'impressionnante « Mathilde ».

« Ay Paquita, je suis fatiguée et tu m'as soûlée ; je vais me coucher.

— Mais tu ne m'as rien dit, desgraciada ! Je savais déjà ça, comment vous vous êtes rencontrés. »

María de las Nieves alla se coucher ; et son histoire – beaucoup plus qu'elle ne l'avouerait jamais à Paquita – poursuivit son cours avec elle le long de la côte plongée dans la nuit.

Les rumeurs selon lesquelles José Martí avait laissé derrière lui au moins un enfant illégitime durant son année passée en Amérique centrale se sont toujours appuyées sur le poème IX des *Versos Sencillos*, l'un des quarante-six poèmes sans titre, souvent ouvertement autobiographiques que le futur héros de la Révolution cubaine avait publiés dans un mince volume à New York en 1891, pendant la décennie et demie de son exil là-bas. On sait que la « *niña de G* », personnage tragique du célèbre poème, était ou avait été inspirée par María García Granados, la fille du premier président de la République libérale et de Doña Cristina, l'ancienne élève de Madre Melchora et sa protectrice la plus dévouée. María García Granados était morte à l'âge de dix-sept ans le 10 mai 1878, d'une pneumonie et/ou de tuberculose ou, comme le poème le suggère, des effets débilitants d'une peine de cœur dévastatrice, qui, bien sûr, aurait pu provoquer l'une ou l'autre maladie ou les deux ensemble ; à moins que, d'après la rumeur et la légende, elle soit morte en couches ; ou même des quatre phénomènes combinés en un unique cataclysme fatal, si elle avait vraiment le cœur brisé, se trouvait enceinte tandis que les bacilles de Koch étaient en sommeil dans ses poumons, et, ainsi que le poème le suggère explicitement, peut-être métaphoriquement, avait attrapé froid en se jetant dans une rivière un après-midi (la rivière des Vaches, serpentant dans la vallée des Vaches) ; ou encore, selon les très maigres documents biographiques la concernant, elle avait attrapé froid en se rendant à l'une des sources d'eau chaude non loin de la capitale un dimanche après-midi alors qu'elle avait déjà une légère fièvre, s'exposant au retour à l'air fatal du soir. Elle et María de las Nieves s'étaient vraiment connues et avaient même été, d'une certaine façon, des amies. (Mais qui en dehors du cercle fermé de la famille García Granados, particulièrement sa mère et sa sœur, sut jamais ce qui s'était réellement passé entre la jeune fille éprise et José Martí, si tant est qu'elles le savaient ? Quelque domestique indiscret ? Le poète cubain José Joaquín Palma, ami à la fois de Martí et de María García Granados ? Mais le barde de Bayamés à la barbe dorée était lui-même fou de la fille éthérée et svelte du général, et il est donc possible que ni les uns ni les autres n'aient rien dit.) María de las Nieves savait aussi bien que quiconque qu'il était facile de se cacher, même dans le petit monde triste et infesté de mouchards de la Pequeña Paris. Pourtant, treize ans après la mort de la « niña », alors que l'incident finissait par s'évanouir enfin dans le passé, n'inspirant plus ni les ragots ni la spéculation et que ne demeuraient que peu de personnes en dehors de la famille García Granados pour l'évoquer encore, Martí serait celui qui le ferait resurgir, cette fois-ci afin qu'il ne soit jamais oublié, dans son horrible poème de remords torturant, de confession et de nostalgie morbide, chanté comme une chanson de conte de fées racontant l'histoire d'une petite princesse triste qui meurt d'amour.

Toute une longue vie plus tard, en 1959, en fait, la très lointaine année de la mort de notre héroïne, l'acteur cubano-américain Cesar Romero, célèbre pour ses seconds rôles de «latin lover» dans les films hollywoodiens des années trente et quarante – bien que sa plus grande période de popularité soit en réalité à venir, lorsqu'il incarnerait le Joker dans la série télévisée *Batman,* puis le rôle de vieux bon vivant dans le mélodrame des années soixante-dix, *Falcon Crest* – fut invité au *Jack Parr Show,* cette semaine-là diffusé en direct de La Havane, après la Révolution romantique qui y avait eu lieu, et confia à la nation américaine que José Martí était son grand-père ; cependant, pour que cela fût vrai, il eût fallu que la mère de Romero, María Mantilla, née en 1880, juste avant la période de quinze années où l'«Apôtre cubain» vécut à New York, fût la fille illégitime de Martí. La littérature biographique concernant José Martí consiste principalement en hagiographies exaltantes, puériles et prudes. Par la suite, le sujet du rejeton secret de «l'Époux de Cuba» fut, du moins pour un temps, plus ou moins largement et ouvertement évoqué. Il se passa pourtant longtemps avant que les gardiens officiels de l'image idéalisée du héros, des deux côtés du détroit de Floride, obligent de nouveau les chercheurs à retrouver leurs anciennes-nouvelles habitudes de spéculation contenue et expurgée, du moins concernant cet événement particulier de la vie privée de Martí. Certains accusèrent Romero d'avoir cyniquement voulu faire un coup de publicité (comme si après avoir appris par la télévision qu'il était le petit-fils du patriote martyr cubain, les Américains allaient le réclamer à grands cris dans des premiers rôles de cinéma!). «Les seuls chemins qui mènent aux fontaines lumineuses de la poésie immortelle de mon grand-père, avait déclaré de manière pénétrante Cesar Romero, inspiré, à l'animateur du talk-show – un genre tout nouveau à l'époque – sont les chemins tortueux et cachés de sa vie amoureuse, qui ne peuvent être explorés qu'à la lumière de la compassion.» L'acteur avança également: «Évidemment mon grand-père, dont on voit partout la statue à Cuba, n'était pas lui-même une statue.» (S'adressant à Romero en lui donnant le surnom de «Butch» qu'il avait à Hollywood, Parr lui demanda de réciter quelques vers de Martí, mais l'acteur ne put que proposer le fragment bien connu: *Yo soy un hombre sincero / De donde cerce la palma*, prononcé avec un accent new-yorkais presque aussi fort que celui de Sor Gertrudis.) C'est Martí lui-même, un des poètes fondateurs du modernisme hispano-américain, qui dans son prologue historique au *Poema de Niágara* de Pérez Bonalde, considéré comme une sorte de manifeste du mouvement (que Cesar Romero n'avait certainement pas lu, encore qu'un agent publicitaire ou un copain professeur de littérature, pour le préparer à son passage dans le *Jack Parr Show*, avait certainement pu lui en avoir parlé) écrivit: *aujourd'hui, alors que la vie personnelle est pleine de doutes, de consternation, de questions, de malaise et de fièvre martiale, la vie – intime, fiévreuse, sans attaches, impulsive, la bruyante vie – est devenue le thème principal et, avec la nature, le seul sujet légitime de la poésie moderne.*

Bien que Martí n'eût que vingt-quatre ans quand il arriva en Amérique centrale, sa vie suivait déjà une voie qui, dans la perspective de sa mort héroïque au combat dix-huit ans plus tard, semblerait aussi prédestinée que celle de n'importe quel saint. À peine entré dans l'adolescence, il commença à écrire des tracts antiespagnols dans la presse cubaine clandestine (et tenta de traduire *Hamlet* et Byron dans un anglais appris grâce aux *Leçons d'américain parlé* – le manuel même dans lequel, à l'âge de quinze ans, María de las Nieves, habitant avec sa mère et l'éleveur de moutons à Quezaltenango, se plongeait). Emprisonné par les autorités espagnoles et accusé de trahison à l'âge de seize ans, il fut condamné aux travaux forcés dans la fameuse carrière de San Lorenzo sous l'infernal soleil de La Havane, lesté d'une chaîne rivée à la taille et à la cheville qui lui causait plaies et écorchures suppurantes. Son séjour en prison ruina sa santé pour toujours, provoquant, entre autres maux, une infiltration inguinale chronique et une hernie étranglée testiculaire, résultats des tractions et frictions constantes des chaînes à l'aine ainsi que des blessures infectées, qui devaient nécessiter plusieurs opérations apparemment inefficaces au cours de sa vie, et qui doivent avoir été la cause d'une gêne intime considérable, car des années plus tard il écrirait que, avec ces chaînes, ses geôliers avaient porté atteinte à l'intégralité esthétique de sa virilité. (Une autopsie pratiquée sur Martí par les autorités espagnoles aurait sans doute révélé un testicule manquant ; à cette époque l'ablation du testicule était une opération commune bien qu'inutile pour remédier à une hernie testiculaire.) Le jeune rebelle fut déporté en Espagne, où il étudia le droit et la littérature, écrivit de la poésie, connut ses premières amours passionnément partagées, et prononça des discours qui lui valurent parmi ses camarades étudiants et exilés le surnom de «la Pleureuse cubaine». À Paris il alla voir Victor Hugo et avant que la visite ne fût terminée, le géant littéraire inégalé de son temps et champion universel de la liberté avait offert au jeune exilé cubain un exemplaire de son recueil de poèmes *Les Filles* avec mission de le traduire en espagnol. Les parents et les sœurs de Martí avaient quitté Cuba pour Mexico dans l'espoir d'y trouver de meilleures conditions économiques ; lorsqu'il y rejoignit sa famille, il la trouva vivant dans une pauvreté humiliante et pleurant la mort de sa bien-aimée sœur cadette, Ana. À Mexico Martí écrivit des articles pour les journaux aussi bien que de la poésie, publia une traduction des *Filles*, jouit d'un nouveau succès littéraire précoce avec la représentation au théâtre de sa comédie romantique en vers légers *Amor con amor se paga*, eut des histoires d'amour (consommées ou pas) avec des actrices et la muse fatale la plus célèbre de la ville, prononça des discours, et prit part à des débats publics sur les sujets les plus polémiques du moment (spiritualisme contre matérialisme, au cours duquel il plaida pour une position intermédiaire). Il se fiança également à une jeune femme appartenant à une famille aristocratique et fortunée de Cuba qui résidait temporairement au Mexique, dont l'avocat et homme d'affaires de père était opposé à l'union. S'étant laissé entraîner dans les combats politiques qui déchiraient le Mexique, obligé de prouver qu'il pouvait gagner sa vie, attiré par la Révolution libérale dans le petit pays du Sud, et mû par des idées et des visions ardentes de liberté et de fraternité panaméricaines, Martí décida de se rendre là-bas, promettant à sa belle et jeune fiancée qu'il reviendrait l'épouser et la ramènerait avec lui dès qu'il serait bien établi dans le *Pays du Quetzal*. Dans une lettre au général Máximo Gómez, le chef de l'armée des rebelles cubains qui se battait contre tout espoir depuis « le cri de guerre de Yara » lancé neuf ans plus tôt, Martí, se décrivant comme *el mutilado silente*, écrivit qu'il était malade de honte de ne pouvoir se battre à cause de sa mauvaise santé.

Martí débarqua sur la côte d'Amérique centrale à Livingston – une ville nommée (écrivit-il dans son journal) d'après le juriste, et non l'explorateur, mais qui les honorait tous deux ! – au printemps 1877, continuant vers l'intérieur via Izabal et Zacapa, suivant le même chemin qu'une Sor Gertrudis de la Sangre Divina tout aussi jeune avait emprunté trente ans auparavant. Comme la célèbre Monjita Inglesa, Martí traversa aussi la haute vallée luxuriante à dos de mule et, voyant les tours et les dômes des églises et des monastères s'élever tels des minarets fantastiques sur un horizon crépusculaire indigo de volcans et de montagnes, sut qu'il approchait d'une ville qui lui était destinée. Comme l'ex-maîtresse des novices et directrice générale yankee, c'était un réformateur visionnaire en matière d'éducation ; comme elle, il enseignerait ici. La voix de Martí pénétrerait aussi profondément dans la mémoire et le cœur de María de las Nieves, pour y demeurer à jamais. Le poème dans lequel Martí rêve d'un cloître nocturne en marbre et de dialoguer par la lumière de l'âme avec les héros immémoriaux reposant dans le divin silence aurait pu stimuler l'aspiration au martyre de Sor Gertrudis. On pourrait continuer à faire la liste des similitudes entre Martí et Sor Gertrudis, bien que, évidemment, la liste de leurs différences fût plus longue.

Pendant ce voyage à l'intérieur des terres, Martí avait fait la rencontre d'une jeune Indienne agile mais voluptueuse, qui avait émergé telle une *Vénus couronnée* des flots cristallins de la rivière tropicale où elle se baignait, s'exposant sans le savoir au voyageur assoiffé, qui but à ses charmes, ses sens s'éveillant à une nouvelle idée de la beauté américaine. Confiant l'incident au papier quelques années plus tard, Martí avouerait qu'il *avait aimé et avait été aimé* ce jour-là, avant de poursuivre sa route. Que signifiait-il par là ? Que leurs regards s'étaient joints, jusqu'à ce qu'elle baisse timidement les yeux – et que remarquant dans son physique les manifestations d'attirance et d'excitation répondant aux siennes, il s'était approché ? Au lieu de plonger de nouveau dans la rivière, ou de s'enfuir en courant, elle l'avait laissé la prendre dans ses bras. Sa peau avait la douce odeur de la jeunesse et de l'eau de la rivière, qui n'effaçait pas complètement les traces de fumée d'un feu de cuisine dans ses cheveux et le fort relent de tabac dans son haleine, tandis que lui, refermant sur sa taille les manches de sa chemise qui grattaient la peau de la belle, sentait à plein nez la sueur d'un long et dur voyage. Où étaient ses guides ou ses compagnons de route et leurs mules ? Cela se passa-t-il à Izabal, avant qu'il n'embarque sur le vapeur, lors d'une promenade le long d'un cours d'eau dans la jungle ? Elle déploya rapidement un lit de palmes ou de feuilles de bananier sur le sol mousseux où affleurait la boue, et ils s'allongèrent là, ignorant les morsures féroces des fourmis, épargnés peut-être par elles. Ou évoquait-il l'amour dans un sens transcendant, deux désirs, deux regards, noir et brun, amérindien et espagnol, là dans les ombres de la jungle, aimant et désirant chastement leur égale jeunesse, aimant et découvrant de nouveau l'Amérique perpétuellement vierge ? Mais qui dira si un enfant anonyme ne fut pas conçu au cours de cette brève rencontre, dont les descendants, dotés peut-être de traits mayas et du front puissant de l'Apôtre cubain imitant un cœur dilaté ou le derrière inversé d'une nymphe néoclassique en train de plonger, se trouvent maintenant, en cet instant même, quelque part sur cette terre, dans ce pays-ci, ou, tout aussi probablement, vu la nature migratoire de cette époque, dans celui-là, inconscients de leur héritage encodé et se sentant néanmoins étrangement émus par quelque vague reconnaissance inexprimable à la vue de la photographie ou de l'illustration de quelque livre d'histoire – ou peut-être pas du tout inexprimable ; peut-être disent-ils : « Hé, mon front est exactement comme ça ! » – ou par un buste en bronze ou en marbre haussé sur un piédestal dans quelque parc ou cour obscurs, quelque hall sombre, n'importe où dans les Amériques ou même le monde, ou par l'énorme statue équestre à une entrée de Central Park, représentant un homme aux traits empreints de bonté et au vaste front, vêtu d'un costume trois-pièces flottant au vent, immobilisé dans les derniers instants de sa vie alors que les premières balles espagnoles le frappent, le jetant à bas de son cheval cabré. Du côté secret de sa mort, Martí chevauche aussi éternellement une « statue-question ».

Ce n'est que des années plus tard, quand le mythe engendré par sa mort commença à se répandre sur les Amériques comme un nuage hémisphérique de pigeons à la recherche de statues où se poser, que ceux qui avaient connu la fille du général et le jeune exilé cubain comprirent que le poème évoquant la jeune fille morte d'amour et son auteur étaient à présent unis dans l'immortalité. Et pourtant si tout cela n'était que fiction, une histoire, maquillée en poème d'amour tragique et de confession? Un mensonge inventé pour l'amour de l'art, mais avec les conséquences d'un vrai mensonge. Un poème qui vous faisait croire que vous écoutiez une confession quand ce ne voulait peut-être n'être qu'un poème. Ou Martí avait-il une autre intention en écrivant ce poème? Par exemple d'y confronter cruellement sa femme. Pourquoi l'écrire sinon pour la blesser? Ou, tandis qu'elle sanglotait, la liasse de ses vers mensongers, en attente d'une publication prochaine, posée sur ses genoux, tomba-t-il à ses pieds en bredouillant : «Allons, ce n'est qu'un poème, mi querida, qui ment afin de trouver son chemin vers une autre vérité…» Dans un autre poème il parle d'une femme aux sourcils noirs et aux sombres yeux aquatiques, mais pas avec autant de sentiment et avec une autre forme de regret, qui est un des indices auxquels María de las Nieves reconnaissait qu'il désirait parfois faire mentir sa poésie. Cependant ce soir-là, alors qu'elle et Paquita conversaient sur le vapeur en route pour la Californie, ce poème n'existait pas encore, il n'était pas encore l'invincible rival de María de las Nieves; l'ascension de ce poème était encore loin dans l'avenir, quand Martí serait devenu Martí, et que son amour crucifié – car c'est ainsi qu'il le dépeint –, son amour peut-être fictionnel, serait *ressuscité*, afin de devenir, à jamais, dans toute les Amériques de langue espagnole, un poème d'amour appris par cœur et récité par les écoliers. Et une source inépuisable de rumeurs, de scandale et d'indignité. Même cet oreiller en soie parfumée dont parle le poème, dans lequel elle avait pleuré ses larmes de femme au cœur brisé, celui qu'elle avait brodé de ses mains pour le lui offrir en cadeau de départ afin qu'il puisse voyager, jusqu'au Mexique où l'attendait celle qu'il allait épouser, avec l'oreiller parfumé en soie rose et jaune fourré sous le bras, ce même oreiller lacrymal, plus d'un siècle après, est exposé au musée voué à El Héroe

Nacional à La Havane, un stupide oreiller d'adolescente vénéré comme la relique d'un saint!

Dans le Parque de la Concordia, où se dressaient à présent un jardin de fleurs dans un coin, des roses dans un autre, et des plantes de jungle autour d'un petit lagon, à l'ombre d'un palmier africain trentenaire récemment transféré de la ferme expérimentale de la Sociedad Económica, tous protégés des «excès nerveux de curiosité» par des clôtures en bois et fer – la protection des plantes étant une nouveauté très remarquée et controversée –, quatre kiosques avaient également été érigés. L'un d'eux, le plus grand, ouvert, était destiné à abriter les musiciens tels que ceux de la fanfare du colonel Dressner, qui jouait deux fois par semaine les après-midi. Un autre hébergeait les gardiens du parc. Un troisième, pas encore ouvert, proposerait un buffet, des desserts et des boissons, ainsi que des jouets et autres articles de ce genre. Le quatrième kiosque était un «salon de lecture» avec deux lourds bureaux, des chaises en bois, et une boîte à lettres. À l'origine il y avait eu des plumes et du papier, mais ils avaient été volés et non remplacés. Les horaires des vapeurs pour les ports de San José et Champerico étaient affichés aux murs, bien qu'ils ne soient pas toujours mis à jour, avec les prix du passage, les droits de douane, le prix du café et autres annonces. Il y avait un rayonnage, mais le seul livre qu'il contenait était la *Táctica de guerrilla*, utilisé par les cadets de la nouvelle académie militaire dans l'ancien couvent de la Recolección, dont le grand jardin où les religieuses faisaient pousser leurs fameux choux-fleurs était désormais converti en terrain de manœuvres et en stand de tir. Il y avait aussi une barre où étaient suspendues des règles en bois d'où pendaient des journaux étrangers, les derniers arrivés par les vapeurs qui faisaient maintenant escale dans le monde entier. Les journaux locaux étaient empilés sur les bureaux, et María de las Nieves aimait les lire chaque fois qu'elle passait par le salon de lecture en se rendant le matin à la légation britannique, située juste de l'autre côté de la rue à la limite sud du parc. L'ambassadeur Gastreel et le premier secrétaire Bludyar, ne lisant pas couramment l'espagnol, perdaient souvent leur sang-froid à la lecture des journaux locaux et elle savait qu'ils lui étaient reconnaissants, même s'ils ne le montraient pas, pour les informations qu'elle leur fournissait sans qu'ils aient à les demander.

Le salon de lecture n'était pas un endroit de mauvaise réputation, mais il était généralement considéré comme un sanctuaire réservé aux messieurs, quoique pas de manière aussi stricte que le Jockey-Club, cet endroit où se rendaient les hommes, à condition d'être membres, s'ils étaient vraiment intéressés par la lecture des journaux ; là, ou à la Sociedad Económica. N'étant plus une nouveauté, le kiosque de lecture était généralement désert. De leurs fenêtres de l'autre côté de la rue, ses employeurs avaient vue sur le parc. Une dama bien élevée et respectable ne marchait jamais seule dans la rue, ainsi que faisait généralement María de las Nieves ; néanmoins elle savait qu'elle faisait bonne impression en arrivant le matin à la légation accompagnée de sa servante. La plupart du temps María Chon se rendait avec elle au salon de lecture, puis la quittait à la porte de la légation et poursuivait jusqu'au marché.

Une dama bien élevée et respectable ne devait jamais non plus rendre son salut à un homme dans la rue, quelque poli qu'il fût, car même un chapeau légèrement soulevé constituait une porte grande ouverte au scandale et à bien pire. Elle ne resterait jamais seule pendant des heures avec un réparateur de parapluies dans sa petite boutique ainsi qu'aimait à le faire María de las Nieves. Elle ne pouvait pas non plus manger de l'ail, des oignons, du citron vert, des chilis, ni rien qui soit fort, piquant ou suffisamment épicé pour fouetter le sang, échauffer le corps et éveiller le désir. Après avoir été jusqu'à séparer Dieu de Ses vierges épouses, les libéraux au pouvoir semblaient vouloir garder les femmes – mais seulement *leurs* femmes – aussi strictement cloîtrées qu'avant, et se méfiaient autant de la propension innée à la licence et au péché de leurs épouses et filles que la maîtresse des novices ou le confesseur le plus zélés.

Pourtant depuis qu'elle était revenue vivre seule en ville, María de las Nieves n'avait rien fait qui puisse lui causer grand préjudice en société, ni même rien dont elle soit trop honteuse. Elle se jugeait pure de cœur et de corps – plus encore que quand elle était religieuse, maintenant qu'elle n'était plus tenue de considérer sa propre incarnation comme un marécage toxique et qu'elle s'était en outre défaite de l'addiction aux éternuements (il n'y avait plus de couverture india poilue sur son lit à présent, et si elle voulait éternuer de l'ancienne manière, il lui faudrait tirer des fils aux couvertures de sa pensionnaire ou de María Chon, risquant grande honte si elle était surprise). Elle savait que de par sa situation elle ne pouvait de toute façon pas être comptée parmi ses compatriotes bien élevés et respectables, malgré l'éducation reçue au couvent, et quelle que puisse être la sincérité avec laquelle ses compatriotes bien élevés et respectables professaient leur croyance en les nouveaux principes démocratiques de la *Revulución* (ainsi qu'il était élégant de prononcer). Et donc elle comprenait également – à la manière vague et pesante dont ce genre de savoir déplaisant et rarement exprimé est reçu et assimilé – que la «pureté» n'était pas requise ni même attendue d'elle, par la société en général, ou par ceux dont les yeux tombaient sur elle quand elle marchait seule dans la rue. Il y avait de nombreux dangers desquels elle n'était pas à l'abri, mais jusqu'alors elle avait été suffisamment experte et agile pour les déchiffrer et naviguer au travers, même si elle ne saisissait pas vraiment ce qu'elle évitait si instinctivement. Los Gastreel y Bludyar, peut-être aveugles et sourds à ces nuances locales, semblaient certainement la considérer, du moins en comparaison des autres señoritas locales, comme suffisamment bien élevée et respectable!

María Chon était plus brune, plus petite et plus maigre encore que María de las Nieves, de trois ans sa cadette, et son sourire révélait ce qui semblait être deux rangées de petites dents laiteuses parfaites. Habituellement elle couvrait sa bouche de son châle chaque fois qu'elle riait ou souriait, et souvent quand elle parlait, bien qu'elle ne fût *absolument pas* timide. Lorsqu'elle marchait dans la rue avec son panier à provisions en équilibre sur la tête, María Chon avait toujours les lèvres remontées en une petite moue dissuasive, tandis que ses yeux noirs intenses semblaient scruter le monde comme s'ils soupesaient précisément le bon et le mauvais en chacun des passants, avec les résultats auxquels on peut s'attendre. C'était une bonne chose d'avoir María Chon à ses côtés quand on marchait dans la rue : son regard de tireur d'élite et sa petite bouche colère décourageaient les gens, forçaient leur prudence, sapaient leur hardiesse. Ce qui était un peu ridicule du fait que María Chon ne savait presque rien de rien – peu surprenant chez une niña de son âge, une Indienne Mam, pas moins, dont la famille habitait dans la forêt près de María de las Nieves, sa mère et Lucy Turner. La vie en ville étant pour elle un tourbillon de perplexités, il y avait peu de consistance ou d'utilité dans ses jugements, quoiqu'elle fût rarement réticente à les formuler.

Pendant que María Chon attendait dans le parc assise sur un banc, son châle sur la tête, un cigare non allumé aux lèvres et son panier à ses pieds, María de las Nieves entra dans le kiosque de lecture. Ce jour-là il n'y avait qu'un journal étranger pendu à la barre, et quand elle souleva sa première page saturée d'humidité pour voir lequel c'était, le coin se déchira dans sa main aussi doucement que s'il avait flotté sur un étang. C'était un numéro du *Panama City Star & Herald* – journal peu propre à susciter le romantisme ou un désir de pénétrer en rêve la vie d'une ville lointaine.

Il y avait aussi un petit brasero sur pied destiné à allumer le tabac dans le salon de lecture, et María de las Nieves, avant de s'asseoir pour lire ses journaux locaux, sortit une cigarette roulée dans une feuille de maïs de la petite bourse en cuir qu'elle avait dans son sac. L'acajou noirci par le temps des tables exsudait une senteur d'humidité qui lui donnait toujours l'impression d'être vide et un peu morne : elle respirait au moins un siècle d'ennui et de souffrance monastiques, émanant de ces vieux bureaux aussi sûrement que s'ils étaient les fantômes de moines malpropres. Ce matin-là, comme elle se penchait sur le brasero, au lieu de s'envoyer l'habituelle bouffée de cendre tiède au visage, elle fit lever une flamme des charbons rien qu'à son second souffle, poussa un petit cri de triomphe, et apporta sa cigarette à María Chon pour qu'elle y allume son cigare. De retour à l'intérieur, elle s'assit avec l'édition de la semaine d'*El Progreso* ouverte devant elle sur le bureau, savourant lentement son cigarrito et pensant à Wellesley Bludyar, dont la cour hardie et ouverte mais cependant incertaine ne pouvait pas être plus longtemps traitée par l'ignorance ou la feinte incrédulité. C'était son premier soupirant légitime, ce qui était sans doute un événement d'importance dans la vie d'une jeune fille, et qui exigeait l'étude et l'examen les plus sérieux de ses propres sentiments – sentiments qui devraient inclure quelque métamorphose discernable au plus profond de son être, n'est-ce pas ? (Bludyar, à cette époque, passait aussi beaucoup de son temps à réfléchir à cette cour perplexe, parfois même tout haut et à portée d'oreille d'autrui ; peut-être en cet instant précis, les rares jours où la pluie a soudain un goût tropical plutôt que celui de pierre noire et de byssus de moule, l'herbe émeraude qui pousse sur sa tombe dans un cimetière du Norfolk rumine encore sur cet amour improbable et néanmoins persistant ; bien que l'herbe, même si elle boit beaucoup, ne puisse pas pleurer.)

« *La fameuse décadence espagnole commença avec l'habitude de fumer du tabac dans les Amériques* » – Wellesley Bludyar, l'autre jour, avait lu d'une voix gaie cette phrase extraite des mémoires de voyage d'un Anglais en Amérique centrale et publiés à Londres, alors qu'ils étaient assis dans une galerie face au patio central, au cours d'un de ces après-midi désœuvrés fréquents à la légation. La fameuse décadence espagnole, avait rétorqué María de las Nieves, avait commencé avec la trahison des meilleures traditions religieuses, mystiques et poétiques de l'Espagne. C'était une bien vaste affaire à traiter rien que le temps d'une conversation, particulièrement si on considérait la virile répugnance anglo-saxonne que professait Wellesley pour ce genre de discours – mais alors, d'une manière déconcertante, à la fois enflammée et posée, elle avait évoqué de nombreuses minutes durant pour le premier secrétaire au visage lunaire, ainsi qu'elle n'en avait jamais parlé à personne de toute sa vie, son année de noviciat. Il ne se passait pas de jour sans qu'elle ait une raison de se rappeler combien elle avait détesté le temps passé au cloître, et pourtant elle parlait à Wellesley Bludyar comme si elle continuait à préférer cette façon de vivre à toute autre, chérissait son souvenir et ses leçons par-dessus tout – tandis qu'il la regardait avec un humour et une affection tellement débordants que c'était comme si elle pouvait sentir son propre cœur se remplir du bleu pétillant de ses yeux. Ce n'est pas moi, pensait-elle, j'ai l'impression d'avoir un pied parlant dont les mots liquides jailliraient comme d'une radieuse fontaine de vérité. Que se passe-t-il?

« Je pense presque que je donnerais n'importe quoi pour être enfermé dans un couvent avec vous, Neiges, avait remarqué Wellesley Bludyar d'une voix joviale une fois qu'elle eut terminé. Tous les deux à nous élever, côte à côte, haut-haut dans les airs, par-delà les montagnes et les océans, jusqu'à… où était-ce? Jusqu'au Nouveau-Mexique. Hahaha. Aha… » Puis il lui avait fait un clin d'œil! D'une manière aussi soudaine qu'incompréhensible, l'exubérance avait fui son cœur. Un instant plus tard, reprenant son ton pompeux, il avait ajouté: « Vos mystiques espagnoles devaient avoir fumé. C'est votre opinion, n'est-ce pas? Ou est-ce qu'elles prisaient et lévitaient en éternuant! »

Quand Wellesley Bludyar vit l'expression de María de las Nieves (ainsi qu'il le confia plus tard à l'oreille compatissante de Mrs. Gastreel ; et bien des nuits plus tard, bien que très ivre et pas de façon aussi explicite, à d'autres ; et à portée d'oreille d'autres encore, car la ville était si infestée de policiers secrets, de mouchards et d'espions qu'un autre étranger qui vivait là à l'époque, et tenait son journal, y avait écrit : *ici même les ivrognes sont discrets* – mais pas toujours Bludyar) il pensa qu'elle avait trouvé sa petite plaisanterie culottée et intelligente, et il se sentit exceptionnellement rempli d'une excitation pleine de gratitude. Un instant plus tard tout cela avait été remplacé par un froid fiévreux dans ses intestins. Se pouvait-il vraiment qu'il soit en train de tomber amoureux de cette drôle de petite traductrice sang-mêlé, avec ses dents de travers, trop espacées et décolorées, son haleine puant le tabac et ses doigts tachés (presque rouge vermillon) par le tabac ? Il la regarda, souriant d'un sourire soporifique, et s'imagina disant à sa mère : Oui, une Indienne d'Amérique, plutôt bien élevée, vous savez, dans un couvent... Non, elles n'ont pas de plumes sur la tête ni de peintures de guerre... De toute façon, pas vraiment une Indienne, elle est ce que certains appellent une *mé-tisse*... Elle sait faire son entrée dans une pièce, mère, mais oui, et avec un peu d'instruction et d'entraînement, je suis sûr qu'elle entrera splendidement dans une pièce... Peut-être ne quitterait-il jamais le service diplomatique, bien qu'avec une femme pareille son prochain poste serait encore plus obscur. À quoi cela ressemblerait, de vivre à Londres avec elle ? Il se vit languissant dans la froide humidité, se sentant incompris et moqué par le monde entier excepté María de las Nieves, et courant chez lui retrouver la douce étreinte de ses bras nus et maigres. Il connaîtrait son odeur et son goût, ses rêves, ses préférences, ses aversions, ses craintes, ses idées sur telle ou telle personne... tout ! Il ne vivrait que pour sa Neiges, pour ses baisers et ses plaisirs intimes, dans un monde secret... il glisserait sa langue dans les interstices entre ses dents...

Combien de temps un homme était-il censé pouvoir se passer d'amour ? Un espoir vertigineux lui faisait tourner la tête. Il croisa une jambe lourde et tremblante sur sa cuisse, attrapa le bout de sa chaussure et l'attira à lui comme un aviron, et, tout en jetant un regard noir à son genou, pensa : Le nouvel ambassadeur des États-Unis, le colonel Williamson, a épousé une Cubaine. C'est donc faisable. Recommencer sa vie au Canada. Pas en Australie. Oh pourquoi ne pas juste mettre les bouts en Californie... Oseraient-ils ? Il lui adressa son sourire le plus chaleureux, le plus doux, comme si elle venait juste de dire oui oui oui...

L'expression de surprise sur le visage de María de las Nieves trahissait en vérité une effroyable inquiétude : est-ce que Sor Gertrudis, de là où elle se cachait en ville, répandait des histoires sur son humiliation et sa honte ? Ou était-ce Padre Lactancio ? Cependant le regard de dévotion fiévreuse que lui adressait le premier secrétaire la convainquit que sa remarque devait avoir été le fruit du hasard. Elle rit, et il répondit par le gentil petit rire sot qui lui était propre, rougissant, hochant la tête, l'air très heureux, évitant ses yeux, rentrant la tête dans le cou et les épaules tel un tourtereau géant. Puis une sensation d'étourdissement s'installa sur elle telle la grande ombre d'un kapokier sur un après-midi chaud et ensommeillé. Pues, qué cosa, que se passait-il cet après-midi-là dans le jardin de la légation, quel étrange sort était jeté ? Ce moment providentiel de bien-être intime aurait pu durer si Wellesley Bludyar ne l'avait pas gâché en saisissant de nouveau son livre de voyages.

« La décadence indolente des femmes d'Amérique centrale, lut-il, reprenant là où il s'était arrêté, perchées sur les banquettes de leurs fenêtres grillagées, regardant dans la rue, avec leurs paupières tombantes, leurs yeux vagues et vitreux, leurs visages sales, intérieurement soûlées comme des abeilles par leurs rêveries d'histoires d'amour... » Bludyar s'arrêta, s'excusa, et dit : « Je ne vous vois pas traîner ainsi sur la banquette d'une fenêtre, Neiges. Vous avez une banquette de fenêtre ?

– Visages sales, dit-elle. Sí pues.» Mais pourquoi cela la gênerait-elle? Ce n'était pas faux.

«Vous vous lavez le visage, María de las Nieves, je sais. Vraiment, ce livre est en grande partie un tissu de bêtises. Il prétend que l'Amérique centrale subit tant de tremblements de terre parce que les rayons du soleil, réfractés par l'océan comme par une loupe, voyez-vous, forent le fond de l'océan avec une chaleur plus intense que sous d'autres latitudes. D'où la terre fondue sous nos pieds, et les fumerolles des paysages volcaniques, etc.

– Ça ne me semble pas bête.» Partout dans le pays, de l'eau bouillante ne cessait de suinter et de jaillir du *mundus subterraneus.*

«Oui, mais Mr. Gastreel dit que ce sont des bobards. Il y a une autre explication.»

Des visages sales, des histoires d'amours licencieuses, elle se demandait si c'était cela que voyaient les étrangers quand ils vous capturaient de leurs regards dans la rue? Wellesley Bludyar aussi? Comment voit-on ce qu'il y a à l'intérieur d'un homme? Regardez-le maintenant, qui me regarde, cherchant désespérément quelque chose à dire, des mots à lui, qui ne sortent pas d'un livre. Pourquoi ce que nous pensons des étrangers ne devrait-il pas avoir autant d'importance? Voilà que maintenant les femmes respectables ne fument plus en public, et parce que les étrangers ont souvent exprimé du dédain pour notre répugnance à nous asperger le visage d'eau, de nombreuses femmes le font aussi régulièrement, même convaincues qu'un visage mouillé est comme une porte ouverte à la maladie dans notre monde où les vents brûlants et glacés n'ont guère de chemin à faire depuis les côtes étouffantes et les sommets rocheux avant de nous atteindre, où le soleil brûlant est si rapidement couvert par d'énormes nuages noirs, pleins de tonnerre et d'éclairs; où les pluies tropicales diluviennes se muent en grêle gelée la seconde suivante, où d'un bout à l'autre d'une rue des brouillards bouillants deviennent des brumes glacées. Elles tombent malades et savent que c'est parce qu'elles se sont lavé le visage et ont laissé passer le chaud ou le froid. Mais à elle aussi Lucy Turner avait appris à se laver le visage chaque matin où il faisait soleil. Elle se revoyait, toute petite, assise dans l'ombre de la forêt avec sa madre et Lucy Turner, fumant toutes trois le cigare de tabac sauvage (encore plus grossier que celui que María Chon est en train de fumer) comme l'obscurité tombait, et que les singes hurlaient et que les arbres semblaient se mêler et se multiplier pour former les dessins les plus désagréables, emmêlant leurs branches noires aux étoiles brillantes et les attirant vers la terre. Dès qu'elle se réveillait, toujours dans l'obscurité qui précède le début de l'aube, sa mère, avant de l'envoyer dans la forêt chercher du petit bois ou de l'eau, lui faisait s'emplir les poumons de quelques bouffées de son cigare afin de l'empêcher d'attraper une peur soudaine : avec la tête qui lui tournait et les lumières colorées qui battaient dans son cerveau, elle ne remarquerait même pas un esprit malveillant de la nuit encore tapi là-bas. Si elle attrapait une frayeur et qu'elle restât enfermée en elle, elle pouvait tomber malade et dépérir ; c'est ainsi que mouraient les enfants. Dans la forêt tout le monde croyait de telles choses. Je suis aussi la fille d'étrangers. Mengala sang-mêlé, née d'une Indienne superstitieuse originaire du Yucatán, et d'un gringo qui ne savait même pas qu'on ne pousse pas une mule maldita par-derrière…

Il y avait un air implorant dans les yeux de Bludyar. Demandant quoi ? De l'amitié ? Qu'elle comprenne qu'il était malheureux ? Qu'elle croie en lui ? Qu'elle l'aime ? Ainsi, deux fois dans sa vie, bien qu'à plusieurs années de distance, elle avait apparemment éveillé plus qu'un désir passager chez un homme – d'abord le pauvre Padre Lactancio, qui, pathétiquement incapable de cacher ses sentiments, n'avait, grâce à Dieu, jamais osé les exprimer, et maintenant le jeune diplomate britannique. Un désir qui ressemblait à de la faiblesse. Une envie de réconforter Wellesley en caressant son nez mal dégrossi. Voyez pourtant comme il la surplombait de haut, ce tourtereau lourdaud aux yeux bleus ! Cet après-midi-là elle avait éprouvé une confusion et une crainte d'un genre nouveau. Elle s'était donc levée et, avec un faible « perdón » et une boule dans la gorge, s'était rapidement dirigée vers le bureau de l'ambassadeur Gastreel, comme s'il y avait une lettre à traduire qui l'y attendait, ce qui n'était pas le cas. Chaque jour dès lors, le premier secrétaire s'était enhardi un peu plus dans sa conversation, tandis que ses yeux se faisaient plus affamés et plus tristes. C'était comme s'il voulait qu'elle sache qu'il souffrait – qu'il souffrait avec noblesse ! Mais pourquoi souffrait-il ? Rien que jeudi dernier ne l'avait-elle pas laissé la raccompagner en voiture après le bal costumé chez les García Granados ? Elle ressentait parfois une fierté impatiente de sa victoire imminente sur toutes celles qui n'auraient jamais cru possible qu'elle éveille l'amour d'un fonctionnaire de la légation britannique. Il ne lui avait pas encore demandé la permission de lui rendre visite un soir, mais elle sentait que ce développement extraordinaire était tout proche. Elle en avait déjà parlé avec son austère locataire, Amada Gómez, qui avait accepté à contrecœur de jouer les chaperons.

« Tu n'as pas fait jeter un sort sur le Señor *Gueyeslee* ou sur moi, n'est-ce pas ? avait-elle demandé à María Chon en prenant son ton le plus autoritaire. Parce que je n'y crois pas ! Je mourrais de honte, de mélancolie et de dégoût si une telle chose devait jamais faire que je me croie amoureuse ou aimée. Tu me comprends, María Chon ? Si jamais j'apprends que tu vas voir des sorcières, je te ferai arrêter par la police. Tu sais ce qui peut arriver aujourd'hui aux servantes insolentes qui sont arrêtées par la police, María Chon ? » Elle savait que María Chon savait ; c'était elle qui la première lui avait rapporté du marché cette terrible rumeur selon laquelle Don Rufo Zarco aurait livré sa servante désobéissante à la police qui l'aurait mise dans un des bordels de Doña Carlota Marcorí. Telle était la nouvelle époque de Revulución, Progreso, y Orden : sous les conservateurs, la police capturait les religieuses en fuite et les ramenait à leurs couvents, sous les libéraux en revanche ils ramenaient toutes les fuyardes des maisons de tolérance. María Chon, les yeux grands ouverts, avait répondu avec chaleur : « Avec quoi je pourrais payer une telle sorcière, mi doñacita ? Avec de l'argent ? Peut-être que je pourrais voler un des moutons du mari de votre mère. Qué tal ? Pour que vous puissiez aller vivre en Angleterre avec le gros Chino Gringo. »

Mon petit amour pour Wellesley Bludyar est une minuscule flamme bleue, décida-t-elle, tout en regrettant qu'elle ne soit pas plus grande. Mais qui est censé l'attiser, lui ou moi ? Elle avait gardé en elle cette image d'une minuscule flamme bleue depuis plusieurs jours, comme un sujet de méditation, comme une prière intérieure après tout. *Méditez ce point* : Vas-tu grandir, petit amour bleu, ou t'éteindre ? Ses ongles s'enfoncèrent rudement dans sa paume, et elle se mordit la lèvre. *Ea*, de quoi avait-elle peur ? Elle baissa de nouveau les yeux sur *El Progreso*, sans enregistrer rien de ce qu'elle avait pu lire, et tourna la page.

Donc si aucun Européen n'épouse jamais une India, songea-t-elle, alors d'où venaient tous les métis ? Si nous sommes si laids, alors comment se fait-il que cet Anglais blond me désire ? Comme si j'étais la seule qui ne soit pas laide ! María Chon est si jolie, avec ses yeux zapayul et ses lèvres hautaines de demoiselle parisienne, que parfois je suis heureuse rien qu'à la regarder. Vous me direz : Eh bien, c'est son caractère qui te réjouit. Pues sí, elle est si drôle, si impossible ! Mais ce n'est pas que cela… María de las Nieves quitta de nouveau le bureau et se posta à la porte rien que pour observer María Chon fumer son cigare assise sur le banc. Elle rit tout haut quand la fille lui retourna un regard mauvais et étonné. Les premiers métis étaient nés des premières María Chon, car qui pourrait leur résister… ! Dans les montagnes, même les jolies filles sont usées et fanées à trente ans, mais ici en ville, pas toujours. Quelle chance que ma Maricusa travaille pour moi, et pas dans une maison avec mari et enfants qui sans doute seraient incapables de résister à l'utiliser comme ils le font, même avec des domestiques qui n'ont pas le cinquième de son charme... Dérangée par cette pensée, elle rentra dans le kiosque de lecture, s'assit et tourna une page d'*El Progreso*, puis une autre page, et une autre – cependant un seul souvenir de ce qu'elle avait lu ce jour-là dans le journal devait survivre.

El Señor Martí est un collaborateur de la jeunesse de notre siècle, qui sur les deux continents américains se dit en ces mots : Toujours en avant. C'était un compte rendu de la tertulia du samedi soir à l'école normale, où le Señor Martí avait apparemment brillé et que María de las Nieves, sachant qu'elle serait présidée par la muse enceinte de tous les poètes de la République, avait évitée, préférant rester à la maison pour jouer aux cartes avec sa pensionnaire, Amada Gómez, María Chon, et une amie de Nuestra Señora de Belén, qu'elle y avait pourtant à peine vue, cette Vipulina Godoy, l'ancienne Sor Cayetano del Niño Salvador del Mundo, la jeune sœur qui s'était échappée simplement en sortant par la porte. L'article sur la tertulia était suivi d'une courte annonce :

À l'Academia de Niñas de Centroamérica, José Martí, professeur et poète récemment arrivé de Cuba, donnera gratuitement des cours du soir de composition littéraire, cet art qui rehausse tant la valeur de la femme.

Comme si elle venait juste de goûter un arôme subtil dans l'air, elle sentit un tremblement dans sa gorge – ensuite elle se tint immobile, son excitation fantôme entièrement disparue, et elle se retrouva au fond d'un abîme d'insatisfaction morose, détestant ses illusions, ses prétentions, et le mensonge absurde de son originalité, fixant d'un œil vide l'annonce du journal, son poing posé sur un coin de la page, si serré qu'il commençait à ressembler au sabot naturalisé d'un faon. Elle demeura ainsi jusqu'à ce que la cendre du cigarrito qui se consumait entre ses lèvres tombe sur ses cuisses. Là, il y avait un problème. Elle souleva les cuisses avec précaution en décollant lentement les talons du sol, baissa la tête et dirigea un souffle régulier sur la cendre, qui au lieu de s'envoler de la mousseline jaune en une seule pièce explosa en une fine poudre grise qui tacherait le tissu quoi qu'on fasse. Des deux mains elle secoua sa robe sur ses genoux et, détournant les yeux, la balaya du dos de la main, se leva pour partir et avait à peine fait trois pas en direction de la porte qu'elle vit une silhouette approchant rapidement comme une tempête en mer – une tempête qui, sans qu'on sache comment, fend net la coque d'un bateau exactement en deux, bâbord voguant dans une direction, tribord dans l'autre ; elle savait qu'il lui fallait retourner déchirer l'annonce du journal et partir immédiatement, et il fallait qu'elle parte immédiatement parce que c'était ce même Indien en redingote qui l'avait interrompue à la réception où elle avait rencontré le Señor Martí.

Avant de pirouetter en sens inverse elle l'aperçut qui ôtait son chapeau et entrevit un éclair de dents-et-sourire, puis elle entendit résonner ce *cloc clic* métallique qu'elle entendait partout ces derniers temps. Dans son agitation, elle arracha plus de la moitié d'une page du journal, un morceau trop grand pour se plier facilement dans une telle précipitation, et elle roula en boule son cigarrito dans sa main et se détourna. « Señorita Moran. » Elle sursauta, laissa échapper le cigarrito et fit un pas en arrière, car il se tenait à l'intérieur du salon de lecture, son chapeau sur sa large poitrine, ses cheveux noirs d'Indio pommadés peignés en arrière sur sa grosse tête carrée ; montrant son sourire charnu, de solides dents couleur crème, et un regard ferme mais inquiet. Comme si c'était la seule explication nécessaire, il ouvrit la main pour lui montrer le petit appareil en fer connu sous le nom de *cri-cri* tout en disant : « Bonjour, Miss Moran ! » Il le prononçait à la yankee (More-anne) plutôt qu'à la manière des gens d'ici (Mor-án) ; même sa propre langue résistait au maladroit effort et à la vanité de prononcer son nom comme son père l'aurait fait.

Et il se pencha rapidement pour cueillir la queue mouillée du cigarrito de María de las Nieves entre le pouce et l'index de la main qui tenait déjà le cri-cri. Elle le contourna et sortit rapidement du salon de lecture sans un mot de plus. Elle était presque sortie du parc, près du jardin de roses, soulevant ses jupes pour éviter qu'elles ne touchent le sol boueux, le frou-frou rythmé du tissu tel le battement d'ailes des oies, quand María Chon la rattrapa en courant, faisant claquer ses sandales, tenant un coin de son châle entre les dents, les deux mains agrippées au panier sur sa tête, et avant que María de las Nieves puisse la réprimander pour ne pas avoir bondi à son côté dès qu'elle avait vu cet impertinent Indio approcher du kiosque, María Chon était en train de *la* réprimander :

« Il voulait vous donner un cri-cri ! Il a souri, et a touché son chapeau et me l'a montré avant d'entrer et quand il est sorti après que vous avez détalé avec des fourmis dans la culotte, il me l'a encore montré et je lui ai dit : Je vais le lui donner, Señor ! *Ça* c'est un monsieur !

– Ça c'est juste un grosero jocicón des montagnes, qui croit qu'avec quelques mots d'anglais…

– Ah, sí pues, nous ne sommes pas des montagnes, vaya, comment est-ce qu'un jocicón ose essayer de donner un cri-cri à Doña Sholca ! » – grosses lèvres donner un cri-cri à Doña Sans-dents-de-devant – et en plein milieu de la rue grossièrement pavée menant à la légation, María de las Nieves pivota brusquement pour gifler sa petite servante, mais María Chon fut si rapide qu'elle se rejeta en arrière à temps avec un sourire malicieux, et María de las Nieves s'avança pour la gifler de nouveau, cette fois-ci ne réussissant qu'à effleurer son cou. Du moins maintenant María Chon avait l'air effrayé, et bégaya une excuse en mam. Autour d'elles elle entendit les sifflets et les cris de moquerie, même la voix perçante d'un cireur de chaussures qui criait : « Regardez la reine Victoria qui frappe sa petite servante ! » Et un autre : « Anda Indita chuladita, rends-la-lui, cogne cette bêcheuse de mengalita ! » Et un baryton résonnant : « C'est un massacre ! Ayyyy, un massacre ! »

María de las Nieves apercevait Don Lico le concierge de la légation, assis sur son tabouret devant la porte, qui observait la scène
par-dessous le bord de son chapeau de paille. Oh pourvu que les
Gastreel ou Wellesley ne soient pas en train de regarder par la
fenêtre! María Chon, la lèvre inférieure en avant, comme une
petite fille sur le point de pleurer, fixait le petit cri-cri de métal
dans sa main. María de las Nieves dit : « Ven », elle ne voulait pas
la laisser seule dehors, mais María Chon serra les dents, tourna le
dos et s'éloigna en se pavanant avec son panier de nouveau sur
la tête, à travers un courant d'hilarité et de sifflets, elle manœu-
vrait rapidement l'onglet de métal du cri-cri, son sillage de brefs
claquements métalliques provoquant la réponse de nombreux
autres propriétaires de cri-cris. Étonnants instruments! Importés
de France! Un jour personne n'avait jamais vu de cri-cri et le lendemain, il y en avait un dans la main ou la poche de chaque
enfant et de chaque imbécile du pays, comme une plaie de saute-
relles en métal!

Don Lico, toujours assis, ses grosses jambes étendues, les mains
sur les genoux, gloussant, ne bougea pas de son tabouret avant
que María de las Nieves, retenant ses larmes en battant des paupières, se tienne devant la porte.

« Don Lico, couina-t-elle d'un ton désespéré.

– Ay chula, dit-il gaiement, nous devons tous être comme des
soldats prêts à mourir chaque jour pour la patrie! »

Elle traversa directement le vestibule au sol en marbre blanc
ciré semblable au reflet d'un nuage laiteux, elle dépassa l'antichambre et les portes en fer forgé donnant sur la cour centrale,
longea deux côtés de la galerie ombragée où pendaient des cages
à oiseaux et des paniers de fleurs, bordée d'étroites colonnes et
de lourdes urnes en marbre contenant des plantes de la jungle,
débordant de liserons et d'hibiscus, et s'assit sur un fauteuil droit
en bois aux accoudoirs rembourrés de cuir devant la porte fermée
du bureau de l'ambassadeur Gastreel. Elle sortit de son sac la page

froissée du journal, la déplia et la lissa sur ses genoux tachés de cendre. L'Academia de Niñas de Centroamérica était un endroit pour les filles de riches ; même un cours du soir là-bas ne pouvait être réservé qu'à des damitas respectables vivant avec leurs familles respectables. Hier elle n'aurait pas même imaginé la possibilité de tels cours, mais… Maintenant elle avait l'impression qu'elle ne voulait même plus vivre parce qu'elle savait qu'on allait l'empêcher d'assister à ce cours qui apportait la solution à tout ce qui était ennuyeux, étouffant et petit dans son existence – y compris sa propre confusion et son incapacité à s'exprimer sur des sujets d'importance requérant un certain degré d'éloquence intérieure et de clarté d'expression, son incapacité à décider si ce qu'elle ressentait pour Wellesley Bludyar, et lui pour elle, était beau ou médiocre, par exemple – à l'instant elle ne savait même pas si elle adorait ou avait envier de tuer María Chon !

Bien que nous sachions que, à la fin, José Martí, bien sûr, accueillit María de las Nieves dans sa classe à l'Academia de Niñas, sur le moment elle ne pouvait pas s'être sentie plus convaincue que c'était impossible, et la vie n'avait jamais été aussi injuste.

C'est alors que Mrs. Gastreel entra dans la galerie opposée au jardin intérieur et aux appartements privés, où Wellesley Bludyar, étant célibataire, résidait également. L'épouse de l'ambassadeur (Wellesley l'appelait « la Patronne ») avait dix-huit ans de moins que son mari, et commençait tout juste à montrer les signes de sa première grossesse. Elle portait une robe rayée rouge et blanc, un chapeau à large bord sans décorations pour la protéger du soleil, tenait dans une main une grande paire de sécateurs, dans l'autre un paquet de lettres, et était suivie par l'une de leurs servantes, Chinta, les bras pleins de fleurs fraîchement coupées. Les cheveux de Mrs. Gastreel étaient presque aussi roux que ceux de Sor Gertrudis et ses yeux étaient d'un bleu encore plus vif que ceux de Bludyar.

« Bonjour, Señorita Moran, je vous souhaite une excellente

matinée, j'arrive dans un instant – souvent Mrs. Gastreel aimait se débarrasser au plus tôt de son cours d'espagnol – mais écoutez, ma chère, je voulais juste vous donner cela. Ce sont nos ravissantes cartes de vœux de l'année passée ; il y en a cinquante, dont beaucoup viennent d'Angleterre. J'allais les jeter quand j'ai pensé : Oh quel terrible gâchis, et alors je me suis souvenue qu'un usage excellent des cartes de vœux consiste à les mettre en paquet comme ceci, vous voyez. Puis, chaque fois que vous en avez l'occasion, vous pouvez les prêter à des invalides ou des vieillards pour qu'ils les regardent. Il en faut si peu en réalité pour donner de la joie à de telles personnes, et je pense que nous oublions cela plutôt trop facilement. Oh eh bien, pas vous, María de las Nieves, nous savons tous que vous êtes un ange du ciel. »

À bord du *Golden Rose* cet après-midi-là, dans le salon de l'opulente suite présidentielle, les deux filles aînées de Paquita, Elena et Luz, firent une démonstration de télégraphie de mouchoirs, passant en revue tous les signaux sémaphoriques qu'il leur avait fallu des heures pour apprendre, comme de braves petits cadets de la marine. Elles portaient des kimonos japonais en soie de couleurs vives et des pantoufles dorées scintillantes que Mathilde, assise en silence, suivait d'un regard émerveillé. Elena et Luz, dirigeant des regards significatifs sur un objet invisible au centre de la pièce, annoncèrent à l'unisson : « Ça veut dire que je veux commencer à correspondre avec vous », et chacune fit glisser un mouchoir blanc flottant sur ses lèvres comme si elle essuyait délicatement une miette de pain. Puis chacune porta son mouchoir à son front, jeta un regard de côté et dit : « Ça veut dire qu'on nous observe. » Un mouchoir tenu contre la joue droite signifiait : « Oui » ; contre la gauche : « Non » ; serré contre une épaule : « Suivez-moi » ; rapidement passé d'une joue à l'autre : « Je vous aime » ; roulé serré autour d'un index : « Je suis promise à un autre » ; tordu à deux mains : « Indifférence ! » ; pressé contre l'oreille droite : « Vous êtes infidèle» ; passé d'un geste insolent à travers le poing gauche : « Je vous déteste ! » Elena et Luz mirent leurs mouchoirs en bandeau sur leurs yeux et soupirèrent d'un ton solennel : « Mamá répondra pour moi. » (María de las Nieves faillit laisser échapper : Très joli, mais est-ce que vous croyez qu'il y a un homme digne d'être connu qui saurait tout ça par cœur ? Il pensera : Quelles évaporées – elle se retint pourtant, et pensa à Martí ; parce que Pepe Martí était si curieux de tout qu'il avait probablement appris par cœur le langage des mouchoirs, des éventails et des fleurs aussi, bien qu'aujourd'hui les dandys, qui étaient virtuoses de tels maniérismes et ne s'intéressaient à *rien* d'autre, fussent partout.) María de las Nieves rit tout haut quand chacune des filles, mordant son mouchoir, grogna les dents serrées : « Je suis jalouse ! » Puis, posé sur la tête comme une mantille : « Je vous verrai à l'église » ; tapoté à la base du cou : « Cette toux me met de mauvaise humeur » ; balancé comme un drapeau devant la poitrine : « Mon cœur est innocent » ; agité au-dessus des chaussures en demi-révérence : « Je vais épouser un étranger ! » Mathilde, qui regardait assise sur sa chaise dans un coin, le visage aussi sombre qu'une poire brune bien mûre, bondit en avant dans sa courte robe blanche et ses pantalons pour arracher le mouchoir des mains de Luz. Elle tomba sur un genou et brandit les bras au ciel, tenant le mouchoir tel un baldaquin au-dessus de sa tête puis s'écria : « Je vais épouser un chat ! » Elle prit avec agilité une pose de ballerine, la jambe et le pied tendus si haut derrière elle qu'elle put laisser le mouchoir posé sur son orteil tout en avançant les bras et dit, avec un bref sourire : « Mamita, quelqu'un qui t'aime vient juste de se réveiller d'un rêve de toi. » Puis Mathilde leur fit face, tenant le mouchoir entre ses coudes et passant la tête dans le V de ses avant-bras, et annonça gravement : « Ceci signifie que si vous voulez me parler il faudra enlever votre tête. »

Luz s'avança vers Mathilde, un bras levé pour la frapper, un rictus de mépris sur les lèvres – mais les applaudissements vigoureux et les cris de «Bravo! Bellisima! Bravo!» de Paquita amenèrent Mathilde à se glisser à l'abri de l'étreinte de sa «tía», laissant Luz la main levée comme si elle avait été piquée par une abeille. Entre-temps María de las Nieves s'était contentée d'observer sa fille bouche bée. Paquita était-elle naturellement meilleure mère, ou seulement plus expérimentée? Luz et Elena boudèrent tels des prédateurs privés de leur proie jusqu'à ce que Paquita se mette à encenser les trois artistes, cette fois-ci avec le concours docile de María de las Nieves.

Dans sa suite présidentielle Paquita dormait dans un lit à baldaquin rivé au plancher, lui-même recouvert d'un tapis, et il y avait des lampes à gaz au mur qu'elle était libre de faire brûler tant qu'elle voulait; ses enfants et Miss Pratt, leur gouvernante, avaient des couchettes dans les pièces adjacentes. La petite cabine de première classe que María de las Nieves partageait avec sa fille disposait d'une chandelle protégée par un verre qu'elle n'avait pas le droit d'allumer après onze heures du soir, règle qu'elle ignorait. Mais à présent il était près de minuit et María de las Nieves, qui venait juste de quitter le boudoir de Paquita après une autre soirée à parler et boire du cognac, était accoudée au bastingage. Mathilde, pensait-elle, avait l'air hermétique d'une petite fille qui pourrait toujours demeurer un mystère même pour elle-même. Un jour, peut-être, quelqu'un la chercherait et la trouverait, néanmoins le rôle de H. M. Stanley peut difficilement être tenu par la mère, qui tend à considérer sa fille comme le produit de tous ses pires échecs et défauts.

Elle savait que sa fille l'attendait pour s'endormir. Mathilde était terrifiée par l'océan. La montée à bord à Puerto San José l'avait emplie non seulement de terreur mais de honte, car les enfants de Paquita, voyageurs expérimentés, les plus âgés figés dans une attitude de deuil historique, avaient pris la chose le plus calmement du monde. Mathilde, elle, n'avait jamais vu la mer, n'avait jamais été témoin d'une telle violence: les longues vagues qui arrivaient en rouleaux, explosant avec un bruit de canonnade, l'eau scintillante de soleil jaillissant haut dans l'air; les épais andains d'écume rejetant sur le rivage des galets craquants; les débris de bateaux de pêche fracassés et les membrures de navires plus grands éparpillés sur la plage de sable noir comme des épaves de guerre; l'horrible puanteur mortelle de la pourriture et du poisson apportée par la marée. Le vapeur attendait à l'ancre à plus d'un kilomètre et demi de la côte, au-delà des rouleaux traîtres. Une jetée en fer noir avançait de deux cents mètres dans la mer et le train s'arrêtait à son extrémité; en baissant les yeux, on voyait d'énormes requins nager juste devant les piliers incrustés de bernacles. Un hangar abritait au bout de la jetée des palans à vapeur qui faisaient un bruit infernal de ferraille et dont deux, par l'intermédiaire de poulies et de cordes, déchargeaient la cargaison de deux bateaux attendant en contrebas – notamment l'étalon blanc du défunt général-président, jambes battant dans le vide, les yeux aveuglés par des œillères, les oreilles et la queue agitées de saccades, ses défécations provoquant de violentes échauffourées parmi les requins. Un troisième palan faisait descendre dans la chaloupe les passagers enfermés cinq par cinq dans une cage en fer, où se trouvait Mathilde déjà en larmes. Un Indio musclé vêtu seulement d'un pagne aidait femmes et enfants à sortir de la cage; ils culbutaient et s'effondraient parmi les sacs de café empilés dans la chaloupe ballottée par les vagues. Un remorqueur les tira lentement jusqu'au vapeur, l'embarcation si violemment heurtée par les vagues qu'il semblait à ses passagers aveuglés par l'écume et la fumée huileuse et noire qu'elle allait être réduite d'un instant à l'autre à l'état de bâtonnets et d'échardes... Elle serra fort Mathilde contre elle, la sentit qui tremblait violemment et lorsqu'elle pressa ses lèvres contre son oreille pour la calmer, l'entendit réciter un rosaire lacunaire, et l'accompagna, articulant les mots pour la première fois depuis des années... claro, pour réconforter sa fille... Les passagers étaient hissés un à un dans un tonneau sur le pont du *Golden Rose* – une par une, les femmes, obligées de se départir de leur modestie, levaient haut leurs jupes tandis que l'Indio quasiment nu les aidait à entrer dans le tonneau balancé et que leur chaloupe montait et descendait, montait et descendait sur les vagues… Qui devait y aller la première, elle ou Mathilde ? Les deux options provoquaient des gémissements de peur et de désespoir.

À partir de ce moment tous les soirs, Mathilde avait quitté sa couchette pour dormir avec sa mère, malgré son étroitesse et la chaleur de la cabine. Mais à présent María de las Nieves avait besoin d'un peu d'air. Elle devait bien avouer qu'elle aimait cette constante humidité poisseuse, cette pellicule salée de mer légère-ment rance qui couvrait sa peau. De temps à autre, elle léchait un peu son avant-bras, le dos de sa main ; seule, elle se touchait çà et là, portait les petites odeurs âcres à ses narines ; des odeurs loin-taines de couvent, en réalité (il n'était pas facile de se laver dans le bateau ; il fallait louer une petite cabine derrière le salon de coif-fure, payer le savon, et un supplément pour l'eau chaude, auprès du coiffeur noir, Mr. Frank). La lumière des étoiles moussait sur le ciel comme du beurre dans une baratte en fonte, et ce soir-là l'océan, si tranquille qu'il en était inquiétant, était plein d'étin-celles et de flammes phosphorescentes, d'explosions et de trem-blements de lueurs colorées tels des feux d'artifice muets aussi loin qu'on pouvait voir. Contrairement aux couchers de soleil les plus spectaculaires, pensa-t-elle, ces effets de lumière n'élevaient pas l'âme à des pensées religieuses. Cela ressemblait plus à la magie nocturne d'un conte de fées un peu effrayant. Bien sûr on aurait voulu en connaître l'explication scientifique aussi. C'était un ravissement, un privilège total de se trouver en pleine mer sur un bateau. Mais ne devrait-elle pas être capable de tirer une leçon durable de tant de beauté et de surprise ?… une idée de l'univers qui correspondrait à quelque chose de bon et de nécessaire en elle-même ; quelque chose qui pourrait l'aider, à quoi elle pourrait recourir au cours des épreuves qui l'attendaient sûrement, dans la ville froide, mystérieuse, effrayante, excitante, noire d'hiver et improbable vers laquelle elles se dirigeaient? Quelque chose qu'elle se rappellerait toujours et qu'elle pourrait léguer à Mathilde comme un trésor familial de *savoir*. Pourquoi était-ce si insaisissable, pourquoi se sentait-elle si pleine de sentiments intelligents et pourtant incapable d'exprimer l'utilité de tels sentiments? Son vieil ami Martí avait su transformer de tels moments en mots qu'il puisse posséder et partager – toujours à la manière d'un jeune homme ardent et brillant, pour le moins, s'éblouissant lui-même autant qu'il éblouissait les autres. À quoi ressemblait-il aujourd'hui, presque huit ans après? Il avait des raisons d'être amer, à la fois personnellement et politiquement; elle avait appris cela dans le rapport du détective de l'agence Pinkerton. Et si elle parvenait à le retrouver, jusqu'à quel point Martí serait-il déçu par elle? Il avait parfois parlé d'une manière si exaltée et exagérée des grands espoirs qu'il avait pour elle. Qui d'autre lui avait jamais parlé ainsi? Qui d'autre? À présent elle était là, emmenant sa fille à New York, pour vivre comme un opulent bousier sur le butin d'El Anticristo. Chaque fois qu'elle se surprenait à sourire ainsi, d'une manière si confiante et si résignée, à *personne*, elle sentait une vague de honte et de dégoût. Elle se demanda si elle se sentirait toujours aussi seule dans la vie qu'aujourd'hui, et depuis des années.

Demain matin, si le bateau roulait, elle allait se sentir horriblement mal à cause du cognac et ne penserait qu'à rester assise toute la journée. Elle ne voudrait même pas regarder les dauphins à la jumelle, les bancs de poissons aux couleurs spectaculaires dans l'eau turquoise transparente, ou la géographie changeante de la côte. Hier ils avaient traversé une grande étendue d'océan pavée comme une rue par les pierres noires et luisantes de tortues de mer.

Dès qu'elle entra dans leur cabine obscure, Mathilde, tel un mainate qui n'arrive pas à dormir dans sa cage couverte, se plaignit tout bas de ne pas pouvoir trouver le sommeil. María de las Nieves tira les doubles rideaux et, tout en regrettant son haleine chaude, mélange de cognac, de tabac et de sardine, se pencha pour embrasser la joue moite de sa fille et dit : « Tu veux sortir regarder les étoiles et l'océan ? C'est si beau !

– Je veux dire mon rosaire. » Paquita lui avait donné un chapelet et tous les soirs elle voulait faire défiler les boules entre ses doigts tout en priant.

« Pas maintenant, chulita. Viens dehors avec Mami. »

Mathilde, dans sa chemise de nuit, était encore assez petite pour être portée, les bras noués autour du cou de sa mère. María de las Nieves en savait peu sur les constellations, mais elle avait découvert deux étoiles particulièrement brillantes, parmi les plus basses à l'horizon, qui avaient l'air de s'être égarées hors du troupeau. « Regarde ces étoiles, dit-elle. Tu les vois, Mathilde ? » Elle lui montra où regarder. « Ce sont deux petites perles que ma mamá m'a données quand j'étais petite. Elle m'a dit de les ranger là-bas, pour que le jour où ma fille à moi serait en âge, je les décroche pour les lui donner.

– Abuelita ne porte pas de perles. Elle a des colliers indios et le médaillon d'Abuelito, répondit Mathilde, sa joue chaude pressée contre la sienne. Ce sont des étoiles, Mamá, rien de plus.

– Camarón ! Où est passée l'enfance ? »

L'unique bijou que Timothy Moran avait donné à Sarita Coyoy : un médaillon en cuivre contenant un trèfle. Lucy Turner lui avait un jour expliqué le symbolisme de la petite plante trifoliée pressée sous le verre, mais si elle avait prononcé le mot de trèfle, María de las Nieves l'avait depuis longtemps oublié. Un jour, à la légation, l'ambassadeur Gastreel avait annoncé : « Aujourd'hui c'est la Saint-Patrick, Señorita Moran. Ne devriez-vous pas porter un trèfle à votre chapeau ? » Son incompréhension avait suscité une explication, et elle avait ainsi appris que son patronyme révélait apparemment les origines irlandaises de son père. Mais il était né à New York, c'était un Yankee, et quand elle avait rappelé cela à l'ambassadeur, il avait répondu d'un ton jovial : « Eh bien, vous n'avez pas la fibre irlandaise, Señorita Moran. »

« Alors est-ce que tu veux faire une petite promenade avec ta mère, Doña Mathilde ? » C'était la nuit où María de las Nieves avait mené sa fille sur le pont-promenade, où elle avait vu le marin qui lui semblait si *familier*. La longue étendue du pont-promenade n'était interrompue que par les deux cheminées et les deux mâts du bateau ainsi que par la cabine de pilotage éclairée au gaz à l'avant et sur les côtés, et par des chaloupes de sauvetage suspendues au-dessus du bastingage. Durant la journée, exposé au puissant soleil, le pont n'était qu'un désert vide, mais la nuit, une population éphémère se formait, indistincte même dans l'obscurité éclairée par les étoiles, composée pour la plupart de passagers venus échapper à la chaleur suffocante et à la presse des cabines de troisième classe et de l'entrepont. Beaucoup venaient s'allonger ici, les pieds tournés en direction du bastingage, et des couples, endormis ou pas tout à fait, se tenaient étroitement embrassés, à peine couverts par leurs draps et couvertures ; çà et là le regard de María de las Nieves glissait sur une jambe nue et blanche, une épaule, ou quelque autre partie charnue d'un corps. Certains accrochaient des hamacs au gréement. Des serveurs, stewards et cuistots noirs et chinois fumaient le long du bastingage ; Yankees bruyants avec leurs disputes gaies et leurs rires querelleurs, crachant du tabac partout ; plus loin des passagers groupés autour d'un accordéoniste chantaient des ballades grivoises dans une cacophonie de voix étrangement émouvante. Bien sûr ce n'était pas sa place ici, et certainement pas celle de Mathilde ; elle s'était déjà détournée en direction de l'escalier lorsqu'elle avait remarqué un jeune marin en uniforme blanc accoudé au bastingage, qui la suivait des yeux. Son cœur bondit alors, elle s'arrêta net et lui rendit son regard avec ce qui devait avoir été, elle s'en rendit compte plus tard en frissonnant, l'expression la plus étonnée qui soit. Les autres marins étaient blancs mais pas lui, c'était un marin mexicain ou d'Amérique centrale, au long visage lisse et ovale, aux hautes pommettes et aux yeux noirs incandescents profondément enfoncés et qui s'embrasèrent comme si on venait d'y jeter une allumette et il eut soudain un sourire espiègle – lui n'avait pas besoin du télégraphe des mouchoirs pour s'exprimer – et, serrant fort la main de sa fille, elle reprit sa marche en direction de l'escalier.

CHAPITRE

TROIS

Quand, à la soirée costumée du général García Granados, il entendit la métisse maigre à la peau couleur cannelle, déguisée en pirate annoncer qu'elle avait passé son enfance dans un élevage de cochenilles et qu'elle était ensuite devenue religieuse, Mack Chinchilla en déduisit immédiatement que ce devait être la fille dont il avait entendu parler trois ans auparavant dans le bureau de Mr. Jacobo Baiz sur Williams Street à Manhattan, dans le quartier des docks où se trouvaient la plupart des négociants en café et en thé. Mack avait commencé à travailler pour Mr. Baiz en tant que grouillot mais il était déjà commis le soir étouffant où Don Señor Juan Aparicio, qui devait bientôt acheter la société – il conserverait son nom honorablement connu et Jacobo Baiz comme associé, car personne ne comprenait aussi bien que lui les secrets du commerce tropical –, était passé en visite et était resté bien après l'heure de fermeture. Don Juan Aparicio semblait content ce soir-là de se trouver parmi des compatriotes – les deux Israélites, Mr. Jacobo Baiz, qui se considérait plus ou moins comme un compatriote et avait été récemment nommé consul par les libéraux, et Salomón Nahón, commis comme Mack et inséparable compagnon de celui-ci, envoyé à New York par son père pour apprendre le commerce tropical sous la tutelle de Mr. Baiz ; et bien sûr Mack lui-même, qui ne se rappelait pas le pays de sa naissance. La fille de Don Aparicio, bien qu'elle fût encore une enfant, venait de devenir première dame par son mariage. Les Aparicio, déjà nombreux et riches, étaient sur le point de se trouver à la tête d'un empire grâce à cette alliance, bien qu'il fût évident que l'union rendait Don Juan mélancolique, car il n'aimait pas ce gendre arrogant, colérique et grossier. Il ne niait pourtant pas qu'il était l'homme qu'il fallait pour faire entrer à coups de fouet son peuple indolent et superstitieux dans l'avenir.

Eh bien, c'était un petit pays, une métropole encore plus petite, et si la fille de l'histoire de Don Juan Aparicio était encore vivante et y habitait toujours, il devait forcément tomber sur elle. Mais quelle importance de toute façon, s'était dit Mack juste après avoir lancé son jeu de mots sur la bête à bon Dieu qui n'avait pas été très chaleureusement reçu, regardez comme elle est suspendue à chaque mot de ce poseur de Cubain, les deux personnes les plus maigres de la soirée. De toutes les filles de ce pays qui avaient passé leur enfance dans un élevage de cochenilles, il est probable qu'un certain nombre entraient au couvent, particulièrement après que la demande européenne pour les insectes producteurs de colorant eut tari. Plus tard dans la soirée Mack comprit que si le Cubain gommeux à la bouche d'or désirait séduire quelqu'un – même si, pour y parvenir, viendrait un moment où il devrait cesser de parler – c'était bien la fille du général « Chafandín » García Granados, « qui venait de faire ses débuts en société l'année précédente », et avait l'air d'une languide et virginale nymphe nocturne des bords du Nil dans son costume de voiles aériens avec ses bracelets d'or qui scintillaient sur toute la longueur de ses bras minces. Parfaite vision de la femme inatteignable, pensa Mack dans les ombres du jardin, à travers l'obscurité éclairée par les lanternes en papier parfumées au jasmin, tandis qu'il la regardait s'appesantir sur le Cubain, ses yeux sombres de gazelle lançant des éclairs de joie et se dissolvant l'instant d'après en petites flaques mélancoliques. On n'aurait pas cru que le Cubain aurait osé, la fille d'un ex-président, mais peut-être le Cubain est-il aussi riche qu'il est intelligent et brillant en société – telles étaient les impressions que suscitaient chez Mack Chinchilla le (pauvre) José Martí ce soir-là – et cette maison a la réputation d'être un repaire de libertins. Contrairement à toutes les traditions de noble réserve espagnole héritées par cette société, les volets et rideaux des nombreuses fenêtres de la maison des García Granados étaient généralement ouverts derrière les grilles en fer les nuits de réception, bien que la plupart des invités fassent leur possible pour ne pas se trouver dans les pièces donnant sur la rue, car les citoyens qui aimaient se rassembler à l'extérieur pour regarder à l'intérieur à pareilles heures ne désiraient généralement que crier des commentaires satiriques ou des insultes avinées. Il y avait beaucoup de gens, dont beaucoup étaient des hypocrites, qui parlaient maintenant comme si toute la dissipation et l'immoralité censées affecter leur société venaient de ces fenêtres mêmes, comme s'il suffisait de convaincre Chafandín de garder ses volets fermés pour que les femmes de toutes classes se remettent à passer leurs nuits à coudre de petits costumes et à habiller les statues des saints.

Mack retourna à son observation de la bête à bon Dieu, il n'aurait cependant pas d'autre occasion de lui reparler ce soir-là. Avec ses oreilles qui dépassaient de ses cheveux fins, ses seins durs comme des noyaux de pêche sous sa marinière rayée de rouge, elle était tout sauf voluptueuse, mais elle lui plaisait, il aimait l'impression qu'elle faisait, sa bonne humeur nerveuse, son air d'indépendance hermétique et maigre, une tension en elle, et il y avait vraiment quelque chose de séduisant dans sa posture, la façon dont elle tenait les épaules en arrière, le long arc équilibré de son dos, ses doigts minces mais pas trop délicats, les mains d'une fille qui a grandi dans la forêt tropicale, des mains qui avaient déterré des racines et grimpé aux arbres pour y trouver des fruits, une fille sauvée de la forêt tropicale qui savait comment se conduire en société mais conservait à l'intérieur d'elle-même une téméraire sauvagerie américaine, aussi dure que n'importe quelle pionnière ou squaw, une niña qui pourrait même dévaliser un train si elle y était obligée, déguisée en bonne sœur, desperada légendaire de l'Ouest! – tel était le personnage que Mack était occupé à inventer fiévreusement. Même si ce n'était pas la fille de l'histoire de Don Juan Aparicio, quoiqu'elle la fût sûrement, la monja-bicho était exactement le genre de jeune femme qu'il attendait et cherchait. Personne ne pouvait accuser Mack d'être cupide et vain. Ils avaient des caractéristiques en commun, bien sûr, qu'elle pourrait juger mesquines, mais dont il lui montrerait qu'elles ne l'étaient pas.

Mack avala à grand bruit sa soupe huileuse, leva les yeux au plafond, psalmodia silencieusement *rien rien rien*, reposa son regard sur la soupe et pensa : Elle ne voudra pas de moi. Oui monsieur, bien sûr qu'il se sentait godiche! Se baisser pour ramasser sa cigarette! Il parlait rarement aux clients de la table d'hôte de son hôtel, et s'il croisait leur regard il les fixait hardiment, les défiant de lui poser les questions ennuyeuses et exaspérantes dont il savait qu'elles polluaient leur esprit. (Comment se fait-il que vous, un gars qui a tout l'air d'un Indien, parliez, ou sembliez vous considérer comme un Yankee? Et pour cette seule raison chaque dandy criollo à la peau jaunâtre, chaque Espagnol suffisant ou tout autre Européen dégénéré de la plus basse espèce, que cette partie du monde semblait attirer comme le purin attire les mouches, chaque petit marchand ambulant métis bouffi d'orgueil – des hommes qui à la fin du repas se rinçaient la bouche et crachaient l'eau par terre! – ou yankee de souche se plaisait à le considérer d'un air supérieur et sceptique.) Après le dîner Mack alla dans sa chambre, ainsi que c'était son habitude, pour composer au moins trois phrases, jamais moins, rarement plus, dans son journal, sur la première page duquel il avait écrit : «Le Retour». Ce soir-là il écrivit : Mon jour viendra. C'est ainsi qu'il aurait dû intituler son journal, il aurait dû barrer «Le Retour» et écrire : «Mon jour viendra», tant il était fréquent qu'il commence son entrée quotidienne par ces mots. Aujourd'hui j'ai subi une défaite décourageante, écrivit-il. Dans l'emploi que j'occupe actuellement, une occasion va forcément se présenter. Cette dernière phrase, presque aussi fréquente que la première, il ne l'avait écrite que pour intercaler l'information de poids entre elles. Parce que c'était ce qui était arrivé dans le kiosque de lecture, le seul événement significatif de la journée. Il s'étendit sur son lit étroit après avoir ôté ses bottines et fixa le cercle de lumière projeté par la chandelle sur le plafond, une lune peuplée d'insectes. Il frottait ses pieds qui le démangeaient l'un contre l'autre, tâchant de décider quoi faire ensuite. Il n'était pas naïf au point de croire qu'il avait fait avancer son affaire en donnant le cri-cri à sa petite servante. Si seulement il avait pu l'impressionner en lui apprenant qu'il était l'agent importateur des cri-cris de France en Amérique centrale, employé par Juan Aparicio et Jacobo Baiz – sauf qu'ils avaient leur propre agent ici, le fils de Don Juan, Juanito, qui à son tour employait un agent dans la capitale, un émigré allemand, pas moins, Gerhardt Hockmeyer. Il avait lu dans l'hebdomadaire de la Sociedad Económica que les « gens de goût » jugeaient maintenant que ces instruments à deux sous étaient une nuisance vulgaire qui devrait être interdite dans les écoles et à tous les spectacles musicaux. Pourtant les gens faisaient de l'argent avec les cri-cris partout dans le monde ! Une petite boîte rectangulaire en plomb oxydé de cuivre avec une lamelle de fer légèrement convexe sur le dessus, qui, quand elle est rapidement pressée et relâchée par le pouce, émet un cliquetis résonnant – le petit criquet en fer bon marché et démocratique, l'article d'exportation le plus vendu dans toute l'histoire de l'industrie ! Mack étudiait le commerce international. En France, avait-il lu dans un journal, du fait que les crinolines passaient de mode et que les femmes de France et autres nations ne portaient plus ces cerceaux de métal en forme de cloche, le prix de l'acier avait chuté, mais se relevait grâce au succès du cri-cri !

On ne pouvait nier que, jusqu'alors à tous points de vue, ç'avait été un *retour* amer. Son ambition apparemment impulsive d'épouser la jeune métisse demi-yankee avait quand même aidé Mack à se sentir moins seul au monde. Bien qu'il ne connût pas personnellement la Señorita María de las Nieves, le jugement qu'il portait sur elle, ce qu'il pensait et ressentait à son sujet ne lui apportaient pas moins l'affirmation qu'il était certainement un homme animé d'idéaux et d'espoirs positifs et virils. Il savait que la loyauté, la confiance en soi, l'indépendance, l'ingéniosité, et même l'intelligence fiable n'étaient pas des qualités pour lesquelles la femme hispano-américaine, aux aptitudes et passions plus éphémères, était connue – on avait plus de chances de les trouver chez les Yankees, les Anglo-Saxonnes, les Israélites, et chez une Indienne vigoureuse comme sa mère ; mais si Mack pouvait jamais trouver de tels traits en une femme semblable à lui – ainsi qu'il jugeait qu'était la Señorita María de las Nieves – alors il se battrait afin de leur faire une place à tous deux dans ce dur monde, et ne se relâcherait pas un seul jour de sa vie avant d'avoir atteint ce but. L'histoire de María de las Nieves entendue des années auparavant dans le bureau de Mr. Jacobo Baiz avait inspiré à Mack une sympathie méditative, cette affaire ne pouvait donc être considérée comme une chose aussi sentimentale et rêveuse que le coup de foudre. On ne pouvait nier – en utilisant le procédé plutôt féminin mais néanmoins utile de la *vision rétrospective* – qu'au moins l'idée d'un amour idéal s'était alors imposée, bien que toutes ces énergies aient bientôt été canalisées par la longue cour malheureuse et hivernale de ses années new-yorkaises les plus sombres. (Rétrospectivement, il aurait dû laisser Reyna Salom tranquille. La vision rétrospective était souvent inutile.) Mack était un athlète, un footballeur, un boxeur, un compétiteur inépuisable dans cette course d'endurance à laquelle sa naissance et sa vie l'avaient destiné. (Né Marco Aurelio Chinchilla, il avait pris dans son enfance le surnom yankee de Mack et employait parfois

d'autres patronymes, tels que Cody, Crocket, Caleph, Nahón…)
C'est ainsi qu'il avait laissé son imagination s'installer dans ce
projet valable et sage, s'était même rendu à cheval jusqu'à la ville
au bord d'un lac où elle avait passé son enfance, ancien centre du
commerce de la cochenille (il tenait absolument à utiliser les mots
anglais plutôt qu'espagnols même pour les produits autochtones,
tels que la cochenilla), pas tant pour l'espionner – comment eût-
ce été possible, si elle était partie depuis quinze ans? – que pour
se faire un espace à lui dans le décor fantasmé de son passé, et de
voir par lui-même où les incidents de l'histoire de Don Juan
Aparicio avaient eu lieu (un vieux valet d'écurie lui avait indiqué
le puits où la première Mrs. Moran s'était noyée, le trou profond
et fumant dans la terre volcanique où elle avait bouilli de vie à
trépas).

Don Octaviano Mencos Boné, petit homme ridé et asthma-
tique dont la douce barbe blanche tombait comme un bavoir
dans le gilet de soie blanche qu'il portait sous son habit à la soirée
chez Chafandín, était le «Jefe» de Mack à la Société d'immigration. Mack y avait été embauché pour son anglais indispensable
et ses talents de commis avec le même titre ronflant que celui
de Wellesley Bludyar à la légation britannique, premier secrétaire,
quoique son travail fût plus proche de celui de María de las Nieves,
même s'il était mieux payé. Il fut abasourdi d'apprendre que Don
Octaviano avait quarante-huit ans – cela ne semblait pas assez
vieux pour être un père Noël aussi ahanant et ridé! Ce soir-là
Don Octaviano le ramena dans sa voiture jusqu'à son hôtel. Mack
ne savait encore rien de sûr au sujet de la fille vêtue en pirate (la
bête à bon Dieu) sinon l'endroit où elle travaillait; et Don Octaviano non plus ne savait rien d'autre quand Mack lui posa des
questions dans cette voiture immaculée, qui donnait l'impression
d'être assis dans la paume douillette d'une main gantée du
chevreau le plus fin, plus luxueuse que la voiture de Mr. Baiz à
New York, sans parler de ses deux splendides chevaux arabes. Don

Octaviano avait avancé d'un air si désinvolte que ce devait être cette grosse *traida* blonde du diplomate anglais qu'en réponse Mack avait haussé les épaules avec indifférence, ne voulant pas laisser paraître qu'il ignorait ce mot et supputant qu'il devait sous-entendre que la position de l'intéressée était humble et subalterne ; il ne prit pas conscience avant des semaines que son patron avait utilisé une expression familière signifiant une maîtresse de mauvaise réputation (il n'avait simplement jamais entendu ce mot, ni de la bouche de sa mère ni de celle d'aucune des personnes avec qui il avait parlé espagnol à New York ; pas même Salomón Nahón, pour autant qu'il s'en souvienne, n'avait prononcé le mot *traida*). Dans la voiture Don Octaviano rapporta sa *conversation intéressante avec ce jeune Cubain récemment arrivé qui fait une telle impression* – le nouveau venu cubain avait longuement vanté la qualité et le parfum de leurs fromages. Pour l'étonnant Cubain il n'y avait pas de raison que les paysans ne puissent apprendre à faire des roqueforts et des camemberts exportables, en d'autres termes des fromages de style européen et de classe internationale ; il suffisait d'inviter un maître fromager européen à s'installer dans la région. Le gouvernement avait déjà garanti une bonne partie du département de Verapaz au franco-californien Don Pedro Sanservain afin qu'il puisse recréer le succès de ses vignes et établissements vinicoles californiens, et Don Octaviano était tombé d'accord avec le Cubain qu'une industrie fromagère serait parfaitement complémentaire – Don Octaviano, qui avait éclusé une bonne quantité du champagne de Chafandín, lui frappa la cuisse et l'exhorta en ces termes : « Pues no vos, jeune Mack ? Un jour notre vin et notre fromage d'Amérique centrale seront connus de par le monde. Demain vous allez écrire au ministre des Haciendas pour l'informer que vous vous mettez en quête d'un maître fromager européen. » Mack attendit derrière la porte de son hôtel que la voiture de Don Octaviano disparaisse ; il donna un pourboire au portier hébété de sommeil qui, après qu'il avait frappé de nombreux coups à la porte, était enfin venu lui ouvrir, puis il retourna dans la nuit chaude et sans vent aux odeurs d'égout, laissant ses pas le porter le long des rues grossièrement pavées et pleines d'ornières, éclairées de temps à autre par de vieilles lampes à suif, jusqu'au Café de Paris, qui n'était un café dans aucun sens du terme mais le plus élégant de la douzaine des *burdeles* de première classe autorisés de Doña Carlota Marcorí (son empire comprenait également tous ceux de deuxième classe). Parmi les hommes qui s'adonnaient là à la boisson, au jeu, au flirt prolongé et aux négociations, il trouverait quelqu'un à qui il pourrait parler de la « traida » vêtue en pirate. Mais il se retrouva seul à une petite table dans le coin du somptueux salon plein de lampes à abat-jour, de lustres et de miroirs, faisant durer son unique whiskey dans un silence buté et une maussaderie d'avare, détournant même la parade d'yeux fardés, qui, en dépit des circonstances sordides, étaient pleins de beauté sombre et de douce tendresse féminine – ceci, avait décidé Mack, était la différence la plus frappante entre un bordel ici et à New York ; la persistance du besoin de s'illusionner sur l'amour de la femme hispano-américaine – car elles avaient peu de chances de trouver l'amour sinon pendant qu'elles travaillaient, s'endormant rarement avant l'aube et cependant empêchées par la loi de quitter leurs bordels après deux heures de l'après-midi, cloîtrées là, à confectionner et plier des pansements pour les hôpitaux, et rêvant toujours désespérément de trouver dans leur clientèle un homme qui achèterait leur liberté ainsi que, une ou deux fois dans l'histoire de la prostitution, c'était censé être arrivé. Mack se dit que c'était sa répugnance à perdre de l'argent qui l'empêchait de se joindre au jeu de dés qui se déroulait au bar, pourtant il aurait alors eu une chance de se faire des amis. Certains joueurs étaient des Yankees, entendit-il, travaillant pour la compagnie qui amenait le chemin de fer de Puerto San José à la capitale. Il ne reconnut personne hormis le monsieur à la taille de girafe portant un cordon en guise de cravate, doté d'une moustache blond-gris soyeuse, d'une tête et de traits rappelant l'abricot, Mr. Doveton, autrefois représentant diplomatique des Confédérés au Mexique, aujourd'hui ici. Il était venu un jour à la Société d'immigration pour faire signer à Don Octaviano une pétition en faveur d'un don de terre à ses compatriotes réfugiés qui voulaient établir ici une colonie. À New York Mack ne s'était pas montré très brillant dans l'art de se faire des amis, mais il avait su comment, avait été familier d'une série d'endroits, des saloons aux cafés turcs et aux clubs d'athlétisme, où il pouvait trouver de la conversation, et n'avait pas été obligé de rester seul dans un coin comme un coquetier vide contre son gré ; maintenant il se sentait diminué jusque dans cette capacité essentiellement virile. Résolu à remédier au problème, mais pas cette nuit, Mack termina son whiskey et partit sans dire au revoir à personne, pas même à Doña Carlota, se contentant de toucher son chapeau en passant devant l'unique señorita qu'il connaissait, qui, bien qu'il y ait déjà là toute la place pour un visiteur, était en train de glisser sur le canapé, tapotant l'espace vide à côté d'elle, souriant de son sourire de tranche d'ananas et lèvres de cerise, éventail voletant – les trucs appliqués et la solitude vulnérable des putains lui inspirant soudain autant de mélancolie et d'agitation que s'il venait de passer toute la nuit avec l'une d'elles, sans, évidemment, qu'il se sente aussi rassasié ; il sortit dans la nuit, le parfum persistant encore à ses narines, et retourna à pied jusqu'à l'hôtel sous un ciel clair si bourré d'étoiles scintillant de blanc que c'était comme de regarder une tempête de neige tombant au loin sur un monde parallèle où les gens marchaient tête en bas.

C'est le réparateur de parapluies, parasols et articles imperméables caoutchoutés, Don José, un juif polono-anglais de Manchester qui se faisait maintenant perversement appeler Pryzpyz plutôt que Ginsburg, son patronyme réel – il avait pensé que le Pryzpyz solidement polonais, transplanté sous les tropiques américains, posséderait une mystique exotique de magicien, une touche d'élégance du Vieux Monde, favorables aux affaires ; c'est Don José Pryzpyz qui assura à Mack que María de las Nieves était bien la fille trouvée dans la jungle par le père de la première dame.

Dans sa boutique, mais seulement bien après ses heures d'ouverture, cette grande perche vendait aussi des préservatifs en caoutchouc, fabriqués maison dans son arrière-boutique encombrée – à la main bien sûr, un par un, ainsi qu'il avait appris à le faire à Manchester, Angleterre, préparant le latex sur sa cuisinière en fer, comme d'habitude, faisant chauffer et fumant la sève brute avec du sulfure et de l'ammoniaque avant d'aplatir la masse puante avec un rouleau à pâtisserie pour en faire une feuille aussi mince que possible, où il découperait ensuite les pièces en forme de membre à l'aide d'un gabarit. Il assemblait les pièces, avec un tissu légèrement plus étroit entre elles, l'une sur l'autre, sur un plateau en fonte chauffé, les assemblait à coups de matoir sur le pourtour et ébarbait les bords à l'aide d'un ciseau de cordonnier, finissant par produire un sac en caoutchouc allongé qui tenait l'eau sans fuir, et d'où il pouvait alors retirer le tissu. Ils étaient disponibles en trois tailles, toutes de la couleur peu attrayante d'un ventre de poisson taché par la fumée, et étaient réutilisables – il suffisait de les laver à l'eau et au savon après chaque utilisation et de les suspendre à l'envers dans un endroit frais ; les retourner risquait de déchirer les coutures. Bien sûr les étuis provoquaient beaucoup plus de plaintes que d'éloges ; ils glissaient pendant l'acte si on n'était pas habitué à les utiliser, et émoussaient la sensation même si on l'était ; et ils sentaient l'œuf pourri (le sulfure) – n'était-ce pas cependant préférable à rapporter une maladie honteuse à la maison ? Avec la Révolution libérale les bordels avaient prospéré, mais aussi, parmi les esprits progressistes et scientifiques, un enthousiasme sans précédent pour l'hygiène publique. Un jour, environ quatre ans auparavant, Don José avait simplement mis en vitrine un de ses produits sur un piédestal en carton blanc avec ces mots écrits à la main : *Protégez-vous ainsi*

que votre épouse. Vous deviendrez peut-être vieux et faible avant elle,
et de la reconnaissance et de la pitié de qui dépendrez-vous alors?
Il avait calculé qu'il y aurait suffisamment de passants qui recon-
naîtraient immédiatement l'article en caoutchouc et d'autres qui,
regardant cette chose bizarre et engageant d'autres passants dans
une conversation à voix basse, finiraient par déduire ou découvrir
ce à quoi ça servait. Don José avait bien calculé. En une seule
journée d'exposition, il avait réussi à attirer une clientèle qui
lui permettrait, il en était sûr, de ne plus jamais faire de publicité.
Le jour il exerçait son métier respectable et la nuit vendait ses
préservatifs à ceux qui frappaient à la porte de sa sombre boutique, entre dix heures et minuit uniquement. À New York, Mack
Chinchilla avait fini par éprouver une fascination et une sympathie durables pour les juifs et, sachant que Don José Pryzpyz (né
Josip Ginsburg) était de cette race, il avait traîné avec obstination
dans la boutique la première nuit qu'il était venu faire un achat,
décidé à se lier d'amitié avec lui.

Mack aimait parler affaires et tout ce qui y touchait; pour lui,
un colossal titan occupé à jeter les bases d'un nouvel empire ou
monopole n'était pas plus intéressant que l'histoire de la découverte studieuse et intuitive par un marchand émigré de la plus
petite occasion de faire des affaires dans un endroit qui n'en avait
jamais vu. Pour Mack il y avait quelque chose de mystique et
de béni dans ce processus: des patriarches angéliques jusque-là
cachés sortaient de l'ombre des villes, méconnaissables pour la
majorité, mais que le prédestiné et le méritant, quelque humble
qu'il fût, voit resplendir devant lui en pleine lumière. Mack communiquait son enthousiasme quasi fanatique non pas de manière
ouverte, mais à travers les questions opiniâtres qu'il posait, les
yeux brillants, ravivant la nostalgie et la fierté moisie du quadra-
génaire apparemment taciturne et solitaire, et cette nuit-là, après
qu'ils soient restés un moment sur le pas de la porte, Don José
(ainsi qu'il tenait à ce qu'on l'appelle) invita Mack à s'asseoir, pour

qu'ils puissent continuer de parler en attendant les clients, s'excusant de devoir le laisser dans le noir – le réparateur de parapluies ne désirait pas «illuminer» son commerce nocturne semi-clandestin – et offrant à Mack un verre de thé chaud, qu'il alla préparer dans l'arrière-boutique, où il avait ses appartements. Oui, ç'avait été un long voyage aventureux. Bien que né en Pologne, enfant, Don José avait émigré avec sa famille à Manchester, en Angleterre, et avait grandi là-bas, apprenant son métier et effectuant même un passage dans la fameuse usine Macintosh. Il y avait maintenant presque vingt ans il était parti pour les tropiques américains à la recherche de la fortune, de la liberté et du bonheur, qu'il avait trouvés en partie, même si cela n'avait que peu à voir avec ce qu'il avait rêvé à l'origine. Néanmoins il se jugeait bien loin d'être amer. Pourtant il avait laissé un fils en bas âge à Manchester. Sa femme ne l'aimait ni ne le désirait plus, oui, elle l'avait trompé, Mack, et cela avait beaucoup à voir – mais pas tout! – avec son départ. À présent son fils était presque adulte, et Don José espérait retourner en Angleterre un jour prochain pour lui offrir tout l'argent qu'il avait économisé. Puis il tâcherait de se mettre au courant des dernières méthodes de travail du latex, car il avait entendu dire qu'on était en train de faire des progrès étonnants. Mais il ne resterait pas en Angleterre une heure de plus que nécessaire. Il reviendrait immédiatement. Il n'était pas comme tant d'autres immigrés ici qui passaient la journée à regarder la pluie tomber en se rongeant les sangs à force de souvenirs, de soupirs et d'évocations du retour au pays, et qui n'en faisaient rien; ou s'ils finissaient par rentrer en vendant tout, adieu pour toujours! Bon débarras! *Auf Wiedersehen!* et une année ou trois plus tard ils réapparaissaient et recommençaient tristement, cherchant à monter une affaire ou à acheter de la terre à un prix plus élevé que celui auxquels ils avaient vendu, mais sans autres excuses ni explications qu'ils s'étaient simplement habitués à la vie d'ici, et qu'ils ne pouvaient plus se faire à celle qu'on menait en Europe, ou aux États-Unis.

«La vie ici, répétait Don José, lâchant un rire sombre et grondant, contagieux et qui semblait appartenir à un homme beaucoup plus corpulent. Oh oui, mon *Dieu*, la vie ici. Elle est bonne. Comment trouvez-vous la vie ici, Mack?»

Ce n'avait pas été la première étape de la longue migration tropicale de Don José. Il s'était d'abord établi à Port-Royal, puis à Cartagena de Indias, et ensuite à Greytown, avant de découvrir cette ville montagneuse aux longs hivers pluvieux, aux averses qui affaissaient les parapluies et aux vents de mousson qui brisaient les baleines et déchiraient le tissu de citoyens au naturel conservateur et avare, aux prétentions parisiennes, ce qui, avec les arrivages capricieux et les prix élevés des importations, en faisait un paradis pour un réparateur de parapluies. On lui demandait souvent de réparer des parapluies, solidement fabriqués à l'européenne, aux manches en bois épais et baleines en os de baleine, qui étaient depuis trois ou quatre générations dans la même famille. L'enseigne de Don José stipulait qu'il avait appris son métier à Londres parce qu'il avait d'abord pensé que Manchester n'était pas assez attirant d'un point de vue commercial. À présent, il avait compris que toute personne qui venait faire réparer ou réimperméabiliser son parapluie était certainement de celles qui, maintenant en majorité dans la capitale, utilisaient couteau, fourchette et cuillère pour manger, et se trouvait par là connaître la réputation de Manchester pour la fabrication des couverts en acier. Ceux qui pêchaient leur nourriture dans une tortilla pliée ou mangeaient avec leurs doigts se protégeaient plus volontiers de la pluie sous une cape ou une palme tressée ou en tenant simplement une grande feuille de bananier au-dessus de leurs têtes – mais un jour les Indios utiliseraient eux aussi des parapluies et des capes, des manteaux et des bottines en caoutchouc car n'était-ce pas là la promesse de l'ère de progrès dans laquelle la République était désormais embarquée?

«Mais c'est aussi la meilleure ville que j'aie trouvée jusqu'à pré-

sent dans laquelle être juif, dit Don José, du moins juif non pratiquant, Mack, parce que depuis notre grande Révolution libérale,
tout le monde est également bienvenu ici, et tout le monde méprise
également tout le monde. Non seulement chaque émigré européen qui porte un nom à consonance étrangère est suspecté d'être
un juif caché, mais tout le monde soupçonne chacune des autres
familles ici, quelque ancienne qu'elle soit et quelque pure que soit
son ascendance espagnole, de cacher un secret comparable. »

Mack avait déjà connu des juifs tels que Don José, qui ne désiraient pas attirer l'attention sur leur race, ou tâchaient même de
la cacher – le désiraient tout en en étant incapables. Quant à lui,
Mack, qui en certaines circonstances se faisait appeler Mack
Caleph, Cohen ou même Nahón, il avait beaucoup appris du
style volontaire, péremptoire et souvent comique des hommes
qu'il admirait le plus dans la colonie turque juive et les cafés de
New York, et même essayé de le copier. Aucun juif, Mack avait-il
appris d'eux, ne pouvait se permettre de montrer de la faiblesse.
Désarmer les préjugés par une attitude imperturbable, une bonne
humeur distante, un esprit acéré ; ne jamais laisser les autres vous
infecter de leur dédain, étudier le persécuteur et se demander :
Est-il aussi parfait que ça ? Rappelle-toi, il n'y a pas d'homme bon
ou vertueux qui laisse jamais la bigoterie se loger dans son cœur.
Mais ces leçons n'étaient-elles pas celles que tout père devrait
transmettre à son fils ? Mack ; catholique irlandais, n'aurait-il pu
apprendre de pareilles leçons parmi les Irlandais ? Mais Mack
n'avait pas de père, et il n'avait pas d'amis parmi les Irlandais
de New York. Il avait appris ses leçons des hommes que lui et
le jeune Salomón considéraient comme exemplaires (il y en avait
aussi beaucoup, bien sûr, qui étaient loin d'être exemplaires) dans
cette communauté d'émigrés venant d'endroits aussi éloignés que
Salonique, Bucarest et Tanger, dont beaucoup parlaient un espagnol ancien pas si différent de celui de la mère de Mack. Grâce à
ses années d'apprentissage et de travail de commis dans l'affaire

de Mr. Baiz et à son amitié avec Salomón Nahón, Mack, Yankee Indio orphelin de père qui ne se sentait aucunes racines, avait trouvé contre toute probabilité une camaraderie et un accueil dans cette colonie d'émigrés qui appartenait surtout à elle-même. Là il avait trouvé la façon dont lui, le fils yankee d'une ancienne race américaine, conquise et méprisée – celle que de nombreux spécialistes des religions et des sciences croyaient pourtant descendre des tribus perdues des Hébreux –, devait se comporter dans le monde. Mack se jura que lorsqu'il connaîtrait mieux le discret réparateur de parapluies, il partagerait son savoir avec lui. Il lui reprocherait de ne pas avoir assez confiance en ses talents, car regardez seulement autour de vous, Don José, les vauriens stupides et corrompus qui dirigent ce pays! Il y a des fortunes honnêtes à faire ici. Tout le monde sait que l'Amérique centrale est destinée à devenir le verger des États-Unis, et le grand terminal du commerce mondial!

Il s'avéra que la Señorita María de las Nieves était une amie de Don José et visitait régulièrement sa boutique, toujours l'aprèsmidi. Quelque pressant que fût Mack, le réparateur de parapluies était réticent à donner beaucoup de détails ou d'explications. Mack venait la nuit, pas pour acheter des préservatifs – il en avait acheté un juste cette première nuit – mais parce que tel était le rituel de leur amitié. Pas besoin d'être subtil pour percevoir que s'il devait mettre de côté l'aspect nocturne de ce rituel encore en évolution, ce serait comme pour un magicien de négliger de fourrer un certain mouchoir dans sa manche: plus d'illusion magique, plus d'amitié.

« Cela me plaît que vous veniez la nuit, Mack. C'est une bonne heure pour recevoir de la visite, particulièrement pendant la saison sèche, quand il y a peu de travail.

– Alors elle vient vous voir, Don José. Fréquemment?

– Oui, oui. C'est une bonne fille, bien sûr. Juste un peu chatte des rues, je suppose.

– Qu'est-ce que vous voulez dire, chatte des rues?

– María de las Nieves n'a pas beaucoup de famille, vous savez, Mack – c'est tout ce que je veux dire, poursuivit Don José presque comme s'il s'excusait.

– Mais sa mère? Et ces Aparicio ne sont-ils pas comme une famille pour elle? Et Doña Francisca, avec qui elle a grandi? Est-ce qu'elles n'ont pas même été envoyées ensemble au couvent?»

Don José haussa les épaules. «Je ne sais pas. Peut-être que leurs relations se sont distendues. Ça doit être inévitable, je suppose.

– Pourquoi vous? Pourquoi est-ce qu'elle vient vous voir? Oh, Don José, vous êtes un excellent homme, le parangon de l'honnête commerçant, une personne exemplaire, mais pourquoi vous – quand en faisant le plus petit effort pour exploiter ses liens avec les Aparicio elle pourrait appartenir à la meilleure société d'ici? Ce ne serait pas la seule femme de basse extraction ainsi élevée par ses relations avec les libéraux. Vous avez vu des généraux du président et leurs épouses, dont certains appartiennent tout autant que moi à la race indigène.

– Il faudra que vous le lui demandiez vous-même, Mack, quelles sont les raisons.

– Peut-être qu'il y a une raison, Don José, pour que certains membres de cette société se sentent le droit de l'exclure et de la blâmer.

– Elle n'a rien fait qui lui vaille d'être blâmée.

– Quelque chose dont elle n'a peut-être pas conscience elle-même, mais pour lequel elle est injustement blâmée... par les Aparicio!» Et si Mack et les Aparicio étaient seuls à connaître les détails de l'histoire que Don Juan Aparicio avait racontée dans le bureau de Mr. Jacobo Baiz à New York?

«María de las Nieves fréquente en tout bien tout honneur. Il faudrait que vous lui demandiez vous-même pourquoi moi en particulier. Mais il n'y a pas qu'à moi qu'elle rend visite, vous savez. Elle rend visite à d'autres commerçants aussi, J. J. Jump le photographe et Olivier Partagas le libraire, par exemple. Elle est mon amie chère et intime – un peu comme une fille, Mack, vous pourriez dire. Voilà, c'est tout.

– Elle rend visite à d'autres commerçants aussi ? Et tous la considèrent comme leur fille ? Et sa tenue est irréprochable ?

– Sa tenue est des plus irréprochables...

– Pardonnez ma grossièreté, Don José. Vous la considérez comme votre fille, alors c'est tout, hein ?

– Mack Chinchilla, si vous vous êtes épris de cette fille, vous n'avez rien à craindre de moi. Je n'ai rien pour faire un rival, dit-il avec un nouveau rire, qui avait quelque chose de déplaisant, tel un caramel mou qui aurait durci et collé dans une poche. Bien qu'évidemment, ajouta finalement le réparateur de parapluies, je n'aimerais pas la voir mariée à un homme qui va au bordel.

– Don José, je ne vais pas au bordel. J'ai acheté une de ces... choses... pour faire votre connaissance... Okay, il est vrai que j'ai été au Café de Paris, mais juste pour jouer un peu aux dés avec les gars là-bas. Un jeune homme doit sortir un peu, vous savez.

– Eh bien, elle a d'autres prétendants, Mack. Vous le saviez ? Vous devriez prendre cela en considération, Mack, elle a un prétendant très sérieux. Le candidat numéro un n'étant rien d'autre que l'un des diplomates de Sa Majesté dans ce pays. Un monsieur, jeune et blond. Vous savez la haute estime en laquelle les gens à la peau claire sont universellement tenus ici... (Mack Chinchilla le savait fort bien, car c'était la première mission de la Société d'immigration que de les importer dans le pays.)

– Vous voulez parler de celui qu'on appelle El Chino Gringo ? *Lui ?* Vous plaisantez, Don José ! Il a des vues sérieuses sur elle ? Suffisamment pour l'épouser ?

– Il faudrait demander cela à María de las Nieves, Mack.

– Eh bien – zut alors ! »

C'est ainsi que Mack Chinchilla apprit les intentions sérieuses de l'*usurpateur*, une nouvelle qui le jeta dans une indignation frénétique inspirée par l'injustice des obstacles qui pouvaient se mettre en travers de la volonté d'un homme. Pourquoi devrait-il lutter contre un conte de fées romantique? Pourquoi pas un prince-crapaud? Pourquoi l'Anglais ne pouvait-il pas trouver une femme parmi les siens? À l'époque cela lui avait paru un aussi mauvais tour que la terrible surprise qui l'attendait à la fin de son rude voyage lorsque, arrivé de New York, il s'était rendu au village où son ami Salomón Nahón, son père, et deux oncles avaient leur foyer et leurs affaires. Cette triste visite avait été un coup dont il ne s'était pas encore remis, cependant le poids de son cœur depuis cette dernière conversation démoralisante avec Don José Pryzpyz avait au moins été allégé quelques semaines plus tard, quand, au bar du Café de Paris, il avait rencontré Wellesley Bludyar, si ivre qu'il allait jusqu'à saluer des inconnus d'un Salut, vieux pote et Salut, vieil avocat, et à les inviter à prendre un verre de scotch, agrippant aux épaules et braillant à qui voulait l'entendre l'histoire de la cour sans succès qu'il faisait à María de las Nieves.

Mack soupçonnait que la conduite d'El Chino Gringo ce soir-là n'était pas dans les habitudes du premier secrétaire de la légation britannique. Sa connaissance exceptionnelle des manières et de la conversation des diplomates ne provenait pas seulement du fait que, Mr. Baiz étant expert en toutes matières relatives à la navigation commerciale dans le port de New York, il avait été nommé consul par le nouveau gouvernement libéral. La mère de Mack Chinchilla, née Petronila Calvario dans le village de Mixco, un pueblo indien en bordure de la capitale, avait travaillé comme domestique et cuisinière pour Don Sínforoso Revolorio pendant vingt des presque trente années qu'il avait servi le régime conservateur en tant que chargé d'affaires, consul général, et ambassadeur extraordinaire auprès des États-Unis d'Amérique. Comme il y avait peu de travail pour l'occuper à Washington, Don Sínforoso avait vécu à New York, dans une maison de trois étages donnant sur le port, située dans State Street à Brooklyn Heights, autrefois la maison d'enfance de Mack.

D'après sa mère, Mack était lui aussi né à Mixco, et son père, Gaspar Chinchilla, était mort en combattant dans l'infanterie avec le détachement envoyé par le dictateur conservateur, le Défenseur de la religion, pour renforcer les rangs de la campagne triomphale contre le flibustier américain Walker, déjà conquérant du Nicaragua et qui cherchait à réduire l'isthme en esclavage. Il y avait des médailles, pas de documents, mais Mack avait accepté la légende de son ascendance. Il n'avait pas de souvenirs d'une maison d'enfance autre que celle de State Street, où il avait vécu avec sa mère et Don Sínforoso, veuf depuis longtemps et sans enfants, jusqu'à la mort de l'auguste diplomate, à l'âge de quatre-vingt-neuf ans, un an après la fin de la guerre de Sécession. Mack avait alors douze ans. Sa mère trouva ensuite du travail comme domestique chez un capitaine d'origine cubaine, veuf depuis peu et père de deux enfants, tout près de là, dans Amity Street, et Mack avait quitté l'école pour entrer en apprentissage chez l'ami et associé de Don Sínforoso, Mr. Jacobo Baiz, qui possédait une société d'import-export entre New York et les tropiques américains, et commençait alors à s'intéresser particulièrement au commerce naissant du café en Amérique centrale.

La prospérité avait donné à l'affaire de Mr. Baiz un air de réunion familiale pleine de gaieté: le constant bourdonnement des voix, les activités maniaques et joyeuses de l'argent et du commerce, l'odeur des grains de café et de la fumée de tabac, le bruit du port voisin, les grouillots qui couraient (ainsi que Mack l'avait fait) porter des messages dans South Street (Va chez Mr. Garretson, veux-tu, Mack, et demande-lui s'il ne veut pas baisser son prix. Nous avons une vente, Mack, va demander le prix de l'or aujourd'hui) sous le dais réjouissant des beauprés et des étonnantes figures de proue qui s'avançaient presque jusqu'à l'autre côté de la rue, balançant des poitrines nues polies par la mer au-dessus de la multitude, les grouillots passant leur heure de déjeuner (ainsi que Mack l'avait fait) assis sur les quais à regarder décharger les cargaisons des grands clippers et des goélettes, à écouter les contes et les vantardises des marins tatoués, de toutes nationalités et races concevables, et les histoires souvent incompréhensibles avec lesquelles ils essayaient de vendre les curiosités qu'ils avaient rapportées des coins les plus reculés de la terre jusqu'aux quais de New York – une fois Mack avait tenu dans ses mains une délicate sculpture en os représentant un canoë occupé par un trio grotesque mais charmant composé de trois animaux, un singe, un perroquet et un lézard et deux étranges figures humaines aux yeux en amande coiffées de plumes de serpent ; d'après le marin, elle avait été taillée par les anciens Indiens d'Amérique centrale et représentait un détachement de dieux païens pompiers qui traversaient le ciel à toute allure pour éteindre un gros météore en flammes qui se dirigeait vers leur ville cachée dans la jungle ; hélas, le prix demandé par le marin était bien au-dessus des moyens de Mack, et c'est avec le cœur brisé d'un enfant privé du jouet qu'on offre à son voisin qu'il tendit le canot magique à Mr. Wing, de la grande société importatrice de fruits étrangère, Wiley, Wicks & Wing, qui l'acheta sur-le-champ (ce n'est qu'un an plus tard qu'apparut sur les flancs des camionnettes de la société, l'image d'une Indienne aux yeux en amande quasi nue, l'air effrayant, coiffée de flamboyantes plumes de serpent, debout dans un canoë débordant de fruits qu'un singe, un perroquet et un lézard faisaient avancer en pagayant, mais l'image exotique fit un tel scandale dans les quartiers puritains de la ville qu'elle disparut bientôt ; pour réapparaître des décennies plus tard, métamorphosée en une femme étonnamment similaire avec des fruits entassés sur la tête, reproduite sur les petits timbres qui ornaient chacune des bananes de Mr. Samuel Zemurray ; cette méthode mécanique, inventée dans l'une de ses plantations du Honduras par un ingénieux ingénieur autochtone, de marquer chaque banane de l'image d'une accorte «Chiquita» permit à Sam «l'homme aux bananes», de distinguer ses fruits de la similitude nue de toutes les autres bananes sur terre, et changea pour toujours le commerce des fruits exotiques, cette invention hondurienne quasi anonyme était à sa façon aussi révolutionnaire que celle de Mr. Edison!) – et les grouillots retournant dans les bureaux de Mr. Baiz (ainsi que Mack l'avait fait) chargés d'odorants sacs pleins d'échantillons de café des entrepôts, et criant comme des mouettes messagères un ordre de tel ou tel courtier, le prix du café Santos, les derniers câbles reçus à la Bourse annonçant que le marché de Londres ou de Hambourg était en baisse ou en hausse, et qu'Untel, cette fripouille, essayait de vendre son grain inférieur d'angostura au prix du meilleur boca costa! Quand on a en main une poignée de grains on doit avoir l'impression d'avoir une poignée de plombs de chasse et regarde-moi ça, on a l'impression de tenir des crottes de lapin séchées! Ou en chuchotant, Mr. Garretson dit à Mr. Baiz qu'il ne baissera pas son prix, monsieur... Ou Mr. Baiz, tout juste revenu du Downtown Club, rapportant les potins et les bons mots entendus de la bouche des marchands de café tandis qu'il déjeunait avec le vice-ministre des Grands Travaux du gouvernement suprême en visite – Mack, ce jeune monsieur, le vice-ministre des Grands Travaux désire importer une presse à cylindre, emmène-le à Newark, veux-tu, à cette adresse, j'ai organisé... et cetera. Vous êtes dans de bonnes mains avec notre Mack, Señor Don vice-ministre, c'est notre garçon le plus fiable...

Salomón Nahón arriva durant la seconde année de Mack, et s'installa chez Mr. Jacobo Baiz dans la Dix-huitième Rue Est. «N'oublie jamais un visage ni un nom, fais ce qu'on te dit, écoute bien tout ce que notre jeune Mack te dira, et tout ira bien» – c'était en ces termes que Mr. Baiz avait présenté Salomón à l'affaire, et à Mack, qui pilota le novice au cours de ses premières missions, en tant que messager ce matin-là. Lorsqu'ils allèrent prendre leur premier déjeuner, les deux garçons étaient les meilleurs amis du monde, même s'il fallut une semaine de dîners de pommes de terre et de pain au beurre de pomme avant que Salomón ne rejoigne Mack et les autres grouillots dans les bars à huîtres. Salomón parlait un peu d'anglais, qu'il avait appris tout seul dans un livre intitulé *Leçons d'américain parlé* (oui, le même manuel populaire dans lequel Martí et María de las Nieves avaient étudié cette langue), s'exerçant avec son père et ses oncles, qui avaient vécu en Californie. Sa prononciation était détestable, pourtant la chaleur et l'enthousiasme de sa voix métamorphosaient ses mots en hiéroglyphes vrombissants, que souvent les gens semblaient heureux de s'efforcer de déchiffrer, se penchant, fermant les yeux, lui faisant signe de répéter, hochant la tête, souriant, comme si c'était un amusant jeu de devinettes. Mack aurait volontiers parlé l'espagnol, mais Salomón insistait pour s'essayer à l'anglais – qu'il apprenait vite! Salomón avait deux ans de moins que Mack, et bien qu'il fût plus grand d'un ou deux centimètres, il était quand même petit selon les critères américains, et menu, en fait tout aussi menu que ce Cubain fin et loquace, bien que d'un type physique complètement différent, ses membres agiles aussi durs et musclés que les lianes de la jungle, parce qu'il avait passé toute son enfance dans *el campo*, le pays sauvage de prairies et de forêts tropicales du plateau du Sud, juste entre les plaines du Pacifique et les contreforts à café de la Sierra. La peau de Salomón, brune comme une noix de cajou, baignait dans la lumière tropicale jusqu'au plus profond et au plus mauvais de l'hiver new-yorkais. Malgré la véhémente répugnance qu'il avait du froid, on aurait dit qu'il irradiait la chaleur. Ses cheveux n'étaient plus qu'une masse désordonnée de boucles noires et sur son visage basané et étroit, poussait déjà, à l'âge de quinze ans, la barbe légère d'un chevreau, ses yeux noirs légèrement protubérants semblaient toujours être en mouvement hyperbolique, sa bouche formait généralement un demi-sourire désinvolte et expectatif, et son nez était juif, quoique pas très prononcé – pas si différent d'un nez d'Indio, de celui de Mack en fait. Plus d'une fois, quand tous deux avaient leurs chapeaux d'hiver enfoncés sur la tête, leurs cols remontés jusqu'aux oreilles, et le menton et la bouche couverts d'une écharpe, on leur avait demandé s'ils étaient frères. Pas surprenant que Salomón ait été précoce avec le sexe opposé – lui, le juif de la campagne, charmant et adroit avec les filles, et Mack, le catholique des villes, benêt bégayeur !

Derrière la vie de Salomón Nahón il y avait une histoire extraordinaire, et cette histoire elle-même était pleine d'histoires, et il semblait qu'il ne se passait pas un jour sans que Salomón en ajoute une nouvelle – mais cette histoire centrale, d'où partaient toutes les autres, était celle qui racontait comment et pourquoi les frères Nahón célibataires, Moisés, León et Fortunato, avaient décidé ensemble, dix ans après que tous trois se furent installés dans le village de Cuyopilín, que Salomón Nahón avait besoin d'exister. « Oui pues, ils m'appellent à la vie, Mack, comme les Indios font une ceremonia pour appeler la pluie ! »

Les Nahón étaient originaires de Fez, au Maroc : le premier à quitter la maison familiale située dans le ghetto juif de cette ville sainte fortifiée avait été Moisés, le plus âgé des frères, qui s'était engagé à bord d'un transporteur de guano français à Marseille, avait déserté à Lima, et était peu à peu remonté jusqu'à San Francisco, en Californie, où il avait travaillé dans le grand magasin d'un paisano. León et Fortunato, après la mort de leur père et l'installation de leur mère chez des parents à Tanger, rejoignirent Moisés. Ils cherchèrent longuement où des entrepreneurs d'une énergie sans bornes mais aux moyens limités tels que les leurs pourraient trouver d'autres possibilités en Amérique, puis les frères se décidèrent pour l'Amérique centrale. Ils avaient choisi Cuyopilín parce qu'il était tout près du port de Champerico sur le Pacifique, à côté d'une rivière et de sources froides et chaudes, parfaitement situé au pied des plus hauts sommets du piémont à café du Sud, et relié à des routes, une voie ferrée et d'anciens sentiers indiens menant au port, à Los Altos, aux villes agricoles proches en plein développement de la plaine côtière, et même à la capitale. Les frères Nahón construisirent un grand magasin à Cuyopilín, acquirent deux petites voitures de colporteur et les mules pour les traîner, et fournissaient bientôt en toutes sortes de marchandises importées de Californie les propriétaires des plantations de canne à sucre, les éleveurs de bétail et les pionniers du café qui commençaient à s'établir non loin de là sur la Costa Cuca et la Costa Grande et partout dans le piémont. Il n'eût pas été facile de vivre la vie d'un juif pieux à Cuyopilín et les Nahón n'essayèrent pas. Bien sûr ce n'est pas le juif dévot et studieux stéréotypé qui s'en va s'installer sous les tropiques américains, une piste marquée par des célébrités telles que le bâtisseur de chemins de fer sud-américain Henry Meiggs, Peter Goldfarb, le «Roi de l'Ara», et Salomón Casés, le juif marocain et ex-officier de l'armée britannique qui avait pris la tête de ses confrères marchands de latex amazoniens, organisés en une «Légion étrangère» de va-nu-pieds dans une succession de révoltes victorieuses contre les taxes illégales et la corruption des autorités péruviennes à Iquitos (ainsi que, des décennies plus tard, Sam l'«homme aux bananes» Zemurray, membre de la United Fruit Company dont il serait fait plus tard une si mauvaise réputation) – sans parler des innombrables colporteurs et réparateurs de parapluies, de leurs descendants, des descendants de leurs descendants; des descendants encore plus nombreux de ces premières unions entre les conquistadors marranes fuyant l'Inquisition et les Indiennes; ni de la progéniture des neuf frères marranes de sainte Thérèse d'Ávila, qui s'étaient aussi établis en Nouvelle-Espagne, où ils avaient fait à eux tous au moins quatre-vingt-dix-sept enfants connus, dont une carmélite contemporaine a récemment réussi à retrouver cinq cent quarante-six enfants légitimes, qui à leur tour en ont fait quelque deux ou trois mille de plus, tous nés avant la fin du dix-septième siècle, dispersant ainsi largement les gènes familiaux de la plus grande des saintes mystiques carmélites dans l'insondable flot hybride des Amériques. Cette pétroleuse au sang juif très portée sur la lévitation, la plus favorisée et adorée de toutes les Saintes Épouses Vierges de Dieu (ainsi que quiconque a vu la fameuse statue du Bernin à Rome représentant sainte Thérèse en extase, son beau visage marqué par la volupté de l'orgasme, peut aisément le déduire), auteur de la constitution et de la règle conventuelles les plus rigoureuses et influentes jamais écrites (« Dieu est dans les ustensiles de cuisine »), d'un traité sur le Cantique des cantiques si sensuel qu'un théologien lui ordonna de le brûler, et de sa propre *vida* aujourd'hui classique (composée dans le style simple et familier de l'Âge d'or que le jeune José Martí étudia à l'université de Madrid et recommanda plus tard à ses étudiantes en composition à l'Academia de Niñas de Centroamérica, bien qu'évidemment María de las Nieves l'eût déjà lue et cherchât avidement d'autres sources d'inspiration et d'exemple), sainte Thérèse d'Ávila est aujourd'hui un peu partout dans l'ADN de notre hémisphère – bien plus, grâce à ses neuf frères, que Washington, ou Franklin, ou Jefferson, ou toute autre personne de ce genre, du moins pour autant qu'on sache. (À propos, l'ancienne favorite de María de las Nieves, Sor María de Agreda, celle qui était douée d'ubiquité, qu'on appelle parfois Santa Teresa du Baroque, était aussi fille de marranes.)

Tous les matins les frères Nahón disaient leurs prières, se versaient de l'eau sur les mains, remerciaient Dieu de les avoir faits hommes et non femmes. Ils allumaient des cierges pour le dîner le jour du sabbat, mais n'avaient ni le temps ni le goût de se reposer. De manière ouverte et plus subtile, ils cherchaient à être charitables. Parfois quelqu'un se rappelait que c'était un jour de fête, et, peut-être, une chanson appropriée. Ou l'un des frères lisait une histoire de la Bible dans la Haggadah en espagnol que León avait achetée chez un bouquiniste au cours d'un voyage d'affaires à San Francisco. Le jour du Grand Pardon, ils jeûnaient parfois. Ils ne mangeaient pas de chancho, du porc, autrement dit. Il était difficile d'être beaucoup plus rigoureux dans l'observation des commandements. Les seules femmes autour d'eux étaient des Indiennes de Cuyopilín, de la tribu Pipil, qui allaient seins nus dans la chaleur de la plaine, et un petit nombre de métis qui habitaient non loin. Les Nahón avaient bâti une maison relativement fraîche, en fait une immense hutte india, avec des murs en bambous verts à la place de joncs, un toit pointu très haut recouvert de palmes et des sols en terre battue. Ils avaient planté un bosquet de manguiers ombragé devant la façade, des caféiers de mauvaise qualité à cette basse altitude, tout autour de la maison, et une orangeraie ; ils élevaient des abeilles pour le miel et avaient acheté des vaches à lait et même des juments et des ânes pour élever des mules – Léon était devenu excellent éleveur et dresseur de mules – qu'ils vendaient, avec leurs oranges, au marché de Retalhuleu. Même si les Nahón gagnaient et économisaient de l'argent, ils savaient que ce n'était rien en comparaison de ce que certains des criollos et émigrés européens, particulièrement allemands et anglais, commençaient à gagner avec le café. Mais le café n'était vraiment rentable que cultivé à grande échelle, et fonder pareille finca exigeait énormément de temps et d'argent : de la terre, de l'équipement, une aire de séchage, des cuves à trempage et beaucoup d'eau, et en plus il fallait acheter des milliers de jeunes arbres juste pour commencer, et ils étaient fragiles, et il fallait savoir exactement ce qu'on faisait, il fallait de l'étude et de l'expérience, ou du moins embaucher un administrateur fiable et expérimenté, et de tels hommes étaient *extrêmement demandés*, et il fallait construire une hacienda aussi somptueuse que celles des fincas voisines au risque de perdre le respect des ouvriers. Puis il fallait attendre au moins trois ans avant de voir si vos caféiers allaient faire du profit. Seuls les Indios, pour récolter les graines et ainsi de suite, étaient faciles à trouver et abordables. Et il fallait de l'aide – le gouvernement essayait d'aider les criollos riches et les émigrants qu'il jugeait le plus intéressants, et les Allemands, avec leur

Association allemande de Los Altos, s'aidaient mutuellement. Pourtant, les Nahón rêvaient de voir le nom de leur famille figurer parmi l'aristocratie émergente. Ce ne serait peut-être pas possible durant leur vie, toutefois s'ils travaillaient dur et économisaient, ne le serait-il pas pour leurs héritiers? Mais quels héritiers? «Ahh? *¡Púúúú-chica!* Quels héritiers, amigo Mack? La douzaine et quelque de petits demi-Indios, les petits métis juifs que Moisés, León et Fortunato ont faits avec toutes les Indias aux chichis nus? Tous mes petits frèrecitos et demi-sœurcitas? En choisir un pour être Salomón Nahón parmi tant? Et le circoncire où, comment? Avec machette? Jaja. Pues, tu vois le problème, Mack.»

Même si les trois frères devaient se marier et faire chacun un héritier légitime, il n'y aurait pas assez d'argent pour acheter trois fincas de café. Pas plus que les trois héritiers Nahón ne pourraient devenir chacun un riche et puissant patrón du café en partageant la finca que les économies de toute une vie des frères devraient pouvoir acheter. Mais s'il n'y avait qu'un seul jeune prodigue Nahón, qui hériterait des trois frères? Et si cet unique héritier Nahón était élevé pour fonder un empire en rachat de tous trois, avec une chance de préserver et de perpétuer le nom et la lignée des Nahón parmi l'aristocratie du café jusqu'à la fin des temps! Un bon plan, non? Mais qui serait la mère de l'héritier? Et Herr Weisselberger? Il y avait des juifs parmi les pionniers allemands, dont Herr Weisselberger, qui avait une fille à marier, pas même un petit peu jolie… Imaginez l'excitation des frères, assis le soir sur leur grossière véranda à la lumière des torches de résine de pin pour éloigner les moustiques, au milieu du vacarme des insectes et des grenouilles des nuits tropicales – psalmodiant *Weisselberger!* Qui d'autre voudrait épouser Charlotte Weisselberger? Au moins son nom est beau, Charlotte, mère du futur Salomón. Mais qui sera le mari (gémissements) de Charlotte?

«C'est ça légende de ma familia, Mack. Fille Weisselberger ressemble à danta, un long nez courbé et un gros derrière – danta est nom d'animal vit dans les marais et les lagunes, Mack, Espagnols appellent aussi tapir. Tu sais que leur viande, surtout fumée, est bonne manger, et fait très bonnes cordes avec… leur piel, Mack, c'est quoi piel? *Peau.* Bonnes cordes avec la peau, et de l'huile propre qui brûle lent avec la grasa. Et mes oncles et père-futur un moment pensent beaucoup cette idée de domesticar cet animal, le danta. Pourquoi pas? Ils étudient, oui. Ils étudient la dinde, Mack. Et tu prends un jabalí – un sanglier, oui, un bébé sanglier sauvage de la forêt, et tu l'élèves avec chanchos, les co-chons, Mack, il fait juste comme les cochons. Tout exactement pareil! Pourtant comme cochon, danta n'est pas bête kascher – mais ces trois Nahón se souviennent seulement après qu'ils ont mangé de la viande beaucoupbeaucoup de fois. Le pas pieds fourchus. C'est exemple, Mack, de la profonde stratégie des tropiques américains sur l'esprit – quoi? Sur l'esprit et l'âme hébreux, qui ont la forme d'epocas d'un côté du globe, et changent complètement de ce côté primitivo du soleil; Mack, où ils inventent des choses comme domesticar le danta, que je crois est une idée parfaite. Pourquoi pas? Et pourquoi pas aussi goûter la fille locale, sucrée et juteuse comme papaye, Mack, pauvres gars solitaires et desgraciados, avec leurs muchachas indias, les frères Nahón. Oh, pauvres garçons! Peut-être un Dieu fait une partie du globe et autres dieux l'autre partie. Parfois je pense, oui pues, seule explication. Dieu hebreo en colère, mais peut pas venir à tropiques pour punir. Encore une chose sur le danta. Miembro, miembro? – membre. Membre viril plus long que tout autre animal, plus long que cheval ou taureau! Plié contre stomato comme Z, un Z aplati, et urinar à l'envers! Alors si tu es derrière danta, oh, oui, tu l'attrapes, le urinar, dans la figure. Et quand dur et droit pour baise! Uff! pas croire, ja. Claro, les Indios savent, oui pues. Beaucoup légendes sur immenses baises géantes de danta!»

Telle était la manière de raconter de Salomón, et cette histoire il l'avait jacassée durant un long trajet en omnibus sur Broadway tandis qu'il se serrait les épaules contre le froid, sans même craindre les réflexions scandalisées des Puritains qui de toute façon n'étaient pas sûrs de ce qu'ils entendaient, et comme disait Salomón : Qui va me mordre la langue ?

Une proposition de mariage fut faite à Herr Weisselberger : lui et Charlotte pouvaient choisir celui des trois Nahón qu'ils voulaient et par là devenir les bénéficiaires des économies et des gains à venir de tous les trois. La proposition fut rejetée avec indignation – quand le moment viendrait de se marier pour la fille-danta, les Weisselberger, si nécessaire, retourneraient en Allemagne pour trouver un mari convenable à Charlotte.

« Mais alors pourquoi pas choisir un garçon malin dans ces nombreuxnombreux petits demi-Indios pour être Salomón Nahón, Mack ? C'est comme ça en Amérique ? C'est justice. Ahhh, et tant d'ennuis évités. Tant de larmes viennent jamais. Mais alors je pas existe. Alors je peux pas grogner. Imagine jamais voir cette douce vie ? Jamais aimer toutes les belles muchachitas. Les filles Pipil ont des petits chichis fermes, oh Mack, deliciosas. Jamais venir dans cette maravilla New York pour habiter avec Don Jacobo. Jamais connaître mon ami Mack Chinchilla ! »

Il fut finalement décidé que Fortunato retournerait à Tanger chercher la mère de l'héritier. Les deux frères plus âgés ne se marieraient jamais et continueraient à chercher satisfaction et réconfort auprès des femmes du cru à leur manière accoutumée, qui n'était pas absolument libre d'attachements affectifs. Un an plus tard Fortunato revint avec la belle et bien-aimée Estercita, son épouse, qui très vite donna naissance à Salomón. Oh, quelles réjouissances ! La nouvelle petite famille alla jusqu'à Mexico pour que le bébé puisse avoir le prépuce coupé par un mohel. « ¡Ay Dios mío, no hay bien que por mal no venga ! » À peine un an plus tard, Estercita mourut après avoir accouché de sa sœur de sept mois, Gracia, dont la vie ne dura pas plus longtemps que le passage d'une étoile filant dans le ciel nocturne. Fortunato, qui n'avait jamais aimé d'autre femme qu'Estercita et n'avait même jamais rêvé du bonheur qu'il avait découvert durant leurs presque deux années d'intimité conjugale, fut dévasté par cette double perte. À partir de ce jour, Fortunato sembla toujours au bord des larmes, et n'approcha plus jamais les femmes du cru, préférant se vouer à une noble tâche : il commença par tenter d'identifier tous les enfants naturels qu'il jugeait que lui ou ses frères auraient pu concevoir afin de les envoyer tous en pension à la capitale aux frais des Nahón ; mais alors, craignant qu'inévitablement il en fût oublié ne fût-ce qu'un seul – ainsi condamné par la discrétion, l'oubli ou simplement le destin à l'ignorance obscure – il décida de construire une école où tous les enfants du village pourraient être instruits, dont son unique enfant légitime, Salomón, et fit venir un professeur, Rubén Abensur, de l'Alliance israélite de Tanger. Les deux oncles, fous de Salomón, faisaient ses quatre volontés. Fortunato, lui, était décidé à ce que son fils fût élevé comme un jeune prince à qui il n'est jamais permis d'ignorer ni d'oublier le poids et la responsabilité du royaume qui lui est destiné. Il voulait qu'il étudie assidûment dans leur petite école, surtout les mathématiques, mais aussi qu'il apprenne les secrets de la nature et, particulièrement, du café et c'est ainsi qu'il emmena Salomón dans toutes ses tournées à travers le piémont. Même le patrón de café prussien le plus buté et arrogant ne pouvait faire perdre son aplomb à Fortunato, ni repousser ses tentatives polies et désarmantes d'engager la conversation, si cela offrait à son fils une occasion d'apprendre quelque chose de nouveau sur la culture du café. Bien sûr Fortunato comprenait qu'il était bon pour son fils de grandir près des Indios aussi, parce que leur connaissance de la nature était un trésor que la plupart des Européens et même des *patrones* criollos dédaignaient de considérer. Les Indios devaient être les alliés indispensables de son fils, pour autant qu'il les traite comme des employés qui étaient aussi ses égaux – ce n'était que naturel et juste, étant donné que nombre des condisciples de Salomón étaient ses demi-frères, non? Salomón avait également hérité l'exubérance sexuelle de ses oncles et avait conçu son premier enfant, un fils nommé Máximo, à l'âge de douze ans, méfait pour lequel son père le fouetta impitoyablement – sans rire, c'est la pure vérité – avec un fouet en tapir, aussi élastique, deux fois plus long que s'il avait été fait dans un membre de taureau.

À l'âge de quatorze ans, Salomón fut envoyé à New York s'initier au commerce du café dans l'affaire de Jacobo Baiz. Trois ans plus tard, alors qu'il était enfin prêt à retourner au pays, Salomón déclara à Mack : « On se met dans le café ensemble. Tu viens être mon associé-administrateur, Mack, et quand tu prêt à démarrer finca à toi, je t'aide comme si tu es mon *seul* frère. »

Quatre ans d'affilée Mack Chinchilla avait reçu une lettre de Salomón Nahón répétant sa proposition, chaque année avec les mêmes instructions quant à la façon d'arriver jusqu'à Cuyopilín, jusqu'aux affaires à emporter pour le voyage, et le prévenant de ne même pas *penser* à traverser la campagne sans une arme, telle qu'un bon Colt 45. À l'époque, Mack s'était élevé au rang de premier commis dans l'affaire de Mr. Baiz, dont Don Juan Aparicio était l'actionnaire majoritaire. La vie sédentaire d'un commis bien placé, s'il prenait garde à économiser, pouvait lui procurer une existence assurée. Avant longtemps, Mack serait prêt à se mettre en quête de son propre foyer à Brooklyn ou dans le haut de la ville, ce qui n'était pas une mince réussite pour le fils émigré d'une servante indienne. Pourtant les yeux couleur de figue de Reyna Salom n'avaient rien perdu de leur placidité quand Mack lui avait demandé, en espagnol, si elle ne le croyait pas, tant elle semblait peu impressionnée par l'affirmation pleine de fierté de l'imminence de son état de propriétaire. Reyna répondit que ce n'était pas à elle de le croire, que c'était à Mack de le dire à son père, et que si c'était vrai et important qu'elle le sache, son père le lui dirait. Elle était la fille de Mojluf Salom, qui travaillait pour un importateur de café et de pétards de Java dans Water Street et s'était lié d'amitié avec Salomón et Mack, les accompagnant parfois l'après-midi au café Constantinopolis. Les Salom étaient des séfarades de Sarajevo, et Reyna et sa mère, Ricca, parlaient exclusivement un espagnol ancien qu'elles appelaient le *vero castellano*, une langue que Mojluf parlait à peine. Reyna était toute petite, menue, elle avait l'air doux, un teint brun cireux, des cheveux bruns bouclés qui lui tombaient jusqu'à la taille, et un grain de beauté comme un scarabée scintillant sous un coin de ses lèvres innocentes. Son attitude était plaisante et sérieuse, quoiqu'un peu indolente – elle souriait d'un œil, la paupière ensommeillée, lovée, vêtue telle une poupée sarrasine, dans les coussins du canapé de leur petit salon étroit et sombre. Salomón s'était entiché de Reyna la toute première fois que lui et Mack avaient été invités chez les Salom et ensuite, avec la permission de Mojluf et la vigilance discrète de Ricca, les deux amis avaient rendu de fréquentes visites vespérales à Reyna. Après le départ de Salomón, Mack avait poursuivi ses visites, étonné et encouragé par l'absence de changement dans les manières agréables mais vagues de Reyna. Puisque personne ne le décourageait – ni Reyna, ni Mojluf, ni Ricca – il avait persisté dans sa cour pondérée bien qu'obstinée pendant près de quatre ans, venant la voir une ou deux fois par semaine, investissant une trop grande part de ses gains en de petits cadeaux parfois d'un goût douteux. Après tout, elle le laissait de temps à autre tenir ses petites mains chaudes et moites dans les siennes et il semblait plus tard que son parfum discret s'attardait dans les lignes de sa paume comme si elle y avait dormi. Il était sûr d'avoir trouvé sa femme, que cette cour aux allures d'escargot était la façon de faire dans les familles juives respectables, pas si différente, reconnaissait sa mère, des coutumes de son propre pays. Reyna continuait à l'aguicher de temps à autre en lui récitant les mêmes dictons et poèmes pleins de coquetterie – *Morema me llama / el hijo del rey / si otra ves me llama / yo con él me iré* – qui, pour familiers qu'ils fussent, excitaient chaque fois ses espoirs et un désir palpitant dont il pensait qu'il ne pouvait être assouvi que par le mariage. Dans l'intention de solliciter de sa part quelque signe providentiel, il avait fini par se vanter, et il en avait éprouvé de la honte. Un après-midi, un dimanche froid et plombé, Mack se lança dans un discours passionné, promettant d'adorer Reyna pour toujours et même de se convertir à sa religion si elle acceptait de l'épouser. Reyna Salom répondit avec calme et conviction que les grandes amours et les passions magnifiques étaient bonnes pour les histoires dans les livres. Elle épouserait qui son père lui dirait d'épouser. Mack n'oublierait jamais le long et dur chemin jusqu'au ferry de Fulton, la neige légère qui tombait en même temps que l'obscurité d'ardoise, puis la traversée sur le pont malgré le froid, le vent et la neige brûlants et la montée de la colline et le trajet jusqu'à Amity Street et son entrée dans la maison du capitaine, comme toujours, par la porte de service, où, trouvant sa mère dans la cuisine, il avait enfin fondu en larmes. Il était resté agenouillé, la tête dans le giron de sa mère un long moment ce soir-là, mais il n'avait pas pu lui répondre quand elle lui avait demandé ce qui n'allait pas ; il ne pouvait pas, Madrecita, parce qu'il n'avait pas de mots pour ce qui n'allait pas. Il n'était jamais allé revoir Reyna Salom, et Mojluf ne lui avait jamais demandé pourquoi. Quelques mois plus tard il apprendrait que les Salom avaient abandonné New York pour tenter leur chance à Buenos Aires.

Un après-midi peu après cet incident Mack se leva de derrière son bureau, se sentit vaciller, pris de vertige, tendit les bras et entendit une voix, la sienne, qui disait d'un ton rêveur et cependant ferme : « Gelée de pétrole. » Il tomba par terre et vit les commis, les vendeurs, les grouillots et Mr. Jacobo Baiz qui l'observaient. Mr. Baiz l'intima de rentrer chez lui et d'y rester le lendemain – il dit que Mack était sensible des nerfs, que sa constitution n'était pas faite pour l'effort que représentait un tel travail cérébral, qu'il manquait d'exercice et d'air frais. Mais Mack était athlétique et ne souffrait pas d'un tel manque. Il comprit ce dont il avait besoin dès qu'il posa le pied sur le trottoir. Il n'y avait pas de brillant avenir pour lui dans une affaire où le propriétaire, Juan Aparicio, avait soin avant tout de sa famille et de leurs relations. Il ne voulait pas être commis. Il voulait se tirer de cette affaire d'affaire. La grandeur était dans le monde, et tout ce que voulait Mack était là-bas. Juste au coin de Lower Wall Street, dans un bâtiment qu'occupaient surtout des marchands de thé et de riz, se trouvait l'immensément profitable Chesebrough Manufacturing Company, qui fabriquait et vendait un seul produit : la gelée de pétrole, ou Vaseline. Son fondateur était un pharmacien ordinaire de Brooklyn, mais qui avait fait preuve de l'initiative et de l'énergie nécessaires pour se rendre, sur une intuition, dans les champs pétrolifères de Pennsylvanie, où il avait remarqué le résidu de pétrole transparent qui se déposait sur les pistons des pompes des puits de pétrole, une matière visqueuse et dense dont beaucoup d'ouvriers, la prenant directement à la main sur les pistons, massaient leurs bleus et coupures. Ce même jour le chimiste était parvenu à rapporter à Brooklyn, par diligence, train et ferry, une demi-douzaine de lourds seaux pleins de la gelée de pétrole brute, et une heure après être arrivé chez lui, en utilisant les vases à fleurs de sa femme en guise de vases à bec – du moins selon la légende colportée avec révérence dans Lower Manhattan – expérimentait les qualités salubres de la substance dans sa cuisine.

Mr. Baiz et sa mère approuvèrent l'idée de Mack de se joindre à son ami Salomón Nahón pour se lancer dans la culture du café. C'était une époque qui récompensait les entreprises hardies et le risque. À mesure que croîtrait la puissance économique, militaire et maritime des États-Unis, prédit Mr. Baiz, celle de l'Amérique centrale ferait de même. Le prix du voyage par le chemin de fer transcontinental et le vapeur de la Pacific Mail était trop élevé pour Mack, bien que ce trajet conduisît quasiment à la porte des Nahón. En revanche il pourrait prendre un bateau à voiles qui le mènerait de New York à La Nouvelle-Orléans, puis au Belize et de là à Livingston, pour à peine un cinquième du prix. Ainsi Mack Chinchilla était de nouveau entré dans le pays de sa naissance par ce même petit port où Sor Gertrudis avait débarqué des décennies auparavant, et où le jeune José Martí arriverait quelques mois plus tard. Mack n'emprunta pas leur chemin vers la capitale, il en divergea pour traverser tout le pays, à travers jungles et montagnes, jusqu'au piémont sud du Boca Costa, puis plus bas encore jusqu'à Cuyopilín.

Le jeune homme qui avait débarqué à Livingston, qui jamais n'avait monté à cheval ni frappé un autre homme, sans parler d'utiliser un pistolet, n'était certainement pas celui, las et quelque peu traumatisé, qui parvint finalement à Cuyopilín trois semaines plus tard. Mack ne pourrait jamais vraiment séparer le souvenir de ce voyage de sa triste fin, ni de certains de ses épisodes les plus désagréables. Quelque aventureuse que sa « traversée du continent » par bateau et à cheval ait été, le sentiment que Mack en gardait ressemblait plutôt à une progression de taupe dans le monde souterrain de ses craintes, inquiétudes et répulsions secrètes.

Mack aurait facilement pu écrire un récit de ce voyage, bien qu'ensuite il n'en parlât que rarement. Donc qu'en dire maintenant ? Que rien de ce qu'il avait entendu de la bouche de ses compatriotes ne le préparait à la beauté du paysage – partout des fleurs et des oiseaux au plumage étonnant, et des rivières pleines d'alligators courant à travers la jungle, et de vertes vallées paradisiaques et des volcans impressionnants aux lointains cratères débordant de lave rougeoyante, couronnés de flammes, et partout les humbles champs de maïs des Indios gravissant les pentes pour se perdre dans les nuages comme s'ils les cultivaient pour nourrir les anges plutôt que les hommes. Mais rien non plus n'avait préparé Mack aux horreurs qui abondaient dans le pays et qui, naturelles ou humaines, semblaient provenir de la même source inexplicable et malveillante... Gravissant régulièrement un long sentier d'argile glissante à travers la cordillera boisée dans une nuit d'un noir d'encre et le brouillard de la montagne, la piste se terminant abruptement par un précipice escarpé sans aucun signe pour prévenir le cavalier du plongeon fatal qui l'attendait : seule la capacité de sa jument à voir dans l'obscurité et son obstination à ne pas faire un pas de plus avaient sauvé la vie de Mack. Il l'avait pourtant éperonnée et giflée comme un homme ivre chevauchant une statue, jusqu'à ce que son *mozo*, son porteur indien, le rattrape et le prévienne d'un cri (seuls les chevaux aux yeux verts voient dans la nuit, avait prétendu l'homme qui lui avait vendu la jument à Izabal, ce que Mack avait jugé être une version tropicale haute en couleur de la nature universellement fraudeuse des maquignons)... Un village dans la forêt au crépuscule, de jolies maisons en pisé peintes à la chaux, avec des toits soigneusement recouverts de chaume, entièrement abandonné aux vampires, des cadavres d'animaux gisant dans les hautes herbes, et une puanteur terrible, et tant de chauves-souris entrant et sortant par les fenêtres et les portes des petites huttes impeccables que Mack n'avait osé entrer dans aucune, même pour y jeter un bref coup d'œil, et bien que lui et son mozo aient rapidement pris la fuite, un énorme vampire s'était posé sur la croupe de sa jument et était resté là tandis que Mack, tourné sur sa selle comme un cow-boy de cirque, un hurlement gelé dans la gorge, frappait l'hideuse créature de son pistolet jusqu'à ce qu'il parvienne à la faire s'envoler dans un bref geyser de sang... Dans une autre partie désertée de la campagne, désertée mais printanière et festive, traversant des prés verts pleins de volées bruyantes de perroquets se repaissant de pêches sauvages, Mack et son mozo tombèrent sur le cadavre d'un Indien, allongé sur le dos au milieu de la route, les vêtements en feu : étouffant les flammes avec une couverture, arrachant des lambeaux fumants de leurs mains nues, Mack et le mozo éteignirent rapidement le feu. Le cadavre quasi nu était noir de suie et de brûlures mais paraissait par ailleurs intact. Son large visage, aux yeux sereinement clos et aux lèvres gonflées et légèrement entrouvertes, semblait paisible, comme si les flammes ne l'avaient pas fait souffrir. Il n'avait pas l'air beaucoup plus âgé que Mack. Qui avait mis le feu à cet Indio et pourquoi ? S'ils l'enterraient avant de reprendre leur chemin, sa famille ignorerait à jamais ce qui lui était arrivé. Mais il semblait tout aussi horrible de l'abandonner aux vautours et aux bêtes sauvages. Mack et le mozo veillèrent sur lui jusqu'à ce que la nuit commence à tomber, avant de reconnaître qu'ils n'avaient rien d'autre à faire que de poursuivre leur route.

Quelques jours plus tard, à l'entrée d'une petite ville industrieuse située au sommet d'une colline où il pensait trouver de la nourriture et un logement pour la nuit, Mack fit une rencontre désagréable avec un groupe de soldats indiens ivres. À première vue, leurs uniformes dépareillés et en désordre et l'expression morose avec laquelle ils observèrent leur approche ne semblèrent pas de mauvais augure ni même exceptionnels par rapport à la mise et au comportement d'autres soldats déjà rencontrés. Ils étaient groupés devant une petite guérite près d'un pont en bois rustique enjambant un cours d'eau rugissant. En deçà du pont, la route était en argile boueuse, de l'autre côté, gravissant la pente et traversant le village, elle était pavée de pierres qui ressemblaient à la carapace de cafards géants. Mack descendit de sa jument, ôta son chapeau, et se présenta avec ses papiers comme à l'habitude, mais les soldats lui refusèrent la permission de passer. Ils n'exigèrent pas de pot-de-vin ni ne lui demandèrent de payer des taxes exorbitantes, ainsi qu'avaient fait les soldats tout au long de son voyage. Quand Mack attira leur attention sur son passeport portant le sceau qui l'identifiait comme un citoyen des États-Unis d'Amérique, leur surprenante attitude belliqueuse ne changea pas pour autant. Il dit s'appeler Mack Cody et leur tendit le passeport d'un geste de défi, ayant appris au cours de son périple qu'il était extrêmement rare de trouver un soldat qui sache lire. « Je suis citoyen des États-

Unis d'Amérique», annonça-t-il d'une voix forte – puis craignant qu'ils ne le volent ou ne le détruisent, il remit prestement le passeport sous son poncho en caoutchouc, et répéta: «Je m'appelle Mack Cody.» Un des soldats, comme s'il tentait de répéter ce qu'il venait d'entendre, répondit: «¿ Coatimundi?» C'était le nom indigène d'une sorte de rongeur de la jungle avec lequel, pensa Mack, le nom de Cody pouvait être confondu et il répliqua donc: «Non, pardon, c'est *Cody*» – sur quoi le soldat répondit d'un ton querelleur: «Si pues, Señor Coatimundi», et un autre soldat proféra d'un ton accusateur: «¿Vos sos Indio Coatimundi, verdad?» Les soldats parurent apprécier le côté absurde de la phrase, répétant Vous êtes un Indio Coatimundi, riant comme des déments, lui redemandant s'il était un Indio Coatimundi et criant d'un air menaçant: «Sí o no? Contesta Señor!» – jusqu'à ce qu'enfin le silence retombe, sur quoi, Mack, espérant qu'ils allaient cesser leurs horribles jappements et le laisser entrer en ville, cherchait les mots pour reprendre la discussion quand un autre soldat demanda d'une voix morne: «¿ Vos sos mozo, verdad?» Ce soldat semblait être leur chef, ne fût-ce que parce qu'il était plus grand et massif; il avait le regard fixe et la voix chargée de solennité, et les autres soldats reprirent sa raillerie: «Vos sos mozo», mais sans rire maintenant, et avec quelque chose de plus menaçant dans le regard, et ils se mirent à le pousser du long canon de leurs fusils vétustes et rouillés, tandis que Mack levait les mains et beuglait d'un ton exaspéré: «Je ne suis pas un mozo, je suis Mack Cody, un Américain qui voyage pour affaires.» Mais les soldats continuaient à dire: «Vos sos mozo» et «Coatimundi» et à le pousser, leurs fusils et leurs mains contre sa poitrine tandis qu'il reculait en trébuchant. On aurait cru qu'ils cherchaient seulement à lui faire rebrousser chemin, et Mack prit conscience que c'était la chose la plus sensée à faire. Cependant ses jambes flageolaient de peur et l'indignation lui donnait presque la nausée, le mettant dans l'impossibilité de faire autre chose que de poursuivre ce numéro de politesse absurde, répétant qu'il devait y avoir erreur, que les soldats devaient le laisser passer ou sinon le mener à leur *comandante* et justifier leur conduite. Mais ils continuaient à répéter leur raillerie d'un ton aviné et à le pousser, le heurter, le bousculer. Mack se calmait à mesure qu'il se fatiguait et, remarquant les premières lucioles du crépuscule dans les buissons le long de la route et comprenant que cette comédie pouvait continuer jusque tard dans la nuit à moins qu'il n'abandonne, il décida finalement de s'y résoudre, de remonter sur sa jument et de battre en retraite tant qu'il était peut-être encore temps de trouver un autre village où dîner et dormir, quelque primitif qu'il pût être. Il signala même son intention en levant les mains et en faisant un grand pas en arrière. C'est à ce moment qu'apparut le mozo, portant sur son dos la lourde malle de Mack retenue par une large lanière de cuir passant sur son front ; le mozo conduisait aussi la mule qui portait le reste des affaires de Mack, qu'il lui avait fallu, à cause de l'humeur rebelle de la bête, quasiment toute la matinée pour charger. Les soldats se précipitèrent sur le mozo de Mack et le jetèrent à terre. Avec une brutalité maladroite et pourtant déterminée, ils lui donnèrent coups de pied et de poing à la tête et au visage et le frappèrent à coups de crosse. Avant que Mack puisse prendre une décision – soit profiter de ce qu'ils concentraient leur fureur sur le mozo pour s'enfuir et aller chercher du secours, soit prendre le risque d'appeler immédiatement au secours – deux soldats se tournèrent, attrapèrent la mule par le licol et la jetèrent par-dessus la rive avec une telle force que pendant une fraction de seconde, elle resta suspendue dans l'air, les oreilles dressées comme celles d'un lièvre, puis tomba dans l'eau avec fracas. Mack fit un pas en avant et frappa le soldat qui semblait être le chef, son poing atterrissant solidement sur son oreille, et le soldat sonné tomba sur les genoux et resta là tel un pénitent, la tête penchée et le sang coulant de son oreille. Mais les autres continuaient à torturer le mozo, dont les cris de douleur plaintifs se mêlaient aux hennissements et aux bruits d'éclaboussement de la mule blessée qui se débattait dans le courant. Pris d'une intuition, Mack sortit le Colt 45 de sous son poncho et, tel un desperado du Wild West dans un roman à deux sous, attira l'attention des soldats d'une brève interjection, afficha un sourire méprisant et les visa les uns après les autres – son intuition était que leurs vieux fusils n'étaient pas chargés, ou ne pouvaient pas tirer. Il leur ordonna de filer – *¡ Vete! ¡ Zape!* – mais ils demeurèrent autour du mozo, se contentant de regarder Mack par-dessus leur épaule. Il pivota sur les talons pour tirer deux balles dans sa mule estropiée qui était en train de se noyer, et quand il se retourna pour faire face à ses persécuteurs ils étaient en train de fuir dans la direction opposée au village.

Mack ne ressentait aucune fierté de cette victoire sordide. Il était empli de pitié pour son mozo indien – celui-ci s'appelait Pedro – si brutalement frappé que ses paupières étaient gonflées au point de ne pouvoir s'ouvrir. Comme tout voyageur, Mack devait louer aux autorités de chaque ville qu'il traversait les services du mozo qui porterait ses bagages jusqu'à la prochaine localité qui disposerait d'autres mozos. Jusqu'alors, tous ses mozos avaient été de braves gars, et le premier, trouvé à Izabal, lui avait même appris à monter le cheval qu'il y avait acheté, une jument fatiguée mais fiable et nyctalope, butée cependant, s'arrêtant chaque fois qu'elle voulait brouter quels que fussent ses efforts pour l'en empêcher. Il n'était pas très content d'avoir perdu une partie de son bagage. L'incident avait été dégradant à tous points de vue, il en était profondément ébranlé et se sentait plein d'un lourd désespoir pour lequel il ne trouvait pas de mots. Étaient-ce là les fameux enseignements du voyage ? Il essaya de nettoyer le sang, qui maculait le visage du mozo, avec son mouchoir. Sa trousse de secours était perdue dans la rivière avec la mule, mais il se trouvait qu'il avait dans sa poche, en guise de porte-bonheur commémorant la révélation décisive qu'il avait eue à New York, une boîte de la fameuse gelée de pétrole, et il en enduisit le visage et les paupières tuméfiés du mozo. La malle était trop lourde pour que Mack la porte le long de la route escarpée qui menait au village et il ne pouvait pas la charger sur le dos de sa jument ; en outre son mozo, toujours à terre, était évidemment trop blessé pour reprendre son fardeau. Mack savait que la seule chose à faire était de porter sa malle, même si c'était à la manière d'une bête de somme d'un mozo. L'éventualité d'assumer la charge du mozo après que les soldats l'eurent injurié en le traitant de tel lui inspirait, évidemment, quelque répugnance – mais aussi un sentiment d'obligation provocateur et obstiné, une étrange sensation d'irrésistible expectative qu'il n'y avait pas d'autre moyen de satisfaire.

Il s'assit sur la route et se mit en devoir de réajuster la sangle, un long ovale de cuir, au fond de la malle ; après quoi il cala ses reins contre la malle ainsi qu'il l'avait si souvent vu faire aux mozos. Il ôta son chapeau, appliqua le cuir noirci par la sueur contre son front et se releva lentement, sentant le poids qui lui tirait la tête en arrière comme pour lui briser la nuque. Il saisit la sangle des deux côtés, tira dessus pour soulever la malle et chancela quelques pas avant d'équilibrer sa charge. « Pedro, lève-toi », dit-il. Mack poussa le mozo de la pointe de sa botte, ce qui manqua de le faire tomber à cause du déplacement du poids de son fardeau. Le mozo se tint debout en silence, vacillant et fixant Mack à travers les minces fentes de ses paupières gonflées, auxquelles la gelée de pétrole conférait un aspect effrayant. « Prends le cheval, dit Mack. Pedro, s'il te plaît, monte sur le cheval. » Et Mack se mit à gravir la pente d'un pas mal assuré, tandis que Pedro le précédait lentement sur la jument. Quand il approcha de l'entrée de la ville il y avait des gens, et Mack eut une bouffée d'humiliation. Il posa la malle à côté d'un mur moussu blanchi à la chaux et s'y appuya en fermant les yeux. Bien sûr il comprenait quel spectacle curieux et bien propre à éveiller les soupçons lui et le mozo couvert de sang et luisant de gelée devaient offrir, et il aurait voulu ne pas avoir à expliquer aux villageois qui ils étaient, ce qui était arrivé, ni qu'il avait besoin d'un logement et d'un autre mozo pour porter sa malle. Il aurait voulu rester contre le mur les yeux fermés et s'endormir en écoutant les bruits paisibles de la ville et de la forêt, et même la cacophonie des oiseaux et de la rivière qui dévalait de part et d'autre de la mule tuée loin en contrebas, et continuer à aspirer à pleins poumons l'air de la nuit, que la fumée émanant de si nombreux et humbles feux de cuisine emplissait d'une odeur délicieuse et engageante.

Tard dans la nuit Mack ne s'était toujours pas débarrassé d'un sentiment de tristesse provoqué par l'incident du pont – *une tristesse muette*, une expression poétique qu'il avait entendue quelque part –, une tristesse qui ne parvenait pas à s'expliquer. Le confort du foyer lui manquait, il comprenait cela : l'affection de sa mère, la cuisinière, un bol de ragoût chaud par une nuit d'hiver ; peut-être n'étaient-ce que sa solitude et sa nostalgie qui permettaient à ces incidents probablement routiniers de prendre la proportion d'un pareil sentiment – des incidents, après tout, qui le feraient peut-être rire un jour, ou qui lui inspireraient une fierté virile. Ce soir-là, Mack s'assit devant l'habituel sinistre repas de crêpes au maïs appelées *tortillas*, un plat dont il avait entendu sa mère parler un nombre incalculable de fois, mais qu'elle n'avait jamais préparé à New York (les tortillas étaient bien meilleures, avait découvert Mack, si on les faisait griller directement sur le feu jusqu'à ce qu'elles virent au brun croustillant, carbonisées au bord), et de haricots noirs revenus dans du lard rance, accompagnés d'œufs et du breuvage que les indigènes appelaient café, ou *cafecito*, confectionné à partir de grains de café brûlés dans une casserole jusqu'à ce qu'ils se muent en une teinture d'un noir goudronneux, puis conservé dans des bouteilles bouchées avec des épis de maïs, dont on versait quelques gouttes dans de l'eau bouillante, obtenant ainsi une décoction amère et insipide. Ensuite, Mack alla directement au lit, ou plutôt s'allongea sur ce qui passait pour un lit – un banc en bois, sous lequel couvaient des poules – dans la *posada* où il avait trouvé à se loger, dans une pièce malpropre qu'il partageait avec son mozo blessé, une troupe de chiens remuants infestés de puces, et plusieurs membres de la famille du propriétaire, dont une grand-mère à l'horrible chevelure d'une putain débauchée, qui, au milieu de la nuit, sortit de son hamac, exposant sa poitrine flétrie, pour s'asseoir sur un tabouret et fumer un cigare avec une petite fille nue qui n'avait pas plus de six ans. Incapable de dormir, Mack affronta de nouveau l'énigme de sa tristesse muette. C'était comme si les soldats indios n'avaient pas été humains. C'était comme s'ils étaient faits de boue et de paille. Comme si cette rencontre avait été surnaturelle. Comment expliquer autrement leur brutalité de sous-hommes ? Et il aurait voulu qu'ils ne soient pas humains, il aurait voulu qu'ils aient été autre chose qu'on pouvait tuer sans avoir besoin de se confesser ensuite à un prêtre, ni même éprouver du remords.

Bien sûr ils l'avaient pris pour un Indio lui aussi, ils l'avaient traité d'*Indio Coatimundi* et de *mozo*. Bientôt Mack ne remarqua plus les paysages, la flore ni la faune, et ne s'enquit plus, comme il le faisait habituellement, des occasions de faire des affaires. Il ne voyait que des Indios qui l'observaient où qu'il aille, ou des non-Indios scrutant l'Indio en lui, et il entendait quelque chose qui pleurait au plus profond de son être comme un enfant abandonné. Il se torturait mentalement en s'imaginant vêtu en Indio, se coulant aisément dans leurs vies de village. Oui, il ferait semblant d'être vraiment muet, jusqu'à ce qu'il ait appris leur langage et leurs coutumes. Il s'appliquerait à être à la fois civilisé et non civilisé à l'intérieur de son esprit. Cela lui conférerait-il alors le succès, une première place parmi les Indios – ayant l'avantage de son éducation et de son savoir-faire new-yorkais, sachant ce qu'il savait en comptabilité et en commerce, et étant capable de parler des intéressants détails techniques concernant le spectaculaire nouveau pont qu'on construisait pour joindre Manhattan à

Brooklyn? Mack essaya même de s'imaginer à la place d'un des soldats ivres que la vue du voyageur aux traits indios avait mis dans une telle rage, avec ses manières et son accent de Yankee Doodle, se faisant appeler Mack Cody : oui, il pouvait s'imaginer qu'ils s'étaient sentis provoqués, mais il continuait à juger leur comportement impardonnable.

Quand il vit de petits Indios s'épouiller mutuellement et manger leurs poux il sentit le retour de sa tristesse muette, telle une trompette qui poussait de façon répétée une longue note lugubre et silencieuse dans sa poitrine. Mais rien dans sa vie d'assez bon catholique de Brooklyn n'avait préparé Mack au spectacle qui l'attendait à l'intérieur des églises au sol en terre battue, les statues et poupées grossièrement sculptées et peintes que les Indios vénéraient avec une grotesque dévotion païenne, apparemment étrangère à la mort mortelle et à la vie éternelle de Notre Sauveur. Les châsses en étain et les autels grossiers décorés de branches d'arbres et de fruits et fleurs à l'odeur exubérante ; la fumée de magie noire se déversant d'encensoirs balancés par des vieillards qui ressemblaient à des magiciens ; les vieillards qui psalmodiaient leurs prières et s'emplissaient la bouche d'aguardiente qu'ils crachaient sur les feux crépitant à leurs pieds ; les cierges couvrant le sol en terre comme des armées de soldats de plomb qui s'immolaient ; les chiens squelettiques et affamés qui entraient pour manger les cierges ; et les Indias à genoux qui gémissaient leurs prières avec des voix d'ivrogne : tout cela l'emplit d'une honte qui n'osait s'exprimer et d'un cœur pareil à la pluie sur un étang sombre.

Mais les femmes agenouillées en prières n'étaient-elles pas belles aussi, dans leurs longues blouses lâches tissées de motifs et de symboles colorés, avec ces longs rubans rouges dans lesquels elles enroulaient leur longue chevelure noire en un disque au sommet de leur crâne ou en une longue natte qui leur tombait dans le dos ? Ne sont-elles pas belles aussi ? Allez, Mack, tu sais bien que si ! Les belles filles indiennes voyaient-elles en lui, chaque fois qu'il entrait dans un nouveau pueblo, le bel et mystérieux étranger indio qui pourrait peut-être capturer le cœur de la plus jolie fille et l'emmener, ou s'installer ici et l'épouser ? Voyaient-elles pareille chose quand Mack entrait en ville dans son poncho en caoutchouc, sur sa jument aux yeux verts, avec son mozo suivant quelque part derrière ?

À l'église il interrompit une India, une jeune et jolie jeune fille, pour lui demander franchement ce qu'elle percevait dans la poupée méconnaissable et grossière qu'elle adorait avec une telle dévotion ; elle sourit délicatement à Mack, mais elle ne parlait pas l'espagnol. Une autre India qui se tenait non loin le parlait un peu et elle lui dit que la statue était saint Antoine et qu'elle avait une âme – peut-être dit-elle que c'était l'âme des vents, ou que le vent était une âme déguisée en vent, ou peut-être Mack entendit-il tout de travers, mais il y avait un enchantement dans ce moment, sa tentative d'explication faite à voix douce, la lueur de bonté et de franchise dans ses yeux, et bien qu'il comprît à peine ce qu'elle disait, cela lui fit du bien. Le poing se desserra un peu à l'intérieur de lui. Tandis qu'il s'éloignait dans le couchant, il sentit le frémissement de la fascination, un prudent réveil de son intérêt de voyageur dans tout ce qu'il voyait autour de lui. À partir de maintenant, se jura Mack, il regarderait et écouterait attentivement les Indios. Il essaierait de continuer à suivre cette mince piste de fascination. Ce n'était cependant que de la fascination. N'était-ce pas comme de vouloir connaître les noms de tous ces oiseaux, fleurs et arbres fantastiques ?

Et les Indiennes qui se baignaient nues dans les rivières et les étangs, avec leurs formes souples et gracieuses, et leurs seins, et leur absence de honte devant un étranger qui les regardait, bouche bée, depuis la berge, juché sur sa jument, leurs sourires timides et pourtant ouverts ; comment leur beauté ferme et déliée ne pouvait-elle pas éveiller en lui la fierté d'appartenir à la même race ? C'était une beauté qui méritait d'être exposée parmi les quarante beautés de quarante nations dans n'importe quelle exposition internationale! Il ne pouvait pas imaginer que sa propre mère se soit jamais baignée ainsi, mais peut-être l'avait-elle fait, peut-être son propre père s'était-il un jour tenu sur une rive, regardant se baigner la nymphe de la jungle qui deviendrait bientôt la mère de Mack. Et cette fille, cette sauvageonne mi-indienne mi-yankee de l'histoire de Don Juan Aparicio? Ressemblait-elle à cela sans ses vêtements? Ne serait-ce pas une belle chose, une India qui serait aussi une Yankee, qui ressemblerait à l'une de ces baigneuses, avec des seins fermes d'un brun chocolat et des tétons encore plus sombres qui partageaient silencieusement avec lui – tandis qu'il regardait du haut de sa jument – leur désir timide de s'envoler jusqu'à ses lèvres? À l'idée de la façon dont il raconterait à Salomón ce qu'il venait juste d'imaginer quand il aurait rejoint Cuyopilín, Mack rit tout haut, son premier moment de joie robuste de tout le voyage.

Presque partout où il allait Mack trouvait aussi des Yankees et des Européens, dont la majorité était loin d'être de riches planteurs de café comme lui. Cette ville avait un maréchal-ferrant alcoolique originaire du Maine, qui n'en remit pas moins d'excellents fers neufs aux pieds de la jument épuisée de Mack; une autre possédait un receveur des postes du Kentucky, à qui Mack confia des lettres laconiques pour Mr. Jacobo Baiz et sa mère; dans une autre encore un télégraphiste venu d'Écosse transmit le télégramme de Mack au bureau de télégraphe du port de Champerico, espérant que de là il pourrait être porté à Cuyopilín à Salomón Nahón. Mack se retrouva en train de méditer sur un incident malheureux de son lointain passé qu'il avait eu peu de raisons de se rappeler avant ce voyage. Lorsqu'il était enfant, sa mère l'avait emmené dans un musée à deux sous du Bowery voir un chef maya et ses deux petits enfants qui avaient été capturés à Ixmaya, une ville cachée dans la jungle d'Amérique centrale et récemment découverte, où les Indiens vivaient encore comme à l'époque précolombienne. Les petits garçons et le chef portaient de longues chemises blanches et les cheveux courts des garçons leur donnaient l'air d'enfants de chœur. Sur les cheveux du chef qui lui tombaient jusqu'aux épaules était posée une couronne de plumes de perroquet ; il tenait une lance et tous trois étaient debout sur une petite estrade dressée devant un fond de pyramides et de palmiers, au-dessus desquels volaient des oiseaux bariolés à la longue queue ondulante. Le plus jeune des petits garçons avait à peu près l'âge de Mack, et celui-ci se rappela avoir remarqué qu'ils se ressemblaient par la couleur et les traits, et avoir constaté avec un grand soulagement que les garçons avaient l'air très gai et en bonne santé. Le chef maya se mit à prononcer un discours impressionnant où il était question de la vie à Ixmaya et des jeunes et courageux explorateurs américains qui avaient découvert la capitale secrète. Mais ses mots avaient provoqué les huées et les rires moqueurs des spectateurs, en même temps que l'étonnement de Mack, qui n'avait pas compris alors que la cause en était la voix de baryton et l'accent d'un acteur yankee chevronné qui sortaient de la bouche du chef. Son discours était un affreux désastre, et pourtant les petits garçons continuaient à sourire gaiement, tandis que Mack se muait en un minuscule chaudron de fureur au couvercle bien fermé. Et comme il parcourait la foule du regard tout en lui répondant par des railleries grivoises, les yeux du chef maya se posèrent sur la mère de Mack, à qui il sourit, puis à Mack et alors il dit d'un air lubrique et amusé – et ses mots, pas plus que ceux à qui ils s'adressaient, ne pouvaient faire de doute : «Pourquoi vous et votre fils, Madame Señora, ne montez pas sur scène, que nous formions tous ensemble une famille heureuse?» Et Mack, plongé dans la plus complète incompréhension par cette remarque bizarre, fixa la scène, bouche bée, mais alors sa mère, tête baissée, le tirait par le bras, usant avec agressivité de son épaule pour se frayer un chemin parmi la foule rugissante. Au cours des années qui suivirent, lui et sa mère avaient rarement évoqué cet incident, et seulement comme l'une de ces grossières fumisteries si populaires à New York.

Après trois semaines de voyage, Mack franchit la dernière chaîne de montagnes et vit sous lui le plus beau paysage qu'il ait jamais admiré, vaste horizon sur lequel il eut l'impression de planer tel un faucon : les pentes et les replis du piémont que les denses plantations de café couvraient de vert sombre, bien au-delà, les forêts, les prairies et les champs de canne à sucre de la plaine, une vaste étendue de tons de vert infinis, interrompue çà et là par des villages aux airs d'oasis – parmi lesquels devait se trouver Cuyopilín –, les dômes blancs des églises, les rayons de lumière dorée tombant sur la plaine par des interstices entre les nuages, les fleuves et les cours d'eau se jetant dans le Pacifique, et par-delà le tout, le scintillement d'argent martelé de l'immense océan se perdant dans le brouillard de l'horizon incurvé.

Il faisait nuit quand il atteignit Cuyopilín. Un portique en bois blanchi à la chaux surmontait l'entrée d'une longue route en terre bordée par les troncs minces des amandiers. L'odeur de la fumée portée par le vent, la lumière des feux à travers les lattes des huttes, les enfants du village qui couraient et hurlaient, infatigables, filant à toute vitesse dans l'obscurité et entre les arbres comme à travers les fentes d'un zootrope, les silhouettes sombres d'adultes qui ne couraient jamais, un jeune couple là-bas, loin dans les arbres, telles des sentinelles à l'entrée de leur propre forêt ombreuse, les yeux d'un chien clignant, et des voix étouffées qui dérivaient dans l'air chaud de la nuit, qui semble toujours plus léger comparé à la chaleur de la journée, et se mêle aux lourdes odeurs vertes, à l'aboiement placide des chiens et au bruit palpitant des insectes et des grenouilles – Mack adorait arriver dans pareils villages à la nuit, comme une ombre de plus qui se déplaçait dans le noir, même si pour le moment il avait l'impression qu'une lampe rouge et chaude brillait dans sa poitrine soulevée par l'excitation à un rythme rapide. Il demanda à un garçon posté juste après le portique comment se rendre chez Salomón Nahón. Mais le garçon le regarda avec un sourire livide et Mack dit : « Ne t'inquiète pas, je suis un ami. » Le garçon tendit le doigt en direction de la longue route en terre puis il tourna les talons et disparut en courant dans l'obscurité, et Mack n'avait pas fait beaucoup de chemin quand il entendit l'onde familière de voix répandant la nouvelle de l'arrivée d'un étranger derrière lui, sauf que cette fois-ci il s'y ajoutait quelque chose de différent, comme si, prisonnier à l'intérieur de ces voix, il y avait maintenant un battement frénétique de nombreuses petites ailes ; et il se sentit mal à l'aise.

L'instant d'après il était debout à côté de sa jument devant la maison obscure en compagnie des trois frères Nahón, dont l'un tenait une lanterne, tous en pantalon blanc et chemise sans col, comme s'ils venaient de rentrer du bureau, l'un portant une longue barbe et l'autre avec sa barbe coupée court, tous deux se tenant raides et regardant non pas Mack mais au-delà de lui dans la nuit, comme si chacun tenait la barre durant un passage périlleux en mer. Fortunato avait en main le casque en liège, le retournant pour que Mack voie comment le sang de Salomón avait séché à l'intérieur de la couronne et s'était répandu jusque sous le bord, tandis que d'une voix que la douleur rendait rude il expliquait que Salomón n'était pas rentré un soir, et qu'on l'avait trouvé le matin juste là-bas, au-delà des orangers, sa tête proprement coupée à l'intérieur de son casque, qui avait été placé près du torse. « Une machette, probablement, peut-être un couteau très aiguisé ou même une hache. Enfin, vous savez comment les choses arrivent parfois ici, Señor Mack. Si ce n'est pas la fièvre, ce sont les bandits, ou un fils de pute jaloux. Peut-être ne saurons-nous jamais. Peut-être, un jour, saurons-nous. »

Salomón Nahón avait été assassiné quelque neuf mois auparavant, peu après que Mack eut reçu sa dernière lettre. Oui, le télégramme envoyé par Mack depuis Cobán était arrivé. Oui, Salomón avait parlé de lui. L'accueil des frères était tiède. Restez pour la nuit, proposèrent-ils, vous ne pouvez pas repartir à pareille heure. Mack se dit : Maintenant ils détestent ce pays. Autour d'eux se tenaient les gens du village, dont le maître d'école Rubén Abensur et sa femme, l'India Felipa, tous observant d'un œil de chouette l'étrange scène chargée d'angoisse. Combien d'entre eux étaient des demi-frères et demi-sœurs de Salomón? Lequel était son petit garçon, Máximo? Plus tard, chaque fois que Mack essaierait de remonter dans le temps à travers le nuage de tristesse et de peur qui continuait à envelopper ces moments, sa mémoire verrait des Indios aux cheveux bouclés tels des chérubins mélancoliques sculptés dans un linteau acajou de forêt et de nuit.

Le matin, le deuxième frère, León, accompagna Mack jusqu'à l'endroit où Salomón était enterré, près de la tombe de sa mère, Estercita, et de sa sœur, Gracia. Comme les deux autres, la tombe de Salomón était petite, en ciment blanchi à la chaux, avec quelques pierres par-dessus. Mack devait ajouter sa pierre, rester un moment devant la tombe, puis repartir. Les Nahón ne l'avaient pas invité à rester plus longtemps. Néanmoins León lui donna un sac d'oranges et lui proposa de l'aider comme il pourrait tant que Mack resterait dans le pays. Mack savait-il déjà ce qu'il voulait faire? Mack répondit qu'il irait à la capitale, où il passerait beaucoup de temps à réfléchir et que sinon il n'avait encore rien décidé. Mais une idée folle lui était venue au milieu de la nuit, et à présent, devant la tombe de Salomón, elle lui sortit de la bouche:

«Don León, je n'ai jamais eu d'autre frère que Salomón. Je serais prêt à faire tout ce que je pourrais, tout ce que vous me demanderiez, y compris prendre le nom de Nahón, Don León, pour réaliser les espérances que vous mettiez en Salomón. Après tout, je connais déjà le commerce du café. J'étais commis chez le Señor Jacobo Baiz, et je sais qu'il vous donnerait d'excellentes références. Et je viens de traverser le pays seul, et je commence à comprendre comment on vit ici.»

Pendant un long moment León demeura silencieux. Mack ne savait pas s'il pensait à sa proposition ou à tout à fait autre chose, à quelque chose qui fit apparaître un léger sourire au coin de ses lèvres. Enfin León lui donna une petite claque sur l'épaule et lui demanda : « Señor Mack, avez-vous été un bon frère pour Salomón en faisant la cour à cette muchacha, cette Reyna Salom, après son départ de New York ? Je sais que Salomón s'est senti trahi. J'ai reçu une lettre de Reyna. »

Jamais auparavant Mack n'avait vu avec plus de clarté que sa perception de la réalité pouvait être à ce point différente de celle des autres. Au début, il était trop ébahi pour ressentir autre chose qu'une honte banale qui lui brûlait le visage. Pourquoi ne cessait-il d'être harcelé par l'idée que sa compréhension des événements émotionnels était toujours superficielle, comme si les autres savaient comment poursuivre la lecture page après page de ce livre mystérieux, alors qu'il restait éternellement arrêté devant celle qui portait un titre prometteur mais probablement mensonger ? Son regard alla de León à la tombe puis au-delà de la cime des arbres au ciel bleu matinal. Quand il parla, il fut surpris que sa voix tremble autant : « Je n'avais pas compris, après le départ de Salomón, que Reyna l'intéressait toujours. Personne ne m'en a jamais rien dit. Sincèrement, Don León. »

Après un instant de silence, León émit un petit rire sec. « Pues, il a oublié cette affaire lui aussi, à la longue, je pense. Quoi qu'il en soit, et je crois que vous le savez déjà, ce n'est pas comme si Salomón n'avait pas un grand nombre de jeunes parents parmi lesquels choisir, ici à Cuyopilín, si notre intention était de sélectionner un… quelqu'un pour hériter du rôle de Salomón. Mais dès que les pluies d'hiver commenceront, mon frère Fortunato retournera à Tanger se trouver une nouvelle épouse. » León haussa les épaules. « Oui, Señor Mack, c'est cela, mon frère est décidé à reprendre tout au début. »

Pourtant, alors qu'ils quittaient le verger en direction de l'écurie où le cheval de Mack l'attendait, León aborda de nouveau le sujet : « Fortunato veut fonder une nouvelle famille. Mais qui sait combien de temps encore survivra notre affaire? Les Nahón ne peuvent pas juste devenir des éleveurs de mules! Il est de plus en plus difficile de vendre notre marchandise aux planteurs de café, Señor Mack. C'est la manière européenne de faire des affaires, voyez-vous. Les Européens ont trouvé un moyen de lier le commerce du café à leurs propres entreprises maritimes et commerciales. Señor Mack, les compagnies de navigation et les maisons de négoce allemandes et anglaises ont leurs propres agents ici maintenant, et aux fermiers allemands et anglais, ils proposent des crédits à long terme à faible taux d'intérêt. Oui, ils allouent des prêts aux cultivateurs de café en avance sur leurs récoltes, des prêts très généreux – et du coup qu'est-ce qui se passe? Les fermiers sont obligés en retour de n'acheter que des marchandises allemandes et anglaises à ces mêmes marchands. Comme vous savez, ce n'est pas la façon de faire des Américains, ni la nôtre. Comment pouvons-nous être compétitifs, Señor Mack, quand des relations de fidélité bâties au cours des années ne signifient plus rien du jour au lendemain? Peut-être est-ce seulement que les Américains sont encore loin derrière les puissances maritimes et commerciales européennes en ces matières, et qu'ils les rattraperont. Les Américains construisent des bateaux splendides, mais ils n'ont pas appris à coordonner leur commerce à la façon européenne, Señor Mack. Les marchands ne veulent même pas confier leurs marchandises aux Américains parce qu'ils disent que leurs emballages sont mal faits, et que leur marchandise arrivera abîmée. Savez-vous, Señor Mack, qu'il y a des marchands qui continuent à importer des articles fabriqués aux États-Unis via Liverpool et Hambourg? Oui, ils font tout le chemin jusque là-bas, sur des bateaux anglais et allemands, dans des emballages anglais et allemands, et ils reviennent en Amérique centrale, même si cela signifie passer par le détroit de Magellan ou le cap Horn. »

Le dernier vestige tangible du lien qui avait uni Mack à Salomón Nahón, à la promesse et au rêve initiaux du «retour» était María de las Nieves, la fille mi-india mi-yankee de l'histoire que Salomón et lui avaient entendue de Juan Aparicio un soir dans le bureau de Jacobo Baiz, quand il avait parlé avec une affection si amusée et paternelle de l'intelligente sauvageonne qu'il avait tirée de la jungle. *Rétrospectivement*, avec le *recul*, la chose était claire pour Mack, bien qu'il entendît parfois une autre voix intérieure le prévenir qu'à la fin il serait obligé d'admettre qu'en réalité, ce lien, cette toquade, son dévouement solide et infondé, n'était qu'une fabrication désespérée, l'invention forcée d'une âme perdue, vouée à une vie solitaire. Peut-être quelqu'un d'autre, comme son rival Wellesley Bludyar, révélerait-il un jour encore une nouvelle version de cette histoire, et Mack serait de nouveau obligé de se rendre compte que ce qu'il pensait, ou du moins espérait, percevoir était en fait l'inverse de la vérité.

Après qu'ils eurent écouté l'histoire de Don Juan Aparicio ce soir-là, Mr. Baiz les avait invités, lui et Salomón, à boire une bière dans un saloon proche; il voulait leur parler de l'offre étonnante que Don Juan lui avait faite d'acheter son affaire. Et là Salomón s'était tourné vers Mack et avait dit: «Est-ce que ça ne serait pas un excellent genre de femme, pour toi ou moi, Mack, une demi-Indienne qui est aussi demi-yankee? Enfin seulement si elle était vraiment à l'aise dans les deux mondes, comme toi et moi, parce qu'il ne faudrait pas qu'elle soit à moitié india de sang, Mack, et pas de civilisation. Mais évidemment je suis obligé d'épouser une femme de ma religion. Donc elle est à toi, si tu peux la persuader de quitter ce couvent dans lequel Don Juan dit qu'elle s'est cachée. Jajaja. Et je continuerai à faire la cour à Reyna.» Et les deux garçons avaient ri et trinqué.

Il n'importait pas que María de las Nieves ne soit pas le moins du monde intéressée par lui. Si tu dois vivre dans un monde imaginaire, se dit Mack, alors il faut y habiter à fond, jusqu'à ce que tu te le rendes réel, ou bien que tu l'abandonnes à l'oubli. Tu dois te préparer au moment où les mots qu'il faut seront prononcés, et tout peut changer. Il te faut chercher ces mots à l'avance, et les garder prêts dans la poche de ton cœur. Tu ne sais pas quand le moment viendra, mais il faut que tu l'anticipes toujours, et le guides vers toi. Peut-être, Mack, hanté par la frustration de son long retour avorté, était-il en réalité en train de devenir un petit-petit peu fou. Toutefois dans ses stratégies, il n'était pas complètement dénué de bon sens. Il savait par les cireurs de chaussures du Parque de la Concordia que pendant un certain temps après leur brutale rencontre, María de las Nieves avait évité le kiosque de lecture. Afin de ne pas tomber de nouveau sur lui, soupçonnait-il, avec un tiraillement d'apitoiement sur lui-même. Quelle autre raison aurait-elle d'éviter le kiosque de lecture, si auparavant elle y était venue presque chaque jour? Puis il avait appris des cireurs de chaussures qu'elle revenait au kiosque de lecture, mais que maintenant elle s'y faisait toujours accompagner par sa servante. Ce serait une impertinence, et qui manquerait beaucoup de dignité, Mack le voyait bien, d'y tendre une nouvelle embuscade à María de las Nieves. Ainsi, tandis que sa frustration de ne pas la rencontrer ailleurs tenaillait sa patience et son sentiment de malaise, il évita le salon de lecture du Parque de la Concordia.

Le matin où il l'avait vue là, María de las Nieves avait fui avec une page d'*El Progreso*; plus tard ce même jour, à la Société d'immigration, Mack avait examiné un exemplaire intact, et trouvé l'article sur José Martí, la tertulia de poésie et la petite annonce concernant les cours de composition littéraire. L'art qui fait tant pour rehausser le mérite des femmes. Il s'était interrogé sur les raisons pour lesquelles elle s'était si frénétiquement et furtivement éclipsée avec cette page du journal. Eh bien, à cause du Cubain, évidemment. Mais pourquoi convoiter cet article en particulier? Était-ce seulement la mention de son nom, ou l'annonce des cours du soir? Mack supposa que cette dernière raison était la bonne, et ensuite il apprit par Don José Pryzpyz qu'elle s'était effectivement inscrite. « María de las Nieves, l'informa le réparateur de parapluies juif, apprécie beaucoup la poésie et la littérature, apprises au couvent. Elle a toujours un livre dans son sac, vous savez, Mack. Et si vous lui demandez ce qu'elle fait de ses nuits, ou le dimanche, elle vous dira sûrement qu'elle lit plus qu'autre chose, et que l'aube la surprend souvent plongée dans la lecture. »

Mack avait répondu : « Sinon aller à l'église, aux combats de coqs et à la corrida, je ne vois pas quoi d'autre une jeune femme comme il faut, qui habite ici sans sa famille, peut trouver à faire le dimanche, Don José. Elle ne peut pas aller aux bains de la Bola de Oro et rester debout dans l'eau tiède à fumer le cigare en parlant des combats de coqs avec les autres messieurs. »

Il savait que dans la capitale on parlait du jeune José Martí en l'appelant « Dr. Torrente », souvent avec une affection respectueuse mais parfois avec dérision. Au Café de Paris, Martí revenait souvent dans la conversation ; il était dans *la boca de la gente*. Les Yankees étaient universellement indifférents au sujet du Cubain, bien sûr, en revanche les Espagnols, par exemple, ne l'étaient pas ; et les *chapines*, comme on appelait ici les gens de la campagne, semblaient particulièrement intéressés. C'étaient souvent de jeunes hommes du genre libres-penseurs qui avaient rencontré le Dr. Torrente dans des soirées, à des récitals de poésie et des concours d'éloquence, ou qui avaient assisté à ses cours en tant qu'élèves. Le Señor Martí donnait des cours, Mack avait vaguement compris, sur différents sujets à l'université, mais il enseignait également à la nouvelle École normale, dont le directeur était un autre exilé cubain, un éminent pédagogue recruté à New York par le gouvernement libéral. Tout cela, et un cours du soir de composition littéraire pour jeunes dames. Comment un si jeune homme – qui avait perdu une partie de sa jeunesse en prison – avait-il déjà assez étudié pour enseigner tant de matières différentes, et avait-il encore le temps de faire parler de lui avec tant d'admiration et de jalousie à propos de tout ce qu'il faisait ? Martí avait même rencontré le général-président, et les plus importants de ses ministres, et désormais il était chargé de la rédaction de nouveaux codes de droit, ou quelque chose d'une importance et d'une gravité similaires, on lui avait aussi commandé un drame en vers traitant des Indios, et il lançait en plus un journal littéraire, *L'Avenir*. Ainsi, comme tous ceux qui avaient été témoins de ses débuts à la soirée costumée de Chafandín auraient pu aisément le prédire, le Cubain jouissait d'un grand succès – qui ne gênait pas Mack le moins du monde ; au contraire, plus le Cubain s'élevait, moins il risquait de se trouver sur le chemin de Mack.

On disait qu'il était fiancé à une riche Cubaine qui l'attendait au Mexique, et qu'à la fin de l'année il y retournerait se marier. Mais il restait plusieurs mois avant cela, et tout le temps nécessaire pour être impliqué dans un scandale qui le rabaisserait même aux yeux de ses adorateurs les plus fervents. Les ragots attachés au nom du Cubain étaient de ceux qu'on entendait toujours au Café de Paris, qui était, après tout, un bordel, et même si c'était un bordel de première classe, on ne pouvait pas attendre des hommes qui jouaient aux dés au bar qu'ils passent leurs nuits à discuter du nouveau code de droit, ou à composer des vers pour une ode patriotique aux Indios. Mack n'était pas particulièrement surpris par les ragots qu'il entendait là au sujet de Martí, sinon que c'étaient des ragots auxquels de temps à autre quelqu'un ajoutait un commentaire particulièrement sarcastique ou sévère ; il n'était pas si fréquent que des hommes expriment une telle indignation morale à propos des escapades sentimentales d'un autre jeune homme dans un bordel ! Mais le Cubain n'était pas censé être ordinaire d'aucune manière. Apparemment il se conduisait et se présentait généralement comme un homme d'une grande moralité ; du moins c'est l'impression qu'il faisait à beaucoup de gens. Vous avez déjà entendu parler le Dr. Torrente ? était une question souvent posée au bar bondé du bordel. Eh bien, parfois on dirait l'un de nos nouveaux matérialistes qui se vantent de leur athéisme, même s'il parle avec la voix d'Orphée! Et la fois suivante, on dirait un prêtre qui aspire à l'ascèse et à la sainteté, avec ses discours sur la pureté et le sacrifice et tout ça. J'ai entendu Martí proclamer durant un cours : Je sais que l'âme existe parce que je sais que j'en ai une, je le sens. Il sent son âme, néanmoins il soutient avec autant de fermeté que c'est l'Église qui est le plus responsable du retard de nos sociétés, qu'avant les libéraux, cette ville n'était qu'un repaire de moines et de bonnes sœurs, et que la prêtrise est l'immoralité incarnée. C'est pourquoi il applaudit à toutes les mesures prises par le gouvernement, comme si nous assistions à une Révolution aussi radicale que celles qui ont eu lieu en France ou aux États-Unis d'Amérique. Et ne le laissez pas se lancer sur le sujet de la madre patria et de Cuba, quoi que vous fassiez! – Ne le laissez pas se lancer? Ja! Mais c'est impossible! – Mais il vous fera pleurer pour cette étoile solitaire comme si c'était la vôtre! On aurait dit que chaque fois que le nom du Cubain volubile était évoqué au Café de Paris, les hommes parlaient comme des femmes enamourées, ou bien que leurs voix étaient pleines d'envie et de malveillance.

Et même si on racontait que le Dr. Torrente avait au moins deux liaisons – tout le monde connaissait un grand nombre d'hommes respectables dont on disait qu'ils en avaient plus encore à la fois, et vous pouviez mettre le nom du vieux Chafandín en tête de la liste! Mais la fille adolescente du général García Granados était l'une de celles avec qui on racontait que le Cubain avait une liaison – cela aussi fut une petite surprise pour Mack – et quant à l'autre on disait que c'était l'épouse d'un respectable magistrat libéral. Mais que peut-il faire d'autre? protestaient les défenseurs du Cubain. Les damas et les doncellas se jettent à la tête de Pepe Martí! Un jeune homme au sang chaud, originaire de La Havane, la ville des plaisirs, qui profite de ses derniers mois de liberté avant le mariage! – Mais une niña virginale d'une des meilleures familles, quelque libertine que soit la réputation de la maison, et aussi l'épouse d'un magistrat respecté – qui ose séduire des femmes pareilles?! Seul un intrus sans foi ni loi, qui ne respecte ni ne comprend nos coutumes! – Pourtant Chafandín et Martí jouent ensemble aux échecs presque chaque jour! – Un poète ne devrait pas dévorer, mais être du côté de ceux qui sont dévorés; j'ai entendu ces mots l'autre soir de la bouche même de Martí. Ne voyez-vous pas? Martí n'est pas un grossier séducteur, il est du côté de ceux qui sont dévorés! Et Doña Carlota Marcorís, s'avançant afin de canaliser l'attention des hommes en direction de ses prostituées désœuvrées, déclarant de sa voix chantante: Les messieurs et les ragots, deux choses dont aucune maison de tolérance de première classe ne peut se passer, pourtant il y a d'autres choses dont elle ne peut se passer! – Comme le colonel Pratt! s'écria une voix anonyme et impertinente. Le monopole de Doña Carlota sur les bordels autorisés était protégé par le colonel Pratt, le nouveau chef de la police originaire de New York, qui faisait arrêter toutes ses concurrentes et avait donné ordre à ses hommes – dans leurs nouveaux uniformes, redingote bleu marine à boutons dorés, cols en celluloïd et gants blancs – de rattraper toutes les fugitives et de les ramener à Doña Carlota. *Doigts-roses*, c'est ainsi que maintenant on appelait les policiers dont les gants blancs étaient parfumés et tachés du rouge et du sent-bon des fugitives capturées. Le colonel Pratt était en train de se construire une maison dans le centre-ville, sur un terrain qui avait fait jadis partie du couvent de la Concepción, voisine de la magnifique demeure déjà bâtie sur une autre portion de ce terrain par le ministre de la Guerre.

Et qui imaginerait jamais que des hommes dans un bordel puissent prononcer, et avec une telle conviction malveillante, des phrases telles que *cours de composition littéraire pour les femmes* et *Academia de Niñas de Centroamérica*? Il s'avéra que María García

Granados assistait à ces cours avec María de las Nieves ; d'après les caballeros cancaniers, l'académie de jeunes filles était l'une des scènes principales sur lesquelles le scandale se déroulait. María de las Nieves pouvait rêvasser tant qu'elle voulait du savant Cubain – Mack n'avait rien à craindre de ce côté !

Un après-midi, alors que la saison des pluies avait commencé et que, d'humeur particulièrement sombre, il allait, vêtu de son poncho en caoutchouc, protégé par un parapluie de seconde main acheté à Don José, son feutre mou rabattu sur le front, indifférent au déluge assourdissant, Mack se trouva traverser le Parque de la Concordia, pittoresque mais quasiment inondé, avec ses kiosques dans le style parisien, ses jardins, et ses oiseaux tropicaux aux ailes rognées, et il regarda de l'autre côté de la rue la légation britannique, l'imaginant à l'intérieur en compagnie du corpulent premier secrétaire, occupés à glousser comme deux tourtereaux en mangeant des crackers anglais piochés dans une de ces boîtes en fer-blanc ornées d'un portrait de l'austère souveraine. Pris d'une nostalgie morbide, tel un ancien combattant qui ne peut s'empêcher de retourner sur les lieux d'une défaite écrasante, Mack laissa ses chaussures patauger en direction du kiosque de lecture, ses pensées formulant, comme à l'adresse d'un écolier borné mais curieux, son intention de s'y asseoir juste un instant, parce que c'était le dernier endroit où il lui avait parlé, il y avait près de deux mois de cela, et qu'aujourd'hui il voulait juste s'y asseoir. Il ferma son parapluie, passa la porte, et elle était là, assise à un bureau, María de las Nieves, avec sa petite servante sur une chaise tirée à ses côtés, toutes deux vêtues de manteaux noirs, lisant ensemble un journal. La servante, levant son regard vif, le reconnut instantanément. Il avait le temps de prendre une prompte décision, juste une seule – qui fut de parler l'espagnol, de la manière nationale la plus polie.

« Excusez-moi, Señoritas, articula Mack posément. Je croyais que cette salle de lecture était vide. Avec votre permission, si vous voulez bien, je vais m'asseoir ici un petit-petit peu pour lire le petit-journal jusqu'à ce que la petite-pluie passe. »

María de las Nieves, levant un regard indifférent, ne le reconnut pas, ou du moins n'en laissa rien paraître. Sa servante dit: « Ce n'est pas une petite pluie, Señor. C'est pratiquement un ouragan. » María de las Nieves soupira d'impatience et dit: « María, ya » et alors que Mack détournait le visage, fixant le sol, elle répondit poliment: « Bien sûr, Señor. Très aimable, merci. Nous comprenons. »

Et Mack dit: « Merci, Señoritas. Très aimable aussi, et très gentil. » Il quitta la mare qui se formait autour de ses pieds, plaça son parapluie dans le porte-parapluies à côté de celui qui s'y trouvait déjà (soie bleu vif, une poignée en os de baleine incrustée d'un tournesol en argent, le cadeau d'anniversaire que son auteur, Don José, lui avait décrit avec fierté), il se dirigea vers le bureau, tira la chaise, s'assit, ouvrit un journal, le parcourut, sans même oser enlever son chapeau, et se vit comme un cheval de course au cœur battant follement, retenu sur la ligne de départ par un jockey très compétent. Mack demeura dans cette position pendant une éternité, sans lire un mot du journal, tandis qu'il répétait le discours dont il savait qu'il serait le dernier qu'il lui adresserait s'il n'était pas efficace.

Sans un mot d'introduction ni d'explication, María de las Nieves, dans un murmure appuyé, se mit à lire à sa servante: « Le correspondant de l'agence française Havas à Saratov, en Russie, rapporte que là-bas, l'année passée, des loups ont dévoré trente-sept mille moutons, onze mille chevaux, dix mille bœufs et vaches, cinq mille cochons et dix-huit mille oiseaux de basse-cour. Soixante-huit personnes ont été attaquées, dont douze ont été tuées, et trois mangées. N'est-il pas amusant de penser que les Européens jugent que l'Amérique centrale est sauvage? – *ja.* »

La jolie servante eut une inspiration d'horreur, exhala un « Dios mí-í-í-o! » et dit quelque chose en langue indienne, qui provoqua chez María de las Nieves un léger gloussement.

Mack ôta son chapeau et dit : « Le télégraphe et les journaux modernes ont beaucoup rapetissé le monde. C'est comme si le monde était aujourd'hui une seule grande ville. Señoritas, les journaux font de nous tous les citoyens d'un seul pays appelé Progrès. » Il hocha la tête, avec fermeté et componction, et ajouta : « Partout où on publie des journaux, les gens discutent continuellement de sujets de toutes sortes, en tout cas plus qu'avant — et c'est même vrai de cette République. »

María de las Nieves leva les yeux sur lui, et bien que ce fût la première fois que son charmant regard était dirigé de ce côté avec tant d'attention, Mack, au lieu de perdre courage, observa calmement la série de changements et de transitions subtils qui affectait son expression. Si ses traits — son petit nez épaté — n'avaient pas été aussi délicats, peut-être son étonnement et son désarroi eussent paru plus décourageants. Quelles que soient les pensées qui lui passaient par la tête tandis qu'elle l'observait, il ne se dirait pas qu'elles étaient terrifiantes ; il ne se dirait pas...

« Pourquoi parlez-vous anglais ? finit-elle par demander. Et pourquoi avec cet accent ? »

C'étaient plus ou moins les mots qu'il avait prévu d'entendre, et sa réponse était prête : « J'ai grandi à New York. Où avez-vous appris votre anglais, Señorita Moran ? »

Elle attendit, comme si elle-même répétait, avant de répondre dans un anglais prononcé avec soin : « Mon père était américain, de New York lui aussi, et c'est lui qui m'a appris l'anglais, quand nous habitions sur notre plantation de café, avant sa mort. Et j'avais une nounou originaire du Honduras-Britannique, et plus tard, au couvent, j'avais un professeur qui venait également de New York. J'ai donc toujours pu parler l'anglais. À présent je travaille à la légation britannique, ce que vous savez déjà, je crois.

– Oui, je l'ai entendu dire à la soirée costumée du général García Granados. Vous êtes aussi née à New York ?

— Non. Je suis née dans le Yucatán. Mon père y dirigeait une plantation de sisal.

— À New York, dit-il, j'étais commis dans la société de commerce de café de Mr. Jacobo Baiz, qui est maintenant le consul de ce gouvernement dans cette ville. J'ai eu la grande chance de travailler pour lui à cause de ma parenté avec Don Sínforoso Revolorio, qui fut longtemps le chargé d'affaires du régime conservateur aux États-Unis. Je suis donc moi aussi familiarisé avec l'atmosphère de la diplomatie. » Il compta intérieurement jusqu'à cinq, puis ajouta : « Ma mère était cuisinière. Don Sínforoso veilla à ce que je reçoive la même instruction que n'importe quel petit Américain. Vous avez dit, je me rappelle, que vous aviez aussi vécu dans une ferme où on faisait l'élevage de la cochenille à Amatitlán, que votre père avait aussi dirigée.

— Oui, bien sûr, dit-elle à voix basse, jetant un coup d'œil par la porte à la pluie vaporeuse. María, il faut qu'on y aille maintenant.

— Mais nous n'avons qu'un parapluie, Doña Nievecitas.

— Je vous prête bien volontiers le mien, dit Mack. Récemment réparé par mon grand ami Don José Pryzpyz. » C'était trop, et son sourire était trop large – sa première erreur, mais il reprit rapidement son air sérieux et réservé. « Vous savez, je suis récemment allé à Amatitlán, pour voir, par pure curiosité, les anciens élevages de cochenilles. Y êtes-vous retournée ?

— Non, Señor.

— C'était un voyage très intéressant. On peut apprendre beaucoup de choses en étudiant les ruines d'une activité disparue, tout comme on peut apprendre des choses utiles sur notre peuple tel qu'il est aujourd'hui en étudiant les ruines beaucoup plus anciennes laissées par nos ancêtres américains. Ne pensez-vous pas que c'est juste ? Mais je ne m'intéresse pas aux antiquités, oh, pas vraiment ; je m'intéresse aux affaires modernes. Extraordinaire, pourtant, à quel point l'élevage de la cochenille est une entreprise complexe et délicate, Señorita Moran.

– Je ne m'en souviens absolument pas, Señor. » Elle se redressa sur sa chaise, comme si elle se préparait à partir. « J'étais très petite.

– Eh bien, nul doute que vous auriez été fière des capacités de votre père. Il reste encore quelques vieilles plantations. Elles vendent la plus grande partie de leur récolte aux Indios, qui l'utilisent pour teindre leur laine. Mais les insectes de qualité supérieure sont encore achetés par le Vatican. Le magnifique écarlate des chapeaux des cardinaux provient encore de notre cochenille d'Amérique centrale. Elle est aussi utilisée pour colorer la poudre que les femmes se mettent sur le visage ; je suis sûr que vous pourriez me dire lesquelles… » Il s'interrompit, et quand il fut clair qu'elle ne lui dirait pas lesquelles, il poursuivit : « Si vous alliez à Amatitlán, Señorita Moran, je suis sûr que les éleveurs qui restent seraient heureux de vous faire visiter leurs fermes. Qui sait, peut-être y en a-t-il qui se rappellent votre père, et vous seriez contente de partager quelques anecdotes. Je suis resté deux jours, et j'ai appris d'eux beaucoup de choses. Je parierais que j'ai même vu la ferme, ou les ruines de la ferme dans laquelle vous êtes née.

– Doña Nievecitas est née dans le Yucatán, le coupa la petite servante.

– Bien sûr. Pardonnez-moi. Je voulais dire, où vous avez passé une partie de vos premières années, Señorita. Vous savez si elle était près du lac ? » En vérité, personne n'avait dit de choses très positives sur Timothy Moran, et s'il y avait là quelque injustice, c'était seulement dans la mesure où les circonstances de son départ précipité d'Amatitlán avaient oblitéré tous les bons souvenirs qu'ils avaient pu garder de l'homme qu'ils connaissaient auparavant.

La pluie continuait à tomber régulièrement et bruyamment sur le toit conique du kiosque, la boue et le pavé. María de las Nieves et María Chon se tenaient raides, épaule contre épaule, écoutant Mack qui entreprit de s'étendre sur le sujet de l'élevage de la cochenille jusqu'aux moindres détails de cette activité obscure et en voie de disparition. Une stratégie apparemment imprudente, mais il savait ce qu'il faisait. Mack était en train de dresser un tableau des qualités propres au tempérament et à l'ambition du Yankee du Nord (qualités, pensait-il, dont elle pouvait même se dire qu'elles avaient été celles de son père). Il faisait la description de l'énergie résolue, imperturbable, héroïquement assommante même, indispensable à tout homme désireux de fonder et poursuivre une affaire capable de le tirer ainsi que son épouse de ses humbles origines pour l'élever à une situation stable et prospère. C'était une conversation tactique préparée depuis longtemps dans laquelle Mack était maintenant embarqué – et si un jour María de las Nieves prenait conscience de la prudence et de la discrétion dont il avait fait preuve touchant les informations qu'il avait glanées sur sa mère et le déshonneur de son père, ce n'en serait que mieux.

«Amatitlán bénéficiait d'un terrain et d'un climat parfaits pour la cochenille», lui apprit-il. À Amatitlán, il y avait deux récoltes par an, entre la fin de la saison des pluies en octobre et son début en mai, tandis que les villes juste de l'autre côté du volcan et des collines n'en avaient qu'une. «Savez-vous, Señorita Moran, que dans certaines parties du lac Amatitlán, il y a tant de pierres ponces à la surface de l'eau qu'elles forment une péninsule sur laquelle on peut marcher…? Et que sur des kilomètres à la ronde du côté volcanique du lac, il n'est besoin que de creuser trente centimètres dans le sol noir pour trouver de l'eau bouillante comme dans une bouilloire, chauffée par les flammes et les gaz souterrains du volcan?» Se rendait-elle compte qu'il n'y avait que sept ans que le café avait pris le pas sur la cochenille en tant que premier producteur de richesses du pays? Et que juste un an après, les gains du café avaient représenté le double de ceux de la cochenille! Et maintenant il ne restait que ces quelques plantations, et de nombreuses ruines fantomatiques qui semblaient dater d'un siècle, et non de sept ans. De l'autre côté du monde, une teinture chimique avait été inventée, et ici, comme ça, tant de fortunes, et tout un style de vie, s'étaient effondrés. La ville en bordure du lac, qui durant sa gloire avait attiré d'Amérique centrale et du monde entier les déchets parasites qui sont toujours appâtés par la prospérité, était à présent une triste localité pleine de cantinas et de salles de billard abandonnées, peuplée de quelques vieux flemmards (et de putains pourries par la vérole). Mack raconta à María de las Nieves et à sa servante comment il avait traversé des kilomètres et des kilomètres de ces vieilles plantations, les carcasses pourries, apparemment pétrifiées, mais encore soigneusement alignées, des cactus dont se nourrissaient les insectes, et les ruines de ces extraordinaires cabanes en terre battue, longues et étroites – larges d'un mètre environ – dans lesquelles les feuilles de cactus couvertes d'insectes étaient pendues chaque hiver ; et dans bien des vieilles cours il avait vu les fours fendus et croulants, dont certains étaient recouverts de végétation, dans lesquels on cuisait les insectes avant de les tamiser, de les nettoyer, de les envelopper de peau de bœuf et de les envoyer par gros ballots en Europe.

C'était donc une surprise pour l'œil que de tomber soudain sur une plantation de cactus vivants, du plus frais des verts pâles, ou, pour ceux qui étaient recouverts d'insectes, comme plaqués d'argent, et de voir les Indias penchées dans les rangées, effleurant les cactus avec de fins bambous, comme si elles y peignaient des dessins compliqués, mais en réalité y cueillant les insectes un à un avant de les faire tomber dans les paniers en bambou qu'elles portaient sous le bras. Mack était resté là à regarder, cloué par cette vision de délicatesse et de sérénité orientales. (Il ne dit pas à María de las Nieves qu'il avait imaginé alors qu'ainsi le Yankee Timothy Moran devait avoir repéré Sarita Coyoy, qui n'était alors encore qu'une enfant, tandis qu'elle travaillait à la récolte sur la plantation qu'il dirigeait.)

« Une activité si complexe, fragile et ancienne, Señorita Moran !

Utiliser de si curieux petits instruments – nos ancêtres qui, il y a
des milliers d'années, inventèrent l'art de faire de la teinture à partir d'élevages d'insectes doivent avoir utilisé les mêmes! – bientôt
voués à la désuétude, les petits bambous, et ces petites boîtes, en
écorce de palmier, fermés aux quatre coins par des épines – *cartuchos*, on les appelle. Chaque petit cartucho contient une centaine
d'insectes environ. Et chaque mois d'octobre, ces cartuchos sont
attachés à une feuille de cactus, et savez-vous qu'en quelques
heures cette feuille sera couverte de ces minuscules insectes qui
sortent du cartucho? Et que ces insectes se reproduisent à un
tel rythme que si on n'enlève pas le cartucho à temps, la feuille
surpeuplée ne pourra les nourrir tous, ce qui nuira à la qualité de
l'insecte. Mais s'il fait froid et qu'il y ait du vent, les insectes refu-
seront de sortir, sous peine d'être emportés, et s'il pleut hors
saison, les insectes se noient, et la récolte est perdue. En revanche
si le temps coopère, le cartucho peut être attaché à dix ou douze
feuilles de suite avant que les mères qui sont à l'intérieur ne s'épui-
sent, après quoi on secoue la boîte et ces précieuses pondeuses
sont chargées sur les plateaux en bambou et cuites au four, pour
donner ce qu'on appelle la cochenille noire, qui produit la teinture la plus rouge, celle qui fait la couleur écarlate des chapeaux
des cardinaux, et coûte le plus cher. Les autres insectes produisent
le rouge moins éclatant que vous voyez, par exemple, sur les couvertures en laine grossière que fabriquent nos Indios. La cochenille,
vous savez, est bonne pour teindre la laine, ou la soie, mais pas
le coton. Avant que ces insectes ordinaires puissent être récoltés
sur les feuilles, il faut attendre environ quatre-vingts jours, néanmoins vous ne pouvez imaginer, Señorita Moran, tout ce qui peut
se passer pendant ces quatre-vingts jours. Après environ deux
semaines, si je m'en souviens bien, les mâles commencent à produire une sorte de duvet et tissent un fil par lequel ils pendent du
cactus – de sorte que le cactus semble couvert de neige artificielle,
comme une décoration de Noël dans un grand magasin de New

York. Puis ces minuscules mouches mâles éclosent et retournent droit à la feuille pour féconder les femelles, et dès qu'ils ont terminé, ils tombent et meurent. Mais si, par malchance, il pleut tous les mâles seront détruits, la femelle n'aura aucune chance de trouver des partenaires et la récolte sera perdue... Il y a des fourmis qui attaquent le cactus à la racine, et doivent être empoisonnées, et bien d'autres prédateurs que les Indiennes enlevaient à la main... Toutefois je n'ai pas commencé à parler des méthodes de cuisson. Si je commence...

– Oh oui, j'imagine», dit María de las Nieves, mais alors, pour la première fois depuis qu'il avait commencé à parler, elle finit par sourire, pas un sourire chaleureux, mais un sourire stupéfait et quelque peu condescendant. «Tout cela doit-il être interprété de manière métaphorique, Señor?

– Perdón, Señorita?

– Dans l'élevage de ces bichos, vous voyez une sorte de fable ou de signification morale ou poétique?

– Je suis intéressé par les détails de l'activité. Voyez-vous, chaque activité est faite d'une telle multitude de détails, Señorita Moran, et c'est un bon exercice de se les mettre en mémoire. C'est un bon exercice mental pour le jour où vous aurez votre propre affaire à diriger. Mais – c'est une histoire que vous voulez?» C'était imprévu, qu'elle demande une histoire et, ignorant son «Oh non, Señor», prononcé à voix basse, il fixa le chapeau trempé posé à l'envers sur ses genoux, comme si l'histoire qu'il avait entendue mais n'était pas sûr de pouvoir se rappeler exactement allait en sortir mot à mot. «Ce pays a produit les meilleures cochenilles du monde, dit-il d'un ton inflexible, pas comme on raconte une histoire. Et il était interdit de sortir un seul insecte vivant du pays. Pourtant un jour un marchand de textile anglais vola une petite boîte d'insectes de première qualité. On appela l'armée, les frontières furent fermées, et partout dans le pays tous les voyageurs étrangers furent arrêtés, leurs bagages et eux-mêmes fouillés. Eh bien, ce coquin échappa aux recherches, sortit sans encombre, et peu après les Anglais faisaient l'élevage de la cochenille à Gibraltar.

— Ils sont impitoyables, n'est-ce pas, ces Anglais, dit-elle en riant. Je me souviens d'une histoire un peu semblable. Vous connaissez la fameuse statue de la Virgen de Dolores de Manchén, ici dans l'église San Sebastián? Apparemment, des voyageurs anglais ont essayé de la voler elle aussi. Oui, absolument! Et tout comme dans votre histoire, on envoya l'armée à leurs trousses. Sauf que cette fois-ci les vauriens furent capturés, et exécutés, et la statue est retournée à sa place. J'ai appris cette histoire de mon professeur, qui est aussi poète, l'autre soir.

— Vous êtes vouée à la Virgen de Dolores? demanda Mack, surpris par cette pointe de fanatisme religieux. Ou est-ce seulement à cette statue que vous êtes attachée?

— Oh non non, c'est-à-dire, non, pas vouée dans le sens ancien, répondit-elle, se raidissant légèrement. Mais cette statue est considérée comme un chef-d'œuvre de l'art religieux colonial. Mon professeur, en fait, nous a demandé d'aller la voir, mais pas pour des raisons religieuses. Il dit que de telles statues possèdent réellement une âme, placée là, à l'intérieur du bois, par l'intensité de la foi religieuse et l'amour de l'artiste qui les a sculptées. Le maestro dit que vous pouvez regarder une statue et dire si elle a une âme ou non, et ainsi savoir si l'artiste avait ou non véritablement la foi. Et que tous les arts, même la poésie, doivent posséder pareille qualité s'ils veulent être beaux.

— Seuls les catholiques peuvent faire de l'art? demanda Mack, élevant la voix au ton sceptique. Et les gens de notre religion? Est-ce que ces simples statues en bois que font les Indios ont aussi une âme?

— Oh non, ce n'est pas du tout ça qu'il veut dire. Il veut dire… » Elle s'interrompit, se gratta légèrement le front, souriant comme à elle-même, et jeta de nouveau un coup d'œil à la pluie qui se calmait et à l'air gris qui s'emplissait de brume. «Eh bien, merci, Señor Chinchilla, pour votre conversation des plus intéressantes. Je suis contente d'avoir maintenant une idée plus claire de ce que faisait mon père.

– Tout le plaisir a été pour moi, Señorita Moran», dit Mack en se levant, le chapeau sur la poitrine.

La servante, María Chon, fixait toujours Mack, la bouche grande ouverte, une expression de perplexité inquiète dans le regard. «Adios, Señor» fut tout ce qu'elle dit, tandis qu'elle se levait aussi, serrant son manteau noir contre son corps. Mais avant de sortir, elle s'arrêta pour se retourner et sa main émergea du manteau comme celle d'une mendiante, sauf que lorsqu'elle ouvrit la paume, ce fut pour montrer à Mack le petit cri-cri qu'il lui avait donné tant de semaines auparavant, puis elle la retira tout aussi prestement, et suivit María de las Nieves à l'extérieur.

Mack demeura assis un long moment, tâchant de décider comment il s'était comporté et ce qu'il devait ressentir, et pensant à ce qu'il avait appris de María de las Nieves. Avait-il réussi suffisamment pour être assuré qu'elle ferait bon accueil à une nouvelle conversation la prochaine fois qu'il la verrait? Un canard trempé se tenait à la porte du salon de lecture, semblant hésiter à entrer. «Alors, canard, demanda Mack, tu as vu son expression quand elle est sortie? Comment était-elle, Señor Canard?»

Eh bien, il avait fait bonne figure durant cette conversation sur l'art extrêmement périlleuse. Elle était certainement éprise de son «professeur», mais cela ne le surprenait pas. Et elle paraissait ignorer qu'elle n'était pas née dans le Yucatán, mais ici même, à Amatitlán. Du moins selon ce que Don Juan Aparicio déclarait avoir récemment appris sur son père après avoir cru tout autre chose pendant tant d'années. Cela avait-il de l'importance? Avait-on besoin de connaître le lieu de sa naissance? Était-il préférable de ne *pas* savoir que son père était un vaurien? Mack lui-même pouvait-il dire avec certitude où il était né et de quel père? Et il se rappelait cette soirée d'été brûlante où Don Juan Aparicio avait raconté son histoire, les fenêtres ouvertes sur le vacarme étouffé et le puissant «parfum» du port, le raffut constant, proche et lointain, des cornes de brume, des sifflets, des cloches, du cri des mouettes. Durant les deux années qu'il avait passées à New York, Don Juan avait pris quelque chose de la façon hâbleuse que les Yankees ont de raconter une histoire, une main dans sa poche de gousset, agitant son cigare, se balançant sur son siège au point qu'il s'en fallait de peu qu'il tombe en arrière, et il était bien avancé dans son histoire de la petite sauvageonne mi-yankee dans la forêt – comment, ayant entendu ses ouvriers indios parler de l'étrange trio de femmes vivant dans la forêt, il était parti à leur recherche et les avait trouvées: la petite fille, sa mère indienne, veuve, la servante noire qui parlait l'anglais, et la malle pleine de magazines anglais et américains que le Yankee avait laissée, les bouteilles de whisky enterrées, et le carnet dans lequel Timothy Moran avait écrit les noms latins de quelques orchidées, rien d'autre – et ainsi de suite, et cetera et cetera – captivant Salomón et Mack avec l'histoire de María de las Nieves / Sor San Jorge et ce que Don Juan Aparicio avait toujours cru être le passé de l'enfant et de sa mère. Imaginez sa surprise, alors, quand la domestique noire originaire de Belize, Lucy Turner, qu'il avait amenée à New York, pas seulement pour avoir avec lui un visage familier mais parce qu'elle parlait l'anglais, lui avait appris juste l'autre jour l'histoire apparemment vraie de Timothy Moran et de Sarita Coyoy. Durant toutes les années où elle avait travaillé chez les Aparicio, Lucy avait gardé le silence. Eh bien, oui, Señores, durant toutes ces années, Lucy et lui n'avaient jamais eu de longue conversation d'aucune sorte, et certainement pas en anglais. Eh bien, avant de venir habiter New York, son anglais n'avait pas été suffisamment bon pour qu'il soutienne pareille conversation avec Lucy, même s'il l'avait voulu. Puis, juste l'autre jour, elle était entrée dans le salon, avait posé le plateau de nos boissons nocturnes, son chocolat chaud, une bouteille de cognac et un cigare et, comme ça, cette femme à l'apparence féroce et aux manières guindées avait déclaré tout de go : Don Señor Aparicio, il y a quelque chose que j'attends depuis toutes ces nombreuses années de dire, et que maintenant ma conscience a besoin de dire... Et là dans le bureau de Jacobo Baiz, Don Juan répéta l'histoire de la servante noire : Sarita Coyoy et sa fille ne venaient pas du tout du Yucatán. Aucun d'eux, ni Sarita, ni elle-même et pour autant que Lucy Turner le sût, pas même Mr. Moran ni son épouse, Elsa, n'avaient jamais été au Yucatán! Lucy elle-même était venue à Amatitlán directement depuis le Honduras-Britannique, ainsi que tant d'autres durant les années du boom de la cochenille, à la recherche de travail, elle l'avait trouvé chez les Moran, qui avaient besoin d'une domestique parlant l'anglais. Sarita Coyoy était donc native d'Amatitlán, et non pas du Yucatán. Juste une Indienne du cru (avait supputé Juan Aparicio) et, comme la plupart dans cette région, avec probablement un peu du sang zamba des esclaves africains que les jésuites détenaient sur leurs anciennes plantations de canne à sucre, et qui avaient disparu depuis longtemps en tant que race à part entière, après s'être mêlés aux Indios. «Bien sûr, ajouta Don Juan Aparicio, les habits de San Ignacio n'avaient jamais été une armure impénétrable contre les traits de Cupidon, ainsi donc les jésuites eux aussi figurent parmi les ancêtres obscurs des Indios particuliers à Amatitlán, qui ont tendance à être plus grands et sombres, ou encore plus blancs et réputés pour leur plus grande...» (avec un bref regard vers Mack, Don Juan décida de ne pas terminer sa phrase). Donc Timothy Moran était tombé amoureux d'une Indita qui travaillait sur son élevage de cochenilles, et qui se révéla être Sarita Coyoy. Pour elle, le Señor Moran perdit la tête et même, pourrait-on dire, la vie, bien que la mule qui lui avait donné un coup de sabot dans le ventre ait eu sa part de responsabilité. Par sa conduite scandaleuse à Amatitlán, Timothy Moran avait fait de son épouse, Elsa, un objet de ridicule et d'humiliation. Après l'avoir abandonnée aux yeux de tous, il se montrait partout avec sa jolie petite aborigène, qui fut bientôt enceinte. Quelques jours après la naissance de l'enfant, Mrs. Elsa Moran se donna la mort en se jetant dans un puits d'eau bouillante. En ville l'opinion publique se tourna violemment contre Mr. Moran. Nombreux furent les Blancs étrangers et les criollos qui jurèrent de le tuer, afin de faire un exemple. Timothy Moran prit alors la fuite avec sa nouvelle petite famille, pas immédiatement dans la montagne mais à Mazatenango, où pendant deux ans Moran dirigea une plantation de canne à sucre, racontant son histoire de Yucatán jusqu'à ce que la vérité le rattrape et qu'il fuie dans la montagne où il est vrai qu'il voulait fonder une plantation de café. Lucy les accompagna, car elle s'était attachée au bébé et même à Sarita Coyoy, qui n'avait jamais demandé à Timothy Moran de s'amouracher si follement d'elle et n'avait pas eu l'astuce de lui résister ; aussi parce qu'elle n'avait pas de meilleur choix. Durant tout ce temps, pendant des années, Don Juan Aparicio avait cru que le père de María de las Nieves avait été un honorable, quoique rustique, aventurier-entrepreneur, bien inspiré de fuir le violent soulèvement des Indiens dans le Yucatán en emmenant avec lui sa jeune épouse maya yucateca et leur fille. Sarita Coyoy aimait montrer à quel point elle était civilisée puisqu'elle ne parlait même pas sa langue natale, seulement l'espagnol. Mais les Indios d'Amatitlán, expliqua-t-il, parlaient l'anglais de toute façon, après tant d'années passées en compagnie des jésuites et des éleveurs de cochenilles. Pourquoi Juan Aparicio aurait-il soupçonné quelque chose ? Maintenant qu'il connaissait la vérité, Don Juan posait à ceux qui l'écoutaient dans le bureau de Mr. Baiz la question rhétorique : que faire ? Devait-il en informer sa femme et ses enfants ? Et la pauvre María de las Nieves ? Était-il moralement obligé de la lui révéler ? Eh bien, mes bons amis, il avait décidé que non.

Juan Aparicio savait que sa femme avait déjà expulsé Sarita

Coyoy de sa maison – pour d'autres raisons, qu'il n'aborda pas dans le bureau de Don Jacobo – et il savait qu'elle avait un nouveau « mari », un Indio, éleveur de moutons prospère, car certains de nos Indios font fortune, dit-il, et adoptent un genre de vie situé à mi-chemin entre celui d'un villageois semi-civilisé et celui d'un artisan citadin établi. Néanmoins, Don Juan leur avait-il déclaré, il ne s'était pas embarqué dans la narration de cette histoire dans le but de mortifier ses auditeurs, bien qu'évidemment lui-même eût été quelque peu mortifié en l'entendant, vu sa longue relation avec les intéressées. « Peut-être une histoire telle que celle-ci, dit le père de la Primera Dama, devrait-elle être racontée parce qu'elle est très étrange, sans plus. » Et avec un ample geste laconique de son cigare, il avait ajouté : « Simplement parce qu'elle est très étrange, et nous propose un dilemme moral sur lequel méditer. » Eh bien si tel était le cas, Salomón et Mack eurent de quoi méditer toute la nuit.

Il y avait des raisons, toutefois, à l'expulsion de Sarita Coyoy de la maison des Aparicio que les deux garçons n'auraient jamais pu deviner, du moins à l'époque. Il y fut fait allusion de nombreuses années plus tard, à bord du vapeur *Golden Rose* qui voguait en direction de la Californie, au cours d'une conversation que Paquita et María de las Nieves eurent un soir dans le grand salon de la veuve du président quelques jours après l'appareillage. María de las Nieves, ce soir-là, pour la première fois, demanda carrément à Paquita pourquoi sa mère avait été forcée de quitter la maison des Aparicio.

Il se trouvait que, depuis des années, Paquita soupçonnait son père, sans en être certaine, d'avoir pris Sarita Coyoy pour maîtresse. La dernière fois qu'elle était revenue du couvent à la maison pour les fêtes de Noël, après avoir décidé de se marier, sa mère lui avait appris que son père, ayant besoin d'une domestique qui parle l'anglais, qui le comprenne, qui connaisse ses goûts et dégoûts, avait demandé qu'on lui envoie Lucy Turner à New York; mais qu'alors Sarita Coyoy s'y était opposée sous prétexte qu'étant la veuve d'un Yankee originaire de New York, c'était elle qui méritait de partir, en dépit du fait qu'elle ne parlait quasiment pas l'anglais; après quoi, blessée dans sa jalousie et sa fierté, elle avait renoncé à la situation privilégiée qui lui était faite chez les Aparicio, où elle disposait d'une chambre à elle dans les communs au-dessus des écuries et était astreinte à si peu de travail qu'elle y était plus une invitée dépendante mais éternelle, pour aller cohabiter avec un éleveur de moutons indio dans le barrio Siete Orejas. Plus tard, Paquita apprit des autres domestiques que c'était sa mère, Doña Francisca, qui avait insisté pour que ce soit Lucy, et non pas Sarita Coyoy, qui aille à New York. On lui avait également rapporté les furieuses protestations de celles-ci selon lesquelles El Patrón avait promis que ce serait elle qui irait travailler pour lui, se plaignant auprès des autres domestiques et allant jusqu'à les réprimander comme s'il était en leur pouvoir d'annuler cette grande injustice. Sarita Coyoy n'avait que quinze ans de plus que sa fille. Elle était toujours, après tout, la même Yucateca au corps souple, aux lèvres somptueuses et aux yeux de sirène qui, il n'y avait pas si longtemps de cela, avait subjugué Timothy Moran par ses façons délurées et pleines d'assurance qui n'en étaient pas moins pour autant, de manière inexplicable, celles d'une dame.

«La vérité c'est qu'en fait je ne sais pas grand-chose de toute cette histoire, avait fini par répondre Paquita d'un ton placide. J'ai pensé que ta mère était partie parce qu'elle s'était mise avec cet éleveur de moutons.»

María de las Nieves s'éventa pensivement avant de répondre enfin avec le lourd soupir d'une fille universelle: «Ayyy pobre Mamá.»

CHAPITRE

QUATRE

L'ex-Primera Dama, étant veuve depuis si peu de temps, ne jugeait pas convenable d'apparaître le soir dans les parties publiques du bateau, et María de las Nieves se sentait également d'humeur solitaire. Sa présence à bord avait éveillé la curiosité des passagers, particulièrement les membres de l'entourage en fuite de l'ex-dictateur – les femmes se détournaient pour murmurer derrière leur éventail, leurs yeux la suivant d'un regard que le mal de mer faisait vaciller. Elle ne répondrait pas à leurs questions, elle ne leur apprendrait pas la moindre chose à propos d'elle et de Mathilde! Durant la journée les deux jeunes mères s'échappaient quand même de l'enfer de leurs cabines pour se promener à l'abri du soleil, prenaient leurs repas avec les autres passagers de la première classe, jouaient avec les enfants sur le pont-promenade quand le soleil n'était pas trop brûlant; telles deux sœurs qui dans une situation critique savent mettre leurs différends de côté, Paquita et María de las Nieves allaient et venaient, s'asseyaient, dînaient et jouaient ensemble. À bord du *Golden Rose*, elles avaient retrouvé l'intimité de leur enfance, sinon la confiance et l'affection, qui n'avaient jamais été une affaire simple, de toute façon. Le soir elles s'enfermaient dans le grand salon de Paquita pour converser en sirotant du cognac. Ensuite María de las Nieves allait lire à la lueur d'une bougie dans sa cabine jusqu'à ce que, plutôt que de se mettre au lit, dans un état d'agitation que même les effets du cognac ne parvenaient pas à calmer, elle montât les marches menant au pont-promenade pour l'arpenter nerveusement sous les étoiles, parmi la foule polyglotte qui campait là, passant entre les hommes assemblés le long du bastingage et les rangées de corps allongés, dont beaucoup étaient endormis. Dans le cercle des chauffeurs et des marins mexicains aux yeux rouges qui levaient la tête de leurs jeux de dés à son passage, ou se tenaient adossés au bastingage ou à un mât, il y avait ces yeux qui trouvaient toujours les siens, tels ceux d'un animal nocturne attiré chaque nuit à l'orée de la même clairière illuminée par un feu. Chaque fois elle détournait instantanément le regard. Elle faisait le tour du pont-promenade, l'appréhension parcourant ses membres, fumant son cigarrito, sans jamais s'arrêter ni ralentir, ignorant chacune des voix qui murmuraient ou l'appelaient depuis l'obscurité, jusqu'à ce qu'elle revienne aux marches qui l'y avaient menée, qu'elle se hâtait de descendre, toujours avec ce même mélange de soulagement et de confusion. Pourtant elle attendait avec impatience cette dernière partie de la journée, sa promenade nocturne, presque illicite, autour du pont, plus que tout ; aussi ses lectures, et ses conversations avec Paquita. Elle se plaisait à son premier voyage sur les mers, elle ne pouvait le nier, bien que chaque matin elle s'inquiétât de la dangereuse habitude qu'elle avait prise de boire du cognac. À terre, il faudrait arrêter tout de suite. Ou quand elles seraient installées à New York.

À Acapulco elles purent débarquer, se promenèrent dans la ville vallonnée, et se scandalisèrent à la vue des jolies filles à la peau sombre dans leurs robes outrageusement réduites mais d'un blanc étincelant qui vendaient des coquillages roses sur la plage. Ces Mexicaines effrontées se dirigèrent droit sur les passagers et les officiers du bateau, yankees et européens, qui semblèrent se départir en un instant de la froideur et de la retenue qui avaient jusqu'alors caractérisé leur conduite à bord, pour se mettre à flirter ouvertement, certains formant même des petits groupes avec leurs nouvelles compagnes, en outre les passagers originaires d'Amérique centrale convinrent à la fin de la journée que les colliers en coquillages que la majorité des hommes rapportèrent étaient exceptionnellement élégants ; alors que dans leurs pays, même pour une voyageuse aussi expérimentée que Paquita, les coquillages étaient encore censés porter malheur plus que tout, et le fait de rapporter des articles de si mauvais augure à bord d'un bateau auquel il restait huit jours de route avant d'atteindre San Francisco semblait pure folie.

Deux soirées plus tard, tandis qu'elles parlaient à nouveau en buvant du cognac dans leur grand salon, Paquita profita d'un silence dans la conversation pour s'étonner que María de las Nieves ne lui ait jamais rien dit du rapport de l'agence nationale Pinkerton sur les activités de Martí à New York qu'elle s'était procuré là-bas il y avait quatre ans de cela, auprès de son aristocratique ami le consul d'Espagne.

C'est vrai, María de las Nieves n'avait jamais accusé réception de ce «cadeau» pervers remis en mains propres par une domestique du palais présidentiel. Quand elle avait ouvert sa porte ce soir-là à la mandadera de son ancien couvent dont la tête était couverte d'un châle noir, son premier instinct avait été de courir se cacher. Puis elle avait reconnu l'impossible sourire découvrant des dents de cheval, s'était rappelé qui employait maintenant Josefa Socorro et avait étreint la servante avec un ravissement feint, une suspicion et une crainte nouvelles. Mais ensuite, à la lecture du document, elle avait été rapidement prise d'une nouvelle inquiétude. Qu'était-elle censée faire de ces pages empoisonnées, après tout ? Elles rapportaient des événements qui dataient déjà de plus d'un an ; Martí ainsi que ses camarades cubains avaient apparemment découvert qu'ils étaient espionnés et infiltrés, et alors, la surveillance exercée par les agents de Pinkerton et le rapport avaient brusquement pris fin. María de las Nieves avait fait la seule chose décente : elle l'avait envoyé à Martí, à l'adresse de sa pension à

New York. Après plusieurs mois, n'ayant pas reçu de nouvelles, elle se demanda si le paquet ne s'était pas perdu, comme il arrivait si fréquemment au courrier confié à la Pacific Mail : le paquet et son contenu pouvaient tout aussi bien se trouver réduits à l'état de pâte à papier souillée, à moitié dévorée par les rats et les asticots, dans la cale d'un vapeur en route pour la Chine, ou dans le coin reculé d'un entrepôt à Panamá. Puis elle se mit à craindre qu'il ne fût tombé en de mauvaises mains, et que ses bonnes intentions n'aient fait que causer du tort ou de l'inquiétude à son ancien professeur et ami. Quinze mois après qu'elle l'eut posté, elle reçut notification qu'un colis insuffisamment affranchi en provenance des États-Unis l'attendait au bureau de poste. Elle et sa fille étaient alors au fond de la misère, et plusieurs semaines se passèrent avant qu'elle pût enfin se permettre de prendre possession du mystérieux colis de papier marron sans mention d'expéditeur. À l'intérieur se trouvait le paquet qu'elle avait adressé à Mr. José Martí, enveloppé du même papier et de la même ficelle de boucher maintenant tachés d'humidité qu'elle avait utilisés pour l'envelopper, sur lequel une main anonyme avait écrit au crayon que le destinataire était inconnu à cette adresse.

María de las Nieves devait maintenant faire attention à ce qu'elle allait répondre : elle avala lentement une gorgée de cognac tout en essayant de masquer son inquiétude en attachant sur Paquita un long regard dont elle espérait qu'il dégagerait une stupéfaction désabusée – bien qu'elle ne sût de quoi elle prétendait être désabusée – et aussi une touche de condescendance.

« Oui, ça, dit-elle enfin. Qu'est-ce que tu crois que j'aie pensé ? »

Paquita passa les doigts dans ses cheveux défaits d'un geste impatient, leva le menton et dit : « Tu dois reconnaître que cela faisait une vilaine comédie. Et j'ai pensé que cela te ferait du bien de le lire, dans ta situation, à cette époque – *usté sabe*.

– Je vois. Nous nous étions parlé une ou deux fois en presque cinq ans et tu pensais savoir quelque chose de ma situation.

– Ayyy Nievecitas, tous les jours je pensais à toi. Je m'inquiétais pour toi, toujours, je priais pour toi…

– Pourquoi prier pour moi, Paquita, si je ne priais plus du tout?

– Qui a jamais entendu parler d'une chose aussi puérile et banale que de décider de devenir athée parce qu'on ne croit plus dans la littéralité de l'Immaculée Conception. Parfois, María de las Nieves, tu parles comme une institutrice ivre qui a lu un peu de Renan. Tu ne voulais pas devenir protestante?

– J'ai essayé un peu, si.» Elle rit malgré elle. «Mais non, il ne s'est rien passé.

– Le révérend Hill, le gringo, il ne te plaisait pas?

– Il méprisait beaucoup les catholiques, et presque tout le monde, aussi. Il avait l'air d'un homme courageux, mais non…» Elle haussa les épaules. «Non non non…

– Et le rapport des détectives?

– J'avoue que le soir où je l'ai reçu j'ai commencé à le lire mais je ne crois pas l'avoir jamais terminé. Je l'ai mis de côté et je n'y ai plus jamais touché. J'en ai cependant assez lu pour comprendre pourquoi tu me l'avais envoyé, et ça m'a fait de la peine.

– Parce que tout était là, reclaritito – très-petit-petit claire-ment –, non? Il était dévoilé ainsi qu'il aurait dû l'être quand il était parmi nous…»

– J'ai trouvé triste que la dignité et la réputation du Maestro Martí soient violées par des gens si absurdement inférieurs à lui, par des espions de la plus vile espèce, et que tu aies pensé qu'un bain dans ce marais puisse m'être utile. Oui, Paquita, ça m'a fait de la peine.

– Ah, donc ça ne t'a pas intéressée d'apprendre que là-bas à Nueva York, comme ici, Martí était soupçonné de traiter de manière irresponsable de naïves jeunes femmes – dont une femme qu'il a apparemment abandonnée dans le même état que toi peut-être, la propriétaire de sa pension, pas moins, où il habitait avec sa propre épouse, son bébé et le mari de la propriétaire, tous sous le même toit. *Cela* ne t'a pas ouvert les yeux?

— C'est une interprétation très large et pernicieuse de ce que contenait ce rapport, Doña Francisca Aparicio de Injusto. Et si je me rappelle bien, je trouve exagéré de qualifier de *naïve* aucune des femmes mentionnées. Dieu sait, mi reina, que tu as des théories, à mon sujet, au sujet de tout le monde.

— Don Hipólito le croyait, dit Paquita, faisant référence à son aristocratique ami le consul général d'Espagne. Il avait ses raisons…

— Et je n'ai pas besoin de les connaître, dit María de las Nieves. Le Señor Martí n'est pas le père de Mathilde, et il serait très injuste de ta part de planter une telle idée dans l'esprit de ma fille. Quand il sera temps, je lui dirai moi-même qui était son père. Un jour ce sera à elle seule de décider si elle veut le faire savoir à son étrange tía Paquita. J'ai juré de ne jamais le dire qu'à Mathilde. Il te faudra donc encore attendre longtemps avant d'avoir une chance de mettre la main sur cette perle que tu sembles tant convoiter.

— Ce n'est pas facile d'être un enfant naturel, dans aucune société.

— Pourtant le monde en est plein. Y compris tes propres beaux-enfants, dont certains sont même plus vieux que toi. »

Paquita eut un petit rire surpris. « Personne ne leur a caché l'identité de leur père, Las Nievecitas. Et Rufinito était très aimant et généreux. » Un des fils naturels d'El Anticristo, Venacio, un général, qui avait fait ses études en France à l'École militaire, était mort dans la même bataille que son père ; un autre fils illégitime, d'une autre mère, Antonio, cadet à l'académie militaire de West Point, les attendait à New York. Leur père leur avait déclaré qu'ils n'hériteraient de rien sinon l'éducation qu'il leur donnerait et l'honneur de son nom.

María de las Nieves avala nerveusement le reste de son cognac, se saisit du flacon de cristal, remplit le verre ballon de Paquita puis le sien ; les deux femmes demeurèrent silencieuses un moment, se considérant d'un air tendu qui n'était cependant pas exempt de douceur : c'était comme un regard entre deux amants perplexes qui, à tout moment, pouvait virer du mutisme déconcerté au rire et aux larmes.

« Donne ta maison de New York à Mathilde et à moi, viens travailler comme gouvernante de Mathilde, et je te dirai ce que tu veux savoir. »

Paquita sourit. « Bien sûr, corazoncita. À ton service.

– On peut faire une réception pour présenter Mathilde à tes quatre cents amis huppés, pour qu'ils l'accueillent dans leur société.

– Muy bien. Tout ce que tu voudras, chula.

– Mais tu n'es pas assez cultivée pour être la gouvernante de Mathilde, dit María de las Nieves. Tu peux lui donner des leçons de mondanité, je suppose. »

C'était dit assez gentiment pour que toutes deux pouffent tout bas, comme si elles étaient redevenues petites filles, immergées dans l'un de leurs très longs jeux.

« Je pensais que ce rapport montrait très clairement que Martí avait engrossé sa logeuse, dit Paquita. Et quand bien même il l'aurait fait, ça n'a pas d'importance pour moi, plus maintenant.

– Pourquoi es-tu toujours si sceptique quant à ce pauvre Martí, et pas quant à la crédibilité ou aux motifs d'un espion vulgaire et pompeux au service des Espagnols, pas moins ? Un Américain conspirant contre une cause que sa fierté patriotique et son honneur auraient dû conduire à embrasser – l'indépendance cubaine, Paquita !

– Un détective, pas un espion. Une profession honorable, avec son propre code d'honneur. Comme un prêtre.

– Camarón…! Un prêtre, tu as dit ? Le code d'honneur d'un prêtre ? »

Paquita acquiesça d'un air impertinent.

« Tu sais, il doit vraiment y avoir un Dieu et Il est totalement fou. Parce que regarde qui Il a choisi comme nouveau défenseur de Sa religion! *Ea*, Paquita, tu es restée proche du chanoine Ángel Arroyo durant toutes ces années. Bien sûr que oui, pues sí, il venait te rendre visite à l'école avant ton mariage pour t'apporter des messages de ton amoureux secret, et ensuite Padre Ángel est demeuré le prêtre le plus proche de ton mari, il est même devenu député à l'Assemblée nationale, et ton mari lui a procuré une résidence à côté de la cathédrale, une belle maison ancienne généralement réservée à un évêque important, et chacun en ville savait que malgré ce qui se passait dans le pays et ce que ton mari faisait endurer aux autres prêtres, Padre Ángel te restait très dévoué, Paquita, et qu'il venait prendre le café et les gâteaux l'après-midi. Oui, je sais, ensuite il y a eu d'autres prêtres qui sont venus te voir, qui venaient te confesser et dire des rosaires et manger des petits gâteaux avec toi, car sans ton intercession ton mari aurait été encore plus cruel envers les prêtres, particulièrement les espagnols, qui sont certainement détestables, mais tu as probablement connu Padre Ángel Arroyo aussi longtemps et aussi bien que quiconque, mi doñacita. Tu as donc sûrement entendu dire que la gouvernante avec qui il vit dans cette splendide maison près de la cathédrale est en fait sa maîtresse, et pas seulement ça, qu'elle est en fait sa demi-sœur, de qui il a maintenant cinq enfants, et qui vivent eux aussi avec eux. Est-ce que tu crois cela, ou ne sont-ce que des rumeurs? Tu n'exposerais jamais tes enfants à une telle bête dépravée en l'invitant chez toi pour boire du café et manger des gâteaux si tu croyais que c'était vrai, n'est-ce pas? Pourtant ce sont de telles histoires qu'on répand à propos de ton bon ami Padre Ángel!

— Alors que s'est-il passé entre toi et Martí cet après-midi-là – cet après-midi où vous avez marché le long du Río de las Vacas?» Ses yeux noirs brillaient froidement pareils à ceux d'un chien dans l'obscurité.

María de las Nieves dirigea vers Paquita un regard stupéfait; en fait elle avait l'air un peu étourdi et confus, comme si elle venait de comprendre qu'un couteau avait été plongé dans son ventre, et que dans une ou deux secondes, elle allait s'écrouler… Elle se leva, les lèvres pincées par l'imminence des larmes. Toutefois quand elle parla elle parvint à se maîtriser, et lui dit d'une voix claire et hautaine: «Toutes ces années tu as vécu dans la caverne de Platon, où les inventions des espions et des mouchards étaient la seule réalité que tu connaissais. Vraiment, pauvre petite toi. Eh bien, maintenant, tu vas voir.»

Elle quitta le grand salon et se dirigea vers sa cabine, le sang bruissant dans ses oreilles plus fort que l'océan et l'hélice tourmentant les vagues. À New York, je n'habiterai pas avec elle, se dit-elle. Je me fiche de ce qui arrivera, je n'habiterai pas là-bas… Mais Mathilde? Se tenant à deux mains au bastingage elle laissa errer son regard sur l'obscurité flottante de cette nuit sans lune et l'océan qui grondait mollement… de par-delà l'horizon noir, comme un télégramme plié passé d'une vague à l'autre jusqu'à ce qu'enfin il lui soit délivré, lui parvint le message brutal qu'elle ne pourrait pas se débrouiller toute seule à New York. Non, elle habiterait une petite chambre jusqu'à ce qu'elle devienne une vieille souris aigrie, et sa fille deviendrait mélancolique, jolie et si bizarre qu'elle effraierait les hommes, et finirait mariée à un garçon d'écurie ou à un artiste de cirque. *Noverim me, noverim te*, carajo! J'ai vingt-cinq ans, je ne suis pas mariée, je n'ai pas d'argent, je vais arriver avec ma fille à New York où personne, à l'exception peut-être de Lucy Turner, ne nous connaît ni ne nous aime. Qui sait si Pepe Martí habite toujours là-bas, ou si même il se soucie de moi?

Mathilde était endormie sur sa couchette derrière le rideau quand elle entra dans la cabine étouffante, et afin de ne pas la réveiller elle alla à tâtons jusqu'au fauteuil placé devant le petit bureau, prit la sacoche dans laquelle elle conservait son papier à lettres, ses coupures de presse et la chemise contenant le rapport du détective de l'agence Pinkerton, qu'elle lisait chaque soir depuis la deuxième nuit du voyage. Elle posa la chemise sur le bureau,

défit patiemment le ruban et resta assise en silence dans l'obscurité jusqu'à ce qu'enfin, frottant une allumette, elle allume la
chandelle et l'approche tandis qu'elle se penchait sur le rapport de
deux cent dix-huit pages, entièrement rédigé, pour la plus grande
partie à l'encre brune, d'une écriture presque toujours minuscule
et difficile à lire, sur du papier sans lignes, dont chaque page était
imprimée du logo représentant un œil fixement ouvert et la devise
Nous ne dormons jamais, avec, au-dessus, les mots *Agence nationale*,
et en dessous *d'enquêtes Pinkerton*. Au cours des journées chao-
tiques précédant le départ, elle avait été incapable de trouver un
livre en anglais qui promît une description précise de New York.
Alors elle avait eu l'idée que le rapport du détective devait contenir quelques indices sur la vie telle qu'elle se passait là-bas. (Bien
que, si elle n'avait pas eu cette idée, il eût été difficile de croire
qu'elle l'aurait laissé derrière elle.) Mais durant les dernières nuits
dans sa cabine, le compte rendu méthodique de la vie de José
Martí effectué par le détective yankee et ses confrères l'avait absorbée de manière inattendue : il l'avait immergée de nouveau dans
l'époque, huit années auparavant, où elle avait connu Martí,
époque à laquelle le rapport faisait à peine allusion. Bien sûr il
jetait une certaine lumière sur Martí, l'immobilisant sous un
regard scrutateur, et non dénué de partialité. Mais elle savait comment lire à travers le canevas léger des préjugés des détectives.
Maintenant qu'elle se dirigeait vers New York, elle lisait le rapport
d'une façon nouvelle ; comme si ces pages, avant, manquaient
de sel, et qu'à présent elles étaient (air de l'océan) salées et qu'un
parfum nouveau émanait d'elles :

Miss Susan Paral, par exemple, avait endossé le premier rôle.
Elle n'était pas, certes, mentionnée dans un plus grand nombre
de pages qu'avant, pourtant au cours de ces dernières nuits, María
de las Nieves avait éprouvé un intérêt particulier pour Miss Paral,
la jeune agente gringa de Pinkerton qui venait prendre des leçons
d'espagnol auprès de Martí, auxquelles son épouse, Carmen, assis-

tait souvent, dans cette même pension de New York, propriété
d'un couple cubain, Manuel Mantilla et son épouse, Carmita
Miyares, 51, Vingt-cinquième Rue Est, où un agent Pinkerton,
identifié seulement par les initiales *E. S.*, avait pris une chambre,
se faisant passer pour un étudiant. Il était clair qu'E. S. était la
figure centrale de l'opération d'espionnage dont Martí était
l'objet, ainsi que le narrateur principal du rapport.

*Messieurs : Mon agent « E. S. » rapporte ce qui suit concernant
Mr. José Martí…* Le rapport commençait par ces mots, adressé par
Allan Pinkerton aux diplomates espagnols, dont l'ami de Paquita,
le consul général d'Espagne.

Alors même qu'elle déambulait dans les rues sinueuses d'Acapulco deux jours auparavant avec Mathilde, María de las Nieves
s'était surprise à songer aux aventures ambiguës mais périlleuses
de Miss Susan Paral, remarquant à peine le pittoresque village,
jusqu'à ce que son marin maigre à la peau sombre refasse son
apparition et les invite laconiquement à manger de la glace parfumée dans un café qu'il connaissait près du marché. Il semblait
plus jeune, avec des yeux plus doux à la lumière du jour, que la
nuit sur le pont-promenade ; elle était plus âgée que lui, constata-
t-elle avec un choc, *peut-être* même d'une décennie. Faisant d'abord
mine de ne pas le reconnaître, elle refusa son invitation, froidement et carrément. Elle et Mathilde attendirent, tournant en
rond, que le pauvre marincito soit hors de vue ; puis elles trou-
vèrent le petit café toutes seules. Là, assise devant son assiette
de glace à la noix de coco qui fondait, elle oublia Miss Paral et
sombra dans son habituelle humeur introspective qui souvent
semblait s'élever du fond de son cœur comme une marée nocive,
ce qui signifiait qu'elle ne pouvait que refluer, habituellement
emportée par une série de longs soupirs inconscients. Et elle
s'excusa auprès de Mathilde de ne pas l'avoir entendue la dernière
fois qu'elle avait demandé : « Mamá, c'est vrai que les serveurs
noirs prennent nos nappes pour les utiliser comme oreillers et les

remettent le lendemain matin ? C'est ce que dit Elena. » Elena était la plus âgée des filles de Paquita. María de las Nieves avait aussi entendu Paquita se plaindre que les nappes étaient plus sales chaque jour. Certes, ce n'était pas une nappe immaculée et amidonnée de frais sur laquelle elles avaient pris le petit-déjeuner ce matin, mais était-elle tellement plus blanche le premier jour de la croisière ? « Bien sûr que non », dit-elle à sa fille, pensant que c'était mieux que de répondre sincèrement : J'espère que non !

María de las Nieves n'avait jamais vraiment lu le manuscrit Pinkerton entièrement du début à la fin parce que son écriture changeante – parfois mieux formée, souvent frénétique, ou se faisant de plus en plus serrée et minuscule sur des pages d'affilée, comme si elle aussi devait se cacher – en faisait un terrain épuisant et semé d'obstacles. Sa connaissance du contenu du rapport provenait d'une lecture de ses parties les plus lisibles, hors desquelles, une fois qu'elle connut ces paragraphes quasiment par cœur, elle s'aventurait dans les deux sens : une image mentale de ses lectures sporadiques au cours des ans aurait dépeint, au lieu de séries de progressions logiques, quelque chose comme un dense dessin de toiles d'araignée superposées, chacune tissée à partir de son propre centre. Elle ne doutait pas qu'il dût y avoir des trous qu'elle n'avait jamais lus. Elle feuilleta rapidement les pages jusqu'à ce qu'elle trouve un paragraphe consacré à Miss Paral et ses leçons d'espagnol, et retomba sur une narration ignoble d'E. S., adressée à quelqu'un qu'il appelait toujours Monsieur le Superintendant ou simplement « Monsieur », son supérieur à l'évidence. Ici sur cette page le noyauteur de la pension écrivait :

« Monsieur le Superintendant, je soupçonne Miss Paral de n'être pas sincère avec moi. Sans se laisser décourager par les difficultés qu'éprouve Mr. Martí à parler l'anglais, Miss Paral relate leurs conversations avec trop d'enthousiasme, y compris celles dont un jour, une fois qu'elle se sera calmée, je ne doute pas qu'elle jugera être de pure invention. Monsieur, elle essaie même de traduire un des "poèmes" de Mr. Martí, sous prétexte d'avoir l'air d'étudier avec enthousiasme afin de gagner plus totalement sa confiance. Miss Paral me répète les histoires qu'il lui raconte avec trop d'exaltation, et ce sentiment semble croître chaque semaine. Hier elle m'a raconté celle d'un général cubain rebelle qui avait trouvé une colombe blanche sur le champ de bataille, assommée par les détonations. Le héros cubain avait ramassé la colombe, l'avait enveloppée dans son mouchoir marqué de ses initiales et avait envoyé un petit paysan porter l'oiseau catatonique (dans sa couche-culotte en soie autographiée) à travers les lignes ennemies à sa bien-aimée épouse enceinte qui habitait une maison abandonnée dans une plantation, avec quelques serviteurs et les femmes fugitives d'autres officiers rebelles. "N'est-ce pas la chose la plus romantique et galante que vous ayez jamais entendue ?" m'a demandé Miss Paral, ses yeux bleus brillant d'extase mystique comme les lumières d'un port dans la brume laiteuse du matin. "Miss Paral, lui ai-je répondu, dans cette précieuse anthologie d'héroïsme et de galanterie antillais qu'il semble que nous vous payons afin de la compiler au cours de vos leçons hebdomadaires avec Mr. Martí, n'êtes-vous pas parvenue à tirer de notre expansif sujet ne fût-ce que quelques miettes d'information ? Rien que cette écume et ces vomissures ? Je dîne avec lui plusieurs fois par semaine, bien sûr, dans notre petite *pensione*, Miss Paral, et je sais que le *Signore* Martí, bien qu'il soit dernièrement un *cavaliere* très maussade, s'il est suffisamment chauffé par les compliments, l'admiration, l'attention, quelques verres de vin ou un petit gin, présentera la façade d'un *castello* majestueux mais pas exactement bien défendu, car il n'est pas, je pense, immunisé contre une tendance à faire des allusions pleines de fierté aux conspirations rebelles. Toutefois, je ne suis pas la personne idéale pour couler vers lui de très doux yeux bleus pour lui arracher l'histoire de *son propre héroïsme actuel*, des activités risquées et réelles dans lesquelles il est *engagé en ce moment même*, afin qu'il puisse soupirer sur sa bravoure, ou même trouver une raison de juger notre piètre héros digne d'un petit baiser secret d'encouragement conjurateur. Qu'en dites-vous, Miss Paral? J'ai entendu de la bouche même de Martí qu'il vous trouve très jolie. Je l'ai entendu dire que vous, Miss Paral, lui avez inspiré une *nouvelle conception de la beauté américaine!*"

« Monsieur le Superintendant, poursuivait E. S., notre ami cubain aux opinions bien arrêtées a même eu le front de m'affirmer à table, devant sa propre épouse et les autres pensionnaires cubains, qu'il juge nos femmes yankees bien bâties et intelligentes, bien que trop pragmatiques, athlétiques, sûres d'elles et obsédées par l'argent pour être véritablement belles, et blablabla en comparaison des tendres vertus, des yeux noirs volatils et séduisants des femmes des tropiques (bien que les yeux de l'épouse de Mr. Martí soient d'un noisette saisissant). Du moins, jusqu'à ce qu'il rencontre le regard céleste de Miss Paral. Mr. Martí juge que Miss Paral est la première vraie beauté sudiste qu'il ait rencontrée. Il déclare qu'il comprend mieux maintenant l'esprit chevaleresque et le code d'honneur de nos camarades confédérés, justement vaincus, s'ils croyaient aussi défendre leur idéal féminin contre une société capable de former des femmes si viriles et matérialistes. Oh, Monsieur, que n'aurais-je donné pour être capable de révéler à notre onctueux insurgé cubain que notre fleur habilement cultivée est en réalité native de Schenectady, et véritablement une actrice-née! Au cours de notre dernière réunion, j'ai demandé à Miss Paral: "Quand Mr. Martí se rend sur les quais pour monter à bord des vapeurs en partance pour ou en provenance de Cuba afin de rencontrer des passagers et des hommes d'équipage dont il va parfois dans les cabines, échappant ainsi complètement à notre surveillance, qui va-t-il voir? Va-t-il échanger des messages? De quelle manière et que disent-ils? Quand il entre dans des hôtels, Miss Paral, encore une fois en échappant souvent à nos agents, quel but poursuit-il? Pouvez-vous arriver à le savoir, Miss Paral?" Elle a répondu que Mr. Martí lui avait dit que la manière de vivre dans nos hôtels les plus récents est une chose qu'un Américain du Sud ne pourra jamais comprendre. "Voilà une affirmation remarquable, Miss Paral, ai-je rétorqué. Qu'est-ce que Mr. Martí ne peut pas comprendre?" Elle m'a répondu avec ce qui me parut être un petit sourire coquin: "Il conçoit nos hôtels comme des édifices monstrueux uniquement destinés à offrir des subterfuges au vice et à détruire la vie de famille. Il a dit aussi que nos hôtels engendrent une faiblesse physique et spirituelle en détournant complètement les gens des plaisirs de la vie au grand air, de la nature. Pepe a appris qu'il existe des familles qui vivent dans des hôtels élégants sans jamais sortir, y prenant tous leurs repas, leurs distractions, et même leurs exercices, et cela l'étonne et le consterne." (Miss Paral prétend, Monsieur, que Mr. Martí insiste pour qu'elle l'appelle Pepe, prononcé *pé-pé*.) J'ai dit: "Eh bien alors, Miss Paral, pourquoi est-ce que Mr. Pepe ne cesse d'entrer et sortir de ces hôtels, tout en échappant souvent ainsi à notre surveillance?" Monsieur, je suis inquiet au sujet de Miss Paral, et crains qu'elle ne rencontre notre Cubano en secret, peut-être même dans un de ces hôtels, ou qu'elle espère ou projette de le faire. J'ai déjà mentionné la discorde dans le couple Martí, qui ne peut qu'encourager cette situation. Je conseille de faire suivre également Miss Paral, mais je crains qu'elle ne s'en aperçoive trop rapidement, et ne se venge de notre méfiance en nous trahissant auprès de l'objet de notre surveillance. J'ai également songé à suspendre ses leçons d'espagnol si, dans deux semaines, ses efforts continuent à être vains; toutefois, je crains la même réaction…»

Et María de las Nieves se rappela Martí faisant mine de tenir dans ses mains la colombe enveloppée du mouchoir invisible tandis qu'il traversait à pas légers la salle de conférences de l'Academia de Niñas de Centroamérica en leur racontant cette même histoire (moins, évidemment, les annotations aigres de l'agent) et juste alors qu'il abordait la partie où le présent du général rebelle était déposé par le messager entre les mains de sa jeune épouse enceinte, Martí exécuta ses mouvements, s'arrêtant devant María de García Granados pour mimer le geste de déposer la colombe du héros dans ses mains tendues, et elle, avec ses yeux aux longs cils brillant d'émotion, porta la colombe à ses lèvres et l'embrassa, et les filles, en pâmoison, crièrent des ayyyy et applaudirent.

Des acteurs! s'était-elle dit, bouillonnant intérieurement. Son flair pour la fumisterie, que son séjour au couvent avait aiguisé, lui disait qu'ils avaient répété la scène.

« Quand vous serez prête, María de las Nieves, votre maître apparaîtra », lui avait dit Don José Pryzpyz un après-midi dans sa boutique. C'était l'un de ses dictons hébreux. Si un jeune Hébreu est destiné à apprendre les secrets des textes mystiques sacrés, alors, au bon moment, son maître apparaîtra. Don José plaisantait : il s'agissait seulement de lui apprendre à travailler le latex. « Et que contiennent ces textes mystiques, Don José ? » avait-elle demandé. Le réparateur de parapluies avait répondu qu'il y avait des milliers et des milliers de livres semblables, que des bibliothèques plus grandes que le palais de Buckingham avaient été construites rien que pour accueillir les écrits des mystiques juifs, et que chacun de leurs mots était pure sottise.

Don José poursuivit sa leçon sur les subtilités de la vulcanisation. Il lui apprenait à confectionner des bottes en caoutchouc parfaitement adaptées à ses pieds, selon une méthode fondée sur celle des Indiens d'Amazonie, qu'il prétendait avoir améliorée. Il avait déjà cousu des bas dans du gros tissu de coton avec des semelles en cuir souple qu'il avait enfilés sur des formes recouvertes d'huile de noix de coco et de savon, et maintenant il était prêt à enduire les bottes-chaussettes de plusieurs couches de caoutchouc brut qui mijotait déjà dans une grande bassine en fer. Il était préférable de n'ajouter que de l'ammoniaque au lait pour commencer, lui apprit Don José, car il savait d'expérience que les vêtements en caoutchouc qui contenaient du sulfure, surtout dans les climats tropicaux, sentaient l'œuf pourri, d'autant plus qu'il faisait chaud. Il suffisait, pour les rendre plus résistantes, de fumer les bottes au sulfure à l'étape du séchage, ce qui réduisait de beaucoup leur mauvaise odeur.

Plus de deux années avaient passé depuis l'après-midi où Don José, assis dans son échoppe, avait levé les yeux sur l'adolescente qui regardait sa vitrine vide, et scrutait l'intérieur de sa boutique, avec un air particulièrement absorbé et même quelque peu perturbé. C'était en novembre, au début de la saison sèche, et elle ne portait ni parapluie ni ombrelle. Bien qu'elle eût la peau brune, et la tête couverte d'un châle noir, il vit que ce n'était pas une servante envoyée par sa maîtresse faire une achat ou chercher un article en réparation : sa robe couleur crème n'était pas celle d'une servante, et sa façon de regarder sa vitrine non plus. Une jeune femme apparemment si intéressée par sa boutique était chose très nouvelle. Mais que cherchait-elle ? Il n'avait jamais été capable de l'expliquer à María de las Nieves (ni à Mack), pourtant il avait alors eu le pressentiment que quelque chose d'inattendu et d'étonnant était sur le point d'arriver, ou avait même commencé à arriver, et il l'avait regardée avec une curiosité et une tension telles qu'il en eut bientôt le souffle coupé. C'était, décida-t-il, comme si elle voyait dans sa vitrine une chose que personne d'autre ne pouvait voir. Comme si elle seule voyait qu'il y avait là une de ces scènes de la Nativité que les gens d'ici disposaient au sol à Noël, avec de petits chameaux et de petits ânes mécaniques qui hochaient la tête, y ajoutant des touches personnelles telles qu'un aérostat attaché à un fil, tournant sans cesse comme l'aiguille d'une montre, et un Roi mage enturbanné penché hors de la nacelle observant l'Enfant Jésus à l'aide d'une lunette. Noël n'était pas loin, après tout. Peut-être devrait-il sortir pour dire à la fille : Ma crèche vous plaît ? Et peut-être se prendrait-elle au jeu, et chacun décrirait alors ce qu'il voyait, et de cette manière magique, une amitié prendrait naissance. Mais peut-être n'était-il pas correct pour un juif d'inventer un jeu à propos d'une scène de la Nativité invisible. Peut-être est-elle illettrée et ne peut-elle pas lire l'enseigne, pensa-t-il, et se demande ce qu'il vend. Oui, c'est probablement ça, se dit-il, avec une pointe de déception ; il sortirait lui dire ce qu'il faisait, et l'inviter à prendre le thé. Il fut pris d'une soudaine appréhension : et si sa curiosité touchait son commerce nocturne, si elle tentait de rassembler le courage nécessaire pour entrer demander un préservatif ? Cette éventualité le mortifia et il se figea sur sa chaise. À présent il ne savait plus que faire : rester assis ou sortir lui parler ? Il se sentait profondément divisé – un côté de lui désirant faire la connaissance de cette fille à l'air sympathique et l'autre soupçonnant qu'elle était effrontément dépravée – et il sentit sa paralysie augmenter encore, formant un canyon qui l'engouffrait de l'intérieur. L'expression de la jeune fille s'était adoucie : elle observait maintenant la vitrine comme si ses pensées étaient ailleurs. Elle jeta un regard hésitant dans la rue, d'un côté, puis de l'autre, et, tout d'un coup, la porte de sa boutique s'ouvrit et elle était là, le fixant de ses yeux éclatants couleur de boue, assis sur sa chaise tel un vendeur de billets désœuvré, et elle lui expliquait, d'une voix polie et assurée, qu'un peu plus de deux années auparavant, alors qu'elle était écolière, elle était passée devant sa boutique et avait vu une foule d'hommes assemblée devant la vitrine, et qu'elle se demandait depuis lors ce qui y était exposé ce jour-là, pour exciter une telle curiosité…

« Oh… deux ans ? Oh Señorita… Oh, je me pas rappeler… Dans ma vitrine ?

– Ça faisait une telle sensation, Señor, c'était frappant – est-ce que vous préférez parler l'anglais ?

– Il y avait peut-être un parapluie ? (Regardant, bouche bée de surprise, cette fille qui venait de lui parler dans un anglais légèrement accentué, qui avait visiblement du sang indien malgré la nuance roux foncé de ses cheveux et ses sourcils noirs…)

– ...

– Ah! Maintenant je me rappelle, Señorita!» Et il s'était précipité dans l'arrière-boutique pour revenir avec une poupée faite
de baleines de parapluie, une petite boule de latex fichée sur le
manche, la paille d'un balai en guise de cheveux, le tout peint en
jaune. Pendant la saison sèche, il y avait moins de travail et, mû
par l'ennui et une nostalgie inexplicable, Don José avait confectionné cette poupée jaune.

«C'est mon homme de paille qui causait l'attroupement que
vous avez vu!»

Elle sembla légèrement déçue. Ce n'était pas grave, s'était-il
dit alors avec quelque culpabilité et bien des fois depuis; c'est
le genre de mensonge qu'on raconte à une innocente jeune fille.
Il lui offrit un verre de thé, et elle finit par rester presque tout
l'après-midi, et dès lors ils furent intimement unis par une grande
amitié. C'est le soleil de ma vie, Mack! Avant qu'il se fût lié à
Mack Chinchilla, il n'avait eu personne à qui confier de pareilles
émotions. Personne d'autre n'eût été intéressé le moins du monde.

À l'époque, María de las Nieves était retournée depuis peu dans
la capitale après avoir vécu à Los Altos avec sa mère et l'éleveur
de moutons, et grâce à l'argent de la vente de la terre de son père
elle avait acheté la petite maison. Au cours de ces premiers mois
inoubliables, elle avait passé beaucoup de temps chez elle, se
vouant aux travaux d'amélioration qu'elle était capable d'effectuer
par elle-même, et ne faisant que prétendre qu'elle pourrait vivre
ainsi les soixante ans à venir si elle le désirait, sachant que bientôt
elle aurait besoin de trouver du travail, ou un mari. Ou bien elle
allait par les rues des heures durant, comme si la ville était une
grande métropole pleine d'attraits, d'enseignements et de surprises inépuisables – bien qu'elle craignît toujours de croiser le
chemin d'une religieuse de son ancien couvent, sortie incognito
pour quelque course de son nid clandestin. Elle voyait encore
parfois des pleureuses professionnelles allant mendier des œufs de

porte en porte, et si elles ne le faisaient pas pour les religieuses, alors pour qui?

Par un après-midi pluvieux de ces mêmes mois, lors d'une de ses nouvelles promenades, María de las Nieves tomba sur un autre attroupement mystérieux, devant une maison qui se révéla être la légation des États-Unis, attirée par le bruit d'une robuste querelle entre le résident et son épouse, qui venait de derrière les volets. De même que ce premier attroupement devant la vitrine du réparateur de parapluies quelques années auparavant, celui-ci aurait lui aussi de profondes répercussions sur sa vie. En effet, il ne se passait quasiment pas un après-midi sans que reprenne le drame domestique à l'intérieur de la résidence diplomatique, mais puisque les mots et les insultes étaient criés en anglais, les auditeurs qui se trouvaient là presque chaque jour n'en comprenaient jamais rien. Les rares fois que des passants yankees ou anglais s'arrêtaient eux aussi pour écouter – au lieu de se hâter de passer, l'air insulté ou goguenard – ils ne parlaient jamais assez bien l'espagnol pour les traduire ou, sinon, étaient trop fiers pour le faire. Cependant, aussi longtemps qu'ils restaient, ces étrangers anglophones devenaient le nouvel objet de l'attention de la foule : si un étranger laissait échapper un rire scandalisé par la dernière bordée de hurlements incompréhensibles issue de la légation, la foule imitait ce rire, ou roulait les yeux de dégoût, ou secouait tristement la tête, selon la réaction de celui-ci. Déconfits de voir la multitude d'yeux si intensément fixés sur eux, chacun de leurs grimaces et gestes imité, en général ces Yankees et Ingleses battaient promptement en retraite. Cet après-midi-là María de las Nieves assista à une telle rencontre entre la foule et un couple de gringos à l'air peu commode, et se sentit si instantanément provoquée par leur dédain brutal – *Mêlez-vous de ce qui vous regarde, tas de noirauds mécréants*, grogna l'un tandis qu'ils s'en allaient – qu'elle se mit à traduire ces mots avant même que les hommes fussent hors de portée de voix. Les gringos ébahis se retournèrent pour l'invectiver et, avant même qu'elle eût terminé de traduire leur première salve d'insultes, la foule avait formé autour d'elle un cercle protecteur. Elle ne comprenait pas tout ce que disait le couple querelleur, bien sûr, mais ce n'était pas non plus du Shakespeare. Tenant serrés sur sa poitrine les pans du châle qui protégeait sa tête de la bruine, son visage exprimant un ravissement enfantin provoqué par l'occasion qui lui était donnée de faire étalage de son don peu commun et d'être le centre de pareille attention, María de las Nieves avait poursuivi la traduction, sans reproduire toutefois le ton et les inflexions furieux, caustiques, railleurs et accusateurs du malheureux couple, parlant au contraire d'une voix douce et égale qui faisait que chacun se pressait pour écouter. Il n'y aurait eu personne qui, voyant María de las Nieves avant de l'entendre, aurait pu deviner quels mots horribles coulaient de sa bouche : les bordées cinglantes de reproches lancées par l'épouse du représentant des États-Unis, les insultes féroces de celui-ci, dont certaines étaient si comiques qu'elles suscitaient huées et gloussements. Il s'avéra qu'elle n'était pas même véritablement son épouse – *ma soi-disant femme... ouais, ta soi-disant femme, et alors, c'est toi qui m'as attirée ici, nan, avec toutes ces belles promesses, la lune et les étoiles, les lords et les ladies, les grandes réceptions diplomatiques, ouais, et pas même une fois... J'aurais dû te laisser dans le nid de putes où je t'ai trouvée... Ah ta gueule ou je te pète la mâchoire, espèce de lâche minable avec tes couilles comme des petits pois desséchés!* – cobardito de testiculos de chicharos resecaditos! Et à peine ces mots choquants étaient-ils sortis de sa bouche, María de las Nieves aperçut, arrêtés sur le trottoir juste à l'orée de l'attroupement, une jeune femme magnifiquement vêtue au bras d'un élégant jeune homme, partageant un parapluie en taffetas gris perle, la femme au visage doré la fixant d'un regard scandalisé et plein de reproche ; et alors que l'homme, jetant un œil hautain par-dessus son épaule, la tirait par le bras pour l'éloigner de la foule et qu'ils reprenaient leur marche, María de las Nieves vit que cette belle doncella n'était autre que Sor Gloria de los Ángeles, son ancienne sœur novice. Comme si elle était à la fois fascinée et humiliée par cette révélation de sa propre disgrâce, elle poursuivit sa traduction, mais d'une voix brisée, jusqu'à ce que la pas tout à fait épouse du diplomate yankee éclate en sanglots, qu'il n'était pas nécessaire de traduire, car on aurait dit qu'ils jaillissaient de son âme tel le sang d'une artère sectionnée, s'élevant de plus en plus haut de derrière les murs couverts de lierre de la légation, jusqu'à ce qu'un geyser écarlate de sanglots monte dans le ciel gris, après quoi il cessa, et une ombre pareille à l'ombre de la mort tomba sur la foule silencieuse. À ce moment María de las Nieves, tête baissée afin que personne ne puisse voir son visage dévasté, était déjà à mi-chemin de la prochaine rue, en route pour chez elle.

Des mois s'écoulèrent avant qu'elle ose repasser par cette rue. Mais parmi les personnes attroupées devant la légation US cet après-midi-là se trouvait Higinio Farfán, commis à la légation britannique et traducteur depuis dix-sept ans, malgré son anglais rudimentaire qui, au lieu de s'améliorer au cours des ans, se dégradait, en même temps que sa mémoire. L'ambassadeur Gastreel avait récemment déclaré plus d'une fois à Higinio Farfán que la qualité de son travail était inacceptable. Cependant le commis n'avait pas oublié la performance de María de las Nieves : ce même après-midi, il avait payé un gamin des rues pour la suivre jusqu'à chez elle afin de connaître son adresse. Une adolescente ne pouvait devenir officiellement employée à la légation britannique, bien sûr. Toutefois si ses talents de traductrice étaient sans égaux au sein de la population pas extrêmement éduquée de la Republiquita ? Ne pouvait-elle être employée officieusement, comme domestique, si, en échange de ses bons offices, Don Higinio, qui approchait la cinquantaine, conservait son emploi et sa dignité ?

« Dans les glorieuses annales de la diplomatie de l'isthme, le passage ici même de Mr. Noah Cale fut un des rares épisodes sordides», déclara Wellesley Bludyar, avec un timide sourire, fier de faire connaître à María de las Nieves l'existence du peu honorable ambassadeur US. À l'époque elle travaillait déjà depuis plusieurs mois à la légation britannique. L'ambassadeur Cale, lui apprit le premier secrétaire enamouré, importait des meubles hors taxe, prétextant qu'ils étaient destinés à la légation, pour les revendre à grand profit, et non seulement cela, il avait un jour essayé de poursuivre en justice une domestique qui s'était enfuie, sous prétexte qu'elle avait volé un matelas d'une valeur de huit dollars. La pauvre fille était si furieuse que malgré sa frayeur, elle avait été demander justice auprès du maire «... pour ce qu'elle appelait... euh, désolé... plutôt ce que le maire a ensuite appelé...». Bludyar fit une pause, ses yeux s'emplissant d'une panique bleue. María de las Nieves lui donna une légère tape sur le genou et dit: «Ya, Wellesley, dites-moi! – Ahh, oui, bien sûr, désolé... des services secrets, vous voyez. À la fin, poursuivit Bludyar à toute vitesse, le maire lui-même paya le matelas, mettant ainsi fin à l'affaire. Et le pauvre Cale fut bientôt rappelé.» La rougeur de Bludyar s'accentua encore jusqu'à virer à la nuance betterave. «Il n'a pas donné un seul dîner diplomatique. Le colonel Williams, bien sûr, son remplaçant, est un parfait gentleman, avec une épouse très jolie et charmante, Margarita – de Cuba, Neiges, vous saviez?»

Plus tard son amie Vipulina Godoy, l'ancienne Sor Cayetano del Niño Salvador del Mundo, la religieuse qui s'était échappée de Nuestra Señora de Belén en prenant tout simplement la porte, apprit à María de las Nieves qu'elle avait dû se tromper, qu'une année environ après la suppression des couvents Sor Gloria de los Ángeles avait fui la maison familiale pour rejoindre Sor Gertrudis dans son couvent caché. María de las Nieves admit qu'il était possible qu'elle se soit méprise: une ressemblance passagère mais trompeuse, peut-être. Elle s'était imaginée comme une sorte de saint Antoine de Padoue prêchant aux poissons qui se pressaient devant le rivage pour mieux entendre, tête et queue hors de l'eau, et l'apparition de Sor Gloria, en lui faisant honte, avait asséché la mer.

« Mais où est-elle, avait-elle demandé à Vipulina. Où se trouve leur couvent secret ? Tu ne le sais pas encore ? » María de las Nieves savait qu'une nuit Vipulina, dans la maison de sa tante, où elle habitait, avait reçu une visite-surprise de Sor Gertrudis. La nonne étrangère avait émergé de sa cachette, déguisée en laïque, ne baissant le voile noir relevé sous son capuchon qu'une fois qu'elle avait été reconnue, pour demander à Vipulina si elle s'était enfin repentie de ses manières sacrilèges et avait retrouvé la vocation.

« Claro qué no, Las Nievecitas ! Et je ne crois pas que je veuille savoir où il se trouve. » (Vipulina prétendait qu'elle avait répondu à son ancienne prieure par un *Claro qué no !* encore plus sonore.)

Dans huit jours, déclara Don José à María de las Nieves, elle pourrait porter ses bottes en caoutchouc. Elles étaient en train de sécher dans le petit patio derrière l'échoppe, sur un feu fumant de balle de jeune maïs et de sulfure.

Les cheveux, la moustache et la barbe de Don José, d'un brun-gris terne, encadraient son visage de telle façon qu'on aurait dit une loutre sortant tout juste de l'eau, les yeux affamés et pleins d'espoir bordés d'un rose livide, comme s'ils étaient perpétuellement enflammés par les fumées de latex, d'ammoniaque, de sulfure, de soudure et de charbon. Assis sur son tabouret, penché sur sa forge miniature, les genoux presque aussi hauts que les épaules, sous les tringles d'acier et les baleines de parapluie suspendues au-dessus de sa tête, entouré de goupilles entassées et de pièces de taffetas, de soie et autres tissus, de briques de latex brut et de feuilles vulcanisées, de manches de parapluie pliants, de bois empilés de diverses qualités dont il faisait des poignées et des moules, Don José ressemblait à l'une de ses figurines en baleines de parapluie, un forgeron géant et païen, occupé à créer une nouvelle race d'êtres aux membres grêles et aux têtes en latex au fond de sa caverne.

Trois ou quatre après-midi par semaine, María de las Nieves venait tenir compagnie au réparateur de parapluies polono-anglo-juif, généralement dans l'atelier derrière la boutique. Le commerce de Don José était hivernal, et durant la saison sèche il avait beaucoup de temps libre qu'il occupait, pour se dégourdir les doigts, et plus pour l'amusement de María de las Nieves que le sien, et encore pour avoir une porte de sortie toujours prête en cas de silence trop prolongé, en fabriquant des poupées en baleines de parapluie. Dernièrement, il attachait aussi des fils à ses créations, grâce auxquels il les faisait marcher, mais pas beaucoup, car ils en éprouvaient tous deux de la gêne. Le rôle de María de las Nieves consistait à confectionner les têtes à l'aide de latex, de cire, de copeaux de bois, de boules de tissu en forme de pelote à épingles, à coudre les costumes si elle le désirait, et à donner un nom aux créatures. L'ex-novice était, évidemment, une habile couseuse, mais les poupées n'étaient pas particulièrement artistiques. Jusqu'alors il y en avait peu qui surpassaient en qualité et en imagination l'homme de paille, la première création de Don José. Il projetait d'en mettre quelques-unes en vitrine à l'occasion de Noël pour voir si elles se vendaient ; auquel cas, ils partageraient les gains. Néanmoins il était résolument opposé à l'idée d'un théâtre de marionnettes et se souciait si peu d'attribuer une histoire à ses créations qu'il ne se rappelait jamais les noms qu'inventait María de las Nieves ou les personnages qu'elle improvisait parfois pour elles, ce qui était surprenant, vu qu'il raffolait généralement de tout ce qu'elle faisait.

« … Mais il est vrai, María de las Nieves, que quand j'étais enfant, j'adorais les marionnettes, lui expliqua Don José. Je me rappelle un spectacle en particulier, donné dans un petit pavillon qui était apparu un beau jour dans un parc près de chez moi à Manchester. Tout un opéra, *Le Nozze di Figaro*, de Mozart, interprété par des marionnettes très ressemblantes, pas plus hautes que votre genou, María de las Nieves, avec tout un orchestre devant la scène, dont tous les violonistes jouaient ensemble ; parmi eux il

y avait un joli jeune homme, avec des boucles dorées, qui n'arrêtait pas de tourner la tête pour regarder le spectacle et de perdre
le rythme, ce qui amenait le chef à se pencher pour lui donner
des coups de baguette sur la tête! Vous me demandez comment
c'est possible, un opéra de Mozart interprété par des marionnettes, mais je l'ai vu. Vous me croirez plus facilement quand je
vous aurai dit que les marionnettes ne chantaient pas, et que les
musiciens ne jouaient pas non plus. L'opéra était muet la plupart
du temps. Parfois une voix invisible chantait quelques bribes de
mélodie, accompagnée par un seul violon.»

Après un instant de silence María de las Nieves déclara: «Ce
serait bien de monter un spectacle comme celui-là dans la nouvelle école pour les sourds – je sais que cela leur plairait.

– Hehhehheh.» Le réparateur de parapluies émit un rire discret et grondant. «Eh bien, il n'était pas complètement muet.»

Elle souleva le bras de la marionnette qu'elle était en train de
vêtir et dit: «Coupez-lui la tête!» En particulier durant la saison
des pluies, quand Don José ne cessait de réparer des parapluies,
María de las Nieves lui faisait souvent la lecture et *Alice au pays
des merveilles* était un de leurs livres préférés.

«Vous pourriez monter l'histoire d'Alice, Don José.

– Je n'en éprouve pas le besoin, María de las Nieves. Le livre
me plaît, cela me suffit.

– Pour les enfants qui ne savent pas lire, ou qui sont à l'hôpital.

– Qui ne savent pas lire.» Il eut un grognement de dédain.

«Ou pour les petits Indiens.

– Vous leur rendriez plus service en les épouillant.

– Je pourrais le traduire en mam, Don José!

– Hehhehhehheh.

– *Q'imila twi!* Ça veut dire "Coupez-lui la tête" en mam, Don
José.

– Quel autre livre aimeriez-vous adapter pour la scène, María
de las Nieves?

– *Middlemarch.* »

Ils demeurèrent silencieux quelques instants.

« Mrs. Gastreel me l'a prêté.

– Je n'ai pas lu ce livre. »

Un instant plus tard, elle déclara, à voix basse et d'un ton solennel : « *La clé de toutes les mythologies.* »

Le réparateur de parapluies lui jeta un coup d'œil comme s'il attendait qu'elle en dise plus, puis retourna à ses marionnettes. Et ils retombèrent dans le silence.

« À quoi ressemblent les gens qui étudient ces livres sacrés hébreux, Don José ? demanda-t-elle enfin.

– Ils finissent, dit-on, par irradier la sagesse et la lumière, ou ils deviennent complètement fous. Bien que personne ne puisse faire la différence.

– En avez-vous déjà vu ?

– J'ai vu plus d'un juif fou. Comment ils le sont devenus, il est possible que j'aie mon avis là-dessus, mais je préfère le taire.

– Assurément, le Maestro Martí irradie la sagesse et la lumière, Don José.

– Est-ce que je vous ai dit que j'avais vendu au Señor Martí un parapluie très solide que j'avais réparé ?

– Oui. Il connaît même la religion juive, Don José. Il nous a dit que les mystiques juifs ont une croyance qui lui plaît beaucoup, selon laquelle le pouvoir de la parole est tel qu'elle éveille les cœurs et les âmes endormis et leur permet de converser avec Dieu.

– Alors, le Señor Martí connaît même les mystiques juifs ! Mais votre très savant ami est athée comme vous et moi. C'est la réputation qu'il a, non ? J'ai entendu dire que les conservateurs jugent qu'il est le diable en redingote de twill. Eh bien, je sais de source sûre qu'il est franc-maçon.

– Parfois je vous dis des choses, Don José, qui ne sont pas nécessairement fausses – mais selon mon humeur, il est possible que je les rétracte. Et le jour suivant, il se peut que je change de nouveau.

— Je ne trahirai pas le secret de vos vacillements religieux, María de las Nieves.

— Les bonnes sœurs croyaient le contraire, que le silence et la prière intérieure sont le meilleur moyen de converser avec Dieu. Pourtant elles écrivaient des poèmes pour célébrer leur silence, qui nous étaient lus afin de nous aider à trouver le silence.

— Nous aurons l'éternité pour être silencieux. »

Et ils retombèrent dans le silence, jusqu'à ce que María de las Nieves déclare : « Ceux qui disent du mal des Rosenthal, Don José, parce qu'ils vendent des fleurs qu'on pouvait cueillir pour rien dans les prés autour de la ville avant qu'ils n'ouvrent leur boutique, doivent reconnaître qu'avant les gens préféraient les fleurs artificielles aux naturelles. Et maintenant tout le monde veut avoir chez soi les beaux bouquets des Rosenthal. Grâce aux Rosenthal, les gens ont remarqué l'abondance florale de notre pays comme jamais auparavant.

— Les Rosenthal seraient ravis d'entendre vos louanges, María de las Nieves. Je n'y avais jamais pensé, mais je ne doute pas que ce que vous dites est vrai.

— Et toutes les patojas veulent porter une fleur de jasmin ou une rose derrière l'oreille ou à leur corsage. Et dans le journal j'ai lu que le jasmin a un tel succès qu'on a du mal à en trouver, et qu'on a surpris des jeunes gens à escalader des murs juste pour voler une branche en fleur dans un jardin. Et il y a même des hommes maintenant qui portent des fleurs à leur boutonnière tous les jours, qu'ils achètent aussi aux Rosenthal. Et les caféiers, avec leurs fleurs blanches et leurs fruits rouges sont maintenant considérés comme la source de toute la richesse du pays.

— Je vois. Et bientôt nous mangerons des fleurs. Pour le dîner, l'hôtesse placera un grand vase garni par les Rosenthal au centre de la table, et nous nous pencherons tous avec nos fourchettes et nos couteaux ou, mieux encore, nous arracherons les fleurs de nos mains comme des sauvages… hehheh… pour les manger avec des tortillas et un peu de sel.

— Et le Maestro Martí dit que notre poésie devrait trouver son inspiration dans la beauté de la nature américaine. Il dit que l'Europe a son propre caractère et sa propre poésie, mais que l'Amérique est complètement différente – un pays de femmes aux tendres yeux noirs et de jasmin, c'est ce qu'il a dit, et que notre poésie devrait l'imiter et être aussi fraîche que l'air de nos montagnes, et, pues, il a poursuivi dans cette veine.

— Votre Dr. Torrente a le don de poursuivre dans ses veines.

— Mais ne pensez-vous pas qu'il est significatif, Don José, que les Rosenthal avec leur boutique de fleuriste et le Señor Martí avec sa poésie arrivent à la même idée par des chemins totalement différents? Aujourd'hui il est pour nous en vogue de nous voir réfléchis dans notre propre flore. Et personne ne veut de fleurs artificielles.

— C'est le progrès, María de las Nieves. L'avenir est arrivé, c'est sûr. Cela dit les Anglais ont toujours apprécié les fleurs fraîches. Et s'il était plus véritablement américain de préférer les fleurs artificielles? Ce qu'il faut vraiment que nous fassions c'est convaincre les Européens que boire un café toutes les dix minutes est essentiel à la santé, alors notre pays sera l'un des plus riches au monde!»

Elle aurait voulu avoir des yeux noirs américains comme ceux de María Chon… Je vais rapporter un brin de jasmin à María Chon, pensa-t-elle, et lui faire deux tresses décorées de fleurs de jasmin, et lui mettre du rouge aux lèvres, et ce soir nous nous promènerons toutes les deux dans le Parque de la Concordia.

«Le Maestro Martí, assura-t-elle, dit aussi que l'une des formules de l'éloquence, pas seulement dans la composition littéraire mais dans la vie, est que ce qui vient du cœur va au cœur.

— Cela me paraît très simple et sage, María de las Nieves, je suis sûr que c'est applicable à toutes sortes de choses.

– Et ce qui vient de l'âme va à l'âme.

– L'âme, eh bien – je n'ose pas spéculer sur l'âme.

– Et il dit qu'il n'a pas appris ces choses en lisant, Don José, mais de par ses propres observations et expériences. »

« Je veux partager avec vous ce qui m'est arrivé ce soir, alors que je me rendais de chez moi à l'école, un moment dont je me souviendrai jusqu'à la fin de mes jours », déclara José Martí, les bras derrière le dos, les doigts nerveusement entortillés autour du tissu de ses basques, s'adressant aux vingt-trois jeunes femmes et adolescentes qui suivaient ses cours de composition littéraire. « Ce soir, quand je suis sorti de chez moi, j'ai été instantanément désorienté. L'avenue semblait soudain différente de celle que j'avais toujours connue. Ma petite maison avait-elle été soudain transportée dans une cité inconnue et splendide ? Je regardai l'avenue, et elle me parut deux fois plus longue que d'habitude – de là où j'étais jusqu'à l'intersection suivante, la distance avait doublé depuis la dernière fois. Et bien que tout autour de moi ait eu l'aspect fascinant de l'inconnu, je remarquai que c'étaient les mêmes immeubles qui étaient là auparavant. Ce qui rendait tout si peu familier, je pris conscience que c'était la lumière. Est-il possible, très chères damas et niñas, que ce soir ce pays ait connu le plus singulier et plus magnifique coucher de soleil de notre histoire ? Le suprême chef-d'œuvre de tous les couchants de l'histoire des Amériques ? Car la lumière semblait entièrement animée. On l'aurait dit sortie de l'invisible jungle de l'air pour boire l'eau de l'une de nos fontaines, et goûter le fruit de nos jardins et vergers, et s'allonger ensuite dans la parfaite symétrie de nos longues rues droites telle une chose vivante, biologiquement apparentée à tout ce qui vit autour de nous – car là dans cette lumière, translucides et phosphorescentes, flottaient toutes les nuances de verts de nos jungles et de nos montagnes et des mousses couvrant nos plus vieux murs, et les rouges, orange, jaunes, et toutes les autres couleurs de nos oiseaux et de nos fleurs, une lumière vivante et douce exhalant le parfum de notre chaste jasmin blanc et de nos cœurs et âmes pleins de pureté. Et cette lumière, comme un ange prenant la forme de l'air, m'emplit d'une extraordinaire félicité. Je remarquai quelque chose d'autre tout en marchant, non seulement la lumière et l'allongement particulier de l'avenue, qui était peut-être une illusion due à cette lumière, mais que l'avenue, généralement si encombrée à cette heure, était vide. Il n'y avait personne dehors, ni voitures, ni chevaux, ni mules, pas de tristes Indios robustes courbés sous le poids de leurs charges. J'étais conscient de mes pensées, oui, pourtant je n'entendais même pas le bruit de mes pas et je ne voyais pas mon ombre. C'était comme si j'avais été moi aussi absorbé dans cette magnifique lumière vivante. Bien sûr cette lumière était *bonne* – à cause d'elle je me sentais empli de bonté, de gratitude et d'amour. Une des preuves de l'imperfection de l'existence est que de tels moments de béatitude sont si rares – ces moments où vous sentez que vous ne faites plus qu'un avec la nature. C'était comme cette autre fin d'après-midi dont parle le grand poète de Nouvelle-Angleterre, Emerson, au cours de laquelle un homme perd la conscience de soi et disparaît dans le monde, se métamorphose en monde, un après-midi si rare qu'il s'en souviendra toute sa vie. En de tels moments, où vos pas devraient-ils vous conduire? Il faut retourner vers votre ancien moi malheureux, retourner à votre ancienne forme. Même les plus grands mystiques ne disparaissent pas dans la lumière, n'est-ce pas? N'est-ce pas, Señorita Moran? Ce n'est pas le cas, n'est-ce pas? Si vous êtes en train de retomber lentement dans l'obscurité de votre ancien moi alors même que vous poursuivez votre marche dans l'avenue de lumière, où devraient vous mener vos pas? Ne devraient-ils pas vous mener vers celui que vous aimez? Laissez-vous porter jusqu'à la porte de cet endroit qui, dans tout le monde, est celui où vous aimerez le plus être aimée. Arrivez comme un enfant perdu qui a enfin retrouvé le chemin du foyer et éclate en pleurs de joie, anticipant l'entrée de sa mère. Arrivez comme notre vieil ami le soldat de la liberté qui reçoit le message lui apprenant que sa femme a donné naissance à un fils, et qui saute en selle et galope dans la nuit, derrière les lignes ennemies, jusqu'au ranchito où sa bien-aimée et les autres épouses des rebelles vivent cachées, et une fois devant la porte, se met à crier : *Debout, femmes, toutes, et sortez. Devant la porte se tient un homme qui attend d'embrasser sa femme et de connaître son fils !* Où mes pas m'ont-ils mené ? Ils m'ont mené ici, dans cette salle de classe, où la colombe blanche de la pureté, de la modestie et de l'amour niche dans vos cœurs à toutes, et l'aigle de la poésie et du savoir élève votre esprit et vos pensées…»

Qui Martí regardait-il alors ? Pas María de las Nieves, assise à côté de María García Granados ce soir-là, partageant un des bureaux doubles. Il regarda d'abord, bien que ses yeux ne se soient pas attardés, la fille de l'ex-président, puis fit un rapide tour d'horizon des visages empourprés de ses niñas et damas ravies :

«Ils m'ont mené ici vers mes élèves de l'Academia de Niñas de Centroamérica.»

Les cours du soir de composition littéraire pour dames du Maestro Martí avaient lieu dans la grande salle de conférences qui faisait également office d'auditorium. Dans un coin de la pièce, sur un piédestal en plâtre peint représentant l'île de Cuba tel un rocher escarpé léché par les vagues, se tenait une statue vêtue d'une tunique blanche et d'une écharpe violette, coiffée du bonnet phrygien de la Révolution, son bras tendu tenant le drapeau rebelle de l'Étoile solitaire et à ses pieds, parmi les chaînes brisées de l'esclavage, trois Africains en plâtre quasi nus levant les bras dans un geste de gratitude vers le symbole féminin de la liberté cubaine. Des banderoles rouge et bleu entouraient la petite scène derrière le lutrin, et des gravures représentant les héros de la Révolution et des scènes de la vie cubaine décoraient les murs. La directrice de l'école était Margarita Izaguirre ; son éminent frère,

José María Izaguirre, dirigeait l'École normale ; leur sœur Clara et leurs trois jeunes nièces, Clemencia, Catalina et Lucía, enseignaient également à l'académie. Les Izaguirre ressemblaient à une étonnante famille de cirque d'exilés cubains, indépendantistes et éducateurs. Toute la journée, les jeunes écolières de l'academia, issues pour la plupart des familles les plus importantes de la ville, entendaient des propos enflammés sur Cuba. L'incessante glorification de Cuba, des Cubains et de tout ce qui était cubain finit par irriter les gens : parents, amis des parents, connaissances des amis des parents, libéraux et conservateurs, jusqu'à ce que même les muletiers illettrés s'indignent qu'on parle tant de Cuba à l'école. Quand, avant longtemps, des messages anonymes pleins de sarcasmes cruels et de railleries, dont beaucoup visaient le jeune « Dr. Torrente », se mirent à circuler de par la ville, y eut-il à l'école des gens assez innocents pour être surpris ?

Le Maestro Martí avait également la passion des journaux et il lui arrivait de rencontrer María de las Nieves et María Chon au kiosque de lecture du Parque de la Concordia. Là, et chaque fois qu'ils parlaient juste avant ou après le cours, ou se croisaient par hasard à quelque événement littéraire ou conférence, Martí voulait souvent entretenir María de las Nieves de l'un ou de l'autre de deux sujets : les religieuses, particulièrement leur poésie et leur style, et la vie et les us et coutumes des Indiens. Elle n'avait jamais rencontré quelqu'un qui manifestât une curiosité si persistante à propos de ces sujets apparemment sans lien entre eux. Elle appréciait l'attention que lui portait son maître, bien sûr. D'après Martí, l'alerte simplicité du style conventuel avait maintenu vivante la langue espagnole au cours de plus de deux siècles durant lesquels les érudits l'avaient suffoquée de rhétorique tarabiscotée et de formes moribondes. Quant aux religieuses et à leurs écrits, elle avait, évidemment, beaucoup à dire.

Un jour, alors que Martí se tenait à la porte de la salle de conférences avant le cours, il l'avait accueillie en tendant les mains et récitant un quatrain irrévérencieux de l'immortel Lope de Vega (dont la fille chérie était elle aussi religieuse et poétesse) qui demande à une «María» en partance pour le couvent pourquoi il lui a fallu épouser Dieu : L'a-t-il faite si jolie seulement pour irriter ceux aux yeux desquels elle allait être cachée ? Pourquoi le Maestro Martí l'avait-il piégée avec un tel poème ? Toutes les élèves rassemblées là avaient attendu de voir comment elle répondrait ; il avait semblé que c'était une sorte de test, non pas seulement de son intelligence mais de sa capacité à recevoir calmement ce qu'une jeune fille vaine et crédule pouvait prendre pour une avance pauvrement déguisée en badinage littéraire. Après les cours dispensés par Sor Gertrudis, et la fréquentation de l'ambassadeur Gastreel dont les manières étaient souvent péremptoires, María de las Nieves était certainement habituée à se retrouver sur la sellette. Mais elle n'avait su quoi dire ; pendant un instant son esprit s'était vidé – heureusement elle n'avait pas eu besoin d'utiliser ses propres mots ce jour-là, car un autre poème légèrement blasphématoire lui était vite venu à l'esprit, et avant qu'elle ait pu y songer à deux fois il dansait sur ses lèvres : *Mais, Dieu, je ne suis pas comme la branche du chêne, toujours tranquille. / Je ne suis pas comme le santal qui ne change jamais d'odeur. / Je n'aime pas l'immuable, tel l'énorme rocher au milieu du chemin / ni le silence éternel, ni l'infini.*

Et Martí avait souri, non de surprise, avait-elle pensé, plutôt comme si c'était exactement ce qu'il avait espéré, et quand il avait applaudi, les autres filles l'avaient imité, et elle avait tâché de se comporter comme si ce n'était vraiment pas grand-chose. Elle connaissait mieux la poésie que la plupart de ses condisciples, à cause du couvent, et le Maestro Martí le savait, et voilà tout. Seule María García Granados, qui avait grandi dans une maison fréquentée par les poètes et qui comptait parmi ses ancêtres la poétesse la plus célèbre de l'Amérique centrale, en connaissait peut-être, sinon plus, du moins autant.

« Je suis sûr qu'un jour vous fonderez une famille, María de las Nieves, avec un mari, des enfants. Mais que cela peut-il signifier, pour une ex-religieuse, de se marier ? lui avait demandé Martí un jour dans le kiosque de lecture, peut-être de manière un peu taquine. De vouer un amour promis à Dieu à un homme à qui vous n'adresserez pas vos prières, ou du moins à qui vous ne devriez pas adresser vos prières ?

– Je ne suis pas pressée, Maestro, avait-elle répondu avec confiance. D'après ce que j'ai pu voir, je pense qu'il doit être plus facile d'être mariée à Dieu qu'à un homme. »

Parler des us et coutumes des aborigènes, d'autre part, lui donnait toujours l'impression d'être muette et lointaine, même si pour Martí elle fit toujours un effort. María Chon en savait plus qu'elle, ce qui n'est pas surprenant. Un après-midi mémorable où Martí avait rencontré María de las Nieves et sa servante dans le kiosque de lecture, il les avait fait parler des Indios pendant des heures. Martí s'adressait à elle et à María Chon avec tant de politesse naturelle et d'égale déférence qu'aucune d'elles ne remarqua cette dérogation aux règles sociales et qu'elles finirent par converser avec Martí comme deux amies inséparables, plutôt que comme maîtresse et servante (maîtresse et servante qui étaient, en fait, des amies inséparables même si c'était souvent de manière orageuse). La connaissance que María Chon avait des pratiques et croyances indiennes était cependant loin d'être encyclopédique ; en fait Martí semblait en savoir beaucoup plus qu'elle – bien que sa connaissance fût surtout livresque – et il finit par être quasiment le seul à parler, leur apprenant une partie de ce qu'il avait découvert quelques mois auparavant, au cours de la semaine d'investigation et d'études intensives destinées à préparer la pièce patriotique sur le thème des indigènes, que le gouvernement suprême lui avait commandée, afin d'être interprétée par les élèves de l'École normale. Le Dr. Maríano Padilla, qui avait la plus belle bibliothèque de livres américains de tout l'isthme, avait permis à

Martí d'étudier son exemplaire manuscrit du *Popul Vuh*, la bible des Mayas Quiché, avec la traduction réalisée par Fray Ximénez au seizième siècle, le même manuscrit rarissime que le bibliophile avait prêté à l'abbé Brasseur de Bourbourg et sur lequel l'érudit avait basé sa traduction française, publiée à Paris vingt ans plus tôt, dont le Dr. Padilla avait également donné un exemplaire à Martí. Ainsi Martí avait lu le *Popul Vuh* en espagnol ancien et en français moderne, et déclaré qu'il n'avait pas été aussi transporté par une œuvre de poésie depuis qu'il avait lu Byron quand il était à l'école. «C'est notre *Iliade* à nous!» avait-il lancé à María de las Nieves et à María Chon dans le kiosque de lecture; toutes deux tâchèrent d'avoir l'air excité elles aussi, bien que María de las Nieves n'ait pas encore lu l'*Iliade* et que María Chon n'en ait jamais entendu parler.

Martí continua à décrire ce qu'il avait appris des Indios, les yeux rêveurs et aguichants, ses boucles soyeuses se balançant sur le sommet de son crâne tels d'innombrables chats sortant à peine du sommeil. Quand elle écoutait parler Martí, l'excitation et l'attente nouaient l'estomac de María de las Nieves. C'était comme si ses pensées et son savoir étaient portés par une armée infinie et magique de mots que l'on pouvait presque voir, colonne après colonne, défiler dans la grande plaine derrière son front au rythme impossiblement doux et cependant cadencé, et bondir de ses lèvres. Elle se demandait pour qui était tout cela et si cela s'arrêterait jamais; elle ne voulait pas que cela s'arrête, bien que parfois son attention, épuisée, allât s'asseoir à l'ombre. Martí voulait tout savoir, avait des questions sur tout: comprenaient-elles le calendrier maya, l'année à deux cent soixante jours où chaque jour était un dieu, avec un nom tel que Singe 8, dans lequel étaient contenus ses attributs et prophéties? Sí pues, María Chon avait entendu dire ça. Mais seuls quelques hommes comprenaient ce genre de chose, dit-elle: il fallait aller les chercher dans la forêt, et leur apporter des cadeaux. Est-ce que María Chon avait l'impression de vivre parmi des dieux et des esprits, et qu'ils étaient tout autour d'elle? Pouvait-elle les nommer? Oui, ils étaient cachés tout autour, avoua María Chon, bien que pas ici à Tuj Sib, qui était le nom indio de la capitale, lui apprit-elle à seule fin de se faire mousser, car elle ne l'avait jamais dit à María de las Nieves. Ils n'étaient pas ici à Tuj Sib et elle avait oublié leurs noms. Et avec une petite grimace, elle ajouta brusquement : «Señor, je ne prie que Dieu et la Vierge!»

Mais à la fin María de las Nieves dut admettre qu'elle n'aimait vraiment pas parler des croyances des Indios. Elle n'éprouvait aucune admiration pour la vie primitive d'où provenait sa mère et où elle était retournée avec gêne. Ce n'était donc pas seulement le fait que María Chon monopolisait l'attention de Martí qui l'irritait. Après un moment sa répugnance léthargique à écouter prit le pas, et comme n'importe quelle élève ou novice plus intéressée par ses propres pensées que par ce qui se dit en classe, elle contempla par la porte du kiosque les gens qui se promenaient dans le parc, se demandant pourquoi, malgré l'apparente assurance de la démarche de certains hommes, il était visible qu'ils n'étaient pas du tout assurés. Comment pouvait-elle être si sûre que cet homme lui plaisait et pas cet autre, simplement à leur façon de marcher? Celui-ci, qui frappait énergiquement le sol de ses talons et balançait les bras avec trop de mollesse, vous ennuierait dès qu'il ouvrirait la bouche, celui-là en revanche, avec sa lourde démarche, ses hanches plus larges que ses épaules, ses grandes oreilles d'un rose translucide dans la lumière, ses fossettes profondes comme des marques de pouce, savait forcément comment faire sourire une fille... elle méritait d'être complètement détrompée bien sûr...

Martí était en train de dire qu'il n'était pas d'accord avec le Dr. Le Plongeon, le fameux archéologue, découvreur autoproclamé des ruines de Chichén Itzá, qu'il avait rencontré et avec qui il avait parlé à Isla Mujeres quelques mois auparavant tandis qu'il se rendait à la capitale, et qui pensait que les pyramides des jungles d'Amérique centrale étaient l'œuvre des Égyptiens et des Babyloniens.

« Ce sont vos ancêtres seuls qui sont responsables de cette glorieuse civilisation, déclara Martí à María de las Nieves et à María Chon. N'aimeriez-vous pas voir ces ruines un jour ?

– Je préférerais voir les pyramides d'Égypte », répondit María de las Nieves. C'était vrai, elle aurait aimé connaître l'Égypte. « Mais non… » Maintenant elle rougissait. Elle s'était rétractée : « Non, ce n'est pas vrai, bafouilla-t-elle. Je pense que je préférerais voir nos pyramides dans la jungle.

– Je ne veux voir de ruines nulle part, avança María Chon et surtout pas dans la jungle – trop chaud et trop de serpents ! Je veux aller habiter à New York ou Paris avec Doñacita las Nieves. »

Pendant un court instant Martí parut déconcerté ; puis il émit l'un de ses rires bêlants. Peut-être un jour, leur dit-il, si le Dr. Le Plongeon parvenait à ses fins, pourraient-elles enfin voir ces ruines. Le Dr. Le Plongeon cherchait à faire aboutir son projet controversé d'acheter et de transporter Chichén Itzá, pierre par pierre, aux États-Unis pour l'y reconstituer.

Souvent quand Martí voyait des Indios marcher dans la rue il se taisait pour les regarder, et son visage arborait alors une expression grave et songeuse. Une fois qu'ils se tenaient à l'ombre à l'extérieur du kiosque, une file d'Indiennes avait traversé le parc, toutes identiquement vêtues, de violets et de bleus richement brodés, parées de colliers de perles écarlates et d'argent, des rubans écarlates dans les cheveux, et Martí, se découvrant, s'était légèrement incliné et avait proclamé : « *La grande dame, et les petites dames**. »

« C'est nous qui avons fait des Indios ce qu'ils sont aujourd'hui, María de las Nieves, Martí lui avait-il déclaré cet après-midi-là. Mais seuls les Indios peuvent nous sauver. Seuls les Indios peuvent sauver l'Amérique. » Puis il s'expliqua, parlant d'une voix émouvante et pourtant calme, du potentiel endormi et de la tragique histoire des Indios et des Amériques, jusqu'à ce qu'il ajoute, avec un regard passionné et une tendre véhémence : « Et vous représentez la nouvelle intelligence américaine, María de las Nieves. Vous serez une mère de notre nouvelle Amérique. » Elle répliqua d'un air buté que malheureusement sa forme d'intelligence était très vieille, car elle avait été éduquée par des religieuses dans un couvent. Martí la regarda alors d'un air soucieux, un peu attristé peut-être, ou coupable, même : « Mais jusque dans nos couvents, dit-il doucement, le nouveau surgit de l'ancien, María de las Nieves. N'est-ce pas un couvent de Mexico qui fut le berceau de notre nouvelle poésie américaine ? »

Martí avait confiance dans les programmes conçus par les libéraux pour les Indios. De grands changements avaient lieu dans leur petit pays, qui pourraient se révéler exemplaires pour toutes les jeunes Républiques américaines. Certes, de par la loi les Indios ne pouvaient se soustraire au travail sur les nouvelles plantations de café, s'ils y étaient requis, mais à la longue, même cette mesure draconienne pourrait être une bonne chose, si elle leur inculquait les habitudes et les vertus du travail moderne. Il fallait également louer la politique d'expropriation des Indios de leurs terres ancestrales en jachère pour les confier aux mains ardentes des jeunes pionniers du café, qui créaient richesse et travail. À chaque voyage du général-président suprême de la République dans les montagnes, ne revenait-il pas avec de pauvres jeunes Indios nu-pieds qu'il renvoyait un ou deux ans après, une fois formés à être instituteurs ? N'était-ce pas l'éducation pour tous qui avait sauvé la France ? Qui avait permis à la France de finir par triompher des forces de la réaction et de la nostalgie !

Dans le kiosque de lecture cet après-midi-là, Martí avait exulté : « Et plus d'une fois de jeunes membres de ce gouvernement m'ont rapporté qu'à Sacatepéquez il y a un jefe indio qui lit le journal, parle couramment le français et a construit des écoles dans les villages propres et bien gérés qui sont sous sa juridiction, où il n'apprend pas seulement à lire et à compter, mais où il instille les vertus modernes!»

Ce soir-là, après qu'elles eurent dit au revoir à Martí et tandis qu'elles rentraient chez elles dans un silence encore chargé de ce qui précédait, María Chon avait laissé échapper:

«Este Cubanito, el pobre, como le engañan – quels mensonges on lui raconte!»

À l'Academia de Niñas on préparait une fête pour le neuvième anniversaire d'une victoire des rebelles sur les troupes espagnoles à Cuba. Les élèves joueraient une pièce patriotique et les Izaguirre, avec l'aide des plus grandes, décoreraient l'école afin qu'elle ressemble à une maison de planteur de canne à sucre de Camagüey pendant la fête de la récolte, et prépareraient des plats cubains. On rôtirait même un cochon dans le jardin. Martí avait choisi María García Granados pour réciter un poème patriotique spécialement composé par leur ami cubain, le barde de Bayamés. Plusieurs fois par semaine Martí et la fille de Chafandín se retrouvaient à l'école avant le cours de composition pour répéter. L'une de ces fins d'après-midi – joliment éclairée par un coucher de soleil ordinaire – María de las Nieves, portant un chapeau de paille neuf couleur crème orné de longs rubans jaunes, l'estomac noué, arriva à l'école plus tôt peut-être qu'elle n'en avait l'intention. Elle était à la porte de la salle de conférences quand elle entendit la voix délicate et mélodique d'une jeune femme flottant dans l'air du couloir vide: les cadences étaient celles d'un poème, mais elle ne distinguait que quelques mots – *Cuba... virginal... universel... Cuba... paradis... liberté... amour...* Puis le poème prit fin, et María de las Nieves resta dans le couloir à écouter le silence, retenant son souffle, tendant l'oreille pour tâcher d'entendre ce que pourrait dire l'un ou l'autre. Ce silence s'anima effectivement: un crocodile invisible rampant furtivement dans le couloir, la mort dans son souffle. La jalousie, l'apitoiement sur soi, le couvercle d'une boîte pleine de l'air sombre et froid du désespoir s'entrouvrant dans un craquement... Elle battit promptement en retraite, sortit de l'école sur la Calle de San Augustín, et fit lentement le tour du pâté de maisons en songeant qu'elle allait peut-être rentrer chez elle. Elle retourna à l'école dix minutes après le début du cours : le Maestro Martí était en train de faire un commentaire extatique d'un poème de Victor Hugo, « Tristesse d'Olympio », lamentation sur la nature fugace des moments heureux de la vie. Elle s'assit contre le mur du fond, son chapeau sur les genoux. À la fin du cours, tandis qu'elle se dirigeait vers la porte, Martí lui demanda d'attendre. Que voulait-il ? Allait-il lui demander de réciter un poème patriotique à elle aussi ? Elle attendit prudemment que Martí ait fini de s'entretenir avec les autres élèves qui s'assemblaient toujours autour de lui après les cours. Elle sentit qu'on lui touchait le bras et, se retournant, découvrit María García Granados avec qui elle échangea les formules et sourires habituels des salutations. Dans son sourire elle vit le sourire de Martí, ses lèvres pressées sur les siennes. María de las Nieves rougit immédiatement, autant à cause de l'impression soudaine que lui faisaient la beauté et la grâce de la jeune fille, que de la honte que lui causait sa propre jalousie. Mais la beauté de María García Granados était pour elle une énigme, car elle ne possédait pas des traits particulièrement fins – son nez était un peu trop long, légèrement bulbeux, et ses oreilles étaient trop grandes –, toutefois ses yeux intelligents aux longs cils semblaient vous baigner dans une chaude lumière de bonté chaleureuse, et ses lèvres avaient la couleur et la douceur veloutée d'une rose rouge sombre, son abondante chevelure noire, séparée en deux tresses, flottait jusqu'à sa taille, et sa peau sans défaut était pâle mais d'une pâleur si variée que chaque fois qu'on la regardait elle était différente, comme si sa température suivait la courbe de chacune de ses pensées ou émotions, et son sang était une cavalerie quasi fantôme de magnifiques chevaux et officiers allant de-ci de-là dans ses veines et se déployant sur sa peau, sachant toujours exactement où aller et où se cacher afin de fasciner, surprendre, ensorceler et éveiller le désir. Bien qu'elles fussent du même âge, pensa María de las Nieves, sa beauté et son charme sont féminins et enfantins à la fois. Elle a toujours de délicats cernes violets sous les yeux, parce que son père reçoit presque tous les soirs et qu'elle se couche très tard : elle joue des nocturnes de Chopin pour ses invités pendant que les hommes savourent leur dernier cognac en fumant leur dernier cigare, et tout le monde raconte que ses doigts effleurent les touches avec une expressivité exquise sans égale dans toute l'Amérique centrale. Sa robe rouge, au col bas bordé de dentelle, aux manches ornées de manchettes, parfaitement ajustée, venait, évidemment, de Paris. « Pas plus tard qu'hier soir ma mère m'a demandé de tes nouvelles, dit María García Granados. Et je lui ai dit que tu étais l'élève que Pepe tenait en la plus haute estime, et de sa petite voix douce, elle ajouta : Eh bien, c'est vrai, Las Nievecitas. » María de las Nieves demeura un instant interdite, puis elle finit par répondre : « Pues, María. » Sa voix était presque inaudible, et elle ne pensait qu'à s'échapper. Mais sa compagne poursuivit : « Ma mère se demande pourquoi on ne te voit plus. » Et María de las Nieves répondit du ton le plus absurdement solennel : « Je ne sais pas pourquoi, María. Je serai heureuse de la voir quand elle voudra. »

Et puis Martí se dirigea vers elles, les yeux brillants comme ceux d'un démon joyeux, tenant un livre à la jaquette pâle imprimée en rouge, qu'il déposa dans les mains de María de las Nieves, qui le reçut avec étonnement, lui expliquant qu'il avait trouvé cette traduction récemment publiée sous le titre *Portraits de femmes célèbres* de Sainte-Beuve et qu'il avait immédiatement pensé à elle après quoi il la complimenta sur son nouveau chapeau. Elle dit merci et regarda, bouche bée, le livre qu'elle tenait en main ; elle ressentit un peu de la timidité paralysée de qui n'est pas habitué à recevoir des cadeaux et dont la première réaction est de considérer l'événement comme colossal, avant de se demander avec inquiétude ce que ce présent signifiait en réalité. Elle sentit de nouveau la main tiède de María García sur son bras et l'entendit qui disait: «Pepe a donné un exemplaire en français à ma mère et elle l'adore. Je le lirai après elle. Il faudra qu'on en parle, Las Nievecitas, toutes les trois – ou tous les quatre», et elle sourit à Martí. Dehors, deux domestiques des García Granados attendaient de ramener la fille de l'ex-président chez elle, et Martí, qui n'habitait qu'à une rue de là, devait les accompagner. María de las Nieves, avec des adieux pleins d'effusion, alla de son côté après quelques rues, serrant le livre, au-dessus de son cahier de composition, contre sa poitrine.

Ce n'est qu'une fois arrivée chez elle qu'elle vit qu'il y avait écrit: *Pour mon élève célèbre, María de las Nieves, que l'avenir célèbre aussi. Votre ami fraternel, votre Pepe Martí.*

Après le dîner – riz, haricots, tortillas, quelques restes de légumes et de mouton bouillis, un chocolat chaud – elle s'assit à la table débarrassée et, à la lueur de la lampe, coupa les pages avec une paire de ciseaux en fumant un cigarrito sous le regard attentif de María Chon. Amada Gómez, sa pensionnaire mélancolique, était aussi assise à la table, occupée à sa couture. María Chon semblait comprendre la signification de ce cadeau: son visage était empreint de respect et elle était inhabituellement silencieuse. Une fois qu'elle eut terminé, María de las Nieves emporta livre et lampe dans sa chambre, s'allongea tout habillée sur son lit et se mit à lire. La première lueur de l'aube à sa fenêtre la surprit alors qu'elle était plongée dans le chapitre consacré à Mme Roland. Qui, alors, était l'objet de cette tardive, unique et déchirante passion? lut-elle. Un public prévenu a nommé Barbaroux, mais sans preuves. Un voile sacré cachera toujours cette dernière tempête, qui s'amoncela et passa en silence sur son puissant esprit alors que la mort était proche…

Fatiguée de tenir le livre en l'air, María de las Nieves le posa sur le lit et fixa le plafond. *Un voile sacré...* Trois ans auparavant, à cette même heure, après avoir abaissé son propre voile, elle était penchée sur ses méditations dans sa cellule. Aujourd'hui, avant de s'endormir, elle lisait la vie d'une héroïne française du siècle précédent qui avait elle aussi passé une partie de son enfance au couvent, devait par la suite toujours chérir l'austérité et cependant, mariée et mère de famille, tomba amoureuse plus d'une fois, devint une femme politique influente et enfin une martyre de la Révolution, tout en étant aussi un auteur prolifique, qui savait juger et manipuler les hommes et influença même le cours des événements dans une France agitée de sanglants bouleversements. Si Mme Roland avait été un homme, prétendait même Sainte-Beuve, elle aurait pu sauver sa patrie! Jusqu'alors l'auteur avait à peine mentionné son mari, M. Roland, si ce n'est pour dire qu'il était inspecteur des manufactures, se vouait à l'étude de l'industrie et de l'économie, que son épouse lui faisait profiter de ses lectures philosophiques et poétiques, et qu'elle le surpassait de beaucoup en politique.

María de las Nieves reprit son livre et lut : À l'âge de quinze ans elle est follement éprise de M. de Guibert. Son amour est tout sauf une toquade... Mais qui est M. de Guibert? Un professeur? Et qu'en est-il de l'époux de Mme Roland? Pourquoi Sainte-Beuve passe-t-il sa cour sous silence? À l'évidence il faisait partie de ces auteurs qui ne se souciaient pas de répondre aux questions les plus évidentes de ses lecteurs. Elle reposa le livre. Peut-être n'apprendrait-elle jamais comment Mme Roland était tombée amoureuse de son mari, ni même comment elle était morte... Elle allait être inutile à la légation ce matin. Elle se leva, ferma ses volets et retomba sur son lit, trop fatiguée pour s'habiller. *Tout sauf une toquade*, répéta-t-elle en silence avec gravité, plus d'une fois, comme si cette phrase était chargée d'un pouvoir secret qui pouvait lui être utile.

Elle se réveilla peu après, trempée de sueur, avec l'impression qu'un animal aux griffes acérées avait essayé de sortir de ses entrailles : enfin épuisé, l'animal semblait s'être lové en une lourde boule de fourrure mouillée avant de s'endormir. Sans avoir à se dire son nom ni même à se représenter son visage, elle savait qu'il était la cause de cette vive douleur et de cette tristesse de plomb qui l'habitaient.

Toute la journée à la légation elle se sentit légèrement fiévreuse, les yeux brûlants et l'haleine âcre. Elle ressentait une peur qu'elle n'avait pas connue depuis les jours terribles de sa première menstruation alors qu'elle était au couvent. Mrs. Gastreel devait s'en être aperçue car elle lui apporta une camomille accompagnée d'une tranche de cake et d'un petit pot de crème épaisse. Sois raisonnable comme Mme Roland, s'exhorta-t-elle. J'aimerai Wellesley Bludyar jusqu'à la fin de mes jours, s'il veut bien de moi. Elle se mit à psalmodier encore et encore qu'elle aimait Wellesley Bludyar, et souffrit encore plus. Quand elle croisa le regard du premier secrétaire qui se rendait dans le bureau de l'ambassadeur Gastreel, elle se força à lui sourire ainsi qu'elle ne l'avait pas fait depuis des semaines. Afin de couper son envie d'un cigarrito – elle n'avait pas le droit de fumer dans la légation – elle avala son cake en trois bouchées.

Wellesley Bludyar était euphorique. Mais l'ambassadeur l'attendait impatiemment pour lui dicter une lettre à Lord Derby. Tandis que Wellesley écrivait, l'ambassadeur improvisait sa dépêche au ministre des Affaires étrangères concernant les ambitions allemandes en Amérique centrale, à partir de notes qu'il avait griffonnées hâtivement après un dîner à la légation mexicaine le soir précédent. Soudain l'image du sourire horriblement forcé et des yeux désespérés de María de las Nieves s'imposa à Wellesley Bludyar, et un vent glacial bien trop familier lui souffla sur le cœur. Elle sait qu'elle devrait. Elle est encore plus indifférente qu'elle ne peut même supporter de l'admettre. Un sentiment d'amertume dramatique et irrémissible submergea le premier secrétaire. Peut-être ne s'était-il jamais senti si étroitement lié à elle qu'à cet instant, bien que ce ne fût pas l'amour qui les liât mais son imagination désespérée : il pouvait imaginer ses lèvres sur sa peau, goûtant la légère saveur de vieille pelure de citron, son nez contre ses cheveux et s'enfouissant derrière son oreille d'une façon si pénétrante que c'était vraiment comme si ses lèvres et son nez se trouvaient là, et parce qu'il comprenait maintenant qu'ils n'y seraient jamais, il comprenait aussi qu'il ne pourrait jamais oublier ce qu'il ressentait... Et maintenant il ne savait plus où il en était... «Les desseins allemands sur l'isthme, poursuivait l'ambassadeur, secrètement nourris par la Prusse et les villes hanséatiques depuis des décennies, sont en train de se concrétiser sous l'impulsion de Bismarck... » Je devrais essayer de la convaincre de m'épouser de toute façon, pensait-il ; qu'ai-je à perdre ? Il posa la plume et leva un regard sinistre sur l'ambassadeur, qui était en train d'improviser une description de la personnalité désagréable et des dangereuses capacités du hautain chargé d'affaires de l'Empire allemand nouvellement arrivé...

«Je suis terriblement désolé, Excellence, dit Wellesley Bludyar. Je me suis brusquement senti légèrement indisposé et je ne sais plus où j'en suis. »

On pouvait lire dans le regard d'acier de l'ambassadeur qu'il était en train de prendre lentement conscience qu'une partie des renseignements cruciaux destinés à son ministre avait peut-être été perdue pour toujours ; il demanda au premier secrétaire de relire les derniers mots qu'il avait consignés.

«Rien que dans cette République, les Allemands possèdent trente-sept maisons de commerce, douze kilomètres huit cent mille mètres carrés de plantations de canne à sucre et quinze millions trois cent mille caféiers... C'est là que j'ai perdu le fil, Excellence, au nombre de caféiers possédés par les Allemands» – et il leva les yeux pour rencontrer le regard courroucé de l'ambassadeur Gastreel.

«Peut-être, Mr. Bludyar, dit l'ambassadeur Gastreel, vos responsabilités devraient-elles être déléguées elles aussi à la Señorita Moran.» Higinio Farfán, le commis de la légation, qui observait la scène depuis son bureau dans un coin de la pièce, avec l'air bien trop satisfait de la disgrâce du premier secrétaire, retourna à son habituelle oisiveté.

«Je ne doute pas que la Señorita Moran s'en acquitterait mieux que moi, monsieur.»

Se pouvait-il que l'ambassadeur Gastreel ait remarqué l'air malheureux de son jeune premier secrétaire et décidé de lui épargner une humiliation supplémentaire? Sa femme, après tout, était la confidente de plus en plus exaspérée de Wellesley Bludyar; elle était abasourdie que Wellesley continue d'être si pathétiquement amoureux de la traductrice officieuse de la légation, qui – quelque amusante, intelligente et utile à son mari qu'elle puisse être – n'était, après tout, pas plus que ce qu'elle était. Inutile de dire que si Wellesley l'épousait, sa carrière diplomatique serait ruinée. Le rejet apparent de María de las Nieves constituait, avait-elle soufflé à son mari, une preuve indubitable que Dieu conservait sa bienveillance aux Anglais. Preuve aussi, s'il en était besoin, que la jeune métisse ignorait tout de la société – à moins qu'il ne s'agît en fait de quelque stratégie propre aux femmes latines, incompréhensible mais efficace comme un poison, destinée à séduire Bludyar en érodant lentement sa virilité et son esprit afin qu'il ne puisse retrouver la raison avant d'avoir été piégé pour toujours, et de rejoindre les rangs de ces expatriés qui s'abrutissaient lentement à l'aguardiente bon marché au milieu d'un bourbier domestique de rejetons métis. C'est peut-être à ce moment-là que l'ambassadeur décida de suivre le conseil de son épouse et de confier à Bludyar une longue et difficile mission à l'étranger. Il manquerait sans doute à la légation, bien qu'il soit probablement vrai que María de las Nieves fût maintenant parfaitement capable d'effectuer une grande partie du travail du premier secrétaire. Le devoir de l'ambassadeur de la reine n'était pas de choyer Wellesley

Bludyar pour ses médiocres capacités mais de donner à son jeune apprenti une dernière occasion de s'endurcir, de perdre sa sentimentalité de blanc-bec. Sinon il serait un danger pour le Foreign Office, et donc pour la Grande-Bretagne, et par conséquent à peine mieux qu'un traître.

« Eh bien, dit l'ambassadeur en donnant une petite secousse aux notes qu'il tenait dans la main, ce que j'ai dicté jusqu'ici n'était pas totalement spontané. Si vous vous en sentez capable, Bludyar, recommençons, voulez-vous ? »

Assise sur son siège habituel dans la galerie donnant sur le jardin intérieur, María de las Nieves avait sorti *Portraits de femmes célèbres* de son sac. Il se révéla que le livre comportait un deuxième chapitre consacré à Mme Roland ! Si la créature parfaitement morale doit jamais se former en nous, lut-elle, elle se forme tôt. Sainte-Beuve, dans ce chapitre, formulait la terrifiante théorie selon laquelle on atteint le sommet de l'évolution morale, de l'intégrité et de la grâce à l'âge de vingt ans, après quoi cet état se détériore lentement ou même *cesse d'être*. Entre-temps on continue de vivre autour de son noyau ruiné ou même évaporé, en mimant *au mieux* l'excellence morale et l'héroïsme de la jeunesse envolée !

Elle lut : C'est donc une chance que de pouvoir découvrir le portrait fidèle de ceux qui sont destinés à la célébrité ; quand un accident imprévu les révèle à nous exactement tels qu'ils furent à ce moment élu et unique, dans leur floraison, *leur heure de beauté*.

La rédaction de ce chapitre avait été inspirée à Sainte-Beuve par la publication récente d'un volume de correspondance entre la jeune Mme Roland – qui s'appelait alors Mlle Phlipon – et deux jeunes sœurs, qu'elle avait connues au couvent. La première lettre avait été écrite par Mme Roland à l'âge de dix-sept ans, l'âge qu'avait aujourd'hui María de las Nieves ; la dernière, de huit ans postérieure, annonçait son mariage imminent avec M. Roland.

Ainsi, d'après Sainte-Beuve, María de las Nieves n'était pas loin d'être à son mieux, et s'approchait de son *heure de beauté*. Et si María García Granados était certes plus belle qu'elle de toutes les manières, ce sur quoi tomberait sans doute d'accord quiconque avait des yeux, des oreilles et un cerveau sous le crâne, alors cette distance entre elles devait être éternellement fixée comme celle qui sépare les planètes et ne pouvait être couverte dans le court laps de temps avant que son *heure* ne sonne, quelque empressement qu'elle puisse mettre à se cultiver... Oui, mais si son noyau se détériorait plus lentement que celui de sa compagne ? Ou si son noyau ou une bonne part tenait encore bon alors que celui de María García Granados serait presque érodé, ou aurait même cessé d'être ? Sainte-Beuve n'avait pas évoqué ni même exploré cette possibilité dans sa théorie.

Il n'avait pas non plus informé ses lecteurs de la manière dont Mme Roland était morte, et ne semblait pas près de le faire. Bien sûr tout le monde devait savoir cela en France. Lorsqu'il écrivait, Sainte-Beuve n'avait pas pensé aux jeunes lectrices d'Amérique centrale qui n'avaient jamais entendu parler de son héroïne. María de las Nieves poursuivit sa lecture, intriguée de voir la vie et les écrits intimes d'une fille de son âge étudiés avec tant d'attention par un écrivain laïc plutôt que religieux. Et elle lisait avec une confiance particulière, la quasi-certitude de trouver ne fût-ce que l'exposition de ses propres dilemmes, car tous les signes s'y trouvaient : la jeune Mme Roland avait elle aussi des problèmes avec la religion, et les difficultés habituelles avec la vanité ; elle était elle aussi passionnée de lecture, elle s'inquiétait, en tant que lectrice, de se flatter trompeusement, et elle cherchait à maîtriser son trop grand amour des livres. Puis, pleine de confusion, elle pénétra dans l'« âge de l'émotion » et compara ses premiers soupirants à une nuée d'abeilles bourdonnant autour d'une fleur qui s'ouvrait – ici la prose de Sainte-Beuve s'emballait, et María de las Nieves pouvait presque sentir les mots précipités qui couraient sous ses doigts. À présent elle écrivait avec l'esprit et le cœur grands ouverts, attendant silencieusement des réponses, de l'aide. Même si María de las Nieves n'avait pas un essaim de «soupirants», cela semblait une bonne idée d'adopter une attitude satirique à l'égard de ceux qu'elle semblait pourtant bien posséder (il n'y avait que Wellesley Bludyar et «Don Cochinilla», ainsi que María Chon s'était mise à appeler le pauvre Señor Chinchilla). La jeune Mme Roland (Mlle Phlipon) écrivait: Mes sentiments me paraissent très bizarres. Que peut-il y avoir de plus étrange pour moi que de haïr quelqu'un parce qu'il m'aime et au moment où j'essaie de l'aimer?

La plupart des filles vont prier saint Antoine quand elles ont des problèmes de cœur, pensa María de las Nieves. Mais pas moi. Du dos de la main elle éloigna les abeilles du petit pot de crème et se mit à lire le compte rendu des relations de Mlle Phlipon avec un certain La Blancherie. La jeune Mme Roland se préparait à en terminer avec lui ainsi qu'elle faisait d'habitude avec ses soupirants, déclarant: *Réglons son compte à cet individu,* cependant au lieu de l'accabler de ridicule, elle se trouva confrontée, pour la première fois de sa vie, au sentiment amoureux. On ne pourrait donner de meilleure preuve, écrivait Sainte-Beuve, qu'on ne trouve dans l'amour que ce qu'on y met, et que l'objet de la flamme compte pour presque rien. La Blancherie écrivait des fadaises!

Le livre ouvert sur les genoux elle songea à la vérité de ce qu'elle venait de lire. Mais José Martí n'était pas La Blancherie, et la comparaison ne pouvait être pertinente. Dans trois semaines, les cours de composition prendraient fin; quelques semaines plus tard, Martí partirait pour le Mexique épouser sa fiancée, ou sinon l'impensable arriverait, et il succomberait à son amour pour María García Granados et resterait. Il n'était pas même besoin de le dire. Tout le monde le savait. Toutes les élèves de la classe en étaient conscientes, tous ceux qui étaient leurs parents et leurs amis, tous les exilés cubains et leurs amis les plus proches, tous les poètes de la Société littéraire de l'avenir, n'attendaient-ils pas tous de voir ce qui allait arriver ?

Ce n'est que lorsque la jeune Mme Roland rencontra La Blancherie au jardin du Luxembourg avec une plume au chapeau que la désillusion commença à s'installer… Pues, c'était ainsi, Martí n'était pas La Blancherie ; si son sort avait été de choisir un La Blancherie comme premier bien-aimé, elle serait tombée amoureuse de José Joaquín Palma, le barde de Bayamés, qui portait toujours une longue plume à son chapeau (et, du moins selon elle, écrivait des fadaises). Mais le vaniteux barde de Bayamés ne lui avait jamais prêté la moindre attention ; il était bien connu qu'il était entiché de María García Granados. Si le barde de Bayamés était devenu son soupirant, aurait-elle été aveuglée par la célèbre beauté de l'«Arabe blond» – son épaisse barbe dorée, son fier nez assyrien – malgré la plume à son chapeau ? Et ensuite l'aurait-elle jamais démasqué ? Rien ne semblait toutefois plus ridicule ni invraisemblable que la vision d'elle amoureusement blottie dans les bras du barde de Bayamés. Pourquoi ne pouvait-elle accepter dans son cœur qu'être aimée par Pepe Martí était tout aussi invraisemblable ? Que Martí fût *bon* (même s'il était un peu crédule) ne rendait pas la chose moins invraisemblable. C'est elle qui méritait d'être ridiculisée. Voyons, María de las Nieves, un peu de raison et de clarté à la fin !

Un peu plus loin dans la correspondance, un M. Roland se mit à apparaître : un homme austère qui lui inspira une crainte considérable au début, bien que sa solennité en fît également l'objet de sa raillerie. Mais ici Sainte-Beuve changeait de sujet, sautant d'un coup vingt ans dans sa narration : Mme Roland est en prison attendant de monter à l'échafaud et la plus âgée des deux sœurs-correspondantes se hâte d'aller la voir et lui propose de changer de vêtements avec elle afin qu'elle puisse s'échapper et Mme Roland répond : «Mais ils vous tueraient, ma chère Henriette», et refuse.

Puis, comme ça, Sainte-Beuve retourne aux premiers jours de

la cour de M. Roland. Ils abordent tous les sujets. Ils se disputent. Passent trois ou quatre ans. Elle lit Plutarque, Sénèque, Homère; et Rousseau, bien sûr. L'athéisme était un produit du dix-huitième siècle; les athéistes inspiraient l'horreur, la fascination, le respect; l'athéisme semble l'apanage des hommes de valeur... Est-ce que la Pequeña Paris de Centroamérica retarde en tout de cent ans sur le vrai Paris?

«Neiges? Désolé de vous déranger... Mrs. Gastreel a besoin de vous pour traduire. Les épouses des ministres des Grands Travaux et de la Guerre sont venues lui rendre visite et attendent... mais Neiges?

– Oui, Wellesley? (Levant les yeux de son livre, l'observant comme par le petit bout de la lorgnette, elle constata avec inquiétude que normalement l'arrivée de ces señoras lui aurait inspiré au moins quelques mots de dérision comique...)

– Je vous demande la permission de venir vous rendre visite.

– ...

– *Votre* permission de *vous* rendre visite, dit-il dans un quasi-murmure.

– Oh... Pues, está bien... Bien sûr, Wellesley!» (Bien qu'elle prononçât encore *Gueyeslee*.) Elle lui sourit. (*Maintenant réglons son compte à cet individu...*)

«Quel soir vous conviendrait, Neiges?»

Ils tombèrent d'accord pour ce jeudi, où elle n'avait pas cours le soir.

«Juste entre vous et moi, Neiges. Confidentiel. Vous savez, ici. Pas un mot à l'ambassadeur Gastreel et, surtout, à la Patronne.

– Oh, oui.

– ... C'est un bon livre?

– Très. Oui. Maintenant il faut que j'aille voir Mrs. Gastreel...»

Tandis qu'elle pénétrait dans la maison, elle pensa: Pour quiconque me voit aujourd'hui, je suis la même María de las Nieves qu'hier. Comme c'est absurde! C'est comme si à l'instant où le

Maestro Martí m'avait donné ce livre, j'étais entrée dans une tout autre vie…

Ce soir-là après le dîner, Amada Gómez, sa pensionnaire veuve, déclara qu'on ne pouvait aimer qu'une fois. María Chon demanda : «C'est vrai, Doñacita ?» Et María de las Nieves répondit : «Amada n'a jamais aimé que son mari, María, tu sais cela.»

Mais si elle aimait le Maestro Martí sans espoir de retour, et que ce fût le seul amour qu'elle connaîtrait jamais ?

C'était comme si María Chon avait lu ses pensées : «Doña las Nieves, si ce Cubanito ne vous épouse pas, vous savez que Don Cochinilla le fera.»

Elle résolut à partir de ce moment d'ignorer tout simplement les remarques médiocres et insolentes de sa médiocre servante.

«Je préfère encore Don Cochinilla au Chino Gringo, persista María Chon.

— Tant de soupirants, María de las Nieves, gloussa Amada, bien qu'aucun sourire ne ridât son teint de velours triste et jaunissant.

— Ce ne sont pas des soupirants avant d'être venus la voir *en casa*, dit María Chon, répétant la définition que María de las Nieves lui avait fournie quelques semaines auparavant. Mais comment est-ce qu'il y aura des gens pour lui demander la permission de venir lui rendre visite si elle ne s'assied pas devant la fenêtre comme une jeune dame comme il faut ?

— Pourquoi tu ne vas pas t'asseoir devant la fenêtre avec une paire d'oreilles d'âne sur la tête et un écriteau À Vendre pendu au cou ?

— Uy uy uy ! Pues que j'épouserai Don Cochinilla si vous ne voulez pas.

— Et tous les deux vous élèverez l'art de la conversation matrimoniale à des sommets jamais atteints.»

Elle changea de sujet, et leur annonça froidement la nouvelle : un homme avait demandé la permission de lui rendre visite jeudi prochain. Amada lui ferait-elle la faveur de la chaperonner ? Elle refusa de dire à María Chon qui c'était.

Sans se démonter, María Chon déclara : « Une fille honnête ne laisse jamais savoir à un homme qu'il lui plaît avant d'avoir reçu de lui suffisamment de preuves de respect pour être sûre qu'il ne veut pas seulement en faire son jouet. » Visiblement, elle avait entendu cela quelque part, ou l'avait lu dans un journal, mais ce qui frappa María de las Nieves, c'est qu'elle l'avait appris par cœur. María Chon était-elle en train d'entrer dans l'*âge des émotions* ? Allons, regardez, elle est attirée par la bienséance ! À une époque où les modes morales vont dans une tout autre direction – du moins selon le commentaire de Juslongo Orsini dans l'hebdomadaire de La Sociedad Económica. Comme elle quittait la pièce quelque chose dans l'air placide d'Amada Gómez lui inspira une autre idée : Amada et María Chon avaient cancané à son propos. *Pourquoi a-t-elle acheté un chapeau ?* imagina-t-elle Amada en train de lancer d'un ton pincé et réprobateur. (*Quel joli petit chapeau !* avait dit Amada, cette hypocrite, le jour où elle l'avait acheté. *Et qui est-il censé charmer ?*) Comme si elle se laisserait jamais devenir le jouet de quelqu'un ! Ainsi ces pieuses paroles avaient été d'abord prononcées par Amada, à son propos, et voilà que María Chon les répétait sournoisement. Il y avait autant d'intrigues dans sa petite maison qu'au couvent !

Tard dans la nuit, elle se réveilla et demeura allongée dans l'obscurité, incapable de retrouver le sommeil, se sentant écrasée sur son matelas par le poids d'un amour maudit et insensé. Cela se reproduisit la nuit suivante, et la suivante. Toutes les nuits à la même heure, ses yeux s'ouvraient sur une scène abominable dans laquelle elle voyait Martí et María García Granados dans les rôles des heureux amants tandis qu'elle se consumait dans l'ombre, pâle et invisible, ou bien Martí répondant à ses ardentes confessions avec indifférence ou une surprise dégoûtée, et d'autres scènes encore qui devenaient plus humiliantes et atroces chaque nuit. Elle se sentait piégée dans un corps alourdi et affolé de désespoir et de peur. Une nuit elle rêva qu'elle était étendue sur un lit de balle de maïs, pleurant non pas à sa façon silencieuse, mais avec les gémissements funèbres d'une India au cœur brisé, et quand elle se réveilla, elle se retrouva lovée et pressée dans un coin du lit contre le mur, les joues collantes de larmes séchées et aussi sales que si le vent avait soufflé du sable et de la terre toute la nuit dans sa chambre.

Quand elle entendit que la Primera Dama de la République devait être l'invitée d'honneur de la fête cubaine à laquelle María García Granados allait réciter le poème du barde de Bayamés, elle décida de rester chez elle.

Dans trois jours ce serait jeudi ; le soir convenu de la visite de Wellesley. Si elle devait recevoir des visiteurs, décida-t-elle, il lui fallait un album dans lequel ils puissent écrire. Elle savait par les bavardages des filles de la classe de composition qu'une fois Martí était resté dans le jardin des García Granados bien après que même Chafandín fut allé se coucher, à travailler sur un poème pour l'album de María, qui finit par emplir de nombreuses pages, et qu'avant de quitter la maison à l'aube, il s'était arrêté dans la cuisine pour confier l'album à une servante, lui demandant de l'apporter à sa propriétaire en même temps que son petit-déjeuner, avec un brin de lilas marquant la page où commençait son poème. Ainsi Wellesley Bludyar serait le premier à écrire dans son album à elle ; eh bien, ils n'étaient pas tous obligés d'être poètes. Elle se rendit à la librairie-papeterie d'Emilio Goubaud où, parce que pour une fois elle achetait quelque chose – et pas une babiole à deux sous –, elle se sentit libre de demander au vendeur derrière le comptoir de lui montrer quasiment tout ce que contenait la boutique de papier à lettres d'Europe, d'articles de bureau, de crayons et de plumes, et jusqu'aux papiers à cigarette importés, et elle s'attarda deux heures, inspectant chaque chose avec ravissement. L'album qu'elle acheta avait une couverture en carton violet sombre, fermée par un ruban en satin noir sur du papier allemand ivoire, et elle acheta même une feuille en peau de daim espagnol à glisser entre les pages – elle ressemblait exactement à une feuille de papier mince, cassant, couleur fauve, bien que lorsqu'on la frottait entre deux doigts on eût dit du chamois. Son nouveau chapeau, l'album, la feuille – elle avait même essayé de marchander avec le vendeur le prix des crayons de couleur dans une jolie boîte émaillée en provenance de Macao ; elle dépensait bien trop, et pour la première fois depuis qu'elle était employée à la légation, elle allait être à court avant la fin du mois.

María de las Nieves avait confié ses économies à Padre Lactancio Rascón, son ancien chapelain et confesseur au couvent ; elle alla donc le voir dans sa paroisse de Jocotenango, le vénérable quartier indien à l'extrémité nord de la ville, pour lui demander un peu de son argent. Padre Lactancio l'accueillit à ce qui était dorénavant sa manière habituelle, avec une autodérision mordante et une affection irrépressible : « En vérité Notre Señor est compatissant, s'Il amène notre niña de laine à Jocotenango. » Mais il était visiblement abattu, et paraissait rétréci dans sa mauvaise soutane, se relevant d'une maladie récente qui avait donné à son visage hagard l'apparence d'un dessin au fusain maculé. Il s'assit sur un petit banc en bois, et elle sur une chaise dure, dans son petit salon. Le prêtre tenait dans une main une boule de cire sale ; tout au long de leur conversation il ne cessait de croiser et décroiser les jambes, comme s'il désirait seulement lui faire voir les semelles en lambeaux de ses chaussures, mais alors il fit rouler sur ses bas noirs la boule de cire où elle vit que des puces restaient collées. (Dès son retour, elle prendrait un bain et donnerait tous ses vêtements à laver à María Chon.) La petite église sinistre de Padre Lactancio était celle d'une pauvre paroisse indienne – l'ex-chapelain des nonnes était aussi scandalisé qu'impuissant devant la superstition dont se teintaient leurs pratiques cultuelles. Les Indiens, se plaignit-il amèrement, semblaient suivre un calendrier religieux qui ne correspondait pas exactement à celui du bréviaire. Pas un de ses paroissiens ne comprenait un seul mot de la messe en latin. Il possédait maintenant un unique costume civil que la loi l'obligeait à porter chaque fois qu'il sortait, et son unique chapeau haut de forme était en carton peint. Quelques sous par-ci par-là pour un enterrement ou un baptême était tout ce qu'il recevait de ses paroissiens. Bien sûr ce n'étaient plus les nonnes qui lui préparaient ses repas, mais une servante indienne, indéniablement bonne et dévouée qui, murmura-t-il d'un ton grinçant lorsqu'elle eut quitté la pièce, ne savait rien faire. Il ne mangeait que du poulet comme viande, une fois par semaine au mieux. Même le pain était un luxe. Il vivait tel un missionnaire franciscain des temps anciens – certains jours il ne mangeait que les fruits cueillis pour lui aux arbres du voisinage. Les yeux de Padre Lactancio étaient ternes ; la lueur de lubricité qui jadis y brillait en permanence avait été éteinte et remplacée par une noirceur d'encre brouillée – des yeux qui pouvaient vous laisser penser qu'ils cachaient les ruines d'une bonté simple et naïve. Bien sûr María de las Nieves connaissait trop bien son ancien confesseur pour s'y tromper. Cependant malgré tous ses défauts, il était pour elle un ami sûr ainsi que l'une des seules relations qui lui restaient de son passé, et cette visite l'emplissait d'une nostalgie troublante. Elle sentait que Padre Lactancio était un homme profondément vaincu qui ne trouvait aujourd'hui en Dieu, pour autant qu'il en trouvât, que peu de réconfort et de lumières. Mais n'était-il pas hypocrite, ou du moins injuste, de sa part, de souhaiter pour le prêtre qu'il redevienne ce qu'il avait été ? Ne devait-elle pas se réjouir qu'il n'ait plus à souffrir de sa honteuse lascivité ? Et pourquoi vouloir qu'il croie en Dieu et au caractère sacré de la prêtrise quand elle-même n'y croyait plus ? Certainement pas en celui-ci, du moins. Pourtant elle était attristée de le voir si changé. Padre Lactancio demeura un long moment dans la sacristie où il était allé chercher son argent, et quand il revint son expression était si triste qu'elle crut qu'il jouait la comédie, et elle fut assaillie par un soupçon qui lui leva le cœur – mais alors elle vit qu'il avait en main l'argent qu'elle lui avait demandé ainsi qu'un vieux bout de papier sur lequel il tenait un compte scrupuleux des sommes qui lui étaient confiées. Il ne lui demanda même pas, ainsi qu'il avait toujours fait jusqu'alors, si elle désirait se confesser.

Ensuite María de las Nieves reconnut avec un sentiment de culpabilité que, quelque cynique et amer qu'il fût devenu, Padre Lactancio ne serait jamais capable de la voler. Wellesley Bludyar lui avait d'ailleurs dit qu'il serait imprudent de confier ses maigres économies à la Banque nationale : il était sûr que certains fonctionnaires s'y servaient, et que bientôt tous ses clients découvriraient qu'ils avaient été escroqués.

María de las Nieves lut, d'un ton légèrement ironique : « Avez-vous vu, lecteur, cette jeune fille assise à sa fenêtre contemplant le ciel avec une expression d'extase mélancolique ? Eh bien, c'est une *romantica*, un genre qui aujourd'hui pullule. Son but est de se rendre intéressante aux yeux de ces galants qui ne peuvent résister à attirer l'attention d'une telle créature, si exceptionnelle et étrange en tous ses faits et gestes. Bien sûr elle est belle, si belle, si pâle, si triste, généralement vêtue de blanc. Quelle femme spirituelle, comme sa pâle pâleur lui va bien… même si elle est due à l'usage constant du vinaigre. Quand la romantica tombe amoureuse, elle veut que tous ses rendez-vous aient lieu au clair de lune de Necropolis. »

María Chon, assise à ses côtés dans le kiosque de lecture, lui demanda où se trouvait Necropolis et quand María de las Nieves lui apprit que c'était un autre mot pour cimetière, elle lui caressa le bras si doucement qu'un frisson passa sur sa peau. Elle voulut protester : mais tout ça n'a rien à voir avec moi, idiota, et comme les yeux de María Chon, deux noires aubes radieuses, étaient fixés sur le bref combat silencieux que livraient ses lèvres pour articuler ces mots, elle décida de laisser dire sans rien répliquer. Elle fixa la page du journal jusqu'à ce qu'elle sente de nouveau la timide caresse de María Chon sur son bras, et l'entende dire : « Lisons autre chose, mi Doñacita», puis sa servante tourna la page, et se mit à lire (bien que d'une voix hésitante) la colonne des messages personnels anonymes : «Pablito, tu me plais comme ça : hier soir au théâtre tu rayonnais vraiment. Voyons voir, picaronzo : cette façon d'arriver à neuf heures trente, marchant tranquillement dans la travée en toussant bruyamment, ç'a fait bonne impression, chico, continue comme ça et bientôt tu seras celui que toutes les beautés désirent, mais laisse-moi te donner un conseil : tâche de ne pas soupirer de cette manière bestiale, un monsieur âgé dans un fauteuil proche du tien s'est plaint amèrement durant l'entracte que tu l'avais constipé d'une seule exhalaison.» María Chon laissa fuser un rire exubérant et répéta deux fois l'insultante plainte du vieillard.

Peut-être valait-il mieux, pensa María de las Nieves, qu'elle n'ait jamais été invitée à l'Opéra. *Quel joli chapeau, que vous avez déjà étrenné deux fois, à l'Academia de Niñas, et à l'Opéra. Vous allez le porter jeudi soir aussi ?* Imaginez tomber là-dessus dans le journal ! Chaque année le gouvernement invitait une compagnie euro-péenne au Théâtre national pendant plusieurs mois. D'après Mrs. Gastreel, il était jugé «tout à fait comme il faut» de lorgner ostensiblement la loge de la Primera Dama afin «d'admirer sa beauté, sa garde-robe et les nombreuses rangées de diamants scin-tillants dont elle s'enguirlande».

Le jeudi soir prévu pour la visite de Wellesley Bludyar, il ne vint pas. María de las Nieves attendit avec Amada Gómez et María Chon jusqu'à minuit, puis elles finirent par dévorer les délicatesses importées – asperges en boîte, sardines à l'huile d'olive, fromage suisse, un peu de jambon d'York et des craquelins – qu'elle avait achetées à grands frais pour son visiteur. Elle alla au lit, son album toujours intact sous le bras. Il y aurait une explication rationnelle, elle en était sûre. Elle ne rejetait pas complètement la possibilité que Wellesley eût simplement perdu courage. Elle tomba rapide-ment dans un sommeil sans rêves et se réveilla à son heure habituelle, juste avant l'aube pour affronter les conséquences désastreuses de son amour mal placé.

Le lendemain matin à la légation elle apprit que le premier secrétaire avait été envoyé le jour précédent remplir une mission si secrète qu'il n'avait pas même pu dire au revoir à «ses amis». L'ambassadeur Gastreel lui dit: «Mr. Bludyar sera absent pour six mois, sinon plus, Señorita Moran, j'en ai peur», ces derniers mots furent énoncés avec les sourcils levés et une emphase légèrement traînante ou perçait l'insinuation ou la curiosité, et elle ressentit une hostilité étrange qui montait en elle sous son regard inquisiteur, même si elle parvint à conserver son expression tranquille. Entre-temps, l'ambassadeur Gastreel lui demanda si elle accepterait d'assumer une partie des tâches du premier secrétaire, telles que la transcription de lettres destinées au Foreign Office. Il ne pouvait lui offrir qu'une légère augmentation de salaire. Toutefois avant qu'elle n'accepte, l'ambassadeur Gastreel devait la préparer aux conséquences de son acceptation: non seulement elle accéderait à une connaissance de la politique et du commerce internationaux généralement réservée aux jeunes messieurs du Foreign Office, mais le simple fait d'écrire des lettres et des dépêches la mettrait en contact fréquent avec des informations hautement confidentielles. L'ambassadeur Gastreel, bien sûr, ne doutait pas de sa loyauté, néanmoins il voulait être sûr qu'elle comprît qu'elle devrait faire preuve de discrétion. Sa position à la légation britannique continuerait d'être officieuse, mais l'unique autre femme qui tenait un poste politiquement plus délicat encore était la télégraphiste du télégraphe exclusif du gouvernement au palais national. Dolores Alarcón n'avait que deux ans de plus que María de las Nieves, mais à l'école de télégraphie de la Sociedad Económica elle avait surpassé les autres élèves en intelligence et en agilité au point que le jour de sa sortie le superintendant général des télégraphes, le Canadien Stanley McNider, un homme compétent, l'avait immédiatement engagée. Maintenant elle était fiancée à Mr. McNider, bien qu'il fût plus vieux qu'elle d'un quart de siècle.

Quand María de las Nieves rentra chez elle ce soir-là, elle trouva une enveloppe, portant le sceau de la légation britannique. Elle contenait une lettre parfumée de Wellesley Bludyar, lui expliquant qu'il avait été inopinément envoyé en mission et exprimant ses «regrets les plus sincères». Il promettait de venir la voir dès son retour. L'enveloppe était pleine de pétales de jasmin duveteux. Elle remit la lettre dans l'enveloppe et la plaça dans l'album où elle se trouve encore, plus d'un siècle plus tard; les pétales, bien sûr, sont réduits depuis longtemps en une poudre de jasmin inodore.

CHAPITRE

CINQ

« Est-ce vrai aussi que quand tu es allée en Europe tu as fait embarquer à bord du vapeur une ânesse enceinte pour avoir du lait pour ton bébé au cas où ta nourrice en manquerait ? Et que c'était parce que ton mari ne voulait pas que tu allaites comme une Indienne ? »

Paquita s'était excusée auprès de María de las Nieves pour s'être disputée avec elle le soir précédent. Elles s'étaient enlacées et embrassées sur les joues.

« Mais comment est-ce que tu sais ça ?

— Paquita, c'est le genre de choses que tout le monde racontait au marché. C'est ma servante qui m'en a parlé. » C'était l'une des histoires les plus sympathiques qui y circulaient à propos de la Primera Dama.

« Oui, c'est vrai, avoua gaiement Paquita. Et un soir au cours de ce voyage, Rufino est rentré dans notre salon avec un verre de lait qu'il venait de tirer de cette ânesse. Mais il n'était pas pour mon bébé ; il disait qu'il était pour lui. Il voulait me montrer, tu sais, que même si nous nous rendions à Paris, il était toujours un rude paysan. Je lui ai dit : C'est du lait de la cuisine. Fais-moi goûter, Rufino, que je voie si ce que tu racontes est vrai. María de las Nieves et moi nous buvions du lait d'ânesse quand nous étions chiquillas et que nous vivions à la ferme de mon père, je connais le goût. Mais non, il a refusé, il a prétendu qu'il ne voulait pas faire l'amour avec une femme qui sentait le lait d'ânesse, et il l'a bu tout entier.»

Le regard de Paquita brillait d'une lueur sarcastique qui réchauffa soudain le cœur de María de las Nieves et la fit rire.

«Alors dis-moi, Paquita mía. Dis-moi enfin ce à quoi ton espion – c'était un espion, n'est-ce pas? – a assisté ce jour-là, entre Martí et moi. Vamos, c'était il y a longtemps, après tout, querida.

– Non non non. Si je te le dis tu vas encore monter sur tes grands chevaux. J'ai pensé à ce que tu m'as dit l'autre soir, mis Nievecitas, et j'ai décidé que toutes tes accusations étaient fondées – oui, toutes. Tu crois que j'ai été corrompue par le pouvoir de mon mari, que j'ai utilisé ses espions, et je ne peux le nier. Donc oui, tu m'as blessée, pourtant tu m'as fait aussi comprendre que même ma propre mère et tous les prêtres que j'ai connus cherchaient à se cacher de moi. Claro, j'avais une excuse. Après tout, il y avait bien un complot, María de las Nieves, destiné non seulement à assassiner mon mari mais moi aussi et nos enfants pendant notre sommeil. Après que ce complot a été découvert, j'ai changé; je soupçonnais, je craignais et je haïssais tout le monde et je me sentais le droit de soulever le toit de toutes les maisons pour regarder à l'intérieur et raconter à chacun ce que je voyais. Tant de pouvoir rend fou, comme tu dis, je le reconnais. Le monde avait perdu toute harmonie. Et la seule façon pour moi de lui en redonner un petit-petit peu était de quitter le pays et de passer de plus en plus de temps à New York et en Europe.

– Ton mari a utilisé ce complot pour emprisonner, assassiner et torturer tous ceux que lui ou ses amis n'aimaient pas. Mais ce n'est pas ce que tu veux dire quand tu parles d'harmonie perdue.

– Et je trouvais qu'il avait raison. Je sais maintenant qu'il est allé trop loin.

– Trop loin. Pues sí.» Elles se turent; elle se rappela le pauvre Higinio Farfán… «Où étions-nous Pepe Martí et moi, exactement, quand ton espion… nous espionnait.

– Vous avez traversé le pré de l'hôpital San Juan de Dios, vous êtes descendus dans la vallée, presque jusqu'à la rivière des Vaches. Là, dans une petite cuenca, un creux au pied de la falaise, vous vous êtes arrêtés.

– Tu te rappelles mieux que moi ce qui s'est passé.

– J'en doute. Et autre chose. C'était le jour où cet aéronaute est monté en ballon avec le chiot. Ce n'était pas ce jour-là?

– Je n'ai vu personne nous suivre.

– Bien sûr que non, Las Nievecitas, c'était un espion. »

Le célèbre aéronaute mexicain José Flores, conquérant des cieux andins bien plus élevés de Quito et de Cuzco, avait été le premier à monter en ballon à air chaud au-dessus de leur ville vingt ans auparavant ; également le dernier. S'il avait réussi ce jour-là, un modeste chapitre eût été ajouté à la légende hémisphérique d'El Gran Flores, mais il eût conquis une gloire ambiguë et une place durable dans l'histoire de la capitale. Son triomphe eût montré à la population du bastion du conservatisme que, en dépit du retard suffocant et de la xénophobie maussade de leur petit pays, elle aussi avait sa part de merveilles mondaines de l'époque. L'image de ce ballon aux couleurs de pomme de terre flottant dans un ciel radieux au-dessus des clochers et des dômes de ses trente-huit églises et monastères aurait même pu, avec le temps, devenir un emblème du moment où la ville avait commencé à changer, s'ouvrant à l'avenir comme une fleur oubliant sa timidité sous l'effet de la surprise. Or le fameux aéronaute mexicain guida son ballon droit dans des cauchemars et des souvenirs à faire frémir et demeura là, rejouant indéfiniment sa catastrophe dans un ciel bleu sans nuages où il n'avait pas plu depuis vingt ans.

À l'apogée de l'ascension du Señor Flores ce jour-là – alors qu'il semblait avoir atteint l'altitude du sommet du volcan le plus élevé à l'horizon, où aucun mortel connu n'avait jamais posé le pied – la nacelle dans laquelle il se trouvait prit feu. En ville, par toute la plaine, dans toute la vallée, et dans les villages indiens nichés sur les collines avoisinantes et les flancs des montagnes, tous les yeux étaient fixés avec horreur sur la boule incandescente au milieu du ciel, et sur le ventre du ballon qui s'affaissait lentement au-dessus d'elle. Finalement le ballon se dégonfla totalement, prenant de la bande pendant un bref moment tel un galion en flammes, puis la conflagration tout entière tomba à pic, et le ciel vide et choqué ne retint plus que quelques rubans de fumée noire, et un gémissement composé de milliers de cris humains parcourut la ville telle une tornade, d'innombrables petites trombes d'hystérie et de peur déferlant dans chaque rue. Les mandaderas émergèrent de chaque couvent, portant des plateaux chargés de cruches de camomille et de tisane de rue destinées à calmer les nerfs de la population, la plupart se précipitant vers les arènes et la place qui se trouvait devant, où la plus grande partie des gens était assemblée. Le ballon en flammes s'écrasa au sud de la ville, dans un champ de maïs près du pueblo indien de San Pedro de las Huertas, et on ne retrouva du célèbre aéronaute, parmi les débris étonnamment réduits de l'épave, que des os et des dents carbonisés.

Dans l'esprit dogmatique de l'époque, la tragédie de l'aéronaute fut largement interprétée, particulièrement du haut des chaires, comme un châtiment divin : l'enthousiasme aveugle de la population pour l'orgueilleux défi lancé par El Gran Flores à l'humilité terrestre avait été payé de retour par le spectacle d'une mort horrible qui répandait ses cendres sur leurs âmes mortelles, et obscurcissait toutes les consciences. Même les monjitas de la ville, murmurait-on, avaient abandonné leur chœur pour courir dans leurs vergers assister à l'ascension historique. Après cela la ville perdit le goût des vols en ballon. Mais en ces temps nouveaux, et en l'honneur de l'anniversaire du président suprême de la République, un autre aéronaute, également mexicain, bien que beaucoup moins connu que le malheureux qui l'avait précédé deux décennies auparavant, Juan Ríos, originaire de la petite ville pauvre de Tampico, vint offrir à la capitale une ascension en ballon que presque partout dans le monde civilisé (ou même semi-civilisé) on aurait considérée comme à peine supérieure à un numéro de cirque de seconde catégorie. Cependant, le vol de l'ingénieux Tampiqueño ne manquerait pas de nouveauté : au sommet de son ascension il allait lâcher un chiot accroché à un parachute en soie.

Ce même dimanche, ainsi qu'ils l'avaient fait trois dimanches de suite, depuis les dernières pluies d'octobre, les membres du club de base-ball d'Amérique centrale, dont c'était la première saison, s'étaient réunis, pour leurs deux matchs hebdomadaires, dans le pré derrière l'hôpital San Juan de Dios. C'était un lieu de rencontre bien moins fréquenté par les promeneurs, les pique-niqueurs et les amateurs de cerfs-volants que le Cerrito del Carmen, ou les prés d'El Calvario, ou la Plaza de Toros, ou encore le terrain vague de plus en plus couru, malgré le vent chargé de sable qui le balayait sans cesse, où on construirait bientôt la gare. Dans le pré derrière l'hôpital – hormis l'intrusion inévitable du bétail en liberté, des burros égarés et des chiens – seuls les pochards du dimanche qui venaient y traîner d'un pas chancelant, et qu'on chassait aisément à l'aide de cris et de gestes véhéments, constituaient un désagrément. La majorité des joueurs de base-ball étaient des Yankees travaillant au chemin de fer, les autres étaient de jeunes marchands ou des employés d'entreprises commerciales, auxquels se mêlaient même quelques aspirants planteurs de café et entrepreneurs. Le capitaine Warren Morrissey, un ancien combattant des guerres indiennes dans les territoires de l'Ouest, attaché à la légation US sous le colonel Williamson, et le lieutenant « Googey » Burns, le second du colonel Pratt, chef de la police, venaient aussi jouer. La compagnie de chemin de fer prêtait les battes, les balles et les gants ; les uniformes étaient promis pour la deuxième saison. Le club de base-ball comprenait deux équipes respectivement nommées les Aigles chauves de l'Ouest et les Huîtres bouillies de Broadway. Le meilleur joueur des Huîtres bouillies, en tant que lanceur et défenseur de centre gauche, était le taciturne Yankee Indio Mack Chinchilla, premier secrétaire de la Société d'immigration, qui avait joué en champ intérieur dans la division des commerçants de New York pour une équipe représentant les négociants en thé et café de Lower Manhattan. Quand il était parti pour l'Amérique centrale, Mack avait emporté jusqu'à son gant de base-ball, qu'il avait perdu avec sa mule de bât au cours de son périlleux voyage vers Cuyopilín.

On en était à la cinquième manche et Mack, qui avait frappé un magnifique coup de circuit et lançait impérieusement, avait obtenu pour les Huîtres bouillies un score de six points contre trois aux Aigles chauves. Quand ce n'était pas au tour de son équipe de frapper, Mack se tenait sur les côtés, indifférent à ses équipiers de l'Est, qui l'ignoraient en retour, bien qu'ils sachent qu'ils ne pouvaient gagner sans lui. De fait, le seul joueur que Mack appréciait vraiment se trouvait jouer pour l'Ouest ; « Wild Bibby » Lowenthal appartenait à la famille qui possédait le grand magasin California et fréquentait régulièrement le Café de Paris, dont les señoritas goûtaient particulièrement la faconde et la générosité : ce n'était donc pas seulement parce qu'il était juif que Mack l'appréciait. Dans son équipe il avait Gabriel Sugarman, un ingénieur des chemins de fer ancien élève de Yale et snob vaniteux ; la vérité c'est que Mack aurait voulu que Sugarman fût dans l'équipe des Aigles chauves pour pouvoir lui envoyer une balle à la figure. Dans le lointain les pentes herbues de la colline sommée par l'église du Carmen étaient couvertes des vives couleurs des robes, des chapeaux et des ombrelles des dames parmi lesquelles déambulaient les hommes en noir, telles des fourmis se frayant péniblement un chemin dans les ruines d'un somptueux gâteau. N'importe lequel de ces minuscules éclairs de couleur, pensait Mack, pouvait être María de las Nieves, coiffée de son joli chapeau neuf.

Mack était de retour sur le monticule du lanceur lorsqu'il

entendit un lointain rugissement provenant de la Plaza de Toros, accompagné des accents miniatures de la fanfare du colonel Dressner qui se remettait à jouer. Il comprit alors que l'aéronaute devait avoir décollé de l'arène, endroit exact d'où El Gran Flores était parti pour son vol fatal, par un autre après-midi ensoleillé vingt ans plus tôt. Le batteur, le capitaine Morrissey, leva les yeux pour regarder, sans toutefois quitter sa place, et Mack lui lança une puissante balle directe. Ce lancer victorieux aurait dû compter, mais l'arbitre, dont le visage gras orné d'une moustache de morse était tourné vers l'horizon, ne regardait pas lui non plus. Mack cria : «Bonne balle!», se tourna et vit le globe jaune canari pareil à un énorme jaune d'œuf tremblotant s'élever lentement au-dessus des toits bas et des arbres luxuriants couvrant la colline de l'église du Calvario. Qui, parmi les joueurs yankees, s'intéressait suffisamment à un ballon pour qu'on suspende le jeu? Quelques-uns seulement. En revanche, tout le monde voulait voir le chien parachutiste. Cependant le ballon avait encore un long chemin à faire avant d'atteindre le faîte du ciel. Et le jeu reprit par une discussion féroce entre les deux équipes pour décider si le second lancer de Mack comptait ou non. L'arbitre était le chef de la police, le colonel Pratt, dont le statut aurait dû garantir l'impartialité, mais qui prenait généralement le parti des Huîtres bouillies. Cette fois-ci il statua contre eux et Mack lança de nouveau. Sa balle courbe surgit si brusquement devant le visage du capitaine Morrissey qu'il dut rejeter vivement la tête en arrière pour sauver son nez, tandis que la balle terminait son plongeon vrillé, effleurant à peine le coin extérieur arrière de la plaque de but, au niveau des genoux du batteur – du moins selon l'arbitre, qui compta la troisième balle bonne. Il serait absurde de suggérer que l'ancien officier de police de la ville de New York avait quoi que ce soit contre un ancien de la cavalerie US; au contraire. Pourtant le capitaine Morrissey était sûr que l'Indio juché sur le monticule du lanceur avait délibérément visé son nez, et il se dirigea vers

Mack à grands pas tout en relevant ses manches, se préparant au combat. Il y avait plusieurs bagarres de ce genre à chaque match, et tous les joueurs y participaient avec un tel plaisir que c'était le seul aspect de ce sport yankee que le journal local relatait jamais. Mack, tout en bas du tas des pugilistes, avait les dents plantées dans la partie la plus charnue d'une main poilue, mordant aussi fort qu'il pouvait afin de supporter la douleur que lui infligeait le genou qui lui martelait les reins. Une moustache humide et des lèvres fleurant le tabac étaient pressées contre son oreille, maudissant sa race, et il sentit alors des dents qui tiraient sur la chair molle et cartilagineuse avec la fureur d'un chien enragé ; mais Mack avait le pouce dans l'œil du capitaine Morrissey, et pressait si fort qu'il s'attendait à moitié à le sentir s'enfoncer et à devoir le retirer tout gluant de l'humeur d'un iris bleu ; le goût et l'odeur du sang, de la sueur, de la terre, de la salive, de l'herbe emplissaient sa bouche et ses narines ; la haine qu'il ressentait était de la joie ; il savait que le besoin mauvais qu'il avait de les déchiqueter et d'être déchiqueté par eux était amour, liberté, et une façon américaine de permettre à des hommes entrés sur le terrain amoindris et blessés de le quitter radieux et entiers ; un pareil exercice lui faisait du bien à tous égards, au corps et à l'esprit, au sang et à la moelle. Il était rare que quiconque reçoive un coup de pied ou de poing dans les testicules ; comme de vrais gentlemen, ils savaient que c'étaient surtout les Français et les Espagnols qui se battaient ainsi. Il sentit que l'écrasante et pantelante masse de muscle et d'os se faisait plus légère à mesure que les joueurs s'extrayaient du tas, se remettant sur leurs pieds tant bien que mal et alors, tout en bas, Mack et le fier spoliateur des Cheyennes purent enfin se lâcher, et Mack, étendu sur le dos, haletant et grognant aux côtés de son adversaire tout aussi haletant et grognant, leva les yeux et vit le ballon jaune au milieu du ciel et le parachute qui, tel un napperon en dentelle, voguait au-dessus de la tache sombre qu'il guidait lentement en direction de la terre.

Un très joli bruit s'éleva de la ville : d'innombrables cris de joie et d'excitation fusant ensemble comme une énorme école qu'on vient de libérer pour les vacances d'été. Il y avait aussi les explosions, les pétarades et les grésillements des feux d'artifice et des fusées. Mack, sur ses pieds, essuyant le sang salé de ses lèvres-oreille-nez, imagina María de las Nieves et son espiègle servante souriant au ciel et se précipitant avec la foule, tâchant de deviner où le chiot allait atterrir. Il ne lui avait pas parlé depuis son discours sur les cochenilles dans le kiosque. Mais tout ce qu'il faisait, il le faisait pour elle, y compris gagner ce match, parce que rien n'était trop insignifiant pour ne pas mériter tous ses efforts, et si en chaque chose qu'il faisait il ne donnait que le meilleur de lui-même, ce serait comme de vivre perpétuellement prêt à leur prochaine rencontre. Le premier arrivé au chiot le gagnerait. Il espéra que ce serait María de las Nieves, si elle voulait un chiot. Puis il espéra que non, parce que cela attirerait trop l'attention sur elle, elle aurait un instant de célébrité, et de nouveaux galants qui ne l'avaient pas remarquée jusqu'alors seraient inspirés à rivaliser pour obtenir son cœur. Tu appelles ça donner le meilleur de toi-même, Mack, des pensées aussi lâches ? Il dit une petite prière pour que le chiot atterrisse sans mal et aussi près d'elle qu'elle le souhaitait.

Les joueurs observèrent la lente descente du chien sous son parachute jusqu'à ce qu'il disparaisse à leur vue derrière le faîte des arbres. Mack devina qu'il avait atterri quelque part à El Sagrario, un des plus vieux quartiers. Ils entendirent une brève clameur lointaine, puis un silence relatif. Le silence dura trop longtemps. Beaucoup trop longtemps… Pauvre petit pays, pas de chance, rien ne se passe jamais bien.

Jouez ! Il leur fallait terminer ce match et en jouer un autre. Les hommes retournèrent sans entrain à leurs positions. Le nouveau batteur était un péquenot abruti maigre et sec, probablement évadé de prison ; rien que de regarder son visage étroit et famélique de pendard l'emplissait d'ennui et il se dirigea vers sa place – et s'arrêta pour se retourner en entendant les acclamations – et les acclamations semblaient flotter dans l'air au-dessus de la ville comme quelque chose de presque visible, comme une énorme bulle de savon, mais d'une matière translucide plus élastique que le savon, retenant et prolongeant toutes ces voix joyeuses et ces exhalaisons festives à l'intérieur de sa sphère flottante. Ce fut une impression qui demeura en Mack pendant de nombreuses années.

Le chiot avait atterri dans le jardin de Doña Rebeca Zazúeta, une veuve âgée. Elle ne s'en était pas aperçue avant d'entendre la foule devant sa maison ; puis il avait fallu du temps pour qu'elle et sa servante trouvent l'animal, le libèrent de son parachute et l'amènent à la porte – tel était le récit qui paraîtrait le lendemain dans le journal. La servante indienne éleva le chiot dans l'air, saisit sa patte et l'agita en salut à la foule, Doña Rebeca remercia El Señor Presidente et Notre Señor qui est aux cieux de lui avoir envoyé ce cadeau miraculeux pour alléger sa solitude de veuve, et les deux femmes rentrèrent rapidement à l'intérieur avec le chien, refermant leur porte derrière elles.

Et puis Doña Rebeca et la servante, chargée de leur trophée, se dépêchèrent de traverser la lugubre maison décorée de statuettes pieuses et de tableaux vieillots pour sortir dans le jardin, poussant des : *¡Dios mío, Dios mío!* frénétiques – car que se serait-il passé s'il leur avait fallu plus longtemps pour trouver le chien et que des garnements échauffés eussent escaladé le mur ? Si la foule avait exigé de voir l'endroit précis où le *chucho* avait atterri ? L'époux de Doña Rebeca était mort treize ans plus tôt, et après cela l'étable et le poulailler dans le jardin avaient rapidement été abandonnés, et c'est là, plus d'une année auparavant, que Madre Sor Gertrudis de la Sangre Divina avait établi son couvent secret, avec neuf autres ex-religieuses. D'après le récit que fait Padre Bruno de l'épisode dans *La Monjita Inglesa*, sa *vida* de Sor Gertrudis, les religieuses étaient dans leur petit chœur de fortune arrangé dans l'étable occupées à chanter none à voix basse quand elles avaient été distraites par les cris dans la rue après quoi elles avaient entendu, tout proches, des couinements et gémissements qu'on aurait dit provenir d'une énorme souris. Elles étaient sorties en file pour découvrir leur source, et avaient été confrontées à la vision déroutante d'un tas de draps blanchâtres jeté juste devant l'étable avec en dessous, couinant et gémissant, allant et venant, une chose vivante. Les religieuses étaient restées là, paralysées par la surprise, quand la servante, suivie de Doña Rebeca, avait fait irruption dans le jardin, s'écriant qu'un chucho était tombé du ciel et qu'il leur fallait le trouver pour l'amener dehors, qu'il n'y avait pas une seconde à perdre! La servante et les bonnes sœurs les plus agiles, pataugeant dans la masse de tissu et de fils, avaient rapidement découvert le chiot. Sor Inés l'avait pris dans ses bras tandis que Sor Trinidad lui retirait son harnais.

«Oh, mes filles, regardez ce que Dieu nous a envoyé!» Et toutes avaient docilement reporté les yeux du chien à Madre Sor Gertrudis. «Ce chiot a la tête noire et le corps brun, exactement comme les habits de notre ordre!» La prieure avait aspergé la tête noire d'eau bénite et avait fait le signe de croix, sur quoi le chiot s'était contenté d'essayer de lui lécher la main – ce n'était donc pas un mauvais tour du diable! Puis Doña Rebeca leur avait précipitamment enlevé le chien. Et Madre Sor Gertrudis et ses sœurs, vêtues de leurs habits religieux, neuf voilées de noir et une portant le voile blanc des novices, étaient tombées à genoux devant l'étable pour prier Dieu que leur couvent ne soit pas découvert. Leurs prières avaient été entendues: les pieuses veuve et servante étaient bientôt revenues avec le chiot.

Pourtant, cet apparent miracle du chiot dans le jardin suscitait des questions, et la Madre Priora n'avait plus maintenant d'autre directeur de conscience que ses propres prières et méditations. Était-ce le signe que Leur Señor désirait qu'elles poursuivent leur sainte vie dans la clandestinité de l'étable de la veuve, ou y avait-il un autre message ? N'était-ce pas péché que de passer le chiot de mains en mains comme elles faisaient, certaines sœurs allant jusqu'à enfouir leur nez dans sa fourrure soyeuse ? Mais si cette créature était vraiment sainte, plus ange que bête, alors ne devait-elle pas être aimée comme si elles l'avaient reçue directement des mains d'El Pobrecito de Assís – et tel fut le nom que Sor Gertrudis choisit alors pour leur petit bébé chien qui ressemblait à un ours. La prieure yankee donna ordre qu'on prépare une fête simple afin d'exprimer leur gratitude. Ce jour-là, dit-elle aux religieuses, le plus joyeux de leur long exil, demeurerait toujours un saint anniversaire dans leur vie religieuse, et peut-être finirait-il pas être célébré dans tous les couvents de leur ordre.

Dix-sept mois avaient passé depuis que Sor Gertrudis avait commencé à s'aventurer hors de sa première cachette dans la maison des sœurs jumelles de Don Valentín Lechuga, en civil, pour aller voir ses anciennes filles et sœurs en religion dans les foyers où elles avaient trouvé refuge par toute la ville. Ces missions de reconnaissance dans *el siglo* lui avaient fait prendre conscience qu'il était urgent d'agir : certaines des ex-religieuses, particulièrement les plus jeunes, semblaient avoir perdu la vocation depuis qu'elles étaient retournées au monde, et deux s'étaient déjà mariées, en revanche d'autres souffraient de ne pouvoir vivre la vie monastique. Les historiens relatent (mais pas Padre Bruno) qu'à la suite de la fermeture des couvents, de nombreuses ex-nonnes s'étaient unies à des époux mortels, et qu'un nombre surprenant de ces mariés jeunes et pas si jeunes étaient des libéraux actifs, ou provenaient de grandes familles libérales ; certains étaient même d'humbles soldats. María de las Nieves, bien sûr, n'avait pas été parmi celles qui avaient reçu la visite surprise de Madre Sor Gertrudis, mais Sor Gloria de los Ángeles en faisait partie. D'après Padre Bruno, qui n'est pas un historien infaillible, peu après cette visite, Sor Gloria avait décidé de rejoindre sa prieure, malgré l'édit du gouverneur ecclésiastique selon lequel les novices devaient être relevées de leurs vœux, du fait qu'elles ne pouvaient plus légalement prononcer leurs vœux définitifs.

Un mur de planches en pin, érigé par les religieuses clandestines elles-mêmes, divisait l'étable qui se trouvait dans le jardin de Doña Rebeca. D'un côté se trouvaient l'oratoire et le petit chœur ; de l'autre la cuisine, une salle commune, et un dédale serré de minuscules cellules. Elles avaient réparé la vieille citerne, bien que chaque jour la servante de Doña Rebeca leur apportât plusieurs seaux d'eau puisée aux fontaines publiques. Un potager fut planté. Néanmoins, la nourriture faisait souvent défaut. Les religieuses dépendaient de la charité de la veuve Zazúeta, qui depuis la mort de son mari s'appauvrissait d'année en année. Par force, elle avait même commencé à vendre des pièces de sa collection d'art religieux colonial, extrémité d'autant plus pénible qu'elle avait découvert que presque tous les acheteurs potentiels qu'elle approchait étaient décidés à la flouer. Lorsqu'un après-midi, peu après l'arrivée d'El Pobrecito, Doña Rebeca revint chez elle, sur son visage habituellement empreint d'une profonde mélancolie, se lisait une joie enfantine, bien qu'elle portât la statue, l'un de ses plus chers trésors, avec laquelle elle était partie le matin pour l'université, dans l'espoir de trouver quelque honnête professeur qui appréciât suffisamment l'art religieux pour payer la modeste somme qu'elle demandait. Plus tard dans l'après-midi, à l'heure de la récréation des sœurs, Doña Rebeca s'empressa d'aller leur raconter ce qui était arrivé et de leur offrir la précieuse statue, une Virgen del Carmen polychrome du dix-septième siècle, d'un visage d'une beauté et d'une pureté telles qu'elle aurait pu être peinte par Fra Angelico, ses yeux de verre brillant d'une candeur si radieuse qu'on lui souriait timidement en retour, et une robe flottante sculptée par une main si légère et gracieuse qu'on aurait vraiment dit qu'elle allait s'envoler sur une douce brise. C'est ainsi que sa Virgen del Carmen avait été décrite et louée par le jeune professeur qu'elle avait rencontré à l'université le matin, et qui lui avait proposé de l'acheter. Le professeur était cubain, et il avait parlé avec une telle bonté et une telle éloquence de sa statue, comme un jeune et brillant jésuite, qu'elle avait eu du mal à le croire quand il lui avait avoué qu'il n'était pas même allé à la messe depuis son enfance et qu'il n'était qu'un amateur d'art religieux colonial. Sa Virgen del Carmen, lui avait assuré le Cubain, possédait une belle âme, ce que devrait être capable de voir quiconque en avait une. «Je ne pense pas que vous devriez la vendre, Señora», lui avait-il déclaré. Oui, avait-elle reconnu en silence, tandis que ses yeux s'embuaient, cela lui brisait le cœur de vendre cette magnifique statue, dans laquelle elle sentait effectivement la présence du divin et sa correspondance avec son âme immortelle; mais cela la remplissait également de joie, de faire un tel sacrifice à Dieu, et à Ses épouses sacrées qui vivaient dans son jardin, qui n'avaient même pas bu un chocolat chaud depuis des semaines. Dans l'impossibilité de rien révéler de cela au jeune Cubain, elle lui avait répondu en baissant les yeux. Donc le Cubain l'avait payée, un peu moins, c'est vrai, que le prix qu'elle en demandait. Toutefois il lui avait encore confié qu'il n'avait pas d'endroit adéquat où placer la statue, et lui avait demandé de la garder pour lui – dans quelques mois il allait se marier, pensait déménager dans une maison plus grande, et alors il surprendrait son épouse en apportant la statue non sans avoir, bien sûr, payé le restant de son dû. «Mis queridas, leur avait déclaré Doña Rebeca, notre Virgencita, qui pesait si lourd dans mes bras quand j'ai quitté la maison ce matin, m'a pratiquement portée jusqu'ici.» Car à partir d'aujourd'hui, leur apprit-elle, cette très sainte Virgen del Carmen habiterait ici avec elles dans leur jardin et leur cloître cachés. Peut-être qu'à présent il y aurait un prêtre assez courageux pour venir en secret confesser les religieuses ou dire la messe. Mais tel ne fut pas le cas. Même Padre Lactancio, leur ex-chapelain, refusa, sous prétexte qu'il ne voulait pas exposer les sœurs au danger d'être découvertes. À des heures soigneusement variées les religieuses continuèrent donc à sortir furtivement de la maison, en vêtements séculiers, coiffées d'un châle, se dispersant pour aller se mêler aux fidèles dans différentes églises de divers barrios.

Un Aigle chauve occupait la deuxième base et Mack s'était tourné pour regarder le coureur quand à l'extrémité du pré il vit un couple qui quittait la ville en direction de la vallée de la rivière et les ravins au-delà. La femme portait un chapeau avec de longs rubans jaunes, il en était sûr même à cette distance, et il voyait la couleur cannelle de son visage indistinct. L'homme en noir à côté d'elle marchait d'un pas rapide et léger ; il ressemblait à un mince point d'interrogation pressé. Même de là où je suis, pensa Mack, on peut le voir jacasser – bien qu'en réalité il ne pût rien voir. Mack poussa un soupir de dégoût irrité, pas contre elle, ni lui-même non plus, mais pour protester contre le dessin général et apparemment impitoyable de sa vie. Puis il se rappela : maître et élève, se promenant, discutant poésie et composition littéraire pour dames – la vogue permissive d'amitié entre les sexes due aux libres-penseurs, bien sûr – donc cela ne signifiait pas *nécessairement...* Qu'aurait conclu Martí s'il était tombé sur Mack et María de las Nieves en train de parler cochenilles dans le kiosque de lecture ? Oui, Mack, mais elle était accompagnée par sa servante. Où se trouvait son inséparable petite servante maintenant ? Le colonel Pratt et les autres joueurs lui criaient dessus, comme si Mack avait *toujours* interrompu les matchs pour se plonger dans des introspections aussi anxieuses que romantiques. Il se tourna et lança la balle – à dix centimètres hors de la plaque – et signifia d'un geste impatient à son receveur qui était à plat ventre de la lui renvoyer. Puis il prit son temps pour faire à pas lourds le tour du monticule comme si les bases étaient pleines et qu'il avait besoin de se concentrer, alors qu'en réalité il ne désirait qu'observer le couple qui disparaissait derrière une haie de petits pins contiguë à un champ de maïs – enfin, regardez maintenant : de l'autre côté du pré, la voilà, leur courant après, la petite servante ! « ... Eh Mack tu rêves? Lance cette foutue balle!» – mais attendez, non, ce n'est pas la servante, c'est une petite silhouette masculine, coiffée d'un haut chapeau beige à bord flottant ressemblant à un énorme pouce déformé, mais il va dans la même direction. Mack se retourna pour lancer la balle à Giuseppe Centola, un bison basané aux yeux tristes et à la longue barbe noire, et l'ouvrier musclé envoya la balle plus loin que personne dans l'histoire vieille de trois semaines du club de base-ball d'Amérique centrale, et les joueurs placés à l'extérieur coururent vers l'endroit où la balle avait disparu dans les hautes herbes du pré, non loin de celui où se trouvait le petit type coiffé du drôle de chapeau qui, comme s'il craignait d'être la cible de la ruée yankee, décampa à courtes foulées en direction de cette haie derrière laquelle María de las Nieves et le Dr. Torrente venaient de disparaître...

Et maintenant le score était de six à cinq. Le base-ball vous donne toujours une dernière chance de gagner. Et tout le monde veut être *campeón*! Mack ne se permit plus une seule faute après cela et lança avec une concentration, une énergie, une sûreté et une fureur inébranlables. «Tout le monde veut être *campeón*!» grogna-t-il avec dédain une fois le match gagné. Ce snob de Sugarman répliqua: «*Qu'est-ce que ça veut dire**, Mack? Tout le monde veut être un champignon?» et il émit un rire arrogant destiné à lui seul, car personne n'avait compris son bon mot. Dans le second match, Mack joua défenseur de centre gauche, ne commit aucune erreur, et atteignit la base chaque fois qu'il avait la batte, mais les Huîtres bouillies de Broadway perdirent dix-neuf à douze. Il y eut deux autres bagarres, chacune plus violente que la toute première.

Peu après avoir quitté Mexico, au début de sa tournée de trois mois en Amérique centrale, José Martí avait écrit du port de Veracruz à son meilleur ami au Mexique, Manuel Mercado – début d'une correspondance qui durerait toute leur vie et finirait par être publiée en un volume – l'informant qu'il allait monter à bord d'un paquebot français en partance pour La Havane et qu'il voyageait, avec des documents apparemment falsifiés, sous le nom de Julián Pérez – *mes deuxième et troisième prénoms*, écrivait Martí, *par quoi il semble que je me trahisse moins : il est toujours préférable, même dans des circonstances graves, d'être le moins hypocrite possible. Nul doute que tu sais déjà, car tu as le droit de savoir tout ce qui me concerne, quelle bataille fut menée ce dernier soir pour m'empêcher d'entreprendre ce voyage.* Le père de sa fiancée, Francisco Zayas Bazán, avait même proposé à Martí de payer à ses parents et à ses sœurs le voyage de Cuba à Mexico si cela pouvait l'empêcher de retourner dans cette île dangereuse. *Cet argent est inutile,* écrivait Martí à son ami mexicain, *du fait qu'il appartient à Zayas : je n'ai pas besoin de t'en dire plus.* Le riche père de Carmen Zayas, un Cubain, soupçonnait que le jeune et séduisant exilé s'intéressait plus à sa fortune qu'à sa fille et Martí devait considérer cette offre comme un piège. Il avait besoin de prouver qu'il était capable de subvenir aux besoins de Carmen, ainsi qu'aux siens, sans l'aide de son père : il avait l'intention de ne rester à Cuba que le temps d'organiser discrètement le retour de sa famille, tout en profitant de l'occasion, après une si longue absence, pour se rendre compte par lui-même de la situation politique du pays. Puis il irait en Amérique centrale, où ses relations parmi les libéraux lui avaient assuré qu'il n'aurait pas de mal à trouver un poste de professeur à l'université. Mais les lettres écrites durant ce bref séjour à La Havane montrent que Martí avait en fait hésité à se rendre en Amérique centrale : peut-être ne pourrait-il y gagner assez d'argent, et ne ferait-il qu'y perdre ses efforts et son temps ; et il se souciait de l'effet de la séparation sur ses relations avec Carmen et même de la nature de son amour pour lui. Après avoir reçu une lettre inquiétante de sa fiancée, Martí écrivait à son ami : *Croire sans foi est une grave erreur, mais il est encore pire d'aimer sans foi. J'ai foi en ma Carmen, absolument. Je crois qu'elle est capable de se tromper, mais pas d'une désaffection que je ne mérite pas. Va la voir, va la voir entre trois et cinq heures et tâche de connaître la cause de ce qui l'afflige.*

Il est clair que Martí voulait retourner au plus vite à Mexico mais qu'il s'inquiétait aussi qu'on le juge faible et pusillanime s'il revenait sur sa décision : apparemment c'est ainsi qu'avait réagi Carmen à la suggestion de son retour prématuré. Torturé par cette idée, Martí avait envoyé une nouvelle série de lettres dans lesquelles il s'accusait d'avoir hésité tout en tâchant d'expliquer ces hésitations de la meilleure façon possible : *Si mon idée de revenir au Mexique n'était pas née de la certitude absolue que ma vie est déjà intimement liée à celle de Carmen, j'aurais honte de ces pensées apparemment lâches.* Finalement il s'était rendu dans la ville où l'attendaient les deux « niñas » de son destin : María García Granados et María de las Nieves Moran.

Je viens empli d'amour pour ce pays et ces gens, écrivait Martí à son ami mexicain dans sa première lettre expédiée depuis la Pequeña Paris de Centroamérica, *et si mon amour pour eux ne déborde pas de moi, c'est afin qu'ils ne le prennent pas pour de la servilité et de la flatterie. S'il n'y a pas beaucoup d'esprits développés ici, je suis venu pour les animer, pas pour leur faire honte ni les blesser. Ici, enfin, on aime la nouveauté, et l'esprit rédempteur de la critique commence à se répandre parmi les jeunes hommes. Ils sont privés de cercles littéraires, de l'habitude des choses élevées, de journaux, pourtant ils ont de l'énergie et du désir pour tout cela, et je dois être très prudent dans mes jugements afin qu'ils ne paraissent pas arrogants. De cette façon ma politesse et mes craintes font écran à mon feu intérieur. Ces précautions n'ont pas suffi à empêcher que mon nom ne soit déjà sur la langue des gens* [en la boca de la gente] *à qui d'une certaine manière je me suis exposé, loué par certains, et même avec effusion, considéré avec curiosité par les autres, et – je préférerais ne pas le savoir – peut-être perçu comme un obstacle par quelques-uns.* Il avait également loué une maison modeste et bien située, tout près de celle des García Granados, dont il pensait qu'elle conviendrait à Carmen quand elle viendrait enfin le rejoindre, une fois devenue sa femme.

Le premier élan d'optimisme de Martí semble avoir été sincère : il écrivit dans un carnet que le charme secret de ce pays était sa sévérité dénuée de tristesse, il était dédaigneux mais jamais irritant, bruyant mais pas tapageur, agité et cependant infatigable : *Sa robe de bal n'est jamais froissée.* Pourtant ses lettres se termineraient quinze mois plus tard par les mots les plus amers et les jugements les plus durs qu'on puisse trouver dans ses écrits ; à peine cinq mois plus tard, certaines de ces notes discordantes se faisaient entendre : *Le manque absolu de noblesse, d'énergie et de liberté qui, avilissant le caractère du reste, dégoûte et irrite ; ce ciment de mousse sur lequel la fortune, qui me sépare des autres hommes, m'oblige à bâtir ma demeure, tout cela occupe mon esprit à des choses sérieuses et malsaines qui aggravent et exaltent ces souffrances. Donner vie à l'Amérique, ranimer le passé, fortifier et révéler le présent ; déverser mon surplus d'amour, écrire sur de graves sujets à Paris, employer mon intelligence à de grands sujets sans préjugés ni idées préconçues, préparer une noble demeure dans l'âme au martyr volontaire qui vient y séjourner, telles sont les tâches que j'ai assignées à ma plume. – Le courrier part, je termine ici. Ma Carmen n'a pas reçu mes lettres, ce qui me démoralise.* (Les plaintes concernant les services postaux sont communes à presque toutes les correspondances en Amérique centrale à cette époque, particulièrement de la part d'étrangers, dont les Gastreel et les occupants des autres légations.) Après avoir annoncé à son ami qu'il était en train d'écrire un petit livre sur les richesses et les vertus méconnues du pays, il ajoute : *Ce pays est cruel, en ce moment même des hommes enchaînés passent sous mes fenêtres. Je les libérerai !*

Après le nouvel an et son mariage au Mexique, lorsque Martí reviendrait accompagné de son épouse, Carmen, il reprendrait sa correspondance avec Manuel Mercado : *Je vais publier un journal ici dans lequel je devrai me défigurer grandement afin de m'abaisser au niveau commun. Ici, par une jalousie inexplicable, le recteur de l'université, un homme petit de corps et d'âme, à qui je n'ai pas causé plus de tort que de faire l'éloge d'une conférence qu'il avait donnée et qui n'en méritait aucun, m'a confié un cours sur l'histoire de la philosophie platonicienne. J'enseigne gratuitement la philosophie, mais je suis rétribué par la gratitude de mes élèves. Pour mon anniversaire ces malheureux m'ont offert une jolie chaîne de montre.*

Tu *sais avec quelles intentions je suis venu dans ce pays,* écrirait Martí dans sa lettre suivante à son ami mexicain. *Il est vrai qu'il y avait une discordance absolue entre leurs manières brutales et mon âme libre ; il est vrai que je les ai poétisés afin d'être capable de vivre parmi eux ; mais ces secrets n'ont jamais quitté mon âme. Ont-ils lu dans mes yeux ? Ont-ils déjoué ma prudence ? Pauvre Carmen ! Elle a payé le prix de la grande leçon que j'ai apprise : si tu abrites en toi une petite lumière, tu ne peux vivre sous le règne des tyrans. Lorsque je regarde ma pauvre Carmen, mes yeux s'emplissent de larmes, et il m'est difficile de contenir mon amertume. Parmi ces hommes d'une petitesse extraordinaire, tout semblant de vigueur, de personnalité, d'austérité, d'énergie, paraît criminel. J'ai suscité des peurs injustifiées, une opposition tenace, une incroyable persécution.*

Aucune des lettres écrites par Martí à Carmen tandis qu'elle attendait leur mariage au Mexique n'a été conservée ; pas plus que les lettres qu'elle lui avait adressées. Nous savons à quel point Martí était préoccupé par María de García Granados, sa « niña », son *palmier de lumière,* pendant un grand nombre de ces mêmes mois ; nous savons cela avec certitude si nous croyons également qu'il est possible de recueillir des vérités biographiques concernant la vie de Martí dans sa poésie, y compris les poèmes composés durant son séjour de plus d'un an en Amérique centrale, et couchés dans l'album de María García Granados en particulier. Quoi qu'il se soit passé entre Martí et la fille de l'ex-président au destin tragique, il ne manque pas de preuves pour conclure que ce fut un des épisodes sentimentaux les plus importants de sa vie. Pourtant, dans aucune de ses lettres, pas même dans celles destinées à son meilleur ami au Mexique (qui avait *le droit de tout savoir*) Martí ne fait une seule fois allusion à María García Granados, ou à sa mort, bien qu'il assistât à son enterrement au milieu de la foule qui l'accompagna à sa dernière demeure, et qu'il plaçât des années plus tard son cercueil blanc au centre de son poème d'amour et de remords le plus célèbre ; il ne parle pas davantage d'aucune des autres femmes qu'il avait rencontrées là-bas. Bien que jusqu'à ce jour, plus d'un siècle après, quiconque visite la capitale peut rencontrer, par exemple, des hommes âgés qui prétendent que leurs grand-mères ont connu Martí – je ne parle pas d'anciens cireurs de chaussures ni de chauffeurs de taxi ni d'instituteurs alcooliques à la retraite ni d'avocats marrons ou de bureaucrates aigris, mais de véritables personnages d'une importance nationale, des hommes à la réputation intacte, d'excellente mémoire et parfois d'excellente éducation, régulièrement cités et interviewés dans les journaux au sujet des derniers événements locaux et même internationaux, qui ne sortent qu'en costume sombre, coiffés d'un chapeau et portant (souvent) des lunettes noires ou sinon, dans les circonstances les plus simples, une guayabera immaculée – d'hommes, en d'autres termes, dont on n'accueille pas les paroles à la légère ni avec scepticisme, et qui vous diront, sans pouvoir avancer d'autre preuve que de l'avoir entendu de la bouche de leur propre abuela, que le séjour de Martí dans la Pequeña Paris, particulièrement durant les mois précédant son mariage, avait été des plus actifs du point de vue sexuel, car les femmes ici, dans cette petite société qui s'ouvrait tout juste aux nouvelles manières, n'avaient jamais rencontré personne comme ce Cubain de vingt-quatre ans, qui, même s'il emplissait ses carnets et sa poésie de sublimations angoissées du plaisir physique en amour spirituel, possédait malgré lui une irrépressible sensualité caraïbe, si différente des manières hispano-indiennes généralement réprimées de la citadelle des montagnes pluvieuses, et bien sûr un idéalisme poétique fascinant ainsi qu'un charisme unique. Martí était tout simplement incapable de résister à tout l'amour et aux tentations féminines jetés sur son chemin, du moins selon les rumeurs vieilles d'un siècle concernant sa vie amoureuse secrète, qui, quelque peu fondées qu'elles soient, embaument encore comme le jasmin des jardins au clair de lune où il fit battre tant de cœurs et de pouls, dans cette ville où son nom demeure dans *la boca de la gente* jusqu'à ce jour, et où on peut rencontrer des gens encore aujourd'hui qui prétendent avoir connu, ou avoir entendu parler, des descendants de l'enfant de l'amour qu'il eut avec María García Granados (d'après la légende presque certainement fausse d'après laquelle elle serait morte en couches). Même dans les volumes qui rassemblent les journaux, les carnets et les papiers de Martí, publiés des années après sa mort, le lecteur ne trouvera que des allusions apparemment codées ou vagues à cette liaison tragique, qui témoignent cependant d'une obsession troublante : le nom de la « niña » écrit au dos d'une enveloppe des années plus tard, sa mémoire évoquée ailleurs en notes nostalgiques, contrites, ardentes et voilées (et au moins une exception : une confession sentimentale non déguisée écrite de sa main). Les hommes bons se marient jeunes, avait écrit un jour Martí, et bien sûr il s'était marié jeune, quoique nous sachions également quel amer désastre son mariage avec Carmen Zayas – qui ne voulait pas d'un révolution-naire-héros-martyr-poète-saint pour époux après tout – se révéla être.

Treize ans après la mort de María García Granados, à New York, à l'époque où l'apôtre cubain organisait quasiment seul la révolu-tion contre la domination espagnole sur Cuba, il composerait son poème sur la niña *qui mourut d'amour*, et avouerait que son visage était celui qu'il avait aimé par-dessus tous. Il ferait cet aveu dans un recueil de poèmes qu'il réciterait à ses amis, et donnerait à sa femme avant de le publier peu après. Par la suite il dirait à un ami que deux fois dans sa vie il avait vu une âme s'échapper d'un corps par la bouche, une fois lorsque, dans une prison à Cuba, il avait vu un vieillard fouetté à mort, et la seconde fois, quand il avait annoncé à María García Granados qu'il retournait au Mexique épouser Carmen. Il répéterait cette confession, d'une manière plus laconique, dans un autre poème publié dans le même volume : *Vite, comme un reflet, / deux fois je vis l'âme, deux fois : / une fois quand mourut le pauvre vieillard. / Et quand elle me dit adieu...* Mais il n'existe pas de témoignage fiable de ce qui eut lieu entre eux, pas plus, à moins qu'on ne retrouve des mémoires ou un journal, perdus ou mis de côté depuis longtemps, qu'il n'y en aura jamais.

Même un journal peut être un espion, avait écrit Martí dans un autre contexte, et cette attitude, touchant les détails des intrigues personnelles ou politiques, semble avoir guidé sa conception de tels écrits, bien que parfois il y fasse des allusions tentantes, semblant souvent flirter et vaciller, au bord d'une confession épique.

La postérité, écrivit le fils de l'ami et exécuteur littéraire de Martí, Gonzalo Quesada y Aróstegui, *ne pourra pas découvrir le nom de toutes les femmes qui ont touché la vie de l'apôtre.*

On sait au moins cela : après la mort de Martí, cette note, griffonnée au crayon sur une brochure, fut trouvée parmi ses papiers : *Quand j'ai épousé Carmen, plus que par amour, par gratitude pour celui qu'elle avait apparemment pour moi, et par une certaine obligation d'honneur qui excitait ma dangereuse et pointilleuse imagination, j'eus l'impression de me sacrifier ; ce que j'acceptai, ne sachant ce qu'était le véritable amour ; parce que je croyais qu'un jour il viendrait ; je connus les débuts du véritable amour, après avoir rencontré mon épouse ; en Amérique centrale, mais je l'ai étouffé dans l'idée de ce que je devais à la femme qui m'avait donné à l'avance le gage de son amour.*

Dans le «Journal d'un soldat», écrit par Fermín Valdéz Domín-
guez, l'ami de toujours de Martí, qui pendant des décennies avait
été conservé dans les archives de l'État cubain, apparemment à
cause de certaines observations désobligeantes à propos de certains héros rebelles, il y a un passage que peu de personnes
aujourd'hui peuvent prétendre avoir réellement lu et où Domín-
guez est censé avoir écrit que Martí lui avait confié un jour que
Carmen n'était plus vierge le jour de leur mariage – un «gage
d'amour», qui ne pouvait être reçu à la légère, bien sûr, à cette
époque (ni à aucune! bien que – etc. –). Martí avait étouffé son
amour pour María García Granados à cause de ce qu'il pensait
devoir à sa fiancée, qui avait fait l'amour avec lui au Mexique
avant leur mariage, avant qu'il ne parte pour l'Amérique centrale.

Les femmes pensent à tort, ainsi que les hommes, écrivait Martí
peu après dans son carnet, *qu'une fois que le grand don a été fait,
le don du corps, le baiser qui ébranle la terre, que tout a été donné, et
que tout a été atteint. Oh! Non! L'âme est esprit, et elle échappe aux
rets de la chair...*

«Et si un oiseau se pose sur mon épaule...», Martí avait-il
confié, ou avoué un jour à un jeune ami qui lui demandait conseil
au sujet des amours passagères, laissant sa voix se perdre de façon
suggestive. Nous pouvons trouver des allusions, ou le soupçon
d'allusions, à María de las Nieves Moran éparpillées tout au long
de ses écrits, dans sa poésie, et même dans certaines anecdotes
rapportées par ceux qui le connurent. Elle ne fut pas celle qui
compta le plus pour lui en Amérique centrale, pas plus qu'ensuite
à New York; bien sûr il comptait beaucoup pour elle. Comme
d'habitude, Martí ne laissa pas de témoignages explicites de ses
pensées ou sentiments touchant cette autre niña – nulle autre
note exceptionnellement indiscrète au dos d'une brochure n'a été
découverte. Mais il parlait parfois de María de las Nieves comme
de son petit oiseau – sa «pajarita», pas sa «niña».

La pajarita construit son nid de toison
Puis elle doit fuir son inconfortable maison.
Pourquoi dans l'arbre de laine, et non l'arbuste de flanelle,
chercher un toit?
Pourquoi ses amours laineuses, et non le doux et blanc duvet
de l'oie?

Ces quelques vers légers et spontanés, que Martí composa plus tard pour María de las Nieves indiquent que, de temps à autre du moins, elle lui confiait des pensées plutôt intimes. María de las Nieves, jusqu'à la fin de ses jours, devait rester discrète quant à ses relations avec le héros et martyr de la Révolution cubaine. Cela dit même les anecdotes que María de las Nieves ne dédaignait pas de raconter ne pouvaient manquer de laisser l'impression d'une proximité pour le moins ambiguë; par exemple, lorsque Martí, tout en jouant avec les longs rubans jaunes de son chapeau, lui avait déclaré un jour : Un chapeau qui a séjourné ne fût-ce qu'une heure sur la tête d'une señorita peut nous raconter de bien vilaines choses à son sujet. Questionnez le chapeau, il peut répondre : Eh bien, peut-être la señorita l'a-t-elle remarqué, ou pas, mais dans la foule là-bas il y avait un caballero qui a porté ces rubans à ses lèvres et leur a donné un baiser de profonde affection, de vénération, je dirais même. Mais si vous demandez au chapeau qui était ce hardi monsieur, le pauvre chapeau ne peut répondre. Un chapeau ne connaît que le nom de sa maîtresse !

Qui porta les rubans du chapeau de María de las Nieves à ses lèvres? Et où? Dans quelle foule? Fut-ce le jour du ballon et du chiot parachuté? Martí vit-il effectivement quelqu'un donner un baiser furtif à ses rubans, ou faisait-il allusion à lui-même? Ce ne pouvait être Mack Chinchilla, car il jouait au base-ball, et Wellesley Bludyar était à l'étranger en mission secrète. Y avait-il un autre prétendant? Était-ce un autre jour?

Ce dimanche après-midi Martí rencontra par hasard María de las Nieves dans la Calle Real, au moment même où il sortait de la galerie abritant les échoppes du côté sud de la Plaza Mayor. Il lui fallut quelques secondes pour reprendre ses esprits : c'était comme si soudain il y avait deux Martí, celui qui vivait en elle, emprisonné dans une fixation malheureuse, et celui qui venait de se mettre en travers de son chemin, vêtu de noir comme toujours, lui souriant avec chaleur et la saluant. Parce que María de las Nieves ne cessait d'imaginer des scènes entre eux qui commençaient exactement ainsi, elle eut aussi l'impression qu'elle avait senti intuitivement qu'elle allait tomber sur lui juste avant que cela n'arrive – autant que la surprise, ce qu'elle ressentit fut le ravissement du pouvoir magique de son intuition. Qu'un amour aussi caché et frustré que le sien attribue toujours une signification quasi mystique à des rencontres aussi matériellement accidentelles ne lui vint pas à l'esprit (pas plus qu'il ne le ferait bien des années plus tard). Et où allait-elle ? voulait savoir Martí. Elle avoua qu'elle ne savait pas vraiment encore, dans un endroit bien placé pour regarder le ballon, supposait-elle. Et où était la señorita María Chon ? demanda Martí ; ne voulait-elle pas voir l'aéronaute elle aussi ? María Chon s'était rendue dans sa famille – qui habitait maintenant près de Zunil, lui apprit-elle. Mais María Chon serait certainement désolée d'avoir raté le ballon, particulièrement quand elle apprendrait qu'on avait parachuté un chuchito ; espérons qu'il atterrira sain et sauf, ce serait terrible si quelque chose se passait mal ; elle était sûre qu'il avait entendu parler de ce qui était arrivé la dernière fois qu'un ballon était monté à la verticale de la capitale. Oui, dit Martí. Il avait parlé à de nombreuses personnes qui avaient été témoins de l'horrible incinération en plein ciel alors qu'ils étaient enfants et demeuraient hantés par la tragédie. Avec de la chance, le vol d'aujourd'hui, et un atterrissage réussi par le chiot parachuté, soulageraient le poids apparemment partagé de ce terrible souvenir.

«On croyait jadis, dit María de las Nieves, que lorsqu'on entend un chien qui aboie dans le ciel, cela signifie qu'une épidémie de choléra va avoir lieu, ou quelque autre catastrophe apocalyptique du même genre.

– C'est un vieux mythe indien?

– Une vieille superstition de nonnes. Je l'ai entendu dire au couvent.»

Et ainsi, ils engagèrent la conversation, et elle oublia bientôt le ballon; il avait vu beaucoup d'ascensions de ce genre, des douzaines, à La Havane, en Espagne; à Madrid il y avait des jours où le ciel était si plein de ballons qu'on aurait cru regarder un poirier céleste...

Il y avait un célèbre aéronaute français, du nom de Nadar, lui dit Martí. Un des personnages parisiens les plus singuliers. Un ami de Baudelaire, de Hugo. Un pionnier de l'art de la photographie aussi bien, le premier à prendre des photographies aériennes. Environ quinze ans auparavant, Nadar était monté dans son fameux ballon, qui s'appelait *Le Géant**, dans l'intention de battre le record du monde de durée; sa femme et un ou deux amis l'accompagnaient, ainsi qu'un chien. Ils s'envolèrent de Paris à bord du *Géant**, le matin, et toute la journée flottèrent au-dessus de la France, emportés par un vent d'est puissant et régulier, puis l'obscurité se fit, ils étaient perdus et leurs montres leur apprirent qu'il était minuit. Nadar vit des lumières, et il fit descendre le ballon aussi bas que possible, pour découvrir que c'étaient celles d'une gare.

«Et tandis que le ballon passait, dit Martí, le grand aéronaute cria: *Où est-ce que nous sommes** ? Et du sol vint la réponse, criée par un des employés du chemin de fer: *À Erquelinnes**... Erquelinnes? Erquelinnes est en Belgique, à la frontière. Et un petit Belge en uniforme sortit en courant de la gare criant au ballon qui s'éloignait: *Arrêtez! Arrêtez** ! Les passagers doivent débarquer pour passer la douane!»

Martí ne racontait quasiment jamais une histoire juste parce qu'il la jugeait amusante. L'avait-il fait aujourd'hui ? Juste pour la faire rire ? Elle rit, ses yeux généralement boueux, brillant indubitablement d'une adoration enfantine qu'il n'avait pu s'empêcher de remarquer.

« Et *Le Géant** s'éloigna dans la nuit, poursuivit Martí. À la gare, même si on ne pouvait plus voir le ballon, on pouvait entendre le chien aboyer dans le ciel. Le lendemain, près de Hanovre, le ballon s'écrasa, et tous les passagers, gravement blessés, durent être hospitalisés, monsieur Nadar avec les deux jambes cassées et sa femme avec des blessures encore plus graves.

– Et le chucho ? »

Martí ne savait pas ce qui était advenu du chien. Il savait par contre que par la suite *Le Géant** avait été exposé au Crystal Palace à Londres ; telle était la célébrité du ballon que jour après jour les foules payaient rien que pour le voir.

Ils se dirigeaient à pas tranquilles vers les faubourgs est de la ville, et Martí déclara que le pré derrière l'hôpital San Juan de Dios pourrait offrir un bon point de vue pour admirer le ballon. Mais ils n'y arrivèrent pas à temps ; alertés par le rugissement joyeux qui montait de la ville, ils s'arrêtèrent dans la rue et, regardant par-dessus le faîte des arbres et des églises, ils purent observer brièvement la descente du chiot dans le ciel d'un bleu limpide. Ils reprirent leur promenade, et ne remarquèrent même pas le match de base-ball à l'extrémité opposée du pré qu'ils quittèrent bientôt après. Martí faisait-il courir un risque à la réputation de María de las Nieves en l'attirant, seule avec lui, dans cette promenade de dimanche après-midi ? Tel eût été le cas, si María de las Nieves avait été María García Granados ; si elle avait appartenu à une classe sociale qui conférait de naissance à ses femmes une réputation sans tache telle une seconde âme, plus sociale que divine. Martí devait être conscient de cela : comme s'il prêtait à María de las Nieves la réputation de seconde main cependant intacte d'une fille située quelque part entre María García Granados et les régions inférieures où la vertu n'était pas réellement exigée d'une fille, il exprima le regret que María Chon fût absente. María de las Nieves pensa que la remarque était une politesse pleine de bonté bien que superflue.

Mais alors Martí lui demanda si María Chon serait rentrée le week-end suivant. María de las Nieves répondit que non. Martí déclara qu'il était désolé de l'apprendre et elle lui jeta alors un regard ébahi tandis qu'il poursuivait tranquillement, racontant que dernièrement il avait pensé au jefe indio de Sacatepéquez dont lui avaient parlé des amis libéraux, qui parlait français, lisait les journaux, bâtissait des écoles, et instillait les vertus. Martí lui apprit qu'il était en train d'écrire un petit livre, qu'il avait l'intention de publier au Mexique, pour faire connaître à ses lecteurs les qualités et richesses de son petit pays. Un portrait de ce jefe indio ne serait-il pas une publicité parfaite pour un aspect si important de l'actuelle transformation du pays – la promotion des Indiens? Sacatepéquez n'était pas loin. En prenant la diligence à l'aube, puis, si une fois arrivés on louait des chevaux et qu'on eût la chance de trouver le jefe indio – un tel señor ne pouvait qu'être célèbre – on pourrait même peut-être être de retour dans la soirée. Ou mieux encore, pourquoi ne pas passer la nuit, louer des chambres respectables à Antigua, l'ancienne capitale détruite par un tremblement de terre, et rester le lendemain matin pour visiter les ruines, magnifiques à ce qu'on disait, des anciens couvents et églises baroques? Et il serait prudent, peut-être même nécessaire, de voyager avec un traducteur, s'il devait s'aventurer dans les villages. Il savait, bien sûr, qu'elle parlait une langue indienne et qu'elle était traductrice de profession. Il serait heureux de l'employer. Il ne pouvait imaginer meilleur compagnon pour une telle expédition. Mais il comprenait également qu'il paraîtrait déplacé de sa part d'entreprendre un tel voyage avec lui si elle n'était pas au moins accompagnée par sa servante, la señorita María Chon. Malheureusement, il était impatient de faire le voyage, et pensait même partir le week-end prochain ; il lui restait si peu de temps pour terminer son livre avant son retour au Mexique.

« Pues sí, bien sûr, on ne peut pas se passer de María Chon », répliqua-t-elle d'une voix lointaine, car María de las Nieves ne comprenait toujours pas cette incroyable invitation : il voulait qu'elle vienne avec lui à Sacatepéquez, mais seulement si elle était accompagnée de sa servante, c'était bien cela ?

Y avait-il quelqu'un d'autre qui puisse la chaperonner ? – Amada Gómez, sa pensionnaire – une option désagréable. Vipulina ? se demanda-t-elle. La tante de Vipulina le permettrait-elle ? Vipulina voudrait-elle même aller à Sacatepéquez avec elle et Martí ?

« Quoi qu'il en soit, je parle mam. À Sacatepéquez on parle surtout... le cakchiquel, non ?

– Sont-ils similaires ?

– Je pourrais comprendre et vous faire comprendre. Du moins jusqu'à ce que nous trouvions votre jefe indio – après quoi nous parlerons français. »

Il acquiesça d'un signe de tête, comme s'il pensait qu'elle parlait sérieusement, et que cela allait de soi. Il était clair que ses intentions étaient purement professionnelles, et intellectuelles ; c'était entièrement pour son livre. Il insistait sur le fait qu'elle soit accompagnée par un chaperon. Ou attendait-il qu'elle déclare qu'elle irait sans chaperon ? Et alors, était-ce là le genre de moment dont elle avait tant de fois rêvé, l'enveloppant soudain dans un scénario plausible qui devait être un des rares qu'elle n'avait pas imaginés ? Elle était emplie de la confusion, de l'excitation et de la crainte les plus extraordinaires : un vol dense d'oiseaux déroutés à l'intérieur d'elle.

Tandis qu'elle cherchait à s'orienter parmi ces pensées et ces sentiments, allant jusqu'à se demander ce que la jeune Madame Roland aurait fait à sa place, les pas de María de las Nieves la portèrent au-delà de Martí. Il serait merveilleux de pouvoir rapporter que Martí avait ralenti afin de la suivre discrètement et que ce fut là qu'il porta les rubans de son chapeau à ses lèvres. Mais il ne le fit pas. Ou s'il le fit, María de las Nieves ne le remarqua pas.

À présent Martí revenait à ses côtés, et commençait à lui parler du traité d'un archéologue et linguiste américain à propos de la conception de l'amour dans les langues américaines qu'il venait de lire. Le vocabulaire d'amour d'un peuple, demanda Martí, ne devait-il pas révéler bien des choses quant à son cœur le plus intime? Par exemple, lui apprit-il, dans les langues européennes il y avait des mots pour de nombreux degrés différents de l'amour, mais il n'y en avait plus pour exprimer uniquement l'amour des dieux, tels que les langues américaines en avaient encore. Apparemment, les tribus indiennes d'Amérique du Nord possédaient des concepts de l'amour excessivement variés. «Cependant les Aztèques qui parlaient le nahuatl, dit-il, bien que leur culture fût plus avancée, avaient eu un vocabulaire amoureux étonnamment pauvre. Les Aztèques ne possédaient qu'un mot de base pour exprimer toutes les variétés de l'émotion, de l'humaine à la divine, de la chaste à la charnelle, et comme ils longeaient la limite nord du pré derrière l'hôpital San Juan de Dios, l'étonnant Martí prononça même le mot *tlazóltl* – et pas seulement cela, poursuivit-il, mais ce mot partageait la même racine verbale avec d'autres verbes, tels que celui qui signifie user un vieux vêtement, et tous ces mots descendaient du mot nahuatl *zo*, qui désigne avant tout un instrument aiguisé et pointu utilisé pour percer les objets et la chair. Et ainsi, María de las Nieves, lui dit Martí, ces anciens Indiens du Mexique avaient apparemment des verbes pour signifier *trouer* et *faire saigner* bien avant d'avoir eu un mot pour l'amour, ce qui, du moins pour le savant américain, ne plaidait pas en faveur de leur culture. Toutefois les anciens Aztèques avaient produit le *Popul Vuh*. Ils n'avaient pas laissé d'*Annales des Cakchiquels*. Et dans la langue des anciens Mayas du Yucatán...

– Ma mère était une Maya du Yucatán, l'interrompit María de las Nieves, bien que pas ancienne.» Car il la déroutait et la rendait

343

nerveuse avec tous ces discours sur l'amour et elle devait y mettre immédiatement un terme afin de poser ses mots dans son esprit. Ne faisait-il que lui donner une leçon sur les langues indiennes?

Martí savait déjà que sa mère était originaire du Yucatán; elle le lui avait dit au cours de leur conversation dans le kiosque de lecture. Pourtant Martí déclara: «Oui, bien sûr, elle est du Yucatán, j'avais oublié.» Pues sí, sa mère avait rencontré son père yankee dans le Yucatán, dit-elle, et ils s'étaient mariés, et ensuite ils étaient venus ici. Et ils marchèrent en silence, comme si Martí lui donnait l'occasion de dire quelque chose de plus à propos de ses parents si elle le désirait, ce qui n'était pas le cas.

«Vous parlez le maya yucatec aussi, alors?» demanda Martí. Elle répondit que non, que sa mère avait toujours préféré parler l'espagnol. La langue des Mayas du Yucatán, lui apprit-il alors, était remarquablement riche en concepts d'amour.

«Mais le plus fascinant, María de las Nieves, est que dans cette vieille langue, tous les nombreux mots pour l'amour partagent la même racine – *ya* – tout comme ceux qui signifient la douleur, la souffrance, les blessures et le chagrin. C'est comme si les anciens Mayas, qui vivaient si proches de la nature, avaient développé les mêmes idées romantiques touchant les relations entre l'amour et la souffrance ainsi que, tant de siècles plus tard, feraient les poètes de Paris et de Londres.

-- Ay *sí*! Les gens souffrent trop de tout ça, n'est-ce pas? ¡*Bastante!*» Elle tourna la tête de côté, fermant brièvement les yeux, dégoûtée d'elle-même.

Martí répéta: «Oui, bastante» – un mot qui signifiait à la fois *beaucoup* et *plus qu'assez* – le regard glissant au sol; il n'avait pas remarqué sa gêne. Il devait songer à María García Granados, pensa-t-elle soudain. Et maintenant, quand il la regarda de nouveau, elle sentit, comme une ombre qui se levait en lui, qu'il était sur le point de lui confier ses sentiments pour l'autre fille, et silencieusement elle le pria de ne pas le faire; au lieu de quoi il lui dit que dans les dialectes quiché et cakchiquel *logoh* était le mot qui signifiait amour, et qu'il signifiait également acheter dans ces deux langues.

«Mais cela n'a pas d'implications aussi sombres qu'il y paraît, María de las Nieves, poursuivit Martí, car de tels mots dérivent de *accorder une haute valeur*. Le mot *carus*, l'*ipsum verbum amoris*, d'après Cicéron, ne signifie-t-il pas à la fois onéreux et aimé? L'anglais, bien sûr, dit cher, ce qui peut sonner très tendre, mais aussi tellement affligé et pécuniaire. Comment dit-on amour en mam?

– *Laaqjil*», répondit-elle.

Ils avaient tourné au coin d'une rangée de petits pins et se trouvaient sur un vieux sentier de vaches et de mules descendant entre des caféiers abrités du soleil par des bananiers, et une butte en terre de laquelle des hirondelles jaillissaient et plongeaient. Le sentier s'avançait doucement en lacets vers le lit d'une rivière qui courait à travers les ravins profonds du plateau montagneux. C'était un de ces après-midi de la fin d'octobre où la température et même le parfum de l'air semblent appartenir à un climat de pommes et de citrouilles, plutôt qu'à un climat de café et de bananes.

«Mais, Pepe, êtes-vous sûr que ce jefe indio existe réellement?» demanda-t-elle.

Elle voyait que cette question l'avait surpris, et elle espéra ne pas l'avoir froissé.

Enfin Martí répondit: «Il devrait exister. Ce serait bien de le trouver. Mais je me rends bien compte, María de las Nieves, qu'il est possible qu'il n'existe pas. Pensez-vous qu'il existe?

– Je ne pense pas, dit-elle. Pepe, écoutez ce que j'ai à vous dire, je vous prie…» María de las Nieves sentait l'émotion, la conviction et la clarté s'élever ensemble en un concert si familier qu'elle craignait de ne pas pouvoir terminer ce qu'elle voulait dire avant qu'elles ne la quittent, et si tel était le cas, elle savait qu'elle finirait en larmes. «Je ne sais pas si vous le savez ou pas, mais le week-end dernier, Pepe, notre général-président et sa femme ont donné une garden-party l'après-midi pour les membres de son gouvernement, du Parlement, et bien d'autres personnes censément distinguées et riches de la ville, dont beaucoup étaient officiellement liées à l'ancien régime – des gens qui tenaient beaucoup à retrouver leur ancien statut, ce que cette invitation très convoitée, apparemment, symbolisait. Vers la fin de la réception les serviteurs apparurent soudain dans le jardin portant des plateaux d'argent où étaient entassés des poissons – une grande quantité de poissons encore mangeables, censément envoyés en cadeau par le jefe político de Puerto San José. Comment El Señor Presidente et sa famille auraient-ils pu manger tant de poissons ? Il fallait les donner avant qu'ils ne pourrissent. C'est ainsi que tous les invités, vêtus de leurs plus beaux atours, portant leurs gants de chevreau et d'autruche les plus fins, n'eurent d'autre choix que de se saisir à pleines mains des poissons puants pour les emporter avec eux dans leurs voitures, car personne n'osait laisser les poissons dans la rue. Toute cette farce avait apparemment été conçue et mise en scène uniquement pour l'amusement de la Primera Dama. On dit que Doña Francisca, tandis qu'elle saluait ses invités humiliés et obséquieux, ne pouvait s'arrêter de pouffer comme une vilaine petite écolière. Telles sont les qualités des gens, Pepe, qui voient que vous avez un cœur noble et bon, que vous voulez croire le meilleur de leur glorieuse révolution libérale, et que vous projetez de grandes choses que leurs esprits et leurs cœurs sont trop petits et corrompus pour contenir, et ainsi ils vous taquinent et se moquent de vous derrière votre dos en inventant des histoires de jefe indio qui parle le français. Vous combleriez leur attente en vous précipitant à Sacatepéquez pour aller le voir. Dieu merci ils ne vous ont pas dit qu'il vivait tout là-haut à Huehuetenango ! »

Martí marcha la tête baissée, allongeant le pas jusqu'à ce que, se rendant compte qu'il la distançait, il se retourne pour l'attendre.

Et María de las Nieves, venant à sa rencontre, devait sembler un peu confuse et effrayée, se demandant si elle était allée trop loin et si c'était un regard critique qui brillait dans ses yeux. Mais Martí avait probablement été ému par le discours de María de las Nieves, impressionné par sa véhémence et gêné par ce que ses mots passionnés avaient trop clairement révélé de lui. Malgré toute sa douceur apparente, Martí ne prenait pas la moquerie ni le manque de respect à la légère. Il était destiné, après tout, à devenir un dirigeant, stratège et combattant révolutionnaire infatigable, l'homme en habit noir qui entraînerait les jeunes hommes à la guerre et à la mort, un amoureux de la vie et de la mort qui finirait par choisir cette dernière – qui, presque deux décennies plus tard, disparaîtrait dans le martyre paradigmatique qui transformerait sa vie tout entière en une énorme statue héroïque, projetant encore partout son ombre. Bien sûr María de las Nieves ne pouvait pas avoir prévu tout cela – que sa destinée de statue omniprésente se pétrifierait un peu plus chaque année dans sa propre vie, enfermant l'amour et le souvenir de l'amour à l'intérieur de son air privé d'air, donnant à sa langue et à sa mémoire la pesanteur et la rigidité du marbre et du bronze commémoratifs. (Peut-être la postérité ne pourra-t-elle jamais découvrir les noms de tous les cœurs de femmes qui furent coulés pour aider à ériger cette statue, bien que le cœur de María de las Nieves ait certainement fait partie de ceux-là, et de son plein gré.)

Ce qu'il est indéniable que María de las Nieves vit ce jour-là, dans les yeux et la pâleur de Martí, c'était sa conscience des ennemis, qui ne lui causait ni colère ni peine, ses sourcils et sa moustache soudain se détachant sur son visage comme des hiboux illuminés par l'éclair s'envolant dans la nuit blanche. Le monde avait dû soudain lui sembler différent – bien que ce ne fût pas un savoir qu'il fût incapable d'absorber. Car au bout de quelques instants il se reprit, et parut même plus serein qu'auparavant, et dans ses yeux apparut une douce lueur d'affection, de tendresse surprise, un regard ouvert et aveuglant qui tomba sur María de las Nieves tel un doux filet.

À présent ils entendaient le bruit de la rivière qui coulait non loin de là, sans toutefois la voir. Ils se trouvaient sur une déclivité herbue plus basse que la rive, juste au bord du sentier en terre, dans un creux sous la falaise. Et il y avait une vague mais délicieuse senteur de terre fraîchement remuée dans l'air – comme si à l'approche du soir la terre exhalait ses parfums dans l'air plus frais, ainsi que font certaines plantes à fleurs, telles que la belladone ou le cactus appelé reina de la noche, qui n'ouvre ses petits bourgeons blancs que dans l'obscurité. L'après-midi qui tirait à sa fin semblait avoir le même effet sur María de las Nieves : dans la lueur poudreuse de sa peau cannelle, dans la douceur à la base de son cou et juste au-dessus de ses lèvres, il y avait quelque chose de désirable que peut-être Martí n'avait pas remarqué auparavant, et qu'il sentait maintenant dans sa bouche comme le tiraillement de la soif. Martí, penché au-dessus d'elle, voyait son visage légèrement levé vers le sien, des mèches de ses cheveux frémissant sur son front et ses sourcils d'un noir profond et glissant sur ses joues – ses jeunes lèvres qui semblaient si douces, et l'espace sombre et humide entre ses dents. Comment n'aurait-il pas pu se sentir emporté par des yeux illuminés d'une telle émotion, des yeux pleins de la conscience qui venait à une fille encore innocente de l'importance stupéfiante de ce moment sans précédent ? Son avenir invisible planait sur elle tel un triste petit baldaquin, soutenu par quatre montants tremblants… Il ne céderait pas. Il devait se marier bientôt.

« María de las Nieves, ce que vous dites est probablement vrai, déclara Martí à voix basse. Je suis ému par votre sincérité, et la haute estime que vous paraissez avoir de moi. Mais je partirai à la recherche de ce jefe indio. Pour lui, je suis prêt à me rendre ridicule.

– Pepe, j'irai avec vous… »

Juste comme ça, leurs lèvres se touchèrent, et ses bras entourèrent sa petite taille mince et frêle – oui, avant même qu'elle puisse terminer sa phrase. C'est donc là qu'il eut lieu, ce baiser incroyable, qui dès lors devait l'accompagner jusqu'à la fin de sa vie. Et peut-être le soleil tomba-t-il derrière le haut mur du ravin qui les surplombait, et la lumière de la vallée s'obscurcit – cette ombre que dans sa poésie Martí évoquerait inévitablement comme le passage d'une aile colossale au-dessus de sa tête.

Et elle bégaya tout bas qu'elle l'aimait. «Je vous aime, Pepe.» Elle suffoqua, et prit une longue inspiration, et dit qu'elle savait qu'il devait se marier et qu'elle ne devrait pas parler ainsi, et qu'elle n'attendait et ne demandait rien, qu'il suffisait à son bonheur d'avoir dit la vérité, et qu'elle se rappellerait toujours cette promenade et ce baiser comme le moment le plus heureux de sa vie jusqu'à ce jour.

Est-ce réellement ce qui se passa, là dans la cuenca, dans la vallée, entre María de las Nieves et Martí? Dans le volume des *Œuvres complètes* de Martí où sont compilés ses écrits divers, parmi lesquels des centaines de notes personnelles apparemment jetées sur le papier, trouvés dans les documents conservés dans son bureau de Front Street à New York après sa mort, on peut lire ceci :

De ce monde je ne veux rien d'autre que mon devoir, mes amis et mes enfants, et le souvenir des heures fugitives au cours desquelles j'ai été aimé. Pas les longues amours, pleines d'intérêts égoïstes et de mollesse, mais l'arbre couvert de fleurs s'ouvrant de manière inattendue tandis que le soir tombe, ou une timide confession dans la vallée dans l'ombre d'une aile, l'espace d'un baiser brûlant ; et quand Car. me voyant arrivé malade, posa la chandelle par terre.

Dans la cuenca,

Dans le hueco... à côté de ce mot qui signifie creux, Martí dessina une aile.

Bien sûr certaines de ces lignes font un écho exact à la langue et à l'imagerie du célèbre poème sur María García Granados qui commence ainsi : *A la sombra de una ala… À l'ombre d'une aile, je veux dire cette histoire en pleine floraison…* Mais le baiser dans ce poème est un baiser d'adieu, et ce n'est pas le baiser, mais *su frente*, son front, ou son visage, qui est décrit comme étant pareil à du bronze brûlant – évoquant autant la fièvre que la passion – bien que le poète déclare aussi que ce front est celui qu'il a aimé plus qu'aucun autre dans sa vie (*la frente/Que más he amado en mi vida!*). L'aveu de son amour de la part de María García Granados, que Martí croisait quotidiennement dans la maison de son père, dont il emplissait l'album de poèmes d'amour, eût-il été si inattendu qu'il puisse le comparer à un arbre couvert de fleurs s'ouvrant soudain tandis que le soir tombe ? Peut-être. Une timide confession d'amour dans une ombre pareille à celle d'une aile – cela pourrait être María de las Nieves aussi, ou les deux niñas. L'emplacement du *ou* suggère deux épisodes séparés et cependant peut-être similaires : l'arbre métaphorique à la floraison inattendue *ou* le baiser brûlant dans l'ombre d'une aile. Le baiser échangé entre María de las Nieves et Martí fut-il vraiment brûlant, ou fut-il plus bref et plus maladroit ? Peut-être, dans son fameux poème, Martí synthétise-t-il des détails, des sensations, des souvenirs, des images volés à des épisodes analogues. Est-il possible que Martí ait reçu des baisers brûlants et de timides confessions à la fois de María de las Nieves et de María García Granados ? Bien sûr que oui.

Mais quelle est la « Car. » ? Qui pose la chandelle par terre ? Carmen Zayas Bazán ou Carmita Miyares de Mantilla, la propriétaire de la pension de New York où Martí logerait, et qui devait plus tard devenir sa maîtresse ? Le fait que dans ses griffonnages nostalgiques Martí se rappelle les *heures fugitives* prouve suffisamment qu'il ne faisait pas allusion à sa femme.

Tous les premiers baisers sèment la possibilité d'autres à venir ; cette possibilité demeura bien après que Martí, cet après-midi dans la vallée, eut dit : « Bien sûr, vous avez raison, María de las Nieves, je vais me marier. Mais votre déclaration d'amour est un cadeau inattendu que je chérirai toujours, et duquel je tâcherai de me montrer digne d'une manière toute fraternelle. Un jour bientôt je suis sûr que quelqu'un vous parlera d'une manière aussi courageuse et belle que vous venez de le faire, et alors vous comprendrez à quel point je suis ému et reconnaissant. Et j'espère que vous, en retour, serez capable de lui parler ainsi que vous m'avez parlé. Cela sera vraiment le jour le plus heureux de votre vie, María de las Nieves. »

Si María de las Nieves n'avait pas déclaré son amour, peut-être auraient-ils continué à s'embrasser. Mais elle l'avait fait, et ainsi ce moment de passion spontanée s'était envolé. Il était sans doute suffisamment déroutant pour Martí de porter en lui l'amour de sa fiancée et de María García Granados : il devait déjà avoir l'impression de se promener avec deux estomacs constamment noués ; il n'avait certainement pas besoin d'un troisième.

Un autre Cubain qui fréquentait assidûment la famille accueillante de María García Granados se rappela plus tard avoir vu Martí et María García Granados assis à la même table, oublieux de tout ce qui se passait autour d'eux, plongés dans la détresse muette d'un amour qui crevait les yeux.

« … Il a dit qu'il vous avait vus vous embrasser toi et Pepe Martí. C'est tout. Évidemment je n'aurais pas oublié s'il avait rapporté quoi que ce soit d'autre.

— Et tu n'as jamais voulu embrasser Martí, Paquita ? lui lança María de las Nieves.

— Je suis sûre que tu te rappelles, Las Nievecitas, ce que mon mari a fait à ce pauvre jeune homme qui dirigeait notre société philharmonique, juste parce que je riais à ses plaisanteries, que je le laissais un peu flirter, et qu'il m'envoyait toujours des fleurs le matin des jours de réunion de notre société. Il n'existe pas une épouse qui aurait pu être plus fidèle que moi, María de las Nieves.» Et il y avait quelque chose de hardi et de dur dans les yeux de Paquita qui disaient: Ne crois pas qu'il soit si simple que ça de juger ma vie. Ne crois pas que je ne sois pas consciente de chacune de ses nuances sinistres. J'aurais pu vivre à n'importe quel endroit où les hommes aiment le pouvoir absolu, donc ç'aurait pu arriver n'importe où.

Oui, María de las Nieves avait entendu ces rumeurs: que dans le donjon redouté de la Guardia de Honor, commandée par le général Sixto Pérez, le sadique le plus célèbre parmi les bourreaux d'El Anticristo, le jeune homme avait subi le «châtiment d'Abélard», ainsi que les flagellations habituelles avec de longues verges élastiques en cognassier, qui lacéraient la chair comme des baguettes magiques, chaque coup laissant une trace d'un bleu livide virant lentement au violet. Il fut mené de la caserne de la Garde d'honneur au palais présidentiel pour une audience auprès du général-président. On dit que Paquita s'évanouit quand elle vit le prisonnier traverser la cour, le dos rouge et pulpeux comme une grenade ouverte. Son mari, par respect pour l'illustre famille du jeune homme, le libéra, et dès qu'il eut repris assez de forces, il s'enfuit du pays. On raconta bientôt qu'il était entré au séminaire en Espagne. (Bien des années plus tard, en fait, une fois que les relations avec l'Église se seraient améliorées, l'ancien admirateur de Paquita retournerait dans son pays en tant qu'archevêque, prélat replet au caractère et aux manières si doux – si trompeusement doux, disaient la plupart – que la populace l'avait surnommé sœur Tourterelle.)

«C'est vrai que tu t'es évanouie en le voyant, Paquita?
– Oui, Las Nievecitas, c'est vrai.»

En septembre, le jour de l'indépendance du pays, dans les lointaines montagnes d'El Quiché, mille paysans indiens avaient quitté leurs villages pour se rendre au quartier général du jefe político de la capitale départementale de Santa Cruz afin de protester contre les travaux forcés qui envoyaient les Indios, souvent selon le bon plaisir du jefe político local, travailler dans les plantations de café, ou bâtir des routes ou servir de bêtes de somme, pour quasiment rien. L'ordre fut promptement rétabli, on emprisonna des centaines d'hommes, le jefe político télégraphia au gouvernement suprême que les Indios d'El Quiché s'étaient déclarés ennemis du progrès et étaient sur le pied de guerre. Peu après, le général-président fit son apparition. Quarante Indiens, choisis au hasard parmi les prisonniers, devaient être déclarés chefs de la rébellion et exécutés. Dans l'église abandonnée de San Pedro Jocopilas, où il avait campé avec ses officiers, le mari de Paquita prenait son petit-déjeuner seul dans le réfectoire quand un jeune prêtre espagnol entra sans avoir été annoncé, tomba à ses genoux, et plaida pour la vie des condamnés. Il se trouva que le prêtre était aussi propriétaire d'une plantation de café : le jefe político réquisitionnait toujours les ouvriers du prêtre pour les envoyer travailler sur d'autres plantations, mais ils lui étaient fidèles, il les payait correctement et offrait messes et baptêmes gratuits. La rébellion avait pris naissance, confessa courageusement le prêtre, parmi les Indiens employés sur sa ferme. Rufino le Juste l'injuria de la manière la plus grossière qui soit, mais cet accès ne suffit pas à épuiser sa rage et il se mit à marteler la tête du prêtre à coups de poing. À ce moment précis son ordonnance entra, portant un plateau sur lequel se trouvaient un pot de café frais et un panier de tortillas chaudes. Il vit les bras du prêtre levés, repoussant la poitrine du général-président, ou cherchant à attraper son cou ; peut-être essayait-il seulement de parer les coups. L'ordonnance posa le plateau, sortit son pistolet et tira sur le prêtre, qui tomba blessé à terre, après quoi l'ordonnance tira la balle fatale. Officiers et aides de camp se précipitèrent dans la pièce. Bien que cela n'apparût dans aucune version de la mort du prêtre espagnol, on chuchota beaucoup que tous avaient été pris de frénésie et que le président et ses officiers avaient frappé du pied et piétiné le cadavre si violemment que les intestins du prêtre avaient commencé à lui sortir par la bouche.

Dans la lointaine capitale, il était toujours difficile de connaître la vérité sur ce qui se passait dans les départements indiens des montagnes. L'ordonnance, proclamé héros national pour avoir empêché le prêtre espagnol de tirer sur le président avec son pistolet, quitta sa garnison rurale pour le palais présidentiel où il devint majordome. Il se mit à boire beaucoup ; il ne pouvait pas tenir sa langue à propos de ce qui était réellement arrivé dans la paroisse de San Pedro Jocopilas, particulièrement en présence de Modesta Sabal, la jolie servante de la Primera Dama. Ses attentions indiscrètes et ses confidences grotesques étaient apparemment très désagréables à la dévote Modesta, car un matin elle disparut, et on raconta ensuite qu'elle s'était enfuie pour rejoindre le couvent clandestin de la Monjita Inglesa – information non confirmée dans le livre écrit cinquante ans plus tard par Padre Bruno, ce qui n'est pas surprenant puisqu'il ne prêtait pas beaucoup attention aux allées et venues des domestiques, et encore moins à leurs noms. La Primera Dama découvrit peu après que des bijoux et des pierres précieuses manquaient. L'ordonnance héroïque, accusé d'être le voleur, fut envoyé au donjon commandé par le général Sixto Pérez dans la caserne de la Garde d'honneur présidentielle, et on n'entendit plus jamais parler de lui.

Quelques jours seulement après l'ascension du ballon et le parachutage du chiot, au cours de la première semaine de novembre, la joie des habitants de la ville – un écho faible et néanmoins poignant de celle qui avait suivi des événements aussi lointains que la déclaration du dogme de l'Immaculée Conception par Pie IX, et l'exposition de la tête coupée de Serapio Cruz – fut anéantie par la révélation dramatique d'une conspiration connue sous le nom de la Fraternité homicide du rosaire noir, visant à assassiner le général-président, sa femme et ses enfants dans leur sommeil la nuit du jour des Morts. Les conspirateurs, disait-on, avaient tiré au sort pour décider qui aurait l'honneur de tuer la Primera Dama dans son lit. L'exécution publique des conspirateurs sur la place centrale commença presque immédiatement; dix-sept hommes, dont les chefs, un colonel polonais qui commandait un régiment d'artillerie, un général et un prêtre, furent passés par les armes en l'espace de deux jours. La place avait été interdite à la circulation et les rues adjacentes, les trottoirs et les arcades étaient bondés de spectateurs. Beaucoup venaient par curiosité, ou regardaient, impuissants, horrifiés et emplis de pitié, alors que les partisans les plus ardents des libéraux poussaient des cris de joie tandis que les prisonniers ensanglantés, dont certains étaient portés sur des civières, sortaient du palais du gouvernement et étaient conduits à la rangée de chaises disposées au milieu de la place, devant la fontaine ornée de la statue équestre dépourvue de cavalier (le roi Charles III ayant été violemment désarçonné l'année où le pays s'était libéré du joug de l'Espagne). Le chanoine Ángel Arroyo, député et prêtre, fermait la procession, ses chaussettes violettes apparaissant sous sa soutane, prêt à donner l'extrême-onction aux condamnés. Face à la place, dans le palais présidentiel, du haut d'un balcon décoré comme une loge d'opéra, cigare aux lèvres, le général-président, accompagné de la Primera Dama adolescente et de nouveau enceinte ainsi que de hautes personnalités choisies, assistait à la fusillade; après chaque salve, alors que les morts s'affaissaient et glissaient à terre, les hommes se levaient et applaudissaient. Dans une lettre à Lord Derby, ministre des Affaires étrangères, prise en dictée quelques jours plus tard par María de las Nieves, l'ambassadeur Gastreel émettrait l'opinion qu'au moins deux ou trois des hommes exécutés étaient innocents: «Bien qu'il soit difficile de vérifier tous les faits, poursuivait-il, dans un pays où pour le peuple le simple fait de s'en enquérir représente un terrible danger.» Il y eut de nombreuses versions et rumeurs concernant la façon dont les meurtres et la prise de pouvoir auraient dû se dérouler, le nombre exact des conspirateurs, et la façon dont le complot avait été découvert et déjoué. Bientôt il fut évident qu'à partir de ce moment n'importe qui pouvait être suspecté, accusé ou arrêté pour avoir appartenu à la conspiration de la Fraternité homicide du rosaire noir ou l'avoir soutenue.

Ainsi que cela s'était déjà produit auparavant au cours de telles crises nationales, l'exaltation patriotique se combina avec des siècles d'humiliation raciale pour nourrir des fantasmes de vengeance contre les étrangers blancs. Mr. Gabriel Sugarman, un ingénieur des chemins de fer, tombant sur une foule qui s'en prenait aux enfants de l'ambassadeur d'Allemagne, tenta de leur offrir sa protection et fut attaqué par des officiers, qui le frappèrent à coups de crosse et le jetèrent à terre avant de l'emmener en prison. Les membres de plusieurs légations furent gardés à vue, effrontément accusés d'avoir conspiré avec les comploteurs et libérés tout aussi rapidement, avant qu'aucun ambassadeur ait eu même la possibilité de proférer la menace de canonnières et de réparations.

Seul le pauvre Higinio Farfán, l'employé de bureau et traducteur officiel de la légation britannique, fut arrêté et, n'étant pas un véritable Inglés, passa la nuit dans la prison du général Pérez. L'ambassadeur Gastreel n'en fut pas informé avant l'après-midi suivant, quand la Señora Farfán, sa très jeune épouse, apporta la nouvelle à la légation, s'y montrant pour la première fois. C'était une femme étonnamment délicate et jolie, vêtue d'une robe en calicot d'un rose sourd et d'un châle en laine blanche, avec un teint noisette et des cheveux bouclés d'un noir d'ébène, dont elle ne cessait de dégager ses yeux verts d'un geste gracieux de la main. Elle n'était cependant pas beaucoup plus grande que la fille de cinq ans qui l'accompagnait. La Señora Farfán demeura d'un calme si impressionnant que María de las Nieves, qui resta continuellement à ses côtés, avait l'impression que c'était elle, et non l'épouse anxieuse, qui était réconfortée. Buvant nombre de tasses de thé et grignotant des biscuits anglais, la Señora Farfán fit la conversation, révélant malgré la gravité terrifiante de la situation et la légèreté des propos, une intelligence brillante et un courage inébranlable. María de las Nieves se surprit même à imiter les manières et le ton de l'épouse de l'employé de bureau, l'équilibre authentique qui faisait que son courage semblait aussi naturel que l'eau et la lumière. Elle eut la révélation nostalgique mais exaltante qu'elle avait découvert un modèle du genre de femme qu'elle voulait être. «Oui, c'est ma fille unique, déclara la Señora Farfán. Comme notre reine du ciel, je n'ai donné naissance qu'une fois. Mais toute mère est debout sur la lune, vêtue de soleil, avec les douze étoiles de l'Apocalypse au-dessus de la tête.» Comment faisait-elle pour que des paroles aussi blasphématoires sonnent comme l'incarnation spontanée de la modestie et du charme? Quel noble cœur devait se cacher dans la poitrine d'Higinio pour qu'il ait réussi à conquérir cette épouse aussi petite qu'impressionnante? – la personnalité de l'employé de bureau de la légation était aussi brillante que du charbon cendré. Mais quand Mrs. Gastreel vint leur apprendre que l'employé et l'ambassadeur Gastreel étaient de retour, la Señora Farfán bondit immédiatement de son siège et, suivie de sa petite fille, courut en direction du vestibule, et tous les sanglots qui avaient mûri en elle jaillirent avant même qu'elle soit arrivée jusqu'à son époux pulvérisé. María de las Nieves savait bien que la Señora Farfán ne faisait rien de mal en exprimant son émotion, il n'empêche qu'elle était stupéfiée, et humiliée pour elle. Chacun pouvait voir à l'expression des Gastreel qu'ils jugeaient excessif, et même vulgaire, ce déluge bruyant et prolongé, et elle eut terriblement envie de leur apprendre à quel point ils se trompaient sur le compte de la Señora Farfán. Elle se rappelait Mme Roland et l'auteur de fadaises, et l'affirmation de Sainte-Beuve selon laquelle l'objet de l'amour d'une grande dame comptait quasiment pour rien. Peut-être en avait-elle la preuve devant elle, contrairement aux leçons et miracles de la Bible. Toutefois l'inverse n'arrivait-il jamais: qu'un jeune homme dont chacun pouvait voir qu'il était destiné à de grandes choses tombe follement amoureux d'une jeune femme dont chacun penserait qu'elle était bien inférieure à lui ?

Plus tard l'ambassadeur Gastreel dicta à María de las Nieves un compte rendu détaillé qu'elle transcrivit en dépêche à l'intention de Lord Derby. « J'ai l'honneur d'informer Votre Excellence, dicta l'ambassadeur, que cet incident fut un exemple aussi rare que satisfaisant des succès de la diplomatie, d'autant plus si on considère le pays où il eut lieu. » Il est vrai que dès qu'il avait appris l'arrestation et la détention de son employé de la bouche de la Señora Farfán, l'ambassadeur avait fait preuve de détermination : après avoir ordonné à Don Lico, le concierge, d'envoyer sa voiture au palais présidentiel dès qu'elle serait prête, il avait coiffé son chapeau haut de forme, rassuré la femme de l'employé, pris gaiement congé de son épouse enceinte, et s'était dirigé seul à pied vers la place centrale. Se frayant un chemin à travers la foule compacte de mendiants indiens et de solliciteurs, il avait refusé de révéler l'objet de sa visite aux soldats et officiers en faction à l'entrée, pas plus qu'il n'avait voulu attendre pour obtenir un rendez-vous. Il devait parler en privé au général-président de toute urgence, il n'en dirait pas plus, et il se mit en marche d'un pas assuré, les défiant de l'empêcher d'entrer. Dans la vaste cour intérieure, il vit une plateforme basse en bois, récemment érigée, sur laquelle un homme était allongé, lié aux chevilles et aux poignets, au-dessus duquel se tenaient quatre soldats, deux de chaque côté, un bras s'élevant et s'abaissant sans relâche – cette forme vague de battement d'ailes apparemment fixées au dos musclé du prisonnier était causée par les baguettes de cognassier qui montaient et descendaient dans les mains des soldats. Le prisonnier possédait un physique herculéen, ce n'était certainement pas Higinio Farfán, néanmoins l'ambassadeur voulait confronter les soldats à leur brutalité ; il s'arrêta et de sa voix la plus puissante demanda si le prisonnier était l'employé de bureau de la légation britannique. Les soldats arrêtèrent bien leurs bras, mais pour fixer l'Anglais jusqu'à ce que l'un d'eux, d'une voix forte quoique neutre, réponde que ce n'était pas l'employé de bureau. L'ambassadeur répliqua : « Alors qui est cet homme ? J'exige de connaître son nom », et les soldats le regardèrent d'un œil vide, jusqu'à ce que son exaspération se fasse de nouveau entendre : « Connaissez-vous même le nom de votre prisonnier ? » L'un des jeunes officiers qui escortaient l'ambassadeur déclara, d'une voix basse et solennelle, comme si on venait de lui poser une question à l'église : « Señor Ministro, avec tout le respect que je vous dois, le prisonnier n'est pas le Señor Farfán. » À peine l'ambassadeur s'était-il détourné que les soldats se remirent à fouetter le prisonnier, qui endurait cette torture dans un silence inquiétant, peut-être parce qu'il était déjà inconscient – les baguettes frappant sa chair émettaient un bruit familier, que l'ambassadeur identifierait plusieurs heures après quand, étendu dans son lit, il repasserait dans sa tête les événements de la journée : le crépitement rapide de la pluie glacée sur la neige fondue par une nuit d'hiver silencieuse.

La cour était pleine du chant de canaris et de pinsons en cage, mais le bêlement d'un mouton le surprit, et dans le crépuscule il lui fallut un moment pour distinguer les couleurs sombres de plusieurs moutons pelés qui broutaient l'herbe entre les sentiers pavés. Il y avait aussi une vache dans la cour, un cheval à la robe pâle, sellé et attaché à un cyprès, un faon, un toucan au bec émeraude et, tapies dans un parterre, deux petites bêtes que l'ambassadeur fut incapable d'identifier, avec de longues oreilles de lapin, de longues queues de singe et de grands yeux sombres ; et de sous l'auvent ombreux de l'une des longues vérandas parvint le cri obscène d'un perroquet – il détestait ces oiseaux, l'atmosphère de pelures de fruits pourris et d'ineptie qu'ils dégageaient. *La ménagerie d'un tyran des tropiques* – ces mots, dit-il à María de las Nieves tandis qu'il lui dictait la dépêche, s'étaient formés silencieusement sur ses lèvres. Un jour ils pourraient faire le titre d'un mémoire sur son séjour dans ce pays. Et il éprouva soudain le désir de se retrouver chez lui dans le Yorkshire, avec tout cela enfin derrière lui, occupé à écrire ce livre dans son bureau ; puis il rassembla ses forces en vue de sa confrontation avec le dictateur.

« Arrêter un employé d'une légation diplomatique sans la permission expresse de l'ambassadeur – moi-même, en cette malheureuse occurrence – est absolument contraire aux lois internationales et diplomatiques », attaqua l'ambassadeur à peine eut-il été introduit dans le bureau du général-président, qui ressemblait à un magasin en désordre : contre le mur, dans chaque coin de la pièce, étaient empilés des sacs odorants de grains de café provenant de toutes ses plantations. Rufino le Juste était adossé au bras d'un canapé en cuir, les genoux relevés si haut que ses bottines en chevreau reposaient sur le canapé, son fouet en cuir noir épais appuyé sur un genou. Deux rangées de fauteuils à dos droit se faisaient face de part et d'autre du canapé. Dans sa dépêche à Lord Derby, l'ambassadeur raconterait combien il avait été tenté de choisir un fauteuil perpendiculaire à l'extrémité du canapé occupée par le président de sorte que le tyran eût été obligé de se contorsionner et de regarder par-dessus son épaule pour le voir. Bien que cela eût été, reconnaissait-il, une provocation très dérisoire. Il choisit un siège face au président. Le fouet posé sur son genou, découpé dans le membre d'un taureau de concours, était un symbole important de la légende du dictateur. Bien sûr, plutôt que d'impressionner l'ambassadeur, le fouet effrontément exhibé ne faisait que confirmer son préjugé le plus méprisant – d'ailleurs Rufino le Juste avait certainement compris et anticipé cela, tout comme il savait que le ministère des Affaires étrangères de Sa Majesté avait toujours soutenu les conservateurs et cherchait toujours à l'affaiblir, ici et à Londres, dans tout l'isthme, partout. L'expression de répugnance tout juste lisible sur le visage de l'ambassadeur avait probablement même déclenché en Rufino le Juste un agréable frisson intérieur de violente justification : il avait raison de mépriser les Anglais plus que tout. Il se leva pour venir s'asseoir, le fouet sur les genoux, à côté de l'ambassadeur et le fixa tranquillement dans les yeux. Le traducteur lui serait-il livré, demanda le dictateur, une fois qu'une requête pour l'arrestation de l'employé de la légation britannique aurait été faite en bonne et due forme à la légation britannique?

L'ambassadeur Gastreel ne daigna pas répondre, ni demander quelles pouvaient être les accusations portées contre Higinio Farfán: il répéta simplement qu'une telle demande devrait être soumise en bonne et due forme à la légation britannique par le ministre des Affaires étrangères du gouvernement suprême.

Les deux hommes demeurèrent dans un silence chargé de haine jusqu'à ce qu'Higinio Farfán, sans veste ni chemise, les bras liés aux coudes, son torse frêle et glabre, couvert de sang et de zébrures qui ressemblaient à de longues queues de lézard et à des traces de lèvres fût finalement introduit dans le bureau. Sans prononcer la moindre excuse, le général-président s'apprêta à prendre congé. Mais l'ambassadeur Gastreel exigea qu'il ordonne à ses soldats de détacher le prisonnier et d'apporter une cape d'officier pour le couvrir. Le Señor Presidente s'exécuta avec brusquerie, salua comme un Yankee d'une poignée de main ferme et d'une tape vigoureuse sur le bras, et sortit d'un pas nonchalant, impatient, sans doute, de recevoir la consolation imminente de l'affection de ses enfants et des étreintes de sa jolie et jeune épouse. Et l'ambassadeur Gastreel accompagna Higinio Farfán, précautionneusement enveloppé dans la cape, les pouces passés sous le col afin d'éviter que le tissu ne touche son dos, jusqu'à la voiture où le commis, craignant de tacher l'intérieur de son sang, offrit de s'asseoir à côté du cocher. L'ambassadeur exigea qu'il monte à côté de lui. Ils parcoururent en silence le chemin jusqu'à la légation, bien que le commis gémît de temps à autre quand la voiture roulait sur des pavés trop inégaux. Les rideaux en cuir avaient été tirés pour cacher l'employé aux passants, mais l'ambassadeur regarda par le petit trou qui y était pratiqué et aperçut un allumeur de réverbères qui levait sa perche pour enflammer le suif, et pensa qu'il ressemblait à un moine allumant des cierges dans le couloir ténébreux d'un monastère fantomatique. Toutes les villes du monde qui accueillent le progrès ont pénétré dans le siècle du gaz il y a des décennies, songea-t-il. Pourquoi personne ne se soucie de ce qui se passe ici? Pourquoi lever le petit doigt, si la domination yankee sur l'isthme semble si inévitable en fin de compte? Parce que la diplomatie, Señorita Moran, quelque pragmatique et sceptique qu'elle soit, est en définitive une activité où l'on ne perd jamais espoir; en cela, toutes les grandes puissances sont identiques, car avec le pouvoir de redresser les torts vient la responsabilité de le faire, et dans presque tous les cas, faire le bien est au moins une possibilité. Aussi, cette région importe plus de produits de Grande-Bretagne que de tout autre pays, bien que les Allemands progressent et que les Américains soient dangereusement proches. L'ambassadeur Gastreel était certain que son effort couronné de succès pour libérer l'employé de la légation avait servi la fin universelle du pouvoir, qui est le bien, et nulle autre.

Mais la gratitude d'Higinio Farfán s'évapora rapidement; chaque jour, il devenait plus sombre et maussade. María de las Nieves pensa d'abord qu'il s'inquiétait seulement de ce que l'ambassadeur déciderait si le ministère des Affaires étrangères déposait une demande d'arrestation. «L'ambassadeur ne m'a jamais demandé si j'avais quelque chose à voir avec le complot, se plaignait le commis. Bien sûr que non!» Elle savait qu'il n'avait pas de raison de s'inquiéter, car l'ambassadeur, en principe, ne permettrait jamais au gouvernement d'El Anticristo de savourer une victoire, pas même celle de la loi et du protocole. Et elle essaya d'en assurer une nouvelle fois le commis quand il lui demanda une entrevue privée: «Je crois savoir ce qui vous préoccupe, Don Higinio», commença-t-elle. Mais il s'avéra qu'il avait autre chose en tête, et voulait son «opinion, Señorita, puisque je sais que le Señor Ministro semble prendre en compte tout ce que vous dites». Ne pensait-elle pas qu'il était injuste que l'ambassadeur Gastreel n'ait pas exigé qu'il soit indemnisé, ainsi qu'il l'avait fait pour le consul Magee qui, pues fíjase, n'avait pas été plus maltraité, et était aujourd'hui riche ? Surprise, blessée, María de las Nieves réalisa que cette question la mettait mal à l'aise. « Laissez-moi y réfléchir, et je vous dirai », déclara-t-elle au commis à qui elle devait son poste, et dont le visage affaissé aux yeux tristes était encore noir et violet d'hématomes. Pendant plusieurs jours et plusieurs nuits elle réfléchit à cette question et parvenait toujours à la même conclusion : Si elle devait demander à l'ambassadeur pourquoi il n'avait pas exigé qu'on paie des réparations à Higinio Farfán, comme pour le consul Magee, il recevrait cela comme une critique peu subtile et même ouverte de la façon dont il avait traité l'affaire, qui le rendait si fier – et elle perdrait probablement, non, certainement, son poste. Est-ce que la merveilleuse Señora Farfán encourageait son mari dans son indignation amère ? Peut-être n'en savait-elle rien. María de las Nieves commença à ne plus supporter la manière dont le commis s'apitoyait sur lui-même et essaya d'éviter une nouvelle conversation. Pourquoi ne pouvait-il parler pour lui-même ? Pourquoi était-ce à elle de le faire, si cela devait leur faire perdre leur poste à tous deux ? Sa vie serait si ennuyeuse et ordinaire sans son travail à la légation ! Cependant Higinio Farfán l'avait révélée à elle-même comme une lâche et une hypocrite, et chaque fois qu'elle le croisait, elle lui lançait un regard noir, et passait le reste de la journée bouleversée et furieuse contre lui. Désormais, quand elle se réveillait au milieu de la nuit, elle se tournait et se retournait dans son lit entre deux foyers de malheur : l'impossible fantôme d'un baiser et la honte qui ne faisait que lui représenter railleusement combien elle était indigne de ce baiser, parce qu'elle savait que Martí exigeait de lui-même vertu et sacrifice dans tout ce qu'il faisait, et attendrait la même chose de la femme qu'il aimerait.

Au moins l'ombre pesante que jetait la fin des cours de composition littéraire avait été dissipée par la découverte du complot de la Fraternité homicide du rosaire noir. Le soir de leur dernier cours, avait annoncé le Maestro Martí précédemment, ils organiseraient une fête, et il ferait réciter les meilleures dernières compositions à leurs auteurs devant les invités, parmi lesquels l'indéfectible protectrice de l'éducation féminine et des arts, la Primera Dama. Mais dorénavant la Primera Dama n'apparaissait qu'aux exécutions, et leur fête de fin d'études serait beaucoup plus discrète. Pour ces dernières compositions, Martí avait imposé un sujet : elles devaient écrire une lettre à une fille hypothétique la veille de sa quinceañera, lui disant quoi attendre et espérer d'un futur époux. Bien que la plupart des élèves, Martí ne l'ignorait pas, étaient elles-mêmes à un âge où l'on a encore besoin de tels conseils, elles ne profiteraient pas moins de cet essai pour projeter leur propre pureté et innocence en des moi imaginaires plus âgés, plus expérimentés et plus sages. Un jour, déclara Martí, elles auraient peut-être toutes besoin de donner à une fille de quinze ans de tels conseils, et la poésie était rarement aussi belle et conséquente que pouvait l'être une telle lettre de mère à fille. Elles devaient écrire avec leurs propres cœurs, et avec leurs propres mots. Il leur rappela de nouveau l'exemple de Victor Hugo, qui rien qu'en tripatouillant le mètre de l'alexandrin classique – un accent déplacé de la syllabe habituelle, ou un silence, l'inspiration la plus brève, rejetée d'un côté d'une syllabe à l'autre – avait fait connaître aux Français les tourments du moi intime et les responsabilités et illusions solitaires de l'histoire. « N'est-il pas vrai, mis niñas, dit Martí, que dans nos Amériques qui s'éveillent à peine, nous avons aussi passé des siècles loin de nous-mêmes, terrifiés par, et sourds au son véritable de nos propres voix ? Nos propres hendécasyllabes espagnols ont dormi sous notre terre humide pendant des siècles, pâles et silencieux, les ailes repliées, attendant l'appel de vos voix pleines de douceur et de sincérité. »

Cette dernière composition aurait dû être l'occasion pour María de las Nieves de déployer des talents dont elle était sûre qu'ils la feraient triompher de toutes ses camarades, même de María García Granados. Elle avait eu une idée hardiment hugolienne : elle adopterait la forme de la *vida* autobiographique d'une religieuse, genre pour lequel elle connaissait l'enthousiasme de Martí, et l'appliquerait à son propre chemin dans la vie, mais en l'adressant à une fille imaginaire au lieu d'un confesseur, culminant dans la description d'un mari qui partagerait de nombreux traits avec son professeur de composition. Néanmoins, quand elle s'assit pour écrire, elle découvrit qu'un puissant esprit d'autodénigrement la guettait en embuscade à chaque détour de phrase. Elle fut incapable de chasser de ses pensées le récent échec moral que représentait le cas d'Higinio Farfán, puis une centaine d'autres choses qui ne lui causaient que culpabilité, honte ou confusion et qui la troublaient rarement pendant la journée. Les heures se traînaient comme une armée vaincue battant en retraite, et la nuit fut envahie peu à peu par l'atmosphère brouillée et fiévreuse de l'insomnie angoissée, sa tête s'emplissant de vapeurs acides qui lui brûlaient les yeux de l'intérieur. Même le trauma de la trahison de Madre Sor Gertrudis fut ressuscité, et alors, il lui fut impossible de penser à rien d'autre, quelque effort qu'elle fasse. Comment avez-vous pu, Nana ? Comment avez-vous pu me laisser dans une cellule de pénitence, à la merci des soldats ? Elle finit par être à court de papier, et presque d'encre, et enfin, épuisée et démoralisée, elle se mit au lit et pleura silencieusement jusqu'à ce qu'elle s'endorme, le visage face au mur.

Quand elle réessaya le soir suivant, les résultats ne furent pas meilleurs ; le matin elle n'alla pas à la légation et envoya María Chon avec un mot expliquant qu'elle avait attrapé froid et qu'elle était malade. Elle resta au lit, se reposant de ses batailles nocturnes inutiles, déprimée, et sommeillant, presque toute la journée. Ce soir-là, après un bain chaud dans le tub en zinc qui occupait un recoin couvert de son petit patio, elle s'assit à sa table, une couverture sur les épaules, avec une tasse de bouillon de bœuf et des tortillas grillées et écrivit à Martí une lettre qui finit par la laisser si épuisée et honteuse de ses débordements sentimentaux et de ses confessions confuses que le fait qu'elle l'ait gardée paraît aujourd'hui un petit miracle ; en fait c'était l'écrit le plus lucide qu'elle ait jamais produit. (Seize ans plus tard elle en recopia des paragraphes entiers pour la lettre qu'elle écrivit à sa fille, Mathilde, le jour de ses quinze ans.)

Mais elle n'avait toujours rien à donner au Maestro Martí. Et elle manquait de nouveau de papier. Elle était sur le point de commettre le sacrilège de déchirer une page de son album toujours vierge quand elle se rappela la feuille de parchemin qui s'y trouvait. Elle étendit soigneusement devant elle la feuille couleur fauve, qui avait quelque chose de la texture d'une aile de mite géante, et plongea, la plume en acier de son stylo couinant doucement, l'encre saignant dans la feuille, et elle ne se permit pas de s'arrêter pour examiner ce qu'elle avait fait avant d'avoir terminé. Estimé Señor Maestro Martí. Chaque livre que j'ouvre, je lui dis, je te lis parce que je ne sais pas *camarón* et que peut-être tu as quelque chose à me montrer. Je pense que le mieux que je serais capable de faire maintenant serait d'imiter avec mes mots faux ce que d'autres avant moi ont écrit de manière originale avec de vrais sentiments et une véritable intelligence. Je vous en prie demandez-moi dans cinq ans ce que je sais de l'amour. Je n'aime pas la fausse poésie ni inventer seulement des histoires, et très cher Maestro Martí, vous non plus… En fin de compte, l'annulation de leurs derniers cours lui épargna de décider si oui ou non elle devait remettre cette copie sans intérêt. Une nouvelle série d'arrestations et d'exécutions avait créé un climat si troublé que les damitas bien élevées et respectables étaient tenues de rester chez elles.

Neuf jours après la découverte de la conspiration, Paquita quitta le pays avec ses enfants, se rendant pour la première fois sans son mari à New York. Six semaines plus tard, on entendait encore des hurlements provenant du palais présidentiel à toute heure du jour et de la nuit ; on disait que Rufino le Juste, fouet en main, présidait souvent lui-même aux interrogatoires. Les prisons de la ville étaient pleines. Il n'y avait pas d'administration, d'organisation, de club ou d'école qui ne se sentît obligé, juste après les premières arrestations et pendant les semaines qui suivirent, de publier dans la gazette du gouvernement et d'autres journaux, des messages de félicitations au président et à sa famille, et de dénonciation des conspirateurs du Rosaire noir. Mais l'une de ces parutions, publiée par la faculté de l'École normale, dirigée par des Cubains, était remarquablement plus poétique que les autres : *Señor, honorez votre salutaire devoir : les poignards des hommes ne peuvent jamais atteindre le cœur qui fait le bien. Les partisans des ombres et les héros du poison et de la superstition fuient le partisan des hommes libres, de l'éducation et du savoir... Et s'ils aiguisent leurs poignards dans l'ombre, ne craignez rien, Señor, car dans les écoles on forme les consciences. Ceux que vous avez éduqués seront vos soldats.*

Les Izaguirre lui avaient demandé de l'écrire, et que pouvait-il faire ? Ce n'était pas comme si le directeur cubain de l'école et son frère n'avaient pas contribué par leurs propres idées au contenu de la publication. Témoigner une ardeur moindre, un bonheur moins exalté, aurait pu avoir de graves effets, et c'était lui qui savait comment transformer des sentiments convenus en métaphores d'honneur enthousiasmantes. Martí écrirait et publierait des milliers et des milliers de pages de prose dans sa vie, mais peut-être n'y en avait-il aucune qui fût plus banale et lui causât plus de gêne que celle-ci ; de honte, non pas, car le cœur d'un homme qui fait le bien *devrait* être à l'abri des poignards des hommes...

Pourtant son cœur était bon, et il n'était pas à l'abri. Il n'avait jamais été plus vulnérable, ni plus habité de doutes et de pressentiments. Il luttait contre des sentiments qu'il ne pouvait se permettre de révéler à quiconque, pas même à son ami le plus cher au Mexique, car comment pouvait-il être celui qui serait cause de tant de déshonneur ? Il vaut mieux souffrir le déshonneur seul et en silence, plutôt que de l'attirer publiquement sur les autres aussi bien que sur soi. Le silence peut consoler le cœur et l'âme, il peut même préserver ou guérir un amour ; ce n'est pas, bien sûr, toujours le contraire du courage. Mais le silence peut-il jamais consoler une ville ou une nation ? Pas quand il est fait de crainte, de mensonges, de honte, de couardise, d'hypocrisie, et de mort. Martí n'alla jamais à Sacatepéquez à la recherche du jefe indio qui parlait français. Ce n'était pas seulement que la ville et la campagne semblaient trop sinistres et dangereuses pour une telle excursion : il savait maintenant que pareille incarnation de l'Indio moderne exemplaire ne pouvait pas exister ici, et que s'il faisait le voyage, il ne voulait pas avoir à le justifier. Sur quelques sujets, il était encore libre de changer d'avis, d'avoir un *changement de cœur...* Il se préparait à aller au Mexique épouser sa fiancée, et il avait l'impression de se rendre à un sacrifice.

Avant de partir, il fit ses adieux à María García Granados, une visite aujourd'hui immortalisée, bien sûr, dans l'un des plus célèbres poèmes jamais écrits en hispano-américain, car c'est alors qu'elle lui donna l'oreiller en soie rose parfumé qu'elle avait brodé en disant : « Prends-le, Pepe, il porte bonheur. » Et elle était rentrée chez elle pour attendre son retour. Peut-être aurait-il un changement de cœur. L'oreiller parfumé, salé par les larmes de la jeune fille, lui porterait peut-être chance, et il atteindrait le Mexique pour prendre conscience de son erreur – ou ferait demi-tour même avant d'y être arrivé – pour se précipiter dans les bras de sa niña !

Combien de femmes attendaient que Martí vienne leur dire au revoir ? Est-ce que la femme du magistrat dont Mack Chinchilla avait parlé au Café de Paris attendait ? Les autres femmes dont les vieillards éminents mais sentimentaux de la ville parlent encore aujourd'hui? Sans aucun doute, il y en avait au moins une qui attendait. Martí, qui n'était jamais allé voir María de las Nieves chez elle, n'y alla pas non plus pour lui dire au revoir; après tout, il avait l'intention de revenir, après le nouvel an, avec son épouse, afin de reprendre ses cours. Peut-être resterait-il dans le petit pays jusqu'à la fin de ses jours, et élèverait paisiblement une famille; Cuba se libérerait tout seul sans lui ou ne se libérerait jamais, et un jour ils seraient de vieux amis qui se rencontreraient par hasard dans la rue, échangeant des propos d'une affection infantile : Ay Doña Mariquita de las Nieves, maintenant vos cheveux sont vraiment blancs, mais vos yeux sont les mêmes que ceux qui m'ont coupé le souffle quand vous aviez dix-sept ans. Ay Don Pepe Torrente, si exagerado, vous êtes bien le même qu'alors!

À la fin du mois de novembre, quelques jours avant qu'il ne doive partir pour le Mexique, María de las Nieves, rencontrant Martí dans la rue, lui souhaita bon voyage et le plus heureux des mariages; elle savait qu'elle avait bien parlé (avec la chaleureuse et féminine dignité de la Señora Farfán) et qu'elle avait paru affectueuse et sincère. Quand il la remercia ses yeux avaient un éclat encore plus tendre que d'habitude, et elle voyait qu'il faisait en sorte de soutenir son regard plus longuement, plus significativement qu'il n'était habituel aussi, et elle sentit un petit frisson d'excitation, et son cœur soulagé dansa un peu de joie et de fierté. Y avait-il quelque chose de plus qu'il ait dû ou pu dire? Son chapeau était de nouveau sur sa tête, et l'air devint un sablier transparent où tombaient les tout derniers grains de sable. Il n'y avait plus maintenant qu'à ponctuer cet adieu doucement poignant et réussi en souriant simplement et en prononçant, une dernière fois, le mot *au revoir*. «Et j'espère que vous viendrez me voir dès votre retour, Pepe, ajouta-t-elle sans pouvoir s'en empêcher. J'ai hâte de faire la connaissance de votre femme. Et vous devez toujours écrire quelque chose dans mon album. Il vous attend, et je ne laisserai personne l'entacher avant que vous ne l'ayez inauguré. » Dès qu'elle eut fini de prononcer ces mots elle fut convaincue qu'elle ne le reverrait plus jamais, et que son dernier souvenir de Pepe Martí serait toujours celui de sa gêne, la piqûre de son regard déconcerté, son dernier adieu poli mais précipité, effaçant toute la chaleur précédente. Elle rentra chez elle, le dos droit et, bien sûr, sur ses pieds, alors qu'à l'intérieur elle avait l'impression d'avancer sur les genoux ensanglantés d'une pénitente humiliée.

D'avril à août 1880 l'employé de l'agence nationale Pinkerton connu sous le nom de code de « E. S. » vécut dans la même pension new-yorkaise que José Martí, son épouse, et son enfant d'un an, faisant semblant d'être son ami tout en l'espionnant, lui, ses activités politiques, ses amitiés, son mariage décevant. L'agent allait jusqu'à s'introduire dans l'appartement de Martí durant leur absence, parcourant ses écrits et se risquant parfois à emporter un de ses carnets dans ses propres quartiers. Il copiait même les notes les plus insignifiantes presque au hasard – parce que E. S., quoiqu'il ait appris à déchiffrer les écritures les plus difficiles, ne comprenait pas l'espagnol – dans l'espoir de découvrir quelque chose qui pourrait fournir aux détectives un nouvel avantage une fois que le contenu de ses découvertes aurait été traduit dans les bureaux de Pinkerton ; afin aussi que l'Espagne, le client de l'agence, reçoive le portrait complet de ses adversaires cubains en exil.

María de las Nieves, assise à la table de sa cabine dans le nimbe de sa bougie à bord du *Golden Rose* qui remontait en haletant la côte de Baja California plongée dans la nuit, était de nouveau immergée dans le rapport de Pinkerton. Elle pensa : C'est presque comme si le pauvre Pepe avait conscience d'être piégé dans ce rapport diabolique que les détectives yankees sont en train de tisser autour de lui, mais comme dans un cauchemar il est incapable de rien faire ni même de protester. Pas étonnant qu'il paraisse si malheureux, si frustré, si vulnérable. Tout cela est arrivé il y a cinq

ans, pensa-t-elle, Mathilde avait alors presque deux ans, quasiment le même âge que le fils de Pepe ; une époque triste et amère
de ma vie à moi aussi. Bien qu'elle n'ait pas eu de détectives à ses
trousses, elle avait aussi appris ce que c'était que de se sentir trahie, épiée de tous côtés, et même méprisée par ceux qu'elle considérait comme ses amis.

Selon le rapport, vingt-cinq détectives de l'agence suivaient les
Cubains à New York, et sept de ceux-là, dont E. S., étaient affec-
tés à Martí seul, qui s'y retrouvait à peine dans la métropole, où il
n'était arrivé qu'en janvier. Mais il n'avait pas attendu la fin du
premier mois pour prononcer un discours, qui avait fasciné le
public compact d'exilés cubains, les « aristocrates » habituellement
retenus ainsi que les fiers vétérans de la guerre de Dix Ans assis
aux premiers rangs, et les cigariers noirs qui emplissaient le fond
de la salle, les frappant de stupeur en leur révélant comme jamais
auparavant leur condition commune de Cubains discrédités loin
de chez eux dans le pays des Yankees méprisants, les exaltant à
embrasser leur cause commune. (C'est ce discours, apprit María
de las Nieves en lisant le rapport, qui avait alerté l'Espagne quant
à la présence de Martí à New York.) Donc le « Dr. Torrente » avait
de nouveau atterri avec éclat dans une nouvelle ville. Il avait
même été nommé président par intérim du comité révolutionnaire cubain de New York à la place du général Calixto García
– qui, plutôt que d'être pris vivant par les troupes espagnoles au
cours d'un malheureux combat des années plus tôt, s'était tiré une
balle dans le menton, qui était ressortie au milieu de son front
sans le tuer, lui faisant une cicatrice qui donnait l'impression
qu'une minuscule comète s'y était écrasée. Par une nuit du mois
de mars le général García avait quitté le New Jersey à bord du
schooner *Hattie Haskell* avec une poignée de rebelles et une cargaison d'armes achetées grâce aux fonds levés par le comité révolutionnaire cubain. Il se dirigeait vers Cuba afin d'y réveiller
l'insurrection, assoupie depuis la fin de la guerre de Dix Ans et le

déloyal traité de Zanjón (les Pinkerton savaient tout, et l'Espagne aussi, par conséquent). Le successeur du guerrier légendaire, le jeune président par intérim du comité révolutionnaire, venait de publier sa première critique d'art dans l'hebdomadaire culturel new-yorkais *Hour* où l'un de ses colocataires cubains, peintre et illustrateur, l'avait introduit. Il n'avait pas de revenu assuré, une femme et un fils à nourrir, et cette jeune épouse méprisait les circonstances dans lesquelles ils vivaient et toutes les raisons qu'il avait de lui imposer une telle existence: une femme élevée pour vivre somptueusement et brillamment habitant une humble pension dans une ville de somptuosité et de brillance où elle ne pouvait maintenant pas même s'acheter une robe. Elle avait imaginé que Pepe ne pouvait tomber plus bas quand il l'avait emmenée habiter la Pequeña Paris, juste au moment où il devenait un paria dans cette petite ville sauvage. Mais New York était encore pire, parce qu'au moins dans la Pequeña Paris Pepe louait une maison, et recevait un salaire régulier quoique minuscule, et la vie était tellement plus abordable, bien qu'elle ne lui en parût pas moins déroutante, difficile, ni effrayante pour autant. C'est ainsi, pensa María de las Nieves, que Carmen Zayas devait avoir vu les choses. En fait la jolie épouse de Martí, les quelques fois qu'elle l'avait rencontrée, lui avait paru hautaine, polie, impeccablement mise, intelligente sans toutefois atteindre des sommets, jalouse, capricieuse, aisément ennuyée, nerveuse, plus lointaine que mal disposée, tous ces traits adoucis par un air sensuel de grâce antillaise et de bonne éducation. María de las Nieves ne pouvait s'empêcher de plaindre Carmen Zayas de s'être liée à cet homme extraordinaire au dangereux destin que visiblement elle ne comprenait pas et dont les yeux, en retour, ne se fixaient pas sur sa femme – ainsi que plus d'un l'avait déjà observé – avec le même amour qu'ils montraient parfois pour *au moins une autre*.

Oui, alors Pepe et son épouse avaient des raisons de se sentir déçus, pensa María de las Nieves, mais tout cela était passé, et peut-être sont-ils plus heureux aujourd'hui. Même si, bien sûr, Cuba est toujours sous la domination espagnole. L'expédition militaire de 1880 ayant échoué – rapidement encerclé, le général Calixto García avait été obligé de se rendre –, Martí avait renoncé à la présidence du comité révolutionnaire cubain ce mois de juin-là, avant même que lui et ses camarades cubains aient compris qu'ils étaient espionnés par les Pinkerton. Dans les cinq années qui suivirent les journaux avaient peu parlé de soulèvements à Cuba. Donc la vie de Pepe devait aussi être plus calme maintenant, pensa-t-elle, et peut-être a-t-il renoué des relations avec sa femme, et ont-ils eu d'autres enfants, et la noble façon qu'il a eue d'endurer ses défaites a-t-elle adouci le cœur de son épouse et est-elle enfin capable de l'aimer comme il le mérite, et peut-être gagne-t-il de l'argent avec son journalisme et d'autres écrits et procure-t-il maintenant à sa femme la respectabilité à laquelle elle aspire, ou peut-être le père de celle-ci, même s'il est loyal à l'Espagne, a-t-il suffisamment surmonté sa haine de son gendre pour enfin envoyer de l'argent. Bien que je ne puisse pas imaginer Pepe satisfaisant le désir persistant de sa femme de retourner vivre à Cuba sous la botte espagnole et pratiquant paisiblement le droit en écrivant ses poèmes et renonçant à tout projet d'insurrection – mais qui sait ? Tout est possible. Ce rapport, après tout, fournit un aperçu très biaisé sur seulement quatre mois de sa vie ! Cependant, même en tenant compte des préjugés et des motifs d'E. S., il faut admettre qu'il fait un tableau d'un José Martí lugubre, abattu, infirme même et qui ne semble retrouver la joie qu'en présence de son fils, ou de cette chaleureuse Carmita Miyares de Mantilla, propriétaire avec son mari d'*el boarding*, qui est elle aussi souffrante, ou quand Miss Susan Paral vient pour ses leçons d'espagnol. Parfois, à table, en buvant le vin offert par le perfide E. S., Pepe retrouve sa vigueur intellectuelle et verbale. Mais le mariage de Martí, ainsi qu'il est ici décrit, pourrait difficilement se parer de traits plus tourmentés et tristes·

Cent poignards plantés dans ma poitrine ne pourraient pas être plus douloureux que cette lettre, lit à présent María de las Nieves, dans une section du rapport où E. S. présente et commente les écrits qu'il a copiés dans les carnets intimes de Martí. *Aveugle! Elle est aveugle à moi! J'ai été voir Faust ce soir. La Nilsson est la grande attraction de la soirée. Avec ces yeux si dévorés par les larmes que je ne peux plus pleurer, je n'arrivais pas à bien la voir, je me suis donc concentré sur sa voix. Quelles cadences, quelle manière de finir, la dernière note pure descendant dans une larme. Ses sanglots vous déchirent la poitrine. La Nilsson n'a pas de rivale!* À partir de là, écrit E. S., Martí s'étend longuement sur la performance de la Nilsson à l'Opéra et sa méthode de chant, mots que j'ai commencé par tâcher de transcrire sans les comprendre, mais que, maintenant qu'ils ont été traduits, je n'inclus pas ici, les jugeant superflus. Ce n'est que lorsque Mr. Martí a terminé son éloge du talent de la grande diva qu'il frappe encore la note larmoyante de l'angoisse qui inaugure cette entrée de son journal : *Quant à son visage et à sa silhouette, avec quels yeux pouvais-je les voir, puisque les miens sont trop faibles même pour voir les créatures que je porte dans mon cœur?* J'ai depuis entendu Mr. Martí parler du soir où il avait écouté la Nilsson dans *Faust*, poursuit E. S., et je peux donc affirmer que les conflits maritaux des Martí précèdent leur triste séjour new-yorkais. C'est également un bon exemple de la volubilité émotionnelle du sujet. Quel genre d'homme confie dans un souffle à son journal qu'une lettre de son épouse, mère de son fils unique, l'a fait plus souffrir que cent poignards et qu'il ne peut pas même voir la Nilsson à cause des larmes qui brouillent sa vision et, dans le souffle suivant, s'embarque pour plusieurs pages de critique musicale détaillée? Est-ce un homme sincère ou un homme superficiel, aisément enthousiasmé et excité à la manière caractéristique du tempérament latin?

Les carnets de notes sont également intéressants, devrais-je ajouter et je peux difficilement exagérer, Monsieur le Superintendant, les nombreuses méditations sur la mort, le martyre, le sacrifice, le devoir et ainsi de suite que contiennent leurs pages. Il y figure aussi beaucoup d'emphase littéraire, page après page, et des poèmes. Le sujet écrit de la poésie, souvent tard dans la nuit. Il y a plusieurs autres sorties contre sa femme. Dans l'une d'elles Mr. Martí déplore une nuit solitaire et fatidique, solitaire bien qu'il soit au lit en train de parler avec sa compagne. Pourquoi fatidique? Parce qu'il la trouve si indifférente, son esprit apparemment si loin du sien quand, alors qu'ils sont allongés côte à côte, il lui parle d'un livre à peine commencé, de «l'union de tous nos peuples», de ses idées mal comprises, de la douleur que lui cause la misère d'autrui – Mr. Martí, je présume, fait allusion aux masses anonymes habituelles qui assombrissent la Terre. Il semble aussi critiquer le fait que son épouse surévalue apparemment le confort domestique, et son incapacité à *se moquer de la pauvreté*. Sur la page suivante il écrit: *Que veux-tu, ma femme? Que je fasse le travail qui devrait m'apporter la gloire, ou que je vive, rongé par la rancœur, sans gloire* – et il poursuit brièvement dans cette veine vaniteuse, quoique avec des tours de phrases plutôt ésotériques et une poésie qui a dérouté même notre traductrice, Mrs. Dominga Hurley, bien que sa tirade soit intéressante car c'est ici que le sujet est le plus près, dans les écrits intimes que j'ai pu examiner, de confier ses idées et ambitions subversives. (Pour autant que je sache, il le fait peut-être aussi dans sa poésie, dont la plus grande part est du genre incompréhensible et tourmenté, d'après Mrs. Hurley, même si elle dit aussi qu'il y a un ou deux jolis poèmes concernant son fils, «Pepito», et la joie et la fierté que le sujet trouve dans la paternité.) Il se garde évidemment d'écrire la moindre chose touchant son activité insurrectionnelle; bien qu'il ne protège pas son existence émotionnelle de la même manière; non, il la met plutôt à nu. J'attire votre attention, Monsieur le Superintendant, sur cette entrée de journal, dont j'ai également donné copie à Miss Susan Paral, qui devrait certainement tirer profit des renseignements qu'elle donne sur l'état émotionnel de Mr. Martí en ce moment, et la versatilité éhontée des justifications de ses conquêtes romantiques : *Il arrive presque toujours que les relations qui commencent dans l'amour finissent par ne plus avoir d'autres liens que le devoir. Est-ce que la satisfaction de l'amour tue l'amour ? Non ! C'est que l'amour est cupide, insatiable, actif : c'est une grande force agitée, et elle exige d'être constamment nourrie, et c'est le seul appétit qui ne soit jamais rassasié – seule une sollicitude incessante, tendre, visible et tangible peut le nourrir. Un nouveau baiser déride le front qui ne peut être déridé par la chaleur décroissante de baisers très aimants déjà donnés. Il ne faut pas laisser la froideur donner à l'âme toujours ardente de l'objet aimé ce besoin de nourriture, et la pousser ainsi à la rechercher, ou la disposer à l'accepter, si par hasard la vie la lui offrait. Les attentions amoureuses que l'on prodigue construisent dans l'âme de la bien-aimée une résistance contre l'invasion d'un amour étranger. Intelligente compensation, délicieux trophée, doux labeur ! En donnant le bonheur à autrui, nous construisons notre propre bonheur. On peut vivre sans pain – mais sans amour, non ! Ne laissez jamais passer l'occasion de consoler une tristesse, de caresser un front sombre, d'allumer un regard alangui, de tendre une main brûlante d'amour. La tendresse est un travail perpétuel, de chaque instant. Mais sans elle, l'amour insatisfait cherchera un nouvel emploi ! Il y a un mot qui résume cette tactique de l'amour : la goutte de rosée. Il devrait toujours y avoir une perle fraîche tremblant sur la feuille verte. Un mot à notre oreille, un regard brûlant, un baiser humide... Si vous n'aimez pas cela, vous ne serez jamais aimé. Vous tomberez et tomberez encore en jetant des cris de désespoir et vous vous perdrez dans de noirs abîmes, et vous mourrez seul. L'amour est une bête sauvage qui a besoin d'être nourrie tous les jours.*

Goutte de rosée ! Qué bonito, pensa María de las Nieves, sauf que je méprise ce charabia romantique ; on dirait une maîtresse des novices qui exhorte ses élèves à renouveler quotidiennement leur amour pour leur Divin Époux. Pourtant elle était là, une boule dans la gorge, les yeux emplis de larmes. Si l'amour est une bête sauvage qui a besoin d'être nourrie tous les jours, pensa-t-elle, le mien est mort de faim il y a bien longtemps. Ensuite María de las Nieves demeura assise immobile à la petite table de sa cabine pendant un long moment, s'inquiétant de cette question à laquelle l'apitoiement sur elle-même l'avait menée : était-il possible qu'elle soit pareille à une vieille fille de roman anglais jusqu'à la fin de ses jours ? Mais elle ne supportait pas d'y penser plus longtemps, et la chandelle était en train de mourir, et elle se tourna dans son fauteuil comme si elle allait se lever et commencer à se déshabiller parce qu'elle était trop fatiguée et déprimée même pour aller se promener sur le pont. Elle s'accouda pourtant de nouveau au-dessus du rapport et y lut ce qu'E. S. annonçait comme une des dernières entrées du journal de Martí :

L'amour renouvelle. Je ressens, en aimant, un oubli généreux, un espoir fortifiant. Une femme m'a dit : « C'est ma seconde jeunesse. » Je ne sais pas, écrivait E. S., à quelle femme Mr. Martí fait allusion, bien que ce ne soit pas, pour autant que je sache, pas *encore*, notre Miss Susan Paral. J'ajouterai, Monsieur, que, pour des raisons qui doivent maintenant être évidentes, je crois que Miss Paral devrait être encouragée à jouer sur les émotions sans limites de Mr. Martí, bien qu'il faille également qu'elle soit étroitement surveillée par nous et régulièrement interrogée. E. S. rapportait une autre conversation entre Miss Paral et lui qui avait eu lieu à l'endroit où ils s'étaient rencontrés pour échanger des informations et mettre un plan d'action sur pied : Miss Paral, écrivait l'agent, demeure amoureuse du sujet de notre surveillance, à tel point qu'il semble qu'elle perde souvent de vue le but de sa mission. Mais j'oublie trop aisément que Miss Paral est une actrice-née, si telle chose est possible. Donc je ne m'inquiète plus beaucoup pour elle, et je crois bien qu'à la fin nous pourrons compter sur elle. « *¿ Cómo estar usted hoy, Señorita Paral ?* ai-je demandé. Comme nos clients espagnols paient vos leçons je suis sûr qu'ils seraient indignés d'apprendre que notre curiosité concernant les activités clandestines de votre professeur interfère, hélas, avec votre maîtrise de la langue. Vous devez faire des progrès en espagnol, Miss Paral!» Miss Susan était, ce jour-là, ravie par un poème que Mr. Martí lui avait récité au cours de leur dernière leçon, qui n'était pas de lui mais du fameux Whitman, et contenait une brève strophe que j'ai réussi à copier tout en bavardant, prétendant partager l'excitation de Miss Paral pour sa promesse rhétorique non déguisée. Le poème, Monsieur le Superintendant, qui a tant fasciné notre enchanteresse-étudiante, évoque des dormeurs allongés nus main dans la main et formant une chaîne qui entoure la Terre, mêlant des gens de toutes nations, races, religions et occupations, et inclut cette phrase, que j'ai fait répéter plusieurs fois à Mrs. Paral jusqu'à ce que je l'aie recopiée avec exactitude : *L'élève embrasse le professeur, le professeur embrasse l'élève, le tort est redressé* – mon idée étant de l'impliquer, de lui faire voir clairement qu'elle m'avait dit elle-même à quoi m'attendre. D'un air très grave (car moi aussi je sais jouer la comédie) j'ai recopié ce vers, le convertissant sous ses yeux de l'état de coquetterie littéraire à celui de contrat solennel. Puis j'ai mis mon chapeau, et avant de me lever, j'ai poussé un gros soupir et j'ai déclaré : «Très approprié, Miss Paral. Le tort est réparé. Nous faisons parfois un vilain métier, mais en fin de compte nous devons être persuadés que, bien que vous et moi ne soyons pas des agents indispensables et que nous ne voyions peut-être pas le dessein plus vaste de ceux que nous servons, nous agissons pour redresser les torts. Sinon, l'agence nationale de Mr. Pinkerton ne jouirait certainement pas de la réputation sans pareille qui est la sienne.» Miss Paral a répliqué : «Et ce juste dessein consiste à maintenir la domination espagnole sur Cuba? Ou à la maintenir jusqu'à ce que cette île pourrisse, et que nous puissions ensuite la ramasser pour la mettre dans notre poche comme un fruit tombé de l'arbre?» J'ai répondu : «De qui parlez-vous, Miss Paral? Qu'est-ce que Mr. Pinkerton ou l'agence aurait à faire de Cuba? Comme je viens de le dire, nous sommes des agents loyaux qui ne voient pas très loin. Mais juste devant nous et sous notre nez, il y a en ce moment même beaucoup à voir, vous ne pensez pas?»

CHAPITRE

SIX

«Avez-vous vu la vitrine du Señor Tripla-Jota, Don José?» demanda María de las Nieves, un après-midi du début du mois de février, dans l'atelier du réparateur de parapluies. Le véritable nom du photographe yankee, J. J. Jump, n'était pas facile à prononcer pour María de las Nieves. Don José lui apprenait à tenir un livre de comptes – son exemplaire en lambeaux du classique *Traité de comptabilité en partie double*, de frère Luca Pacioli, datant du quinzième siècle, était ouvert sur la table entre eux – et ils buvaient du thé. «Mon portrait y est exposé, ajouta-t-elle d'un ton joyeux. Le numéro huit.

– Mais c'est merveilleux, María de las Nieves!» Bien sûr son portrait n'avait jamais été exposé auparavant dans la vitrine du photographe et maintenant il était là, figurant dans la liste de «Nos beautés les plus populaires» les plus vendues du mois de janvier non pas même en neuvième ni dixième, mais en huitième position. Le sourire forcé du réparateur de parapluies trahissait son étonnement. Le premier jour ouvrable de chaque mois, le Señor Jump exposait les dix portraits les plus vendus du mois précédent, épinglés sur une planche recouverte de velours noir dans sa vitrine.

«Cela signifie-t-il que vous allez être exposée à l'Exposition universelle?» Une sélection des portraits photographiques des femmes de la capitale exécutés par le natif du New Jersey devait figurer dans le pavillon du pays à l'Exposition universelle qui ouvrirait bientôt à Paris. «Imaginez, María de las Nieves, les rois et reines d'Europe s'arrêtant pour inspecter l'exposition de notre petite République, et tout en goûtant une tasse de notre meilleur café, regardant votre…

— Je veux juste savoir qui a acheté mon portrait, implora-t-elle. Il en a vendu deux! Qui les a achetés?» Wellesley Bludyar était absent depuis des mois. Et était-il probable que Pepe Martí soit allé acheter son portrait dans le studio de J. J. Jump au cours des deux dernières semaines de janvier, juste après son retour du Mexique en compagnie de son épouse?

«Je vois… je peux vous assurer… María de las Nieves, je ne sais pas si j'ai le regret de dire, ou si j'ai le plaisir de dire, que je n'en ai pas acheté un.» Don José fronça les sourcils et on aurait dit que son visage était passé à la vapeur.

«Oh, Don José, je ne pensais pas à vous.» À présent elle était troublée. «Bien sûr je serais soulagée de découvrir que c'était vous.

— Certainement, si vous êtes en huitième position, María de las Nieves, il y a plus de deux de vos photographies qui ont été vendues.

— Non. Seulement deux.» Elle cligna des paupières comme si elle recevait du sable dans les yeux, et dit: «Janvier est le pire mois pour les affaires.» Les numéros neuf et dix, expliqua-t-elle, n'en avaient pas même vendu une seule, mais avaient été choisies d'après le nombre vendu en décembre. Les trois ou quatre premières, lui avait confié J. J. Jump, vendaient toujours beaucoup plus que les autres prises ensemble. Elle n'avait pas besoin d'ajouter que pendant presque deux mois consécutifs, la Primera Dama avait tenu le premier rang.

«Alors pourquoi êtes-vous mécontente, María de las Nieves? demanda Don José. J. J. est sûrement assez bon ami pour vous dire qui sont vos admirateurs secrets?

– Non, Don José. Bien sûr que non. »

Quand, trois années plus tôt, J. J. Jump avait commencé à faire des tirages supplémentaires des négatifs des portraits de ses clientes pour les mettre en vente, il avait également juré de ne jamais révéler l'identité des acheteurs, seulement de tenir le compte mensuel des ventes. En retour, les prix qu'il faisait à ses clientes pour leurs portraits et leurs cartes de visite étaient inférieurs à ceux de ses concurrents. Il avait fait paraître des annonces dans la presse et distribué des tracts expliquant qu'à l'origine cette innovation yankee toute récente était la découverte faite par un étranger de l'inégalable beauté des femmes de ce pays, et son désir respectueux de la célébrer. Bien vite il n'y eut pas une dama ou une doncella qui se respecte qui ne fût pas allée se faire photographier chez J. J. Jump, et certaines venaient presque tous les mois. Il n'y avait quasiment pas un homme, même de moyens modestes, marié ou pas, qui ne s'était pas arrêté pour chercher dans les boîtes à photos une image à honorer ou adorer.

Grand gaillard aux larges épaules, J. J. Jump ressemblait plus à un bûcheron ou à un contremaître qu'à un homme travaillant à l'intérieur, et il ne s'habillait certainement pas comme quelqu'un que ce travail enrichissait. Il avait des yeux comme de grands rayons bleus, une barbe broussailleuse de la nuance dorée de la pomme de terre bien rôtie et un teint robuste malgré le temps passé dans l'obscurité avec ses produits chimiques aux senteurs fortes et ses négatifs – il avait récemment pris un jeune assistant, Hernán Pedroso, garçon jaunâtre, pour faire la plus grande partie de ce travail. Toujours vêtu d'un gigantesque manteau marron croisé aux manches retroussées, quelque temps qu'il fasse, chaussé de lourdes bottes noires, et coiffé d'un chapeau haut de forme particulièrement ostentatoire, l'immense J. J. Jump aimait flâner à la recherche des marchés, s'arrêtant aux lavoirs, toujours en quête de jolies mengalas qu'il inviterait à se faire tirer le portrait gratuitement dans son studio. Son caractère amical et paisible semblait exclure tout vice de son obsession ; pour autant que je sache, il ne mit jamais les pieds même dans le plus prétentieux des bordels de Doña Carlota. Bien que la majorité de ses clients considérassent le teint pâle comme une composante essentielle de la beauté féminine, J. J. Jump ne faisait pas secret de sa préférence pour les mestizas, mulatas, même les Indiennes pur-sang. Chaque fois qu'il déclarait que les femmes d'Amérique centrale pouvaient surpasser en beauté toutes celles qu'il avait vues ailleurs, un grand nombre de ses auditeurs n'entendaient là que son intérêt de commerçant. « C'est cette nuance brune, aimait-il à expliquer en connaisseur, et une noblesse de l'expression issue du mélange de ces races anciennes et passionnées que je trouve si supérieures aux traits réguliers qu'on trouve chez nous. » Cependant il n'avait jamais été connu pour s'être intéressé à une femme en particulier, quelle que fût sa nuance. Un jour il finit par le faire, pour une fille bien roulée aux yeux vifs comme des éclairs qui s'appelait Margarita Jiménez, avait seize ans et était la fille d'un boucher du marché. Elle était indubitablement jolie, et probablement vierge, mais on discuta beaucoup du choix de J. J. Jump. Était-ce cela qu'il avait si publiquement et patiemment recherché par toute la ville, une mengalita comme toutes les autres ? Cela ne semblait pas juste pour toutes les autres filles à marier et non moins méritantes que le photographe yankee avait négligées. Bien que né dans la foi méthodiste, J. J. Jump épousa la fille du boucher dans une église catholique. Le ressentiment augmenta contre le photographe yankee, il semblait que la ville tout entière l'avait pris en grippe. J. J. Jump continua à vendre des portraits, mais pendant un moment son commerce fut quasiment aussi furtif que celui que Don José pratiquait de nuit, et l'annonce du palmarès mensuel était accueillie avec une indifférence quasi universelle au lieu des débats et festivités du passé. Puis on apprit qu'une centaine des portraits de « Nos beautés les plus populaires » figureraient à l'Exposition universelle de Paris, et sa popularité lui revint d'un coup.

(Au cours des deux décennies qui suivirent, J. J. Jump et Margarita Jiménez, qu'on n'avait presque jamais vue au studio, produiraient un enfant presque chaque année, dont deux seulement atteignirent l'âge adulte. À ce jour les descendants du couple abondent dans cette ville, bien que le nom de Jump ne soit plus associé ni à la photographie ni à la richesse.)

María de las Nieves s'était liée d'amitié avec J. J. Jump de la même façon qu'avec d'autres commerçants, traînant pendant des heures dans sa salle d'attente, apparemment absorbée par le moindre détail de son affaire. Il y avait des commerçants qui eussent été exaspérés par sa curiosité patiente, particulièrement quand ils comprenaient qu'elle n'allait rien acheter, mais son instinct, affûté par son caractère de flâneuse solitaire et une exigence bien à elle, la guidait toujours vers ceux que sa curiosité ravirait, ou qui au moins l'accueilleraient gentiment. Quant à la cliente ordinaire, moins perspicace, moins vulnérable, elle trouvait ces rencontres impossibles à éviter avec les marchands de la ville désagréables et traîtresses. María de las Nieves ne se fatiguait jamais d'étudier le stock toujours changeant de cartes postales coloriées à la main, de cartes de visite, de cartes de vœux, de scènes stéréoscopiques, et de théâtres fantastiques en papier, ou la collection de costumes que J. J. Jump conservait dans trois armoires en cèdre dans le salon d'habillage derrière le studio doté d'une verrière, où une grande sélection de décors peints et d'accessoires étaient aussi remisés. L'empereur et l'impératrice du Japon, un homme phalène ou une dame papillon, saint François d'Assise ou sainte Rose de Lima, un conquistador, la reine Isabelle, un maharajah, un bédouin, Tío Sam, un arlequin, un tigre ou un ours polaire, même les tenues des tribus indiennes du pays, ces costumes et bien d'autres encore étaient à la disposition du client.

Quand J. J. Jump recevait une nouvelle collection de stéréographies, María de las Nieves était souvent la première à les voir. En échange, elle dressait le catalogue des cartes en espagnol. Un envoi venait d'arriver de San Francisco, en bon état, et elle passa cet après-midi de samedi sur un tabouret derrière le comptoir devant le stéréoscope, sortant les images jumelles de leurs enveloppes cirées, les glissant sur la plaque et regardant dans les œilletons, où les deux images se convertissaient en une seule dans le cerveau du spectateur, comme s'il regardait dans des jumelles, avec une illusion étonnamment réaliste de profondeur et d'espace – telle était l'explication rationnelle de ce qui persistait à ressembler à de la magie. Seuls le mouvement, la couleur, et les bruits de la vie manquaient à ces scènes tridimensionnelles, mais à cela elle pouvait remédier elle-même; ce n'était pas si différent de ce qui arrivait quand elle s'immergeait dans les journaux étrangers au kiosque, où, à travers la songerie concentrée, de petits bouts de nouvelles lointaines et d'informations pouvaient finalement sembler infusés par la lumière de la pièce: une illusion fragile et passagère, toujours, mais délicieuse chaque fois qu'elle se présentait. Des photographes étrangers en voyage passaient souvent par la ville, on les apercevait penchés sous le rideau noir de leurs chambres posées sur trépied, arpentant les pentes herbues d'El Cerrito, et J. J. Jump, qui aimait les rencontrer, disait que certains utilisaient des appareils stéréographiques. Ainsi, peut-être qu'à Paris, à ce même instant, une fille comme elle était assise devant un stéréoscope en train de regarder des images de cette ville et d'imaginer ce que ce devait être de vivre dans la Pequeña Paris. Peut-être se voyait-elle même se retirant dans le studio d'un photographe pour s'échapper dans une autre partie du monde au moyen du stéréoscope. Dans cette nouvelle liasse il y avait beaucoup de stéréographies qui représentaient l'Ouest américain. «Le chef Nuage-Rouge» – un merveilleux nom, pensa-t-elle; sans aucun doute les gens respecteraient nos Indios s'ils portaient toujours pareils noms. Elle numérota l'enveloppe et écrivit soigneusement *Jefe Nube Rojo* à côté du numéro correspondant dans le registre. Braves à demi nus aux longs cheveux, minces et musclés, aux beaux visages mâles, portant des fusils, chacun orné d'une plume plantée droit au sommet de son crâne ; des hommes sérieux et formidables, malgré les plumes, portant leur nudité telles des statues grecques – *Bravos con rifles*, écrivit-elle dans le registre. Personne ne dit de nos Indios, pensa-t-elle, qu'ils sont bravos. Pues, Pepe Martí le ferait, je suppose. Au lieu de peiner sous d'énormes charges comme nos Indios, les bravos chevauchent des étalons, chassent le bison, et parcourent leurs terres vastes et rudes, portant partout la guerre. Une série de photos de ponts de chemin de fer – celui-ci sombrement silhouetté contre un ciel pâle, au-dessus d'un profond ravin, un pont aussi délicat d'apparence qu'un entrelacs compliqué de cure-dents, pourtant il y avait une grosse locomotive noire qui passait dessus, traînant derrière elle une file de wagons interminable. Elle saisit une enveloppe intitulée *Cañon de Chelle, Nouveau-Mexique*, qui provoqua en elle une étrange sensation de reconnaissance et de surprise, comme si elle avait oublié que le Nouveau-Mexique existait réellement et pouvait être visité par des moyens beaucoup plus ordinaires que ceux de sa vieille héroïne, Sor María de Agreda. Elle inséra la carte sur le plateau, pressa les yeux contre le viseur, et vit un énorme canyon. Au fond du canyon, au cœur d'une large niche creusée dans la falaise massive, il y avait des habitations en pisé, grossières et rectangulaires ; elles semblaient abandonnées et comme grignotées aux coins et aux joints, et elles étaient en train de s'écrouler lentement. Peut-être y avait-il des Indiens qui vivaient là, pensa-t-elle, à l'époque de Sor María. Une lumière spectaculaire se déversait dans le canyon en bandes obliques argentées, incendiant chaque strate de la falaise, chaque petite cloque dans les façades des vieilles maisons en adobe. María de las Nieves essaya d'imaginer la sainte, belle adolescente aux joues roses, vêtue de bleu telle la Vierge, descendant doucement sur un rayon de lumière argentée pour catéchiser les Indiens qui vivaient dans le village au pied de la falaise. Durant son année au couvent María de las Nieves avait bien appris à méditer et à visualiser. Maintenant elle fixait cette lumière jusqu'à ce qu'elle soit presque convaincue qu'elle était sur le point de se transformer en Sor María elle-même – comme l'air d'une forêt si saturé d'humidité qu'un bruit soudain, même un claquement de mains ou un éternuement, peut suffire à le transformer en pluie. Mais sans la pratique quotidienne de la prière, il était impossible de jeter pareil sort. Au contraire, il y avait quelque chose dans l'état de ces bâtiments en boue qui provoquait la désillusion. Pourquoi étaient-ce des ruines ? Qu'était-il arrivé aux Indiens catéchisés par Sor María ? Quand les couvents avaient été fermés, on l'avait abandonnée dans une cellule de pénitence avec l'« autobiographie » de la Vierge de Sor María, dans laquelle il était révélé que Dieu, pour préparer la jeune Vierge au mariage, l'avait investie de savoir et de pouvoir, afin que Son épouse soit Son égale. María de las Nieves plongea dans une rêverie mélancolique et banale touchant la mémoire et le passage du temps – cela lui semblait-il lointain, ou pas ? Puis elle se sentit remuée de manière plus profonde. Elle pensa à Martí, et à la façon dont sa volubilité ne cessait de l'habiter : des phrases qu'il avait prononcées, des idées qu'il avait enseignées, sa conversation, qu'elle se repassait, et sur laquelle elle réfléchissait et qu'elle tâchait de faire sienne ; même la façon dont elle essayait de trouver et de lire le moindre livre mentionné par lui. Elle s'était attachée à cette tâche romantico-pédagogique sans espoir depuis des mois maintenant et le fleuve des mots de son mentor finissait par se tarir. Depuis son retour du Mexique, il avait évité le salon de lecture dans le parc. Il ne lui avait rien inculqué de nouveau depuis la fin de la classe de composition. Elle sentit monter l'indignation, et pensa : Désormais je suis comme l'une de ces ruines indiennes abandonnées ; je pourrais tout aussi bien tomber en poussière. Mais c'est une comparaison superficielle, reconnais-le, María de las Nieves. Il ne t'a jamais rien promis qu'il n'ait tenu, et tu es encore trop jeune pour être une ruine. Elle sentit la résignation l'envahir, s'installant dans ses os comme le début d'une fièvre légère. Pendant un long moment elle demeura assise sur le haut tabouret, penchée sur le stéréoscope, une main sur sa molette, telle une astronome à la recherche d'une étoile dans son télescope, ou sinon endormie. J. J. Jump dut dire son nom trois fois – « pour te ramener sur terre ».

J. J. Jump avait souvent proposé à María de las Nieves de la photographier gratuitement. Plus d'une fois, bien sûr, elle avait accepté, même si elle s'ennuyait parfois à devoir prendre et reprendre la pose, comme une statue respirant à peine, particuliè-rement quand elle se mit à soupçonner qu'il ne l'invitait qu'afin qu'Hernán Pedroso s'exerce à l'art du portrait, d'autant qu'elle finissait généralement ces séances avec une migraine et des ver-tiges à cause des exhalaisons d'éther. Un jour J. J. Jump lui demanda si elle poserait avec María Chon, toutes deux vêtues de traje indio, pour une série de photographies de « types nationaux » qu'il espérait montrer à l'Exposition universelle de Paris. Son prompt refus embarrassa J. J. Jump, et il balbutia une excuse ; ensuite, pendant plus d'une semaine, elle ne put surmonter sa répulsion à passer ne fût-ce que dire bonjour au Señor Jump. Pourtant, il n'y avait pas un costume dans son studio que María Chon n'était pas ravie d'endosser pour le photographe yankee et son assistant. Maintenant sa servante allait seule au studio, et der-nièrement semblait être devenue le modèle préféré du Señor Jump. Le photographe tentait-il de faciliter la cour qu'Hernán Pedroso faisait à María Chon ? Bien qu'il n'ait jamais donné d'in-dices d'une telle ambition, l'intuition de María de las Nieves lui disait qu'il en était ainsi. Du fait qu'Hernán bénéficiait d'un véri-table apprentissage, ce serait une bonne union pour María Chon, certainement préférable à un mariage avec un soldat ou un artisan pauvre, ce qui ne signifiait pas qu'el Pedroso n'aurait pas de la chance d'avoir sa Mariquita, quoiqu'il soit évident que le joli petit démon finirait par le mener par le bout du nez ; en dépit de son don de retoucheur et de coloriste, il semblait qu'Hernán manquait de la vitalité et du caractère qu'il lui aurait fallu s'il voulait vraiment s'établir un jour à son compte… pourquoi tout cela l'irritait-elle tant? Un peu après María de las Nieves ne put s'empêcher de dire à sa servante qu'elle trouvait curieux que, étant à peine photographiée elle-même, elle se soit retrouvée ce mois-ci parmi «Nos beautés les plus populaires», alors que María Chon, dont le Señor Jump et son assistant avaient fait des centaines de portraits, n'y avait jamais figuré. «La jalousie est le contraire d'un cadran solaire, Doñacita. Elle ne projette son ombre que dans l'obscurité», avait été sa fort irritante réponse.

«Don José, je crois que vous pourriez confirmer pour moi l'identité d'au moins un des acheteurs de mon portrait, dit-elle sans préambule. Votre ami de New York, pues. Le premier secrétaire de la Société d'immigration.»

Il lui jeta un regard si malheureux qu'elle se sentit percée par la culpabilité et la pitié – pour Don José ou «Don Cochinilla» ou les deux, elle ne savait pas.

«Oui, très bien, María de las Nieves, j'essaierai de trouver, finit par répondre Don José. Mais s'il se révèle effectivement que Mack Chinchilla en a acheté une, j'espère que vous garderez cette information pour vous. Mack est un bon garçon, il a les meilleures intentions du monde, et je sais que vous ne prendriez pas plaisir à l'humilier.

– Je n'arrive pas à penser à lui comme à un garçon, Don José», répondit-elle. Bien sûr elle n'avait aucune intention de causer à son ami le moindre ennui, lui dit-elle; c'était juste que le fait d'ignorer qui avait acheté ses portraits lui enlevait toute paix intérieure.

Mais Mack Chinchilla affirma, avec de sincères haussements d'épaules et branlements du chef, qu'il ne lui était jamais venu à l'esprit d'acheter un portrait de María de las Nieves au studio de J. J. Jump: c'était le genre de chose que faisaient tous ces abominables don juans et dandys à deux sous, et de toute façon, il n'était pas de nature à jeter ainsi son argent par les fenêtres ; ce serait comme d'acheter une pilule à avoir le cafard. « … Mais pourquoi, Don José ? Elle vous a dit qu'elle me soupçonnait ?

– Non, bien sûr que non, répondit le réparateur de parapluies.

– Oh, allons ! Alors pourquoi est-ce que vous me demandez ça ?

– Si, bien sûr, Mack. Je ne vois pas comment le taire. Vous avez raison. Mais nous garderons pour nous le fait que je vous l'ai dit, n'est-ce pas ? J'ai votre parole ?

– Vous avez ma parole. Et tant que nous en sommes à jurer, Don José – très bien alors, j'ai acheté un portrait. Dans un moment de faiblesse. Et quoi ? » Les yeux de Mack brillèrent, et son visage se fendit d'un sourire d'exultation. « Mais qui a acheté l'autre ? Qui est mon rival, Don José ? Pas le Cubano matrimonial, hein ? Pas le gros diplomate banni. C'est très encourageant qu'elle m'ait immédiatement soupçonné, Don José, et vous ait demandé de vous renseigner.

– Je ne dirai pas que vous désirez l'impossible, Mack, puisqu'il semble que personne, peut-être pas même María de las Nieves elle-même, ne sera jamais capable de vous dissuader. Mais donnez un peu de temps à la jeune dame, un bon bout de temps. Elle est un peu surmenée dernièrement. Un peu – et le réparateur de parapluies frotta rapidement le bout de ses doigts contre son pouce, une expression peinée sur le visage, les dents serrées – comme *ça*. Dans un état de trouble et d'irritation, je pense. Mais je ne peux pas vraiment dire pourquoi, Mack. »

Le siège de la Société d'immigration, qui consistait en une pièce, était situé dans la maison de plain-pied de la Sociedad Económica qui ne cessait de s'étendre, et qui abritait également l'école des télégraphistes, le nouvel observatoire de météorologie et d'astronomie, le musée d'Histoire naturelle et d'Archéologie, le quartier général pour la préparation de l'Exposition universelle de Paris, une académie de dessin et une galerie de peinture, une bibliothèque par abonnement et une salle de lecture, les bureaux de l'hebdomadaire et d'autres entreprises d'avenir, partiellement fondées par le gouvernement suprême grâce à un impôt sur chaque partie de billard jouée dans les endroits publics de tout le pays. À présent, Mack Chinchilla s'occupait seul de quasiment toute la gestion quotidienne de la Société d'immigration. Bien que son jefe, Don Octaviano Mencos Boné, présidât le conseil d'administration, où les décisions les plus importantes étaient prises, il ne venait qu'occasionnellement au bureau. Au cours de la plus grande partie des mois passés, Don Octaviano avait été à l'étranger pour la Société d'immigration, ouvrant un bureau à San Francisco et établissant des relations avec des agents d'immigration, des agents consulaires, et des sociétés de colonisation en Europe.

Un soir, moins de deux semaines après cette conversation avec Don José à propos des photographies, Mack, coiffé d'un Stetson tout neuf acheté au grand magasin California de son ami « Wild Bibby » Lowenthal, une épaisse serviette en cuir sous le bras, quitta la Société d'immigration deux ou trois heures plus tôt que d'habitude ; il avait résolu de se rendre directement chez María de las Nieves. L'urgence de son dessein, était-il convaincu, excusait l'extrême impertinence qui consistait à se présenter à sa porte sans avoir été invité. María de las Nieves devait seulement lui donner la possibilité de s'expliquer et elle comprendrait pourquoi il lui demandait son aide, sans autre motif que de faire avancer une juste cause. Il arriverait sans fleurs ni même quelque petit cadeau ; elle n'entendrait ni ne verrait la moindre chose qui pourrait lui faire douter que sa mission était autre que ce qu'il affirmait. Quand, cet après-midi, assis à son bureau avec le sentiment d'être accablé par la responsabilité qu'il avait sincèrement assumée, désespérant de pouvoir écrire de manière persuasive ce qu'il savait être juste dans son cœur et son esprit – il n'avait pas l'éducation, la maîtrise des capacités intellectuelles – lorsqu'il avait finalement reconnu qu'il ne serait pas capable d'écrire son rapport sur les juifs, qui devait être examiné à la prochaine réunion du conseil d'administration de la Société d'immigration, sans un peu, non, sans beaucoup d'aide, en ce même instant il avait aussi pensé à María de las Nieves. Il savait qu'elle comprendrait, et pourrait l'aider à écrire le rapport, si elle le voulait. Il avait donc découvert une raison d'aller voir María de las Nieves qui rendait un hommage modeste à ce qu'elle devait juger être le plus élevé en elle, ce qui en retour lui permettrait de le considérer lui comme un homme désintéressé combattant pour le bien, et cependant suffisamment humble pour demander son aide à une femme. C'était assez vrai. Le caractère élevé de cette stratégie de cour accidentelle éblouit Mack. Sans doute y avait-il des hommes – de véritables gentlemen – qui savaient se conduire ainsi sans avoir à passer par ce stade épuisant de préméditation. Mais maintenant que Mack avait découvert et mémorisé cette formule bien à lui, il ne l'oublierait pas, et savait qu'il s'était amélioré.

Six heures venaient juste de sonner, pourtant l'obscurité était en train de tomber, et un quart de lune orange était déjà suspendu bas dans le ciel. María de las Nieves habitait en périphérie du centre-ville, dans un callejón sans lumière et très irrégulièrement pavé mais bordé de petites maisons trapues solidement bâties au moins un siècle auparavant. Des rosiers vénérables poussaient dans les jardins intérieurs de certaines d'entre elles, alors que les oiseaux du soir et les écureuils bavardaient et batifolaient dans leur sombre feuillage, envoyant détritus, brindilles, pommes de pin cascader sur les toits. Les chauves-souris filaient devant l'entaille orange que faisait la lune. On aurait pu se croire au plus profond d'une forêt, si on n'avait pas entendu le vacarme des roues et des sabots des quadrupèdes domestiqués provenant de l'avenue qui passait juste derrière. Un brouillard de saison sèche perpétuellement grumeleux et parfumé d'excréments flottait dans l'air. Il y avait encore beaucoup de passants à cette heure, qui rentraient de leur travail, de l'école, de visites, de la messe du soir, des innombrables courses et digressions de la vie citadine. Les maisons ne portaient pas de numéros, néanmoins il savait que la sienne était près de l'extrémité, la quatrième à gauche – celle-ci, avec trois fenêtres à barreaux sur la rue, les volets légèrement entrouverts. L'unique fenêtre à gauche de la porte d'entrée était sombre, mais des deux autres qui se trouvaient de l'autre côté provenait l'éclat serein de la lumière d'une lampe. Tandis qu'il se concentrait là, l'idée saugrenue lui vint que la lumière était animée et se projetait dans l'obscurité juste pour percer son dessein et le rapporter à sa maîtresse. Il lui faudrait exprimer avec clarté et rapidité le but de sa visite. L'excitation lui mettait des papillons dans l'estomac. Il saisit le heurtoir en fer, qui était en forme de lapin ou de lièvre plongeant vers le sol – vous preniez les deux oreilles dans une main et frappiez ses pattes étendues contre la porte. Elle devait, pensa-t-il, tenir particulièrement à ce heurtoir atypique. Avait-il frappé assez fort? Puis, de l'autre côté de la porte une voix demanda sèchement: «¿*Quién?*» Il répondit: «Marco Aurelio Chinchilla», d'un ton sévère, qui ressemblait trop, jugea-t-il, à celui d'un policier. Un volet sur sa droite s'ouvrit brusquement, la servante de María de las Nieves passa la tête à l'extérieur de la cage aux barreaux de fer et s'exclama: «Pas possible!» avant de disparaître à l'intérieur, et une seconde plus tard la porte s'ouvrit toute grande, et elle était là, le regardant de ses yeux noirs pleins de joie: «Don Cochinilla! Quel miracle…» mais alors l'expression réjouie de la fille tomba comme un masque, et dans un quasi-murmure inquiet elle lui demanda en quoi elle pouvait lui être utile. Il avait besoin de parler avec la Señorita Moran d'une affaire très urgente, dit-il. María Chon le regarda comme si c'était la dernière chose qu'elle s'attendait à entendre – puis elle inspira brusquement et demanda: «Don José ne va pas bien?» Il lui répondit que Don José allait bien. Elle fit un joli sourire et déclara: «Un momentito», avant d'ajouter, en roulant rapidement les yeux: «Vous savez qu'elle est – pues, peut-être que oui», et referma la porte. Il l'entendit qui criait-roucoulait : «Mi Reina Victoria! Mi Excelencia! Vous ne devinerez jamais…» et un joyeux hurlement de rire.

Il dut attendre, ce qui ne le découragea pas. Il perçut le cri d'un hibou proche. Dernièrement dans sa chambre d'hôtel il avait rêvé que son vieil ami Salomón Nahón était assis au bord de son lit, les mains sur les genoux : c'était Salomón, mais là où aurait dû se trouver son visage, il n'y avait qu'un vide plein d'ombre. La porte finit par s'ouvrir et María Chon déclara en souriant : «Pase, pues», et, s'oubliant, il répondit par un sourire alors qu'il franchissait le seuil.

María de las Nieves se tenait là, à plusieurs pas de la porte, le considérant d'une façon qui, sans être apeurée, était définitivement inquiète, et il souhaita furieusement que la première chose qu'elle avait vue n'ait pas été son sourire idiot. Il ôta son chapeau, le tint sur sa poitrine, et – mais de la voir comme ça, si près si soudain, lui fit bondir le cœur – se lança dans la récitation de formules d'excuses, bien qu'il oubliât l'habituelle profusion de diminutifs et de superlatifs qu'exigeait l'étiquette locale. (Tel est le génie de ce rituel, Mack écrivit dans son journal, «Le Retour». Il donne tout le temps nécessaire à calmer ses nerfs avant d'avoir à parler avec ses mots à soi.) Elle n'arborait pas une des robes européennes retouchées qu'elle portait à la légation, mais une blouse ample de couleur blanche qui lui laissait les bras nus, et une jupe bleu sombre sans volants, ainsi qu'un châle en soie rose, qu'elle serrait autour d'elle. Elle avait deux tresses lâches nouées par des rubans de velours, rejetées derrière les oreilles – elle était vêtue, en fait, pas très différemment de sa servante, pensa-t-il, moins les fioritures et parures indiennes.

«… Toutefois, Señorita Moran, ce n'est pas une visite de politesse, comme je suis sûr que vous l'avez déjà compris, dit Mack. Je suis venu vous demander votre aide pour m'opposer à une horrible injustice, qui risque d'avoir lieu à la prochaine réunion du conseil d'administration de la Société d'immigration – à moins que nous ne parvenions à l'empêcher. »

Toutefois cette noble déclaration ne suffit pas à lui gagner une invitation à entrer : l'expression de María de las Nieves était pratiquement inchangée. Elle attendait, apparemment, qu'il explique exactement ce qu'il voulait dire par là. Dans l'entrée, il n'y avait pas de vestibule, rien qu'une natte, un vase pour les parapluies, un portemanteau près de la porte, et il se tenait face à son petit salon, qui semblait également faire office de salle à manger, éclairé par une lampe à kérosène posée sur une petite table. Une femme mûre était assise dans un rocking-chair en osier, ostensiblement occupée à coudre. Il y avait quelques meubles de plus, parmi lesquels un petit canapé, dans un coin sombre de la pièce, et quelques décorations ; au fond, cachée par un rideau, se trouvait une porte qui devait mener au reste de la petite maison et au patio. Mack sentait de vagues odeurs d'urine de chat et de poulailler, et pensa qu'elle devait avoir des poules pondeuses.

« Lorsqu'ils se réunissent, poursuivit-il, les membres du conseil d'administration aiment toujours disposer de rapports sur les différentes nationalités et races, et leurs aptitudes à l'immigration. Parfois il n'y a qu'un rapporteur, qui est supposé exposer le pour et le contre. Mais généralement les hommes aiment débattre : quelqu'un pour plaider le pour et quelqu'un pour plaider le contre. Ensuite ils discutent entre eux, et décident si oui ou non cette nationalité, ou race, devrait être encouragée par la société à émigrer ici, ou être découragée, ou même repoussée… » À la prochaine réunion, expliqua Mack, le conseil d'administration allait étudier la question de l'immigration juive. Don Señor Casimir van der Putte, un membre du conseil importateur de machines allemandes, originaire de Hambourg, s'exprimerait contre les juifs. Au départ, « El Hamburgués », ainsi que l'appelaient habituellement au moins les membres criollos du conseil, devait faire le rapport sans contradiction, bien qu'il ait déjà émis nombre d'opinions qui ne laissaient pas de doute sur son opposition à l'immigration des juifs. Aucun autre membre du conseil n'avait voulu prendre la défense des juifs, principalement parce que – du moins selon Mack – ils étaient très intimidés par les convictions et l'éloquence véhémentes d'El Hamburgués.

«Bien que je ne sois que premier secrétaire et que je ne fasse pas partie du conseil, je me suis porté volontaire, Señorita Moran, dit Mack. J'ai senti que je le devais. Je suis originaire de New York, et j'ai vécu parmi les juifs, et j'ai même été employé, jeune homme, par le consul du gouvernement à New York, Mr. Jacobo Baiz. Pour toutes ces raisons et d'autres encore, j'ai affirmé aux Señores du conseil d'administration que je me sentais qualifié pour être rapporteur en faveur des juifs. Je me suis porté volontaire pour le faire, et le conseil m'a chargé de cette mission…» Mais écrire le rapport, confia-t-il à María de las Nieves, se révéla être plus facile à promettre qu'à faire. Il était peu préparé à une telle tâche. Toute la semaine il s'y était efforcé. Chaque jour El Hamburgués envoyait un jeune Allemand à la bibliothèque de la Sociedad chercher des preuves historiques et scientifiques pour étayer son opposition aux juifs. Mais Mack s'était immergé dans la bibliothèque lui aussi et, afin de mieux préparer ses arguments, avait étudié les mêmes livres que l'employé d'El Hamburgués. Mack avait au moins l'avantage de pouvoir rester à la bibliothèque bien après sa fermeture, ce qui n'était pas le cas de l'Allemand. Presque tous ces livres venaient d'Espagne, expliqua-t-il, et tous étaient pleins de calomnies haineuses, dont un grand nombre étaient celles-là mêmes qui étaient utilisées contre le peuple élu depuis le Moyen Âge, et qui feraient rire dans une métropole américaine comme New York, où les immigrants de toutes races et nations étaient obligés de vivre côte à côte et voyaient par eux-mêmes combien ridicules étaient la plus grande partie des préjugés les plus extrêmes des Européens. «Mais je ne sais pas comment mettre mes arguments par écrit, Señorita María de las

Nieves, et le ton intellectuel, je dois l'avouer, ne m'est pas accessible. Il se trouve que je suis incapable d'écrire plus de quelques lignes à la fois. Et mes jeunes et puissants sentiments donnent l'impression que je crie tout ce que j'écris. Je sais que ce que j'ai écrit jusque-là ne fera changer d'avis aucun des membres du conseil qui sont prêts à s'opposer aux juifs. Même notre unique Anglais, Mr. Smith, le planteur de café, semble être du côté d'El Hamburgués, et c'est décevant, parce que l'Angleterre est censée avoir bonne réputation à cet égard. Même la reine Victoria, ai-je lu, partage la croyance que les Anglais descendent en partie des anciens juifs. »

Mack lui avait tout dit. Il avait parlé du mieux qu'il pouvait, ou avait jamais pu. Avait-elle besoin d'en entendre plus ? Avec son chapeau pressé contre sa poitrine il répondit au regard marécageux de María de las Nieves par un coup d'œil plein de hardiesse.

María de las Nieves, qui paraissait du moins quelque peu troublée, demanda : « Mais pourquoi venez-vous me voir, Señor Chinchilla ? » María Chon se tenait bouche bée derrière elle.

« Parce que vous êtes l'amie de mon ami, le réparateur de parapluies juif Don José Pryzpyz, dit Mack (il s'était préparé à répondre à cette question). Et parce que vous avez étudié la composition littéraire à l'Academia de Niñas de Centroamérica avec l'estimé jeune Cubain, le Señor José Martí, qui à son tour vous compte parmi ses élèves et ses amies préférées ; Don José dit que vous adorez la lecture, et que vous avez l'habitude d'étudier depuis que vous avez été au couvent. Vous êtes employée à la légation britannique, où vos qualités de rédactrice et votre connaissance de la langue sont hautement estimées. Et puisque vous avez été bonne sœur, il est évident, du moins pour moi, Señorita María de las Nieves, que la charité chrétienne habite toujours dans votre cœur. »

Plutôt que de laisser paraître qu'elle était émue par ces mots, María de las Nieves sembla avoir été projetée par eux dans quelque lointain recoin de ses pensées; quelques secondes plus tard, elle parut sur le point de poser une question urgente, mais qu'elle avait du mal à formuler, ses lèvres se contractant en silence, ses sourcils se rejoignant. Enfin, ayant apparemment perdu ou abandonné le combat, elle déclara: «Bueno», et qu'elle se sentait honorée par ses bonnes paroles, bien qu'elle pensât également qu'il se faisait une idée exagérée de ses capacités. Bien sûr, elle ferait n'importe quoi pour aider Don José. Si la Société d'immigration devait se décider contre les juifs, leur ami serait-il en danger?

«Je ne sais pas, répondit Mack. Mais vous avez expérimenté par vous-même, je le sais, la violence avec laquelle ce gouvernement agit selon ses préjugés.»

Elle parut déconcertée. «À quoi faites-vous allusion?

– Eh bien, à la fermeture des couvents.

– Oh!» Elle laissa échapper un rire enfantin. «Oui, je suppose que c'est vrai.» Elle lui demanda quand il devait présenter son rapport, et il lui dit: «Demain, à huit heures du soir.» Elle exprima sa surprise: il restait bien peu de temps. Mack répondit qu'il n'aurait même pas pensé à lui demander ce service s'il avait eu quelqu'un d'autre à qui s'adresser. «J'ai bien pensé à aller trouver le Señor Martí, mentit-il, mais...

– Mais il aurait gagné pour vous, et juste comme ça!» Elle claqua si vigoureusement des doigts que ce fut comme si un petit pistolet avait tiré. «Je suis sûre qu'il considérerait le fait de vous aider comme un honneur et un devoir – l'intolérance n'a pas de plus grand ennemi que lui! Vraiment, vous devriez aller le voir, Señor Chinchilla. Oh, maintenant, avant qu'il ne soit trop tard! Avez-vous son adresse...

– Je ne connais pas le maestro cubain!

– Je peux vous écrire un mot d'introduction» – elle se détournait déjà du seuil. Mack répéta désespérément: «Mais je ne le connais pas.» María Chon, remarqua-t-il, observait la scène avec la plus grande joie. Il ajouta: «Et il vient de se marier. Lui et sa femme ne reçoivent peut-être même pas. Et s'ils ne sont pas chez eux? Il n'y a pas assez de temps. J'aurais dû y penser plus tôt, Señorita Moran. J'aurais été ravi de suivre vos conseils!»

Drapée dans son châle, les bras croisés, elle le considérait à présent avec un scepticisme studieux. «Vaya, Señor Chinchilla, dit-elle finalement avec un geste un peu hautain, son châle ondulant telle une aile en direction du portemanteau. Nous allons essayer.» Mack accrocha son chapeau et la suivit dans la petite *sala*, jusqu'à la table rectangulaire en pin où elle suggèra qu'ils pourraient travailler. Elle présenta Mack à Doña Amada, sa pensionnaire. Quand Doña Amada leva les yeux de sa couture, elle posa sur lui le regard féroce d'un oiseau de proie. María de las Nieves dit : «Nous allons avoir besoin de plumes et de papier, non?» Elle laissa Mack et les deux autres femmes dans le salon. En plus de la lampe, il y avait un vase de camélias sur la table. Dans un coin de la pièce, sur une petite table, se trouvait un austère petit autel à la Vierge : une statue délicatement peinte mais apparemment vieille, quelque peu rustique, dans le style indien ; un unique cierge donnait aux yeux brumeux de la Vierge un éclat sourd. Se rappelant la dernière conversation qu'ils avaient eue dans le salon de lecture sur les idées du Cubain quant à la statuaire religieuse, Mack se dit : elle pense que cette simple statue possède une âme, placée là par la foi sincère de celui qui l'a forgée.

«Avez-vous vu la photo de la Doñacita dans la vitrine du Señor Jump, Señor Chinchilla? demanda María Chon, assise maintenant au bout de la table. Elle est huitième ce mois-ci.» La pensionnaire fixa de nouveau Mack, qui eut l'impression que son visage était chauffé et grossi à l'intérieur d'une boule de cristal éclairée au gaz.

«Oui, répondit-il. Quand Don José m'en a parlé, j'ai été voir le portrait de la Señorita Moran. Très beau.

– Mais vous en avez acheté un, non?»

Il était ahuri. Il avait pensé que María Chon était son alliée.

Il répliqua: «J. J. Jump ne prétend-il pas que l'intégrité de son jeu tient au respect de l'anonymat de ses clients?» Amada Gómez émit un bref jappement de rire mordant. María Chon déclara: «Elle n'en a vendu que deux, tú sabes. Qui croyez-vous a acheté l'autre?» Avec ses yeux pleins de bonheur lançant des éclairs de malice, elle se répondit en un bruyant murmure: «Don José!» Amada Gómez murmura: «Diablesse. Uyyy.»

Quand María de las Nieves revint, elle posa d'un coup stylo, encrier, buvard, liasse de papier sur la table, fit glisser la lampe d'un côté, le vase de l'autre, et s'assit en face de Mack. Puis, comme si ce petit voyage l'avait fatiguée, elle s'adossa à sa chaise et bâilla profondément, un coin de son châle devant la bouche; laissant sa main traîner loin derrière elle, elle fixa le plafond blanchi à la chaux pendant si longtemps que Mack ressentit les affres de la détresse, jusqu'à ce que sa main et son châle disparaissent de devant sa bouche, lui laissant voir le dessous soyeux de son menton cuivré et les muscles fins et étirés de son cou; elle se pencha de nouveau en avant et, le regardant, dit d'un air serein: «Perdón.» Mack, n'en croyant de nouveau pas ses yeux de se trouver si près de sa bien-aimée, hypnotisé par le moindre de ses gestes, marmonna: «Je vous en prie.» «María, dit-elle, veux-tu aller faire du chocolat? Señor Chinchilla, comment aimez-vous votre chocolat? épais ou mousseux? – Mousseux», avança Mack. María Chon remua le nez en signe de désapprobation. «Très sucré ou non?» Mack n'avait jamais jusqu'alors subi un interrogatoire si poussé au sujet de ses préférences en matière de chocolat et il demanda à son hôtesse comment elle préférait le sien. «À peine sucré, dit-elle, et pas trop épais. – Je le prendrai comme ça moi aussi», dit-il. Il ajouta qu'il fallait qu'elle l'appelle Mack.

«Et une carafe d'eau avec des tasses, María, favorcito, lança-t-elle.

– Síííí, mi reina», répondit María Chon, se levant en marquant sa fatigue à sa façon.

Une fois María Chon partie, Mack remarqua : « Vous traitez votre servante, et la supportez, comme si c'était une petite sœur malicieuse.

– Ce à quoi vous venez d'assister est angélique en comparaison de la façon dont nous parlons habituellement, répondit María de las Nieves, avec une pointe de fierté. Je connais María Chon et sa famille presque depuis toujours. Nous avons grandi côte à côte, dans les montagnes. Sa famille, particulièrement son tío, nous a aidées à survivre après la mort de mon père. C'est pourquoi le fait qu'elle me serve peut nous sembler une sorte de jeu, et parfois nous oublions de jouer nos rôles. Il y a de nombreuses soirées où nous sommes seules ici toutes les trois, occupées à rouler des cigarettes pour subvenir aux frais d'entretien de la maison. Oui, c'est ce que nous faisons. Je ne vous dis pas cela pour susciter votre sympathie, évidemment pas, c'est juste comme ça que ça se passe ici, ainsi que dans bien d'autres maisons où il n'y a que des femmes, vous savez, ou peut-être vous ne savez pas. S'il n'y avait pas eu la terre de mon père... » Elle décida de ne pas terminer sa phrase. « Mais la María Chon est totalement incontrôlable. C'est une maison de folles, Señor Mack Chinchilla. Trois *Indias* folles habitent ici, savez-vous ? María Chon est la plus belle des trois, et nous... nous vivons les aventures de notre belle Indita par procuration, n'est-ce pas, Doña Amada ? María Chon est celle qui a de loin le plus bel avenir, n'est-ce pas, Doña Amada ? » Et María de las Nieves couvrit la moitié inférieure de son visage avec son châle, riant si fort que ses épaules tremblaient, tandis qu'Amada Gómez émettait un gloussement discret et complice, secouant la tête comme si tout cela était somme toute très scandaleux. Mack se sentit découragé par ce tour imprévu et extravagant que prenait la conversation, et fit un effort, comme s'il serrait un garrot intérieur, pour s'empêcher de protester avec indignation qu'évidemment sa bien-aimée avait un avenir...

« Ne trouvez-vous pas María Chon jolie, Señor Mack ? demandait María de las Nieves avec coquetterie. Très très jolie ? » Certes, il n'était jamais entré dans une maison où il n'y avait que des femmes, sans compter les bordels, même si là elles prenaient aussi plaisir à démonter les hommes de cette façon, et réussissaient rarement aussi bien ! Il bafouilla : « Mais vous aussi, Señorita María de las Nieves… Et vous aussi, Doña Amada.

– Ahh, répondit María de las Nieves de façon quelque peu décousue, comme s'il avait échoué à l'examen. Gracias, pues, *Meester* Mack. » Puis elle se pencha en avant, les coudes sur la table, esquissa un sourire contraint, et lança : « Mettons-nous au travail, non ? Je suis un peu au courant, vous savez, de ce que fait votre Société d'immigration, à cause de certaines lettres qui passent par la légation. Je sais que vous avez demandé – deux fois, je crois, non ? – que le pays soit ajouté à la liste, qui ne contient jusqu'à présent que la France et la Hollande, de ceux qui sont autorisés par les Anglais à importer des Indiens. Cela vous a été refusé les deux fois. Je sais aussi que vous avez rejeté la demande de terres qui vous avait été faite par un groupe d'Irlandais. Je trouve donc que cela est très étrange. Pourquoi demandez-vous des Indiens d'Inde, et refusez-vous les Indiens blancs – ainsi que les appelle l'ambassadeur Gastreel – d'Irlande ?

– Tout d'abord, je n'ai refusé ni demandé personne », rétorqua Mack, son sourire se métamorphosant en craie dans sa bouche. En tant que premier secrétaire, il n'avait rien à voir avec de telles décisions. Il était possible qu'il soit en désaccord avec elles, mais personne ne lui avait demandé son avis. Ces décisions étaient prises par le conseil d'administration, qui allait prendre la décision concernant les juifs. Aujourd'hui, pour la première fois, il aurait l'occasion d'influencer l'une de ces décisions. Le conseil, expliqua-t-il, comprenait dix membres, tous des hommes importants, dont la moitié étaient nés à l'étranger, comme El Hamburgués, et la moitié étaient criollos, comme Don Octaviano. Même si ces deux parties avaient leurs désaccords, elles s'entendaient sur le fait que la mission de la société était le développement moral et matériel des Indiens, et donc de la nation, par l'implantation d'immigrants exemplaires, particulièrement les Européens. C'est pourquoi le gouvernement suprême avait officieusement accepté de confier dix pour cent des terres non cultivées à la Société d'immigration pour qu'elle les distribue. À l'origine il était prévu d'installer une colonie européenne dans chacun des départements indiens. (Les criollos auraient préféré disposer d'immigrants blancs de classe inférieure, plus enclins à se mêler aux Indiens ; les membres étrangers du conseil avaient refusé cette politique de croisements interraciaux – mais Mack, se doutant que cela pourrait gêner María de las Nieves, préféra n'en rien dire.) Bien sûr, le conseil comprenait que tous les Européens n'étaient pas adaptés à la vie dans ce pays, ainsi que l'avaient montré les exemples tragiques des premières colonies d'immigrants plusieurs décennies auparavant, telle celle des Belges, si rapidement décimée par la maladie, la famine, et le désespoir. Et souvent les Européens les plus adaptés n'avaient aucune envie de venir, de toute façon, car ainsi que Don Octaviano l'avait découvert au cours de ses voyages, certaines idées étaient propagées en Europe à propos de l'Amérique centrale qui auraient été impardonnables – Mack cita précisément son jefe – *même si elles avaient concerné des pays où les lumières de la civilisation n'avaient jamais pénétré* ! (Et voilà que María Chon revenait avec un plateau de chocolat chaud servi dans des tasses en gourde de jícara ; voyant Mack si bien lancé et retenant l'attention de María de las Nieves, elle posa les tasses dans leurs soucoupes sur la table et ressortit sans bruit.) Le conseil, poursuivit Mack, pensait que c'était une loi de la nature que les Européens ne puissent prospérer sous les tropiques qu'à des altitudes de sept cents mètres ou plus, et que c'était pourquoi la Société d'immigration avait demandé des Indiens anglais, pour les acclimater comme ouvriers agricoles dans les zones chaudes, jugeant qu'ils étaient plus persévérants et intelligents, déclara

Mack d'un ton froid, que nos Indios, et aussi moins enclins à voler. Et comment, l'interrompit María de las Nieves, savaient-ils que les Indiens anglais étaient plus intelligents, et moins enclins à voler? Un membre du conseil était-il allé en Inde? Non, répondit Mack, aucun. Ils avaient aussi pensé à importer des ouvriers de l'Empire céleste, poursuivit-il, mais Don Señor Sanservain, le vigneron californien qui avait reçu une énorme quantité de terre à Verapaz, avait fait un rapport sur l'immoralité des coolies chinois en Californie, que jusqu'alors personne n'avait été capable de réfuter. Le Noir émancipé du Sud américain avait été rejeté pour des raisons similaires, bien que ce fût une personne évidemment partiale, Mr. Doveton, qui n'était pas membre du conseil et avait représenté les États confédérés au Mexique durant la guerre de Sécession, qui avait été invité à faire un rapport. Aux altitudes plus élevées, la Société d'immigration, particulièrement ses membres étrangers, voulait installer des immigrants qui étaient déjà en position de fonder seuls une plantation de café. Mais les agriculteurs de moindre importance étaient aussi très nécessaires, pour fournir des aliments, augmenter la variété de légumes cultivés, et revigorer par l'exemple la conception monotone qu'avaient les Indiens (maïs, frijoles, chilis) de la production maraîchère. (María Chon revint, portant la carafe d'eau et les verres, et prit discrètement place au bout de la table.)

«… L'oignon pousse bien ici, dit Mack, pourtant personne ne pense à en manger. De sorte que même quand ceux qui tiennent Paris pour le phare de tout ce qui est excellent et moderne au monde s'y rendent, ainsi que le fit récemment Don Octaviano, et découvrent que le moindre restaurant sert de la soupe à l'oignon, que même les Parisiens les plus élégants et riches mangent de la soupe à l'oignon comme nos Indios mangent des haricots, alors même le jefe de notre Société d'immigration est stupéfait, et quand, à son retour, il conte sa découverte, au début ses interlocuteurs pensent que Don Octaviano se moque d'eux!» Pendant un bon moment, Mack poursuivit ainsi, décrivant le fonctionnement de la Société d'immigration de manière plus détendue, encouragé par l'attention soutenue avec laquelle María de las Nieves écoutait; elle admirait, espérait-il, l'esprit américain démocratique et discrètement ironique qui sous-tendait son exposition. Même María Chon semblait relativement absorbée, en revanche Doña Amada s'était assoupie sur sa chaise, ne bougeant pas même quand son dé à coudre en cuivre glissa de son doigt et roula sur le plancher.

Don Señor Smith, l'Anglais, leur apprit Mack, avait commencé sa fameuse présentation en reconnaissant habilement que les Irlandais possédaient des qualités – la majorité du conseil, digressa Mack, même les francs-maçons, continuaient à favoriser les catholiques par rapport aux immigrants de toutes les autres religions, et se tenaient sur la défensive dès qu'un aspect du catholicisme, les prêtres exceptés, était mis en cause (ici, un chat gris entra à pas prudents dans la pièce et bondit sur les genoux de María de las Nieves, qui le repoussa avec un petit cri étouffé; María Chon le repêcha immédiatement et se rassit, le berçant en roucoulant des « Mishi-mishi »). Mais les Irlandais sont des gens agités, avait alors poursuivi Mr. Smith, portés à l'alcoolisme, avec un goût prononcé pour la bagarre et, ce qui était le plus inquiétant, les intrigues politiques claniques et les sociétés secrètes. Bref, un bien mauvais exemple à donner au placide Indio. Le gouvernement suprême et la Société d'immigration étaient obnubilés par l'idée que le creusement d'un canal à travers le Nicaragua attirerait l'attention du monde entier sur l'isthme. Grâce à une politique d'immigration prudente, ainsi qu'aimait à dire Don Octaviano, l'Amérique centrale aurait une occasion singulière de créer une nouvelle race de géants américains. Cependant cette attention globale attirerait aussi toutes sortes de projets politiques et de gens dangereux. Les rues de Berlin débordaient aujourd'hui d'Allemands sans travail ni domicile, et le nouveau *Kaiserreich* les encourageait à émigrer. Ce dont ce pays n'avait pas besoin c'était d'immigrants urbains désespérés, sans compétences, éducation ni talent, ou des socialistes, anarchistes et nihilistes qui abondaient dans toutes les malheureuses villes industrielles d'Europe…

« L'Allemagne, l'interrompit María de las Nieves, préoccupe aussi l'ambassadeur Gastreel. Plutôt que de coloniser militairement l'Amérique centrale, il prétend que les Allemands sont en train d'obtenir la suprématie commerciale par l'émigration de leurs marchands et de leurs agriculteurs. Déjà il ne reste plus que les Anglais pour vendre davantage qu'eux ici. Et les Allemands ne se laissent pas séduire par la culture centraméricaine ; ils demeurent loyaux à l'Allemagne seule. Mais si les peuples d'Amérique centrale devaient commencer à imiter la culture allemande, dit l'ambassadeur Gastreel, ainsi qu'ils l'ont fait jadis avec l'Espagne, et aujourd'hui les Français, alors l'isthme serait finalement absorbé dans le nouvel Empire allemand d'une manière qui circonviendrait entièrement la doctrine Monroe des Américains. Ce pourraient même être les Allemands qui finiraient par faire le canal. »

Mack ne pouvait s'empêcher d'être étonné par l'excitation particulière avec laquelle María de las Nieves parlait de politique étrangère. Il avança un peu timidement : « Je n'avais jamais entendu cette explication. Qu'est-ce que les Anglais pensent faire ? Et que disent les Américains ?

– Bien que le canon Krupp soit certainement le produit favori de notre gouvernement suprême, les habitants d'Amérique centrale ne vont pas commencer à porter des culottes de peau ; du moins c'est ce que croit l'ambassadeur Gastreel. Mais j'en ai déjà trop dit, Señor Chinchilla.

– Les Allemands réussissent bien aussi à New York, dit Mack. Ils ne résistent pas à l'américanisation là-bas, même s'ils conservent une grande partie de leurs anciennes habitudes.

– Mon père était un Irlandais de New York, dit María de las Nieves… Pues, d'une manière ou d'une autre. »

Mack garda pour lui ce qu'il pensait des Irlandais de New York. « Les Irlandais incarnent l'esprit joyeux et démocratique de la plus grande de nos villes américaines.

– J'ai très envie d'y aller un jour. Peut-être que c'est mon destin, hein, Mariquita? dit-elle en se tournant vers sa servante, toute à son jeu avec le chat installé sur ses genoux. De trouver un mari irlandais comme mon papá. »

Il n'y en a pas un qui te prendra pour une fille d'Érin, pensa Mack avec jalousie; il est plus probable qu'ils te traiteront de singe africain. Bien que dans le petit nez retroussé, l'élasticité enjouée de ses lèvres, et même les oreilles effrontées, pensa-t-il, on puisse deviner une trace de sang irlandais, pour peu qu'on le sache déjà.

« Nous irons un jour, Doñacita », dit María Chon, d'un ton qui laissait comprendre qu'elle avait déjà bien souvent entendu ce souhait exprimé. Mack acquiesça à son tour.

« Mais qu'allons-nous faire pour les juifs? demanda María de las Nieves. J'ai peu d'espoir maintenant. À l'exception des Indiens anglais, il semble que votre Société d'immigration ne veuille laisser entrer personne dans ce pays.

– Ha-hah! » fit Mack, d'une voix trop rauque – Doña Amada se réveilla et lui jeta un regard triste et incrédule. Il posa sa serviette en cuir sur la table, l'ouvrit, en sortit une petite bouteille à l'étiquette grossièrement imprimée, qu'il tendit à María de las Nieves. « C'est de l'eau de Floride de la pharmacie de Don Simón Goldemberg, Señorita María de las Nieves. Il était dernièrement à Paris, pour étudier l'embouteillage sanitaire. Don Simón est le premier à apporter cette technique dans le pays. À Paris il est aussi devenu agent pour la maison de Bary, qui produit de l'eau de Floride de première qualité. À l'Opéra l'autre soir, Don Simón a distribué des échantillons pour que les gens puissent comparer son eau de Floride aux nombreux faux qu'on vend ici. J'y étais parce que Don Octaviano m'avait invité avec sa famille dans leur loge. Prenez-la, je vous en prie, María de las Nieves – moi, je n'en ai pas l'usage. »

María de las Nieves prit la bouteille, regarda María Chon, haussa légèrement les épaules, déboucha la bouteille, renifla le contenu, puis la passa à María Chon.

Mack compulsa ses notes prises dans les livres de la bibliothèque de la Sociedad Económica avec force fioritures. Une grande partie de ce qu'il avait lu dans ces livres ne pouvait même pas être répété devant une dame. Il se demanda si El Hamburgués oserait informer le conseil que, selon les croyances populaires européennes, chez les juifs les hommes ont leurs règles, de la poitrine, et cessent rarement de se masturber tandis que les femmes sont nymphomanes. Mack répéta pour María de las Nieves celles des calomnies dont il pensait qu'elle pouvait les entendre et dont bon nombre étaient déjà plus ou moins connues, même, ou peut-être d'autant plus, par une jeune fille élevée au couvent. (Bien que la plupart du temps ils le fassent de manière négative, Mack aimait assez citer les érudits qui soulignaient les traits communs entre les juifs et les Indiens sauvages des Amériques – la forme du crâne, du nez, les oreilles tombantes ; le sacrifice des poulets ; les calendriers lunaires, le culte des démons surnaturels ; l'écriture d'apparence hiéroglyphique ; la prononciation gutturale et la manière trop véhémente de parler, typique de l'homme ; la cruauté de la justice ; la séparation des hommes et des femmes dans les rites du culte ; la lascivité générale ; la passion des femmes pour les parures criardes et les onguents huileux ; la propreté excessive – et en tirait la conclusion qu'il était évident que les Indiens et les tribus perdues d'Israël étaient un seul et même ensemble.)

Alors Mack se lança dans l'histoire de son enfance et de sa jeunesse à New York, son apprentissage chez Mr. Jacobo Baiz, sa promotion de grouillot à commis et son bel avenir, ainsi que celle de son grand ami Salomón Nahón – sans toutefois mentionner Reyna Salom. Remarquant que María de las Nieves était devenue pensive à la seule mention de Don Juan Aparicio et de l'achat qu'il avait fait de la société de Jacobo Baiz, il se lança dans une description enjouée des cafés juifs orientaux à New York et de quelques personnages hauts en couleur que lui et Salomón avaient rencontrés et avec qui ils avaient bamboché. Puis il lui fit le récit de son retour dans ce pays inconnu où il était né, de son voyage mouvementé jusqu'à Cuyopilín, foyer des frères Nahón, et de la fin tragique de Salomón. María de las Nieves parut affectée par son histoire. Secouant lentement la tête en signe d'incrédulité, elle dit à voix basse : « Comment de telles choses peuvent-elles arriver ? Ces pauvres frères. Et comme c'est triste pour vous, Señor Chinchilla, d'avoir fait tout ce chemin pour trouver votre ami assassiné. » Quand María Chon dit qu'il devait avoir envie de découvrir qui avait tué Salomón afin de le venger, Mack répondit qu'évidemment il ne quitterait pas ce pays avant de s'en être acquitté.

« … Puisque les juifs de la diaspora ont prouvé qu'ils sont capables de s'adapter à n'importe quel environnement, ce pourrait être un point en leur faveur pour le conseil, dit Mack. Mais El Hamburgués ne manquera pas de faire ressortir qu'on les accuse souvent de se mêler trop bien et d'en venir à ressembler extérieurement aux populations qu'ils côtoient – même aux Indios. À Cuyopilín, Salomón Nahón est effectivement devenu une sorte d'Indio un peu fou, mais c'était une bonne chose ! »

María de las Nieves finit par écrire toute seule le rapport de Mack – c'est-à-dire qu'elle commença par se fonder sur les notes et les suggestions de Mack, mais bientôt elle les ignora et se fia à sa mémoire et à ses connaissances, particulièrement de l'Ancien Testament. Mack, dans l'état le plus rare de béatitude qu'il ait jamais connu, la regardait penchée sur sa page, ses nattes se balançant légèrement selon le mouvement de sa main et du stylo qui murmurait et couinait sur le papier, l'écoutant expirer par le nez, ses brèves crises d'exaspération, le choc mouillé de sa langue sur l'arrière de ses dents, comme si elle comptait les syllabes. La douce odeur de l'eau de Floride emplissait l'air. Doña Amada était enfin allée au lit ; María Chon dormait, la tête nichée dans ses bras croisés sur la table. Mack avait l'impression qu'ils étaient mariés, que dès que María de las Nieves aurait terminé, il l'entourerait de ses bras et la conduirait au lit avec adoration. Il s'émerveillait de cette vision, qui désormais semblait atteignable. Pourquoi cette illusion ne pourrait-elle pas devenir la réalité *à partir de cet instant*? Il imagina leur petite fille, lovée sur une chaise, serrant un chat dans ses bras, disant «mishi-mishi» comme María Chon. Même le bonheur imaginaire, pensa-t-il, est le bonheur.

Comme dans beaucoup de vieilles maisons de cette ville, le plafond du salon était faux, réalisé avec de larges bandes de toile, raidies à la chaux. Cela ressemblait à un plafond en plâtre, à la différence que celui-ci ne s'effondrerait pas sur la tête des gens dans un tremblement de terre. Au-dessus il y avait le toit de planches, de bitume et de tuiles qui les protégeait de la pluie. Chaque fois que le vent soufflait, le faux plafond décoratif tremblait et battait, et le reflet de la lumière de la lampe miroitait sur lui comme les rayons argentés du soleil qui se répandent à l'intérieur d'un nuage.

Quand María de las Nieves eut terminé, elle lut tout haut ce qu'elle avait écrit. Mack trouva cela lumineusement bien raisonné, plein de sentiment féminin et néanmoins d'arguments irréfutables, et aussi bien visé que si elle avait passé sa vie à étudier ses adversaires. Elle termina par un paragraphe voué aux vertus des héroïnes juives de l'Ancien Testament, la pureté de Sarah, la sainteté de Ruth, l'héroïsme féroce de Judith, la chasteté de Suzanne, vertus qui désignaient et trouvaient leur expression combinée et parfaite dans la Très Sainte Vierge, Mère bénie de Dieu, douce Mère de nos Amériques… et cetera.

Six mois plus tard, quand Mack Chinchilla se trouva en train de combattre aux côtés des derniers Indiens rebelles sous le commandement du chaman *chuchkajawib* Juan Diego Paclom dans la guerre des Cavernes, il s'interrogea : Cette nuit où María de las Nieves avait écrit le rapport tandis qu'il était dévotement assis à ses côtés, vaudrait-elle de s'y étendre *en ce moment même* si ce n'avait été qu'une occasion isolée, disparue au fil du temps – au lieu d'un souvenir le rattachant à la personne avec qui et au lieu où il se trouvait aujourd'hui ? Ce soir-là, alors que Mack était tapi devant l'entrée d'une grotte haut perchée dans la montagne dominant la grande vallée montagneuse, aux côtés de Don Juan Diego qui préparait un rite pendant lequel on devait brûler des bouts de papier enduits de latex, le «mère-père» chaman-prêtre le surprit en faisant une remarque à propos de la mémoire : tout en tirant sur un bout de latex, l'étirant entre ses doigts et le relâchant, le chaman *chuchkajawib* lui dit : «Le latex se rappelle. Le latex est la mémoire. Il se rappelle là où il était avant, Don Mack.» C'était tout, mais Mack n'avait jamais pensé ainsi à la mémoire, et presque instantanément il se rappela la nuit où María de las Nieves avait écrit la défense des juifs, qui demeurait son souvenir le plus heureux et le plus chargé d'espoir, bien qu'en réalité il semblât n'avoir mené qu'à la désillusion. Avait-il tort, alors, de se rappeler cette nuit avec tant de douceur ? Était-ce l'indice d'une mauvaise mémoire et d'une fatuité futile ? Il tenta d'imaginer cette nuit comme si elle était élastiquement étirée loin de lui dans le temps comme un morceau de latex, et voilà que, par la mémoire, au lieu de se rompre, elle revenait en lui, lui rendant sa forme originelle, le guérissant. Oui, pensa-t-il, c'est cela, ce n'est pas seulement un souvenir dont j'étais séparé, et que j'aurais pu tout aussi bien perdre. C'est en partie la façon dont je suis arrivé ici. Mack, l'amant américain toujours plein d'espoir, Mack le guerrier américain voué à la défaite, tous deux fusionnés à l'intérieur d'un seul et même homme latex élastique !

Cette nuit-là, quand María de las Nieves eut terminé de lui lire son plaidoyer pour les juifs, et que Mack eut terminé de la remercier et de la féliciter avec profusion, il aurait dû, sans délai, lui souhaiter bonne nuit et s'en aller.

Au lieu de quoi il continua, espérant ainsi prolonger un peu la nuit : « Vous êtes très attachée à la Très Sainte Vierge après tout, n'est-ce pas ? Comme ma mère.

– Señor Mack, dit doucement María de las Nieves, j'ai pour la Vierge un amour platonique. Je ne peux pas l'expliquer mieux que ça. »

Mais elle ne fit aucun mouvement pour se lever, ni pour déranger le sommeil de María Chon. Elle se pencha sur la table pour allumer une cigarette à la lampe et se réinstalla sur son siège en la savourant, semblant l'avoir un peu oublié – sans pour autant lui signifier qu'il lui fallait partir ; en fait, il sentait que sa réticence était en intelligence avec l'idée qu'il devait rester. Cependant, il demeura silencieux, comme s'il ne voulait pas lui faire souvenir de sa présence. Puis elle exhala lentement la fumée de sa cigarette tout en le regardant droit dans les yeux, avec cette expression qui lui était maintenant familière d'avoir l'air de vouloir dire autre chose, qu'elle ne dirait probablement pas. Elle saisit la carafe, versa de l'eau dans sa tasse en céramique et en proposa à Mack. Il lui tendit sa tasse qu'elle remplit. « Vous aimez travailler pour la Société d'immigration ? » lui demanda-t-elle. Il répondit que souvent, bien sûr, cela lui était désagréable, et qu'il n'était certainement pas venu dans ce pays avec l'idée de chercher un travail sédentaire ; bien que s'il devait seulement juger les hommes du conseil d'un point de vue moral, il devrait aussi se rendre sourd à tout ce qu'il y avait à apprendre d'eux, car c'étaient tous des hommes qui, dans ce pays et ailleurs, avaient réussi dans l'agriculture et le commerce. Chaque jour que Mack passait parmi de tels hommes, à son bureau et dans l'environnement de la Sociedad Económica, il apprenait quelque chose de nouveau sur les progrès de la science ou de l'industrie dans le monde, ou sur les opportunités économiques toujours croissantes de ce pays, car même si peu de gens pouvaient aujourd'hui se permettre de fonder une plantation de café, bien d'autres chemins vers la richesse étaient en train d'être taillés. Il y avait à présent des individus dans ce pays qui cultivaient le ver à soie avec succès, plantaient des oliviers et produisaient de l'huile, extrayaient le nitrate d'alun, faisaient pousser de l'opium de la meilleure qualité, et la Sociedad Económica, dont la devise était *La science n'est vraiment utile que vulgarisée*, aidait, guidait, étudiait et publiait des rapports sur tous les efforts de cette sorte. Il était ironique que dans ce pays, où il était venu avec le projet de s'établir rapidement dans la culture du café avec son ami Salomón Nahón, Mack ait découvert ce que le besoin précoce de trouver du travail et d'apprendre un métier lui avait interdit à New York : l'environnement d'une université, où seuls étaient enseignés les sujets utiles. Il n'en était pas moins plus déterminé que jamais à *arriver dans la vie*, et il était sûr que cette période d'études et d'apprentissage l'aiderait à *y arriver* bientôt. Mais elle, demanda Mack, aimait-elle travailler à la légation britannique ? Elle répondit : « Oui. » Mais c'était un oui qui traînait après lui l'impression d'une bonne part de non-dit. Cette fois-ci, pensa-t-il, sa réticence était bien le signal qu'il était temps qu'il s'en aille. Ils continuèrent pourtant à converser à propos de ce que l'un et l'autre avaient lu récemment dans les journaux. Puis, comme s'ils se retrouvaient au début de la soirée et parlaient seulement pour « casser la glace », ils abordèrent le sujet du climat de la saison sèche et de ses terribles effets sur l'air et l'eau apportée en ville par ses aqueducs vieux d'un siècle. Mack plaisanta : « Chaque jour dans cette ville chacun de nous avale assez de sable et de gravier pour faire une brique de pisé. » Si elle arrosait les camélias comme ceux-ci sur la table avec de l'eau passée à travers un filtre de pierre ponce, lui apprit Mack, les pétales, quand ils sécheraient, seraient tachés ; pour illustrer ses dires, il trempa ses doigts dans sa tasse, aspergea ses camélias, et déclara : « Vous verrez demain, ces pétales blancs seront tachés. Que pensez-vous que cette eau fait à vos intestins ? » María de las Nieves répondit : « Elle tache nos intestins aussi, j'imagine. Mais l'intérieur de notre estomac n'est pas aussi blanc qu'un camélia, et même s'il l'était, personne ne le verra jamais. » Et elle ajouta d'un ton désabusé : « Après tout, notre estomac n'est pas notre âme. » Quoiqu'elle ait une citerne destinée à recueillir l'eau de pluie dans son jardin, lui dit-elle, à cette époque de l'année, bien sûr, elle était vide. Avait-elle aussi des poules dans son jardin ? demanda Mack. « Malgré l'eau de Floride, vous sentez encore mes poules ? – Un peu, oui », dit-il en riant. Il pensa : Il est impossible qu'aucun autre homme ressente autant d'amour que moi en ce moment. Toutefois elle ne l'invita pas à visiter son jardin. Une ou deux minutes seulement après il se tenait de l'autre côté du seuil, lui disant au revoir. Avant qu'elle ne ferme la porte il ajouta hâtivement qu'il reviendrait lui dire comment avait été reçue sa défense des juifs. Elle acquiesça, bien sûr, et sourit : « Mais seulement si les nouvelles sont bonnes ! » Sur le chemin du retour il passa devant une boulangerie qui avait sorti sa lanterne rouge et il entra acheter une baguette toute chaude, à peine sortie du four. Il planta les dents dans la croûte craquante pour arriver jusqu'à la vapeur légère de la pâte légèrement acide, et s'arrêta pour savourer ce moment de bonheur, sous les étoiles, dans l'avenue déserte pleine d'ornières, brillant de la lumière orange de la lune. Une intuition horrible renversa le courant de sa rêverie, comme un géant terrifiant qui saisit une rivière dans ses bras et la rejette, inversant son flux. Mack se tint là dans la rue et affronta cette intuition ennemie avec un regard intérieur de défi. Eh bien, nous verrons ; je saurai assez tôt si elle tient ou non à moi. De toute façon, pensa-t-il, reprenant sa marche en direction de l'hôtel, la baguette en main, l'intérieur de l'estomac n'est pas si caché que ça, non, plus maintenant : à Paris, avait-il lu récemment dans le journal, un chirurgien de génie avait hardiment coupé en deux l'estomac d'un patient pour en retirer une fourchette en cuivre que le jeune homme avait avalée accidentellement plusieurs mois auparavant et qui avait fini par l'amener au seuil de la mort, et la fourchette était ressortie complètement noircie par les sucs gastriques. Le chirurgien avait alors recousu l'estomac du patient, lui sauvant la vie. María de las Nieves, l'intérieur de l'estomac est noir comme de la poix…!

À la réunion de la Société d'immigration le soir suivant, le conseil fut à ce point ému et persuadé par le rapport de María de las Nieves, lu par Mack, qu'à la fin il vota pour ne pas encourager ni décourager l'immigration des juifs. Quand Mack retourna chez elle le soir suivant pour lui apprendre la bonne nouvelle, María Chon ouvrit la porte, et bien que l'attitude de la jolie petite servante fût chaleureuse, elle lui dit que María de las Nieves était sortie et qu'elle lui ferait la commission; puis la porte se ferma.

Mais cela ne signifiait pas que Mack n'avait pas établi une relation suffisante avec María de las Nieves pour inaugurer une cour en règle. Qui d'autre aurait-il invité deux semaines plus tard à la soirée de bienfaisance à l'Opéra, cosponsorisée par la Société d'immigration et les Amis de l'Italie, en faveur des plus de deux cents indigents italiens abandonnés sur la côte atlantique? Quelques jours après que Mack eut lu le rapport de María de las Nieves, le ministre des Grands Travaux reçut un télégramme du capitaine du port de Santo Tomás lui apprenant que deux cent quarante-trois Italiens avaient été débarqués par le capitaine d'un navire français et abandonnés sans nourriture ni ressources. C'était la même partie de la côte où, trois décennies plus tôt, la première colonie belge avait péri. Les Italiens avaient quitté Marseille six semaines plus tôt, pour le Venezuela, où des terres et des provisions nécessaires pour fonder une colonie étaient supposées les attendre mais à leur arrivée les autorités vénézuéliennes déclarèrent qu'elles ne savaient rien à leur sujet et refusèrent de payer au capitaine l'argent qui lui était dû d'après un contrat signé avec le consul du gouvernement à Marseille, sur quoi il était reparti, indigné. Ayant finalement déposé sa cargaison humaine dans ce port isolé de l'Amérique centrale – il leur dit qu'ils étaient en Louisiane – le Français s'échappa avec son navire sous le couvert de l'obscurité, gardant avec lui une adolescente. Le gouvernement suprême avait chargé la Société d'immigration de l'affaire, et Don Octaviano l'avait déléguée à Mack. Mack ne devait pas avoir un instant de paix durant les six mois qui suivirent. Déjà certains Italiens avaient attrapé la fièvre des tropiques et souffraient de déshydratation ; beaucoup, dès qu'ils étaient arrivés à terre, avaient mangé des goyaves, des mangues et autres fruits et légumes inconnus qui n'étaient pas mûrs, et souffraient de douleurs d'estomac. La troupe d'opéra italienne en tournée, qui se trouvait alors au Théâtre national, accepta de consacrer la recette de la soirée à leurs malheureux compatriotes. Mack avait donc invité María de las Nieves à l'Opéra. Et elle avait été heureuse d'y aller ! Si heureuse que quand il avait envoyé un petit messager porter l'invitation gravée à la légation britannique, celui-ci était revenu dans l'après-midi avec sa réponse.

C'était le premier opéra de María de las Nieves ; la première fois aussi que Mack, par sa soudaine ascension jusqu'à une position importante dans la Société d'immigration, avait été en mesure d'inviter quelqu'un dans une loge à l'Opéra – et la loge d'honneur, pas moins ! María de las Nieves était l'image même de l'excitation, du moins au début de la soirée. Lorsqu'il l'emmena en voiture de location au Théâtre national, dont la façade néoclassique blanche était illuminée par des torches, et qu'il la conduisit jusqu'à la loge d'honneur – ses mains prises dans les gants de chevreau prêtés par Mrs. Gastreel, l'une reposant légèrement, avec adresse, sur son bras, l'autre portant son éventail – il sembla à Mack que María de las Nieves sortait tout droit d'une fantaisie, une de ces fantaisies littéraires dans lesquelles une héroïne jusqu'alors inconnue est introduite pour la première fois en société et enflamme les cœurs et les esprits par sa beauté fraîche et innocente. Il ne l'avait jamais vue avec les cheveux relevés. Il remarqua avec tendresse sa nuque incurvée et sombre, son large crâne d'Indienne. Son cou fin et ses oreilles très légèrement décollées étaient pareils à une fleur sous-marine vers laquelle il nageait (mais qu'il n'atteindrait jamais). Mack inspira profondément, en propriétaire, la douce senteur de l'eau de Floride de Don Simón Goldemberg. La loge d'honneur était en réalité celle de la Primera Dama, mais puisqu'elle était encore à New York avec ses enfants, se remettant du choc causé par la Fraternité homicide du rosaire noir, et que son mari n'aimait ni l'opéra ni ce genre d'événement mondain, elle avait été prêtée à la Société d'immigration et aux Amis de l'Italie pour la soirée de bienfaisance. Puis vint le moment électrisant où les lèvres de María de las Nieves effleurèrent presque l'oreille de Mack, ses mots et son haleine humide rugissant dans son oreille tandis qu'elle se penchait plus près que jamais de lui pour murmurer : « Quelle ironie du sort, que je me retrouve dans la loge de Doña Francisca. Nous avons une histoire secrète, elle et moi, vous savez. Si elle avait été ici, je ne serais jamais venue », puis elle s'éloigna. Elle disparut longtemps dans les toilettes de la première dame, et quand elle revint, Mack demanda : « Comment avez-vous trouvé les toilettes ? » À quoi elle répondit : « Je savais par les livres qu'un tel luxe existait, Señor Chinchilla, mais le voir de mes yeux me laisse sans voix ! » La joyeuse note d'hypocrisie qu'elle glissa dans sa réponse l'étonna, car il ne doutait pas de la vérité de ses paroles – où aurait-elle pu voir des toilettes aussi élégantes ?

Le spectacle commença par des discours. Don Octaviano Mencos Boné présenta le ministre des Affaires étrangères, qui ressemblait à un gros garçon aux joues roses affublé d'une perruque et d'une barbiche postiche et parla d'une voix perçante, agitant les bras et sautant sur place : Sauver les Italiens de la rapacité et de la perfidie du capitaine français et des autorités d'immigration vénézuéliennes, déclara-t-il, représentait une occasion historique sans précédent, car une fois la nouvelle répandue que les Italiens étaient établis ici dans le bonheur et l'opulence, le nom de leur petit pays serait connu et admiré de toute l'Europe. Et la marche à la prospérité s'accélérerait tant que bientôt les Républiques sœurs d'Amérique centrale supplieraient le général-président de réaliser le glorieux rêve d'un isthme uni sous son autorité en une seule République qu'aucune nation au monde ne pourrait qualifier de *petite*! Le discours fut accueilli par une ovation. Cela ne se savait pas hors de la Société d'immigration, néanmoins la charge de réaliser cette vision reposait presque exclusivement sur les épaules de Mack Chinchilla. C'était lui qui allait partir à l'aube pour un long voyage à cheval et par bateau jusqu'à la côte. Ce ne serait pas une tâche logistique aisée, que de conduire deux cent quarante-trois Italiens à travers forêts, désert et montagnes jusqu'à la capitale. Il se pencha vers María de las Nieves pour l'en informer et elle écouta, les yeux remplis de douceur. Elle déclara : « Vous devriez être fier, Señor Chinchilla, d'avoir été choisi pour une telle mission. Je sais que leur confiance est bien placée. » Qu'aurait-il pu répondre à cela qui ne parût pas fanfaron, ou faussement humble ? Enfin il commençait à ressembler extérieurement à l'homme qu'il portait en lui, cet homme qu'il connaissait mieux que quiconque. Déjà, quoi qu'il arrive par la suite, cette nuit n'était-elle pas un triomphe ? Muet, il planta son regard dans les yeux de María de las Nieves, comme si son regard le sidérait, et elle sourit, les dents tachées de rouge, et il la remercia d'un solennel hochement de tête, baissant brièvement les yeux sur la douceur nue de ses épaules, du haut de sa poitrine et de ses clavicules, révélées par le dessin de sa robe cramoisie, sans autre parure qu'un simple médaillon de la Vierge retenu par une chaîne en argent qui pendait dans l'ombre de son décolleté léger mais hardi. Dans la lumière dorée des lampes à gaz du théâtre, la peau de María de las Nieves irradiait la fraîcheur et la souplesse indescriptibles de la jeunesse. Mack ressentait une douleur déroutante dans ses entrailles. Juste là sous ton nez scientifique, pensa-t-il, se trouve la différence entre la chair d'une jeune beauté vierge et d'une beauté de bordel, car la peau de celle-ci, quelque douce et délicieuse qu'elle soit, est teintée par un *résidu invisible*, et ne peut plus surprendre l'air. María de las Nieves tira son châle en dentelle noire sur ses épaules et se retourna pour diriger de nouveau son regard sur la scène. Le lustre qui surplombait la salle avait été transformé en un immense panier de fleurs (offertes par Rosenthal le fleuriste). Une des femmes qui se trouvaient dans la loge d'honneur devait couper le cordon qui joignait la balustrade au lustre avec un poignard spécial à la poignée dorée, scintillante d'émeraudes et de rubis, et présenté par le jeune officier en grand uniforme qui venait d'entrer dans leur loge. Mais celui-ci dégaina trop brusquement, ou peut-être était-ce son expression, mais tous ceux qui étaient dans la loge d'honneur, y compris Mack, tressaillirent et reculèrent, comme si c'était un émissaire de la Fraternité homicide du rosaire noir. Bien que son père la poussât par-derrière, la fille obèse, âgée de douze ans, du duc de Licignano, le chargé d'affaires italien, se renfonça dans son fauteuil et refusa de prendre le poignard. L'épouse de Don Octaviano, Doña Eleuteria, une femme frêle et tremblante, déclara qu'elle n'était pas assez forte pour manier le poignard, quoique peut-être qu'avec l'aide de Son Excellence Il Duce… Mais Mack était instantanément sur ses pieds, guidant le soldat vers María de las Nieves, insistant pour que l'honneur lui revienne. C'est ainsi que María de las Nieves se tint à la balustrade, tenant le poignard dans sa main gantée, tous les yeux fixés sur elle – dans sa robe louée et retouchée et son décolleté voyant, personne ne pourrait la confondre avec la mystérieuse ingénue en albâtre d'un roman. Tandis qu'elle s'efforçait de couper la corde, quelques sifflets et exclamations sarcastiques et avinées s'élevèrent de l'orchestre. Elle parvint toutefois à ses fins, et des douzaines de bouquets de fleurs glissèrent le long des filins allant du lustre à chacune des loges de balcon ; sous les applaudissements du public tout entier, l'orchestre se mit à jouer.

L'entrain de María de las Nieves retomba, et bientôt il fut clair pour Mack qu'elle boudait. Depuis leur loge, il remarqua que sa bien-aimée avait une vue parfaite sur la loge de l'École normale, où José Martí et sa jeune épouse étaient assis ; en regardant dans le sens opposé, elle pouvait voir la loge où María García Granados se trouvait avec sa mère ainsi que quelques sœurs et cousins en uniforme. María de las Nieves voyait Martí qui jetait des regards dans la direction de María García Granados, et María García Granados qui jetait des regards dans la direction des Martí. Bref, un opéra silencieux et déchirant, songea Mack. Quand, quelques mois plus tard, il apprit que María García Granados était morte de maladie chez elle dans son lit, il scruta brièvement le souvenir de la jolie fille pâle qui se tenait élégamment dans sa belle robe de Paris, et qui ne cachait jamais son visage derrière son éventail. Allons, Mack, tu ne peux pas prétendre honnêtement que la mort avait un rôle dans cette scène, montant la garde derrière elle comme un oiseau de malheur obstiné en uniforme de hussard. Tout au plus t'a-t-elle donné l'impression d'avoir besoin d'une cuillerée quotidienne de mélange de légumes de Lydia Pinkham. Mais l'air famélique et mélancolique était à la mode ; les filles de cet âge rassemblaient tous leurs efforts pour l'acquérir. Le seul aspect du drame enfoui qu'il se rappelait indéniablement était que María de las Nieves et María García Granados étaient visiblement un peu déprimées et jalouses de voir le Dr. Torrente assis au côté de la femme impressionnante qui était maintenant son épouse. María de las Nieves n'accorda plus à Mack ce regard perçant et doux dont elle l'avait gratifié quelques secondes avant, en le complimentant d'avoir été choisi pour être le Moïse des Italiens. L'opéra donné était *La Somnambule*. Il ne voulut pas la quitter même à l'entracte, au cas où elle s'animerait soudain, bien que Don

Octaviano, qui fumait alternativement des cigares et des cigarettes médicamenteuses contre l'asthme, l'ait invité à sortir fumer. L'ancien diplomate confédéré, Mr. Doveton envahit ensuite leur loge pour adresser hardiment à María de las Nieves quelques-unes de ses flatteries doucereuses et salaces... Il n'y a vraiment rien de plus à propos de cette soirée que Mack, dans sa grotte, aimerait à se rappeler en ce moment.

Le centre de redressement pour jeunes filles situé dans l'ancien couvent de Santa Catarina, purgé de ses jeunes pensionnaires (dont certaines avaient été confiées à Doña Carlota Marcoris et d'autres transférées dans la prison de l'ancien couvent des carmélites) fut le premier foyer des Italiens. Onze d'entre eux ne survécurent pas aux premières semaines passées sur la côte, suivies du dur périple dans les terres sous la conduite de Mack. (Mack aimait à dire que l'équitation avait fini par lui devenir aussi naturelle que la marche.) Maintenant qu'ils étaient dans la capitale, Don Simón Goldemberg leur avait offert deux mois de médicaments et un médecin militaire leur fut octroyé. Un vieux prêtre italien, Padre Perroni, venait les voir chaque jour pour leur servir d'interprète. Don José Pryzpyz, anticipant la saison des pluies, offrit des parapluies et des capes imperméables. Mais après que les Italiens se furent plaints de l'atmosphère sinistre de l'ancien couvent, ils furent transférés à l'école d'agriculture de la Sociedad Económica, située dans une vieille ferme confisquée aux jésuites dans les faubourgs de la capitale ; les vacances des étudiants furent prolongées indéfiniment en raison de l'urgence de la situation. Quelques-uns parmi les plus courageux, dont quelques charmants jeunes couples, se virent rapidement proposer du travail par des planteurs et s'en allèrent ; plus tard on raconta que Mack Chinchilla avait profité de ce trafic humain, bien qu'évidemment tel ne fût pas le cas.

Dans la capitale il devint de bon ton d'aller voir les Italiens à l'école d'agriculture pendant le week-end. Le fait d'apporter de vieux vêtements et de la nourriture aux réfugiés fournissait une excuse à la curiosité. Bientôt il y eut même quelques jeunes paysannes italiennes vêtues de robes de chez Worth, d'autres arboraient les rebozos et blouses aux brillantes couleurs des mengalas. Même les pauvres venaient, des familles entières qui partaient tôt le matin à pied, portant quelque plat rustique destiné aux immigrants forcés : pipián, chojín épicé, tamales, chuchitos, pots de haricots noirs au fromage blanc, fruits confits et tablettes de sucre brun. Mack avait l'impression de diriger un zoo humain montrant des «Italiens» – la moitié presque provenaient du Tyrol, le reste de la région de Gênes –, beaucoup avaient les cheveux blonds et les yeux bleus, si défaits et impuissants, avec des visages si perpétuellement apeurés, éperdus et crasseux qu'on aurait dit qu'ils *voulaient* inspirer la pitié et la condescendance. Malgré leur pauvreté et leur abattement, il y avait quelques jeunes hommes et femmes d'une beauté exceptionnelle, leurs regards flottant dans l'air tels des oiseaux languides au plumage irisé. Chaque fois que les Italiens jouaient de leurs accordéons et instruments à cordes, le public applaudissait avec reconnaissance. L'opéra était une telle passion dans la capitale que même les pauvres gens connaissaient les airs célèbres ; ceux qui les apprenaient en les écoutant derrière les portes du Théâtre national les soirs où la Compagnie lyrique italienne se produisait rapportaient chez eux et au travail les mélodies contagieuses, de sorte que chaque fois qu'un Italien entamait l'un de ces chants, un grand nombre de spectateurs se joignait à lui. Tout d'abord les Italiens avaient été surpris par ce chœur étonnant et avaient pris plaisir à lui répondre, les Italiens testant les connaissances opératiques de leur public quand ce n'était pas l'inverse. Cela devint une attraction supplémentaire du zoo dirigé par Mack. Mais alors les Italiens, sans explication, se mirent à refuser de chanter pour leur public, accueillant les demandes d'un regard de morne indifférence.

Un dimanche Mack invita María de las Nieves à l'école d'agriculture et lui envoya la voiture qu'il avait désormais à sa disposition. Elle arriva avec María Chon. Elle parut ne pas s'apercevoir de la célébrité toute neuve que Mack avait acquise en tant que surveillant des Italiens. Remarquait-elle seulement que les Italiens l'appelaient *Il Capo* ? Il était évident qu'elle n'était venue que pour voir les Italiens. Ni regard mémorable, ni mot sournoisement coquet, ni même un silence significatif ne fut adressé à Mack. En fait, elle était aux petits soins pour sa servante. Côte à côte comme une image de la Visitation, leurs têtes se touchant presque, elles se tournèrent à l'unisson pour regarder passer un magnifique mâle italien, qui portait une boucle d'oreille en or et n'en paraissait pas moins viril pour autant. Mack entendit María Chon qui disait : «¡Qué mangazo!» puis María de las Nieves : «¡Uyyy sí, qué mangazo!» Quelle belle grosse mangue! Cela avec gaieté, sans sarcasme, et suivi d'une bouffée de gloussements complices – à cause de ce fainéant balourd qui se pavanait! Mack fut frappé par la douleur; l'indignation lui brouilla la vue. Il se força à adopter une attitude distante, mais María de las Nieves ne parut pas plus s'en apercevoir que du reste, car une guêpe piqua María Chon au front, et la réaction de María de las Nieves fut extraordinaire, comme si un instinct maternel sauvage s'était éveillé en elle: elle poursuivit la guêpe et l'écrasa entre ses paumes puis elle la regarda et lui jeta : «Insecte barbare!» après quoi elle la fit tomber en secouant les doigts. Les gens la dévisageaient, notamment un groupe de jeunes femmes de son âge, toutes vêtues de robes de soie et coiffées de chapeaux élaborés, et portant des ombrelles. Les ignorant, elle fit volte-face pour se précipiter auprès de María Chon qui grimaçait et reniflait et la serra fort contre elle. Avec un petit rire gêné elle dit: «Peut-être que je ne suis qu'une sauvage, mais quelle est la loi de la nature qui autorise ce vilain petit bicho à faire du mal à ma Maricusa?» et elle ordonna à Mack de lui apporter un médicament ainsi qu'un linge humide et du citron pour tamponner la bosse qui grossissait sur le front de la fille. Peu après, les deux jeunes femmes remontèrent en voiture et retournèrent en ville. Quelques mois plus tard, quand il entendit parler de la honte qui s'abattait sur María de las Nieves, Mack se rappela l'exclamation que lui avait arrachée le bel Italien et comprit qu'il avait été témoin d'un des premiers signes de son étonnante transformation. Puis il pensa : Non, Mack, tu ne peux pas justifier de telles rumeurs par la ruse de la rétrospection ; pour autant que tu saches elle avait depuis longtemps l'habitude de s'exclamer à la vue de beaux hommes, comme n'importe quelle jeune fille frivole, et tu n'as jamais été là pour le remarquer. Et reconnais-le, même si c'était dérangeant, la façon dont elle a tué la guêpe avait quelque chose de magnifique.

Avant longtemps l'« indolence scandaleuse » des Italiens était devenue le sujet numéro un des conversations dans la capitale. On ne parle plus jamais de rien d'autre à leur propos, se plaignirent les membres du conseil d'administration de la Société d'immigration à Mack, comme s'il était responsable du découragement et de la léthargie de leurs protégés. Pourquoi les Italiens ne pouvaient-ils faire preuve d'initiative, de reconnaissance ou d'optimisme ? Ils semblaient devenir de plus en plus moroses et querelleurs à chaque jour qui passait. On aurait dit qu'ils étaient prêts à vivre d'aumônes indéfiniment, sans rien faire que de rester allongés au soleil, se gorgeant des victuailles apportées par la population. Pas étonnant qu'ils soient tout le temps malades ! Il est vrai que malgré les médicaments de Don Simón Goldemberg, rares étaient ceux qui étaient demeurés en bonne santé, et les nombreux malades, qui souffraient surtout de désordres gastriques et de fièvres récurrentes, étaient lents à se remettre. Les Italiens n'étaient pas aidés car la seule nourriture qu'ils cuisinaient régulièrement – ces *maccheronis* filandreux – ressemblaient incroyablement aux vers qui infestaient un grand nombre de leurs estomacs. Mack éprouva une vive indignation en apprenant qu'une rumeur se répandait en ville selon laquelle les Italiens étaient si voraces qu'ils mangeaient les vers solitaires expulsés par les purgatifs de Don Simón. Il devait bien avouer que même la nouvelle de la mort du pape Pie IX n'avait rien fait pour tirer les Italiens de leur apathie et de leur indolence. Pourtant ils étaient aussi superstitieux que les Indios ! En entendant les vieux perroquets des jésuites dire le Ora Pro Nobis et l'Ave Maria dans les branches des avocats de la ferme, les Italiens étaient devenus hystériques, interprétant le phé-nomène comme un indice du fait que Satan avait bien pris part à leurs infortunes après tout. Padre Perroni fit peu pour les calmer. Pourquoi les perroquets disant des prières en latin ne seraient-ils pas au contraire le signe d'une bénédiction miraculeuse, demanda Mack. Padre Perroni répondit que c'était évident : le Saint-Esprit ne communiquait jamais par l'intermédiaire des perroquets, car qui pourrait avoir foi en ce que dit une créature aussi habile à contrefaire les voix ?

Mack lui aussi avait attrapé le ver solitaire et plusieurs autres maladies tropicales tenaces au cours de son voyage. Il n'avait jamais été si maigre, si pâle et hagard. Ses doigts étaient couverts d'eczéma. Les champignons infestaient ses pieds, son entrejambe et ses aisselles. Il se sentait pris par la léthargie, juste au moment où il ne pouvait se permettre ne fût-ce qu'une minute de paresse. Il n'avait pas le temps de se complaire dans la souffrance que lui causait l'échec de sa cour, mais elle habitait en lui telle une humi-dité glaciale logée dans ses os. La plupart du temps, il dormait dans un hamac pendu dans son bureau à l'école d'agriculture et le soir, quand les visiteurs étaient partis, il entendait les Italiens, campant dans les autres salles de classe, allongés dans des hamacs autour de la véranda ou sur des lits de paille dans les étables, qui pleuraient de douleur et poussaient des lamentations théâ-trales ; comme ils se disputaient amèrement, comme ils mau-dissaient Dieu ou le capitaine français, quels soupirs plaintifs ils poussaient !

L'impression négative causée par les Italiens était une source d'anxiété croissante pour Mack. Tôt ou tard, il le savait, ces plaintes, si elles ne cessaient pas, pourraient rebondir dangereusement sur leur «Capo». Sans cesse il défendait les immigrants en donnant des exemples de la vitalité et du goût de l'effort que manifestaient les Italiens de New York. Mais il attendait désespérément un signe de ses Italiens à lui. La force était justifiée pour mettre les Indios au travail, pensaient les libéraux, cependant personne n'était prêt à appliquer la même méthode aux Italiens. Il n'y avait qu'une solution, décida le conseil: sans attendre, on devait attribuer des fermes aux Italiens. Une fois qu'ils auraient de la terre à eux, ils se mettraient sûrement au travail. Alors le pays – c'est ainsi que raisonnait officiellement la Société d'immigration – serait enfin récompensé par l'exemple attendu de l'industrie et de la fierté européennes. Si la Société d'immigration était incapable de réaliser cette promesse, quelle était sa raison d'être? Des membres influents du conseil d'administration persuadèrent le gouvernement suprême que la crédibilité du pays en tant que destination pour les immigrants était en jeu, et les convainquirent d'instaurer une nouvelle taxe d'un centime sur chaque bouteille d'aguardiente distillée pour soutenir les Italiens jusqu'à ce que leur colonie se suffise à elle-même. On acheta deux fermes dans la plaine aux abords de la ville avec les fonds propres de la société. Une fois que les Italiens gagneraient de l'argent en vendant une variété encore jamais vue de légumes et de fruits, la Société d'immigration serait remboursée. Entre-temps il leur suffisait de promettre de ne pas abandonner les terres ni de s'enfuir, sous peine d'emprisonnement.

Mack était l'administrateur des deux fermes à tous égards, sauf officiellement. Il était à ce point immergé dans son travail qu'il releva à peine l'annonce que la fille de l'ex-président, le général García Granados, était morte de fièvre et de phtisie, mêmes si lorsqu'il entendit le glas sonner, il s'arrêta pour dire un adieu silencieux et respectueux à la fille qui avait laissé dans son esprit une image si vive et une traînée de commérages sentimentaux. Mack ne pouvait construire toutes les maisons des Italiens tout seul. Il Capo ne pouvait pas labourer, semer et récolter chaque parcelle de terre ! Après deux mois, la plupart des Italiens continuaient à vivre dans les étables, souffrant de diarrhées de toutes sortes et autres afflictions, et étaient rarement capables de rassembler plus de quelques hommes à la fois pour travailler à la construction de leurs cabanes. On remarqua et fit remarquer que les Italiens ne coupaient pas le bois plus vite que les Indios. Tout comme les Indios, ils brûlaient le chaume de la récolte de l'année précédente et en plantaient une nouvelle dans la terre brûlée. Ils préféraient labourer de nuit, mais plus pour éviter le soleil et par superstition touchant le clair de lune que d'après des connaissances scientifiques en agriculture, et ils ne labouraient pas plus vite que ne faisaient les ouvriers autochtones. Les graines qu'ils avaient apportées d'Italie tinrent leurs promesses ; toutefois des mois après les premières semailles, peu avaient poussé. Quand on vit grimper aux tuteurs une variété inconnue de pois, la Société d'immigration fit en sorte que cette bonne nouvelle soit largement répandue. Mais cela ne suffit pas. Les pluies commençaient. La tuberculose et l'anémie se répandirent, particulièrement parmi leurs enfants ; chaque semaine voyait au moins un enterrement. Dorénavant personne ne voulait regarder Mack en face, personne ne pouvait sans gêne ni arrière-pensée lui retourner son regard, et c'est ainsi que chaque tentative de conversation devint une répétition torturante de coups d'œil qui se tamponnaient et ricochaient l'un sur l'autre et de tension nerveuse accrue, de regards vissés au sol ou perdus au ciel. Ce développement empoisonna totalement la vie de Mack et augmenta le sentiment qu'il avait de sa solitude et de son funeste destin.

Parce que le pain soulage mais ne guérit pas la douleur, et que son trésor était presque à sec, la Société d'immigration décida, malgré les protestations épuisées de Mack, de cesser de financer les Italiens. Confrontés à la famine, tel était le raisonnement cynique du conseil, peut-être finiraient-ils par commencer à travailler aussi dur et efficacement que les immigrants italiens de New York. Au lieu de quoi ils se mirent à fuir, en ville et dans la campagne, disparaissant en des destins divers et pour la plupart insignifiants. Mack fut renvoyé de son poste et de la Société d'immigration par la même occasion.

Cette fin-ci fut le début de cette fin-là : la guerre des Cavernes et ce quartier général des rebelles indiens dans une grotte, à l'entrée de laquelle Mack était à présent occupé à songer à la mémoire et au latex tout en regardant le *chuchkajawib* Juan Diego Paclom accroupi près du petit feu, marmonnant-psalmodiant des prières, portant des bouts de papier brûlant tachés de latex à ses lèvres et soufflant des bouffées de fumée âcre dans l'air, chacun de ces noirs nuages miniatures de fumée de latex s'élevant, mystérieusement sphérique, pour survoler toute la vallée.

Et ainsi, María de las Nieves, après tous ces mois passés à étudier la science et le progrès à la Sociedad Económica – pensait Mack, comme s'il était en train de lui écrire une lettre – je me retrouve au Moyen Âge, entre les tours de passe-passe indiochrétiens de Don Juan Diego et ceux, indio-hébraïques de Rubén Abensur, le professeur juif amené de Tanger par les Nahón pour enseigner dans leur école de Cuyopilín. Les hallucinations démentes de leur nouvelle religion américaine de résurrection perpétuelle, qu'ils bricolent ensemble, du moins les aident à ignorer la mort et à passer le temps, et donne aussi du cœur aux derniers jeunes guerriers qui restent dans notre camp rebelle. Par des bouffées de fumée mystique nous signalons à nos ennemis que nous ne craignons pas la mort dont nous ressuscitons perpétuellement grâce aux souffles immortels et aux noms secrets des ancêtres qui sont en nous. Peut-être que ce show mystique réussit vraiment à effrayer un peu les troupes gouvernementales, surtout les conscrits ignorants, faisant hésiter leurs officiers à les engager dans cette vallée, où nous sommes apparemment piégés. Nous pouvons voir la fumée des villages indiens qui brûlent s'élever de derrière les sommets tout autour de nous, nous entendons les coups de feu, et sentons les explosions de leurs obus qui font trembler la terre, car de l'autre côté ils tirent droit dans la montagne avec l'intention de passer au travers…

Quelques jours après la fin humiliante de la colonie italienne, Mack avait quitté la ville sur un nouveau cheval de louage en direction de Cuyopilín, pour découvrir, à son arrivée, que les Nahón étaient partis. Ainsi que León l'avait prédit l'année précédente, les frères avaient été ruinés par les Allemands et ils avaient abandonné le petit pays maudit, Fortunato pour rentrer à Tanger, Moisés pour partir à San Francisco et le brave León au Salvador ; il y avait acheté un petit ranch où il élevait des mules et tenait lieu de père au fils naturel de Salomón, Máximo. La raison du meurtre de Salomón et l'identité des meurtriers étaient demeurées un mystère, même s'il ne faisait pas de doute que León continuait à nourrir son rêve de vengeance, et à l'entretenir dans le cœur du petit Máximo. La propriété des Nahón était en train de retourner à la jungle. Mais le professeur juif tangérois, Rubén Abensur, et sa femme, l'India Felipa, étaient toujours là. Le couple s'était placé à la tête de la population, en majorité formée d'Indiens Pipil, parmi lesquels se trouvaient un grand nombre d'enfants naturels des Nahón et où beaucoup de femmes continuaient à vivre torse nu. Abensur avait une tête d'autruche, ce regard furieux et profondément étourdi et ce léger sourire de tendresse bougonne ; mais son corps était sec et nerveux, et il se déplaçait sans maladresse. Il s'habillait de coton blanc, portait un chapeau en paille affaissé et était bien plus grand que Felipa, qui avait les manières délicates, brusques et bienveillantes d'une matrone indienne telle que la maman de Mack. Elle était évidemment fidèle à Rubén tout en semblant immunisée contre son nouveau zèle mystico-révolutionnaire.

En peu de temps Rubén Abensur persuada Mack de se joindre à eux pour livrer des armes aux rebelles indiens qui s'opposaient au gouvernement suprême et à la nouvelle oligarchie du café. Terrés dans les montagnes de l'est, ils combattaient sous le commandement lointain d'un mystérieux propriétaire de plantation criollo devenu mystique chrétien maya, dont le nom de guerre était Juan Rubio. Rubén Abensur n'avait jamais vu Juan Rubio – et jamais il ne devait le voir, pas plus que Mack – mais le professeur juif de Tanger semblait être du genre à avoir toujours rêvé d'un sort héroïque et, ayant peu à perdre, s'était mis à conspirer avec les rebelles et avait pris part au soulèvement malheureux aujourd'hui passé à l'Histoire sous le nom de guerre des Cavernes.

À la demande de Rubén Abensur, Mack avait d'abord accepté de convoyer des fusils de la côte aux grottes, sans penser aller plus loin. Une fois rendu au port de Champerico pour négocier le prix, il découvrit que son contact n'était autre que Mr. Doveton, l'ancien diplomate confédéré, maintenant agent secret pour les Anglais. Trois nuits plus tard une première cargaison de carabines Winchester fut transportée à terre dans une barque commandée par le jeune premier secrétaire aux yeux bleus de la légation, tanné par le soleil et amaigri, Wellesley Bludyar, qui enveloppa Mack d'une chaleureuse embrassade à deux claques dans le dos comme un véritable ressortissant d'Amérique centrale, et dit : « Salut, vieille pomme. » Ensuite, tandis que, enveloppés d'un nuage d'insectes, ils partageaient une bouteille de rhum du Nicaragua à la faible lueur d'une lampe à kérosène, Bludyar demanda d'une voix pâteuse : « Et comment va Mary des Neiges ? Je viens de recevoir une lettre de la Patronne qui me dit qu'elle a un polichinelle dans le tiroir, comme disent les muchachos d'ici, même si apparemment Neiges croit toujours que les Gastreel n'ont rien remarqué. Je ne sais pas ce qu'il en est, et toi ? Je vais te dire, Mack, elle pourrait avoir dix bâtards que je l'épouserais tout de même. Me fous de qui est le père. Quand tout sera terminé, j'ai l'intention d'aller lui dire exactement ça, aussi. Mais écoute-moi, pourquoi est-ce que je parle comme ça? Ce n'est pas comme ça que je suis, Mack, ou si, maintenant?» L'agent secret et diplomatique aux cheveux blonds se carra dans son siège d'un air songeur et préoccupé. «À Roatán il y a quelque temps, finit-il par articuler, je me suis un peu trop lié d'amitié avec un pasteur anglican et sa famille. Et tu sais ce que le révérend m'a dit? Il m'a jugé durement, Mack, il m'a déclaré que j'avais adopté tous les vices de l'Amérique centrale sans prendre aucune de ses vertus. La boisson, la luxure, le goût de la conspiration et du mensonge, ce fameux *machismo*. D'accord, très bien. Mais dis-moi, Mack, quelles sont les vertus?

– Savoir tenir sa langue, grogna Mack, se maîtrisant bien qu'il se sentît retourné par la révélation de Bludyar, qui planait encore au-dessus de lui comme un taon géant se préparant à piquer sauvagement de nouveau. Le respect et la réserve pour une dame de mérite... *Ehh...* Tu as probablement remarqué que les pauvres sont prêts à tout partager avec un inconnu. Une endurance et un stoïcisme magnifiques. Voilà quelques-unes des vertus de ceux qui en ont ici. Il y en a certainement d'autres.»

Pas surprenant, donc, que dans la grotte élargie, approfondie et fortifiée où le chef des Indiens rebelles et *chuchkajawib* Juan Diego Paclom avait son quartier général, Mack ait été reçu comme un émissaire de Sa Majesté la reine d'Angleterre et appelé, malgré ses traits aborigènes: «Don Mister Lord Englishman, Jefe.» Mack était arrivé avec une vieille charrette des Nahón pleine de carabines, tirée à la force des bras par les rebelles. Il y avait dans la grotte-quartier général un autel à la reine Victoria. Contre le froid, le *chuchkajawib* à l'air enfantin et aux yeux de biche portait un serape de lourde laine noire, ceinturé à la taille, et s'était entouré la tête d'une sorte de foulard de pirate de la même étoffe. « Je sais que votre reine parle à Dieu, dit-il à Mack. Et vous ? » Mack avoua que non. Rubén Abensur précisa : « Mack est un messager, Don Juan Diego, de l'impératrice des Indiens et du Premier ministre Disraeli. » Il avait déjà appris à Mack que le *chuchkajawib* et ses disciples croyaient que la reine Victoria avait fait alliance avec les Indiens pour chasser les hispanophones et tous les étrangers du pays, les Anglais exceptés. Le *chuchkajawib* pensait que tous les anglophones appartenaient à l'empire de la reine britannique. Haut dans la montagne, les rebelles avaient un camp dans un petit ravin boisé juste sous la grotte, et là Mack avait vu les guerriers en guenilles durcir de massues et le bout de longues lances en bois au-dessus du feu, et d'autres aiguiser leurs machettes assis par terre et fabriquer des balles pour leurs vieux tromblons avec du fil télégraphique qu'ils étaient allés chaparder. Un petit contingent de femmes était occupé par les tâches domestiques habituelles. Dans le dernier engagement avec les troupes gouvernementales, trois semaines auparavant, les rebelles avaient perdu presque la moitié de leurs hommes.

Le lendemain trois individus d'aspect monstrueux arrivèrent au camp rebelle. Leur peau était pareille à celle de l'éléphant, ils étaient vêtus de pagnes malgré l'air frais des hauteurs, et portaient de vieux fusils et des machettes. Mais leur peau commença à partir en lambeaux : elle était faite de latex que les trois Indios avaient récolté sur des arbres à caoutchouc sauvages dans les forêts des plaines, dont ils s'étaient enduit le corps et qu'ils avaient fait sécher ; ainsi portée, la substance sacrée arriva à la grotte.

Un Jesucristo crucifié, laborieusement confectionné à l'aide d'intestins et de vessies gonflés était pendu à un mur de la grotte. Sur le sol, sous cette crucifixion criarde d'apparence païenne, étaient posés des exemplaires plus petits de ces idoles emplies d'air, de forme humaine et animale. En regardant de plus près les membres quasi translucides et tachetés de sang de cette sculpture unique du Sauveur, Mack eut la terrifiante intuition qu'ils étaient faits avec les entrailles d'un prisonnier, ou même d'un planteur allemand. Il fut soulagé quand Rubén Abensur lui apprit que tel n'était évidemment pas le cas, que seules les entrailles animales étaient utilisées. Pour la crucifixion on s'était servi des intestins et de la vessie d'un pécari, gonflés du «souffle des ancêtres», habilement torsadés et liés ensemble à l'aide d'un fil végétal par le *chuchkajawib.*

Ensuite, parmi les nuages noirs et âcres de la fumée de latex, le Père-Jesucristo Perpétuellement Ressuscité fut lâché sur un vent régulier soufflant sur la vaste vallée, accompagné des plus petits mannequins appelés Petits Romains, Petits Allemands et Petits Hébreux, et d'autres, représentant des esprits animaux des ancêtres, tels que le jaguar et l'aigle. C'était merveille de voir comment le courant d'air, comme s'il obéissait au *chuchkajawib*, semblait former et prolonger une piste de fumée, sur laquelle la Crucifixion et sa suite de grotesques se dirigeaient dans la lumière déclinant vers le coucher de soleil du Pacifique, au-delà des montagnes et vallées qui allaient s'obscurcissant.

«Ils suivent la voie ombilicale qui relie les Enfers à la région céleste, expliqua Rubén Abensur après quoi il entonna: *Nombreux sont ceux qui dorment dans la terre et seront ressuscités.*»

Il est à espérer, songea Mack, que cet étrange spectacle mette nos ennemis mal à l'aise; moi je le serais à leur place. Bien que, évidemment, quelque saisissants que soient ces rites, il les considérait avec un scepticisme total. Les spéculations enflammées de Rubén Abensur dont il prétendait qu'elles aspiraient à la «synthèse sphérique» de certains courants du mysticisme juif, maya et chrétien, étaient peut-être folles ou brillantes, mais Mack doutait qu'elles puissent jamais avoir quelque importance pour quiconque au-delà de cette grotte. Abensur était encore un de ceux qui croyaient que les Mayas descendaient des tribus perdues. Le professeur tangérois expliqua que la religion qu'ils avaient fait évoluer au cours des siècles d'errance dans les étendues désertes et sauvages de l'Amérique avant de s'installer en Amérique centrale, comportait encore bien des échos de la religion originale apportée de Terre sainte. Les Espagnols avaient conquis les Indiens mais n'avaient évidemment pas vaincu leur religion. Les Indiens avaient adapté le christianisme en un système de symboles et de rites dans lequel cacher leurs propres croyances – tout comme on pouvait adorer une image faite d'intestins, expliqua Rubén Abensur, pas nécessairement pour l'image elle-même mais parce qu'elle avait été gonflée par le souffle des Nantat, les ancêtres, les vrais créateurs, qui emplissent les poumons du *chuchkajawib* et guident ses mains tandis qu'il gonfle, tord et lie – ainsi ce n'était pas pure idolâtrie. Et si certaines de ces influences chrétiennes pouvaient être affaiblies ou même anéanties ou du moins contrebalancées par des influences hébraïques? Les chrétiens plaçaient Dieu au ciel, mais ils confondaient la terre et tout ce qui est terrestre avec le Diable – ce que ne faisaient pas les mystiques hébreux. Le Dieu et les dieux des Indios étaient inséparables de leur terre, mais maintenant qu'ils perdaient cette terre, ils auraient besoin d'un dieu portable pour survivre.

« Notre nouvelle synthèse mettra peut-être des siècles à se développer, Mack, dit Rubén Abensur, ou peut-être notre Dieu séparera-t-il soudain les mers de notre confusion et de notre ignorance pour nous montrer une voie plus rapide. Les Indios placent leur Grand Arbre de la Création dans la Voie lactée, avec ses racines en Enfer et dans les rituels, mais où chercher l'Arbre de la Connaissance? Dans le symbolisme de certaines de nos traditions populaires juives, comme dans les Écrits des Pères, le perroquet représente la pureté, le pélican l'amour, le faucon les sens en éveil, le léopard la force, et ainsi de suite. Don Juan Diego, bien sûr, a sa façon d'adorer et d'évoquer les esprits animaux. Mack, je sens que Don Juan Diego et moi sommes en train de découvrir notre nouvelle langue en retrouvant celles que nous avions perdues. Par le passé, de la Pologne à l'Afrique, avant que la plupart abandonnent le mysticisme, les rabbins faisaient des miracles eux aussi, tout comme le *chuchkajawib* en ce moment. »

Après un long silence, durant lequel le professeur laissa son regard errer sur l'horizon comme s'il achevait intérieurement son monologue, Mack demanda enfin : « Les Hébreux font du perroquet un symbole de pureté. Pourquoi ? »

Pour une fois, Rubén Abensur n'avait pas de réponse toute prête. « Parce que les perroquets répètent fidèlement ce qu'ils entendent, sans jamais changer un mot ni une lettre, dit-il d'un ton hésitant. Ou peut-être y a-t-il une autre raison... que j'ai oubliée. »

Mack savait écouter. Même dans ces flots d'absurdités déroutantes, il cherchait à repêcher quelque chose qui ait du sens, qu'il pût utiliser. Rubén Abensur, dans l'esprit aventureux de l'époque, était un innovateur démocratique, un décentralisateur de religions. Cependant son discours fanatique était aussi comparable à une parodie fantomatique de ce à quoi Mack croyait sincèrement. Mack, catholique romain modéré, était un chercheur, mais pas un chercheur religieux. Il cherchait par exemple, où, dans toute cette folie, lire quelque chose qui pouvait mener à la découverte de la *gelée de pétrole* ! Mack marcha par accident sur une figurine plus petite que les autres, faite avec les intestins d'un animal lui aussi petit, et elle explosa sous sa botte comme une saucisse gonflée à la vapeur avec un petit bruit sec.

« Il est possible, ajouta brusquement Rubén Abensur avec un haussement d'épaules résigné, que nos peuples aient des idées radicalement différentes de la justice. »

Le lendemain Don Juan Diego Paclom conduisit Mack à travers le réseau de grottes et de tunnels jusqu'au cœur de la montagne sacrée. Pendant la plus grande partie du trajet, les deux hommes durent ramper sur le ventre dans de longs tunnels de rocher et de glaise, dans une obscurité totale. La fumée de l'encens de copal, provenant de l'encensoir que le *chuchkajawib* tenait en l'air par des cordes entourées autour de son poignet, brûlait les yeux de Mack. Ils portaient également de la nourriture dans des sacs attachés à l'arrière de leurs ceintures et jetés sur leurs épaules. La nourriture était-elle destinée à quelque rituel, ou le *chuchkaja-wib* projetait-il un long séjour? Mack l'ignorait. Enfin il aperçut une lueur rougeâtre, loin, à l'étroite extrémité du tunnel dans lequel ils étaient en train de ramper – une faible lueur qui semblait jaillir de quelque puits encore plus profond ou d'un trou de lave bouillonnante. Ce devait être ça, pensa-t-il, le lieu sacré devant la Bouche des Enfers. Quand ils eurent atteint l'extrémité du tunnel et alors qu'ils allaient émerger dans cette mystérieuse lumière rouge sombre, le *chuchkajawib* s'arrêta pour allumer encore de l'encens et psalmodier des incantations. Mack, aplati derrière lui, attendait avec une impatience grandissante quand il entendit une plainte dans les profondeurs de la terre, un grondement qui s'étendit à travers la montagne dans toutes les directions comme si Mack lui-même en était la source. Il sentit la terre caillouteuse sursauter sous lui comme si elle avait donné une ruade, puis trembler comme un gâteau très épais – il entendit des pierres qui rebondissaient dans le tunnel. La terreur et la claustrophobie de Mack étaient absolues. C'était un tremblement de terre et c'était là qu'il allait mourir, dans les profondeurs de la montagne sacrée. Il se cramponna à la terre telle une petite plume mouillée. Mais les tremblements passèrent. Peut-être le tunnel s'était écroulé quelque part et étaient-ils coincés et la mort mettrait-elle plus de temps à les trouver. Pourtant Don Juan Diego ne laissait paraître aucun signe d'inquiétude. Quand le *chuchkajawib* eut terminé son rite, il sortit du tunnel comme un bouchon qui saute, et Mack le suivit comme il put, se mettant difficilement sur ses pieds à l'intérieur de la pièce mystérieusement illuminée. Ses vêtements étaient trempés de sueur et il haletait à la recherche d'un peu d'air. Il vit alors que la source de la lumière rougeâtre était une lampe au kérosène de couleur cramoisie en forme de

Sacré Cœur. Don Juan Diego était occupé à allumer des cierges. Les habituelles petites statues païennes et idoles de pierre les entouraient, mais il y en avait une qui surprit Mack : une grande statue représentant une religieuse, pas une statue indienne mais de style catholique – il n'avait aucune idée de quelle sainte elle représentait, mais il pria en silence : Madrecita, je t'en prie arrête les tremblements, fais que le tunnel reste ouvert, je t'en prie sors-moi vivant d'ici, pour qu'à partir de maintenant je vive uniquement à l'imitation du Seigneur... Derrière la statue se trouvait la noirceur de l'entrée d'une autre grotte : la Bouche des Enfers avec sa lèvre de terre jonchée de branchages de sapin, de fruits et de fleurs fanées.

« Ici c'est le couvent, Don Señor Mack, dit Don Juan Diego, les yeux brillants d'une candeur confiante. Et cette femme, vous savez qui c'est ? » Il fit un geste en direction de la statue de la religieuse, mais remarquant alors l'air choqué de Mack, il rit. « Vous avez peur, Don Señor Mack ?

– C'était un tremblement de terre, non ? demanda Mack d'une voix rauque.

– Ici il y a beaucoup de tremblements de terre, répondit tranquillement le *chuchkajawib*. C'est ici que les Nantat, nos ancêtres, vivent, et nos sœurs aussi. Dirigeant de nouveau son attention sur la statue, il dit : C'est María Candalyax. Elle est l'épouse-esprit. Ou encore la Santa Virgen María. Elle a beaucoup de noms. C'est elle qui a tissé les étoiles de la nuit sur son métier. Parfois c'est une mauvaise femme. Elle vole les hommes à leurs épouses, elle a séduit saint Jean Baptiste et l'a rendu fou – pas vrai, Madrecita ? Elle est venue se cacher ici après que le mauvais gouvernement a fermé la maison où elle vivait en ville avec ses sœurs. Quand Madrecita María habite avec ses sœurs elle est bonne, sí pues, mais lorsqu'elle s'échappe, les problèmes arrivent. Le *chuchka-jawib* s'inclina avec raideur devant la statue et déclara : Hola, Madrecita. Voici Don Señor Mack Anglais Jefe, envoyé par la reine Victoria pour nous aider dans notre guerre. » Il se tourna en direction de l'entrée de la grotte derrière la statue et gloussa à pleine voix quelques mots dans sa langue indienne. Alors Mack entendit dans cette obscurité des bruits de remuements, puis une sorte de léger murmure, et un bruit de pas très étouffé sur le sol dur. Cinq figures humaines apparurent, toutes drapées de noir. Elles demeurèrent à l'intérieur de la petite ouverture donnant sur les Enfers, dont la lèvre leur arrivait jusqu'à la taille. Deux d'entre elles portaient de longs cierges légèrement courbés. Seules leurs mains étaient visibles, et ce n'étaient pas des mains d'hommes. Elles étaient vêtues, remarqua Mack avec un nouveau sentiment de malaise, de robes noires informes qui ressemblaient à des habits de bonnes sœurs, avec des voiles noirs qui leur cachaient le visage. Elles parlèrent presque à l'unisson, de la voix douce des femmes timides : « Buenas noches, Don Señor Padre Chuchka-jawib Juan Diego. À votre service. »

C'étaient les monjitas, expliqua Juan Diego Paclom à Mack, qui avaient épousé l'esprit de défunts *chuchkajawibs* : « Nuit et jour, elles prient pour nous. Leurs prières assurent notre sécurité – bien que pas toujours, pues no... Nous vous avons apporté de la nourriture, mis hermanitas. » Les robes noires étaient en laine, les voiles d'une matière plus légère ; chacune portait un long scapulaire noir sur les épaules, brodé en fil rouge et jaune de symboles indiens familiers. Ailleurs dans ces montagnes, sans doute à ce moment même, des prêtres-chamans accomplissaient grave-ment les rites coutumiers dans des grottes et autres lieux sacrés : même Mack eût été fasciné par ce spectacle. S'il devait survivre et rapporter ce qu'il voyait sous forme d'article de journal, il n'écri-rait que ce qu'il avait vu ; mais est-ce que quelqu'un le croirait ? Ses nerfs et sa raison l'avaient-ils trahi ? Des frissons glacés couraient sur ses bras, sa nuque et son cuir chevelu. Ces fausses religieuses lui rappelaient un souvenir. Auparavant, désillusion, désabuse-ment, solitude, amour et frustration avaient rempli ce souvenir comme la lumière et l'ombre emplissent une pièce ; maintenant il était projeté dans une autre pièce, pleine de quelque chose d'autre que l'incrédulité – pas l'opposé, pas la *croyance*, mais quelque chose d'autre : dans cette pièce d'avant, pauvre et sans fenêtres, une jeune pute à la peau crémeuse, avec des sourcils comme du blé doré et des cheveux bruns, qui dans ce pays presque universellement doté de cheveux noirs passaient presque aux yeux de tous pour blonds, des lèvres roses et pleines, et des yeux bruns aux reflets de miel, lui avait dit qu'elle aussi était une religieuse. Mack ne l'avait jamais vue avant ce soir-là, pourtant elle disait travailler dans le petit bordel de passage à l'hôtel Imperio depuis plus d'un mois (durant ce mois, alors qu'il était encore avec les Italiens et était déprimé par l'insuccès de sa cour auprès de María de las Nieves, Mack n'était pas sorti le soir). Le bordel de l'hôtel Imperio, bien qu'il fonctionnât avec la complicité de Doña Carlota et du chef de la police Pratt, était censé être autogéré par un groupe de Yankees originaires de San Francisco qui visitaient le pays pour quelques mois. Mais quand Mack arriva, il ne trouva que cette jeune « Américaine » « blonde » qui attendait sur le canapé en velours rouge. Une mulâtre de Belize vendait un maigre choix de liqueurs derrière un minuscule bar désert. Ils étaient les seuls occupants du petit salon à l'étage, vers lequel Mack avait été attiré par le mal du pays, la solitude, et le désir de forniquer en anglais. Il avait appris de Mr. Doveton qu'il y avait ici des prostituées professionnelles originaires des USA. Toutefois cette fille ne fit nulle tentative pour parler anglais et seule la couleur très subjective de ses cheveux la qualifiait de yankee. Ses yeux endormis et cependant discrètement séduisants, son sourire facile, son aspect appétissant, l'agréable douceur de sa jeune voix, le caillot de bile causé par l'échec et la désillusion qui lui brûlait les entrailles, tout cela avait fait que Mack l'avait invitée à monter avec lui.

« Tu veux dire, demanda Mack, allongé chaud et nu entre ses bras, que tu étais l'une des monjitas expulsées des couvents il y a quelques années?» Quand elle lui avait déclaré qu'elle était religieuse, il avait évidemment songé sur-le-champ, avec un élancement de tristesse, à María de las Nieves.

«Non, Mack, répondit la jeune putain, qui disait s'appeler Conchita, je veux dire que je suis encore une monja cloîtrée en ce moment, une novice, en fait. J'habite dans un couvent, un couvent secret ici, en ville.» Et elle lui lança un sourire de défi.

«Ha-*hah*!» laissa-t-il éclater, trouvant l'affirmation adorable. Son espièglerie, quelque bizarre qu'elle fût, était un dissolvant parfaitement adapté à son aigreur. Oui, il était heureux d'être venu ici ce soir. «Tu es drôle, Conchita! Et je suppose que c'est ici le couvent secret, et qu'il n'y a que des religieuses qui y travaillent.

– Je savais que tu ne me croirais pas, Mack.» Sa voix, aiguë et mélodieuse, hésitait au bord du rire. «Quoi que je dise, tu ne me croiras pas. Mais je m'en fiche!

– Bueno, dit-il tout net. Donc tu es une bonne sœur, tu es ici pour travailler, et après tu retournes te repentir dans ton couvent. C'est ça?» Mack avait une idée folle: peut-être pourrait-il tomber amoureux de cette belle jeune femme, en qui l'innocence et l'enjouement demeuraient si vivaces malgré son existence discréditée. Était-elle le personnage mythique de la grande tradition des bordels, la fille qu'on désire libérer, épouser et ramener à New York, où personne ne connaîtrait jamais son passé, où elle ferait une excellente épouse et mère…? Ou sinon était-elle une sorte de nymphomane un peu folle, ne promettant que le désespoir et la disgrâce? Il ne semblait pas qu'elle fût arrivée depuis peu dans cette vie sordide, effrayée et éplorée. Elle avait l'air en paix, et tout sauf endurcie. Elle dévoilait sa poitrine ferme couleur de crème anglaise de l'air d'une fille qui aime s'admirer dans le miroir, et même dans sa façon de faire l'amour, Conchita donnait et prenait du plaisir avec un contentement dénué de culpabilité et d'obscénité, le laissant plus satisfait par l'acte d'amour qu'il n'avait jamais été; comme beaucoup de célibataires sentimentaux, Mack n'avait pas encore fait l'amour avec une femme qui ne vendait pas ses caresses. «Ne t'en fais pas, Conchita, poursuivit Mack avec sincérité. Je sais que le repentir n'est pas une mauvaise chose. Cela dit, je parierais que tu as moins à te repentir que la plupart des gens.

– Le sacrement de la pénitence est une bénédiction divine, Mack, parce qu'il nous permet de rechercher et de nous rapprocher de la perfection et de Dieu, dit-elle, mais ce n'est pas ce que tu penses. Je ne fais pas l'aller-retour entre ici et le couvent. Je suis ici et là-bas en même temps.» Elle eut un doux sourire. «Oui, c'est cela, maintenant je suis ici avec toi, mais je suis aussi au couvent, plongée dans mes prières. Le premier moi corporel est là-bas, en train de prier notre Virgencita del Carmen. Toutes celles qui me voient ne voient qu'une novice abîmée en prière.

– Hah, dit Mack en lui caressant l'arrière du crâne, ses doigts perdus dans la chevelure luxuriante. Très bien, si tu le dis, mi amor. Et en ce moment moi je suis à New York, riche fabricant dans sa belle maison avec sa belle épouse qui – bon Dieu, est-ce que ce pourrait être toi? Mais – c'est bien toi, Conchita! Hahaha. Il faut que tu ailles te confesser, hein? Que dit ton prêtre de tout ça?

– Oh, Mack, le pauvre padre!» Elle pouffa. «Une fois par semaine je quitte notre cachette pour aller à Jocotenango voir le padre qui me confessait au couvent. Mais dès que le padrecito me voit venir, il s'exclame: Oh non, Sor Gloria, pas encore. Je ne veux pas entendre ça, je vous en prie allez-vous-en! *Jijiji.* Il accepte quand même ma confession. Le padre croit maintenant que Notre Señor qui est aux cieux comprend à quel point nous avons besoin d'argent. La veuve qui s'occupe de nous ne nous nourrit plus. Un jour, nous abandonnerons ce pays, nous sommes en train de préparer notre départ, mais cela aussi exigera de l'argent. Dieu m'a donc gratifiée des moyens de me transporter ici par la prière, où je peux gagner plus d'argent, plus rapidement que de toute autre façon. Tous les matins je donne l'argent à notre Madre Priora, qui n'a demandé qu'une seule fois comment je me le procurais, et désormais prie pour moi. Voilà quelque chose d'autre que je vais te dire dont je suppose que tu ne le croiras pas. Dans mon véritable corps corporel, ma virginité est toujours intacte. Les vierges sont des anges sur terre, Mack, exactement comme les anges sont des vierges au ciel. Toutefois, le padre dit que j'ai les sept démons en moi, et que je devrai bientôt être exorcisée, comme la Magdalena.

– OK, petite idiote, ça suffit, dit Mack. Tu me fais peur. Je t'aime bien, Conchita, comme je n'ai jamais aimé quelqu'un que j'ai rencontré dans un endroit pareil – non que je les aie beaucoup fréquentés, tu sais ? Je t'en prie, je ne veux pas être forcé d'admettre qu'en fait tu es folle. D'accord ? Promets-moi que tu n'es pas folle.

– Non. Vraiment, je ne suis pas folle. Je te le promets, Mack. » Elle lui apprit que le phénomène qu'elle décrivait s'appelait ubiquité mystique, et qu'on en parlait dans de nombreux traités théologiques et vies de saints. Celle de San Alfonso María de Ligorio, par exemple, qui pendant qu'il sommeillait dans son fauteuil à Arienzo se trouvait également à Rome en train d'administrer les derniers sacrements au pape Clément XIV, sans qu'il soit douteux qu'il ait été vu dans ces deux endroits en même temps. Comment Dieu divise-t-il le fluide vital de la vie mortelle en sorte qu'il puisse se manifester en deux endroits à la fois ? L'ubiquité est un état surnaturel, provoqué par la prière, et un acte de volonté divine par lequel Dieu aide ceux que les circonstances terrestres empêcheraient de porter le réconfort ou de faire le bien, comme pour elle, par exemple.

« Basta ya, je te crois, ça suffit, dit Mack en riant. Écoute, j'avais une amie qui elle aussi était novice, jusqu'à ce qu'ils ferment les couvents. Elle s'appelle María de las Nieves. »

Conchita se dressa sur son séant, une main sur la poitrine. Elle jeta un regard tout excité à Mack à travers ses cheveux. « Tu veux dire la Sorita San Jorge, Mack? s'exclama-t-elle. Bien sûr que je la connais! On était novices ensemble au couvent. Si c'est la même, alors c'est vraiment un miracle! Comment va-t-elle? Oh, je t'en prie, dis-moi qu'elle va bien. Est-elle mariée? A-t-elle des enfants? Je l'ai vue un jour, tu sais, dans la rue, il y a plus d'un an…»

Mack comprit que Conchita était vraiment une ancienne religieuse qui, ayant connu une mauvaise passe après la sécularisation, s'était faite prostituée, cachant sa honte sous une illusion angélique; pauvre enfant brisée. La honte et la haine de soi s'éveillèrent en lui, déposant sur sa langue un goût de cigare froid. Il répondit avec brusquerie qu'il ne savait pas vraiment comment allait María de las Nieves, qu'il ne l'avait pas vue depuis un certain temps, mais que non, elle n'était pas mariée. L'avait-elle vraiment connue au couvent, lui demanda-t-il, trahissant de l'impatience et de la méfiance, ou se moquait-elle juste de lui?

«Est-ce que notre María de las Nieves a toujours ce regard?» La jeune et jolie putain imita un regard noir et vide, et Mack rit malgré lui. «Et est-elle très allergique à la laine? Et est-ce qu'elle aime se faire éternuer avec? – Hé? *Éternuer? Cómo?*» Et elle raconta à Mack une anecdote à propos de l'allergie à la laine de María de las Nieves, de la façon dont elle se faisait éternuer avec des brins de laine et dont son vice l'avait conduite à être emprisonnée au couvent. «C'est amusant pourtant, c'est ça qui est étrange, dit Conchita. Ce serait très mal de ma part de le faire au couvent, mais je peux le faire, claro, quand je suis ici.» Et elle pouffa de nouveau. «Pues, je vais te montrer. Maintenant, mi amorcito.» Au pied de leur lit étroit dans la petite chambre éclairée par une lampe se trouvait une couverture roulée en boule du genre de celles que confectionnent les Indios de Momostenango, lourde, grossière et poilue. Mack regarda, un peu inquiet, la jeune fille explorer délicatement l'intérieur de sa narine avec un brin qu'elle y avait arraché, tandis que son corps se tendait comme s'il recherchait, à l'aide de chacun de ses nerfs, le spasme qui vint finalement avec son éternuement, et elle retomba sur le lit en riant, une main sur le nez. Mack, retrouvant son ardeur, essaya de s'allonger sur elle, mais elle repoussa sa poitrine des deux mains et se dégagea de sous son corps d'une torsion agile.

« Essaie d'abord, Mack, fais-toi éternuer, dit-elle. C'est dangereux, tu sais. Après un moment, on ne peut plus s'arrêter de le faire ! On éternue tant qu'on commence à sentir quelque chose, comme un gaz qui s'échappe de son cerveau, avec une légère odeur de soufre. Tu sais ce que c'est ? C'est l'odeur de Satan ! »

Eh bien, Mack ne ferait pas cela. Il n'irait pas chercher un brin de laine dans une couverture pour se le fourrer dans le nez – non, pas même si elle le tirait pour lui. Quoi ? *Non*, il refusait. Même si elle... Hahaha. Quoi, *tu*...? OK, OK. Mais juste une fois, Conchita ! Il la regarda qui inspectait soigneusement la couverture du bout des doigts jusqu'à ce qu'elle ait trouvé ce qu'elle cherchait. Puis ce n'était pas si mal, après tout, de l'avoir allongée sur lui, ses seins pressés contre sa poitrine, ses mains agrippant ses fesses rondes, ses cheveux frais qui sentaient le parfum bon marché tombant autour de lui tandis que son visage brûlant et empourpré, l'air concentré, surplombait le sien et qu'elle tortillait un brin de laine pincé entre son pouce et son index, le petit doigt en l'air comme une aile minuscule, descendant en direction de son nez... Eh bien. Le petit chatouillement, le gargouillis chantonnant qui sortait de sa gorge tandis qu'elle se concentrait comme une artiste sur sa manœuvre, et que lui-même se concentrait sur la lente caresse qu'il lui faisait plus bas, la rougeur se répandant sur son visage alors qu'elle – *non* ! C'était indigne d'un homme ! Les membres raidis par la révulsion, il saisit son poignet et le repoussa. L'odeur de Satan voyez-vous ça ! Putita folle ! Pas de ça ! Puis il lui fit faire l'amour comme une femme à un homme (après avoir accepté de payer une heure de plus).

Peut-être n'était-ce que l'idée de la laine, songea-t-il, qui liait ce moment-ci à celui-là, comme par une correspondance invisible mais magique, annihilant le temps et l'espace. Il se rappela María de las Nieves le soir de l'Opéra, sa peau fraîche et lumineuse, le regard adorateur qu'elle lui avait jeté brièvement, et la douceur sacrée de l'émotion qu'elle avait suscitée en lui, qui quelque part dans ce monde devait toujours exister, pas seulement comme souvenir mais comme pure émotion, comme la sève de latex mystiquement retournée à l'intérieur d'un arbre vert secret, caché au plus profond de la forêt tropicale et dont un jour, s'il sortait d'ici vivant, il se mettrait en quête. Mack était au bord des larmes. María de las Nieves était-elle vraiment enceinte ? De qui était-elle enceinte ? Y avait-il un espoir que l'information de Bludyar fût fausse ? Pourquoi devrait-il espérer ? Qu'y avait-il, aujourd'hui, à espérer ?

Une monjita qui avait brièvement disparu à l'intérieur du cloître secret de la Bouche des Enfers reparut, portant une sphère charnue, presque translucide, fortement gonflée – la vessie d'un animal quelconque, conjectura Mack – qu'elle déposa dans les paumes ouvertes de Don Juan Diego Paclom. Le *chuchkajawib* expliqua à Mack que ce *globo* avait été gonflé par le souffle des Nantat, les esprits des ancêtres ; il défit le nœud à la base du globe, porta vivement l'ouverture à ses lèvres, et le laissa se dégonfler dans sa bouche et ses poumons. Mack fut surpris de constater que pour une fois le sens symbolique de ce rituel était évident.

Il se rappela alors la façon dont Conchita avait porté le condom en caoutchouc à ses lèvres et avait soufflé dedans, le remplissant lentement de son souffle, jusqu'à ce que soudain il échappe à sa prise, bondissant brièvement dans l'air tandis qu'il se dégonflait et tombait sur le lit.

CHAPITRE

SEPT

En janvier, María García Granados avait envoyé à Martí un bref message : *Cela fait six jours que tu es revenu, et tu n'es pas venu me voir. Pourquoi te dérobes-tu ? Je ne t'en veux pas, car tu ne m'as jamais caché que tu étais fiancé à la señorita Zayas Bazán. Je te supplie de venir rapidement. Tu niña.*

Aucune des lettres que sa fiancée a envoyées à José Martí durant l'année précédente n'a été conservée ; sans doute des centaines, peut-être même des milliers des lettres qu'il a reçues durant sa vie ont été perdues. Mais Martí a conservé ce billet désespéré à l'intérieur de l'oreiller brodé et parfumé qu'elle lui avait donné juste avant qu'il ne retourne se marier au Mexique. Ce billet est souvent cité par les hagiographes du héros cubain comme preuve que sa relation avec «la niña» avait toujours été chaste et honorable – ils étaient *seulement amis* –, le déchargeant de toute responsabilité dans la tragique fin de la jeune fille ; bien que lui-même ne se fût pas déchargé et eût doté, par un poème, son remords d'une vie perpétuelle. Mais retournons jeter un coup d'œil à ce billet. Qui ou quoi se trouve vraiment là ? Derrière chaque phrase il y a une ombre. *Je te supplie de venir rapidement.* Regardons les cent quatre-vingt-treize vers écrits par Martí dans l'album de María García Granados : *J'aime le beau désordre, tellement plus beau / depuis que toi, la splendide María / tu as laissé tomber tes cheveux sur tes épaules / ainsi qu'un palmier ferait, rejetant son capuchon !*

Après son retour du Mexique, Martí n'alla pas rendre visite aux García Granados. Auparavant, il venait presque tous les jours jouer aux échecs avec l'ex-président, toujours à l'affût d'une conversation avec sa fille aînée. Le général García Granados, qui mourra lui aussi de tuberculose, seulement quatre mois après sa fille, rencontra Martí un après-midi à la foire de Jocotenango, et l'invita – avec un gentil air de reproche qui ne devait qu'aggraver le remords de Martí année après année – à venir présenter sa femme, Carmen, à la famille. Martí ne le fit jamais. Il aperçut quand même María une dernière fois. Un jour qu'il passait devant chez les García Granados avec son épouse, un mouvement attira son œil en direction du balcon de sa chambre et il vit les stores de la fenêtre se balancer tandis qu'elle se reculait.

Il ne chercha pas non plus à voir María de las Nieves au cours de ces premiers mois après son retour. Mais vers la fin de son séjour il se rendit finalement auprès d'elle, alors que jamais elle n'avait eu plus besoin d'une telle visite. Quatorze années plus tard, Martí envoya à María de las Nieves un exemplaire dédicacé des *Versos Sencillos*, et sa première réaction viscérale après la lecture du poème sur la niña morte d'amour fut de se sentir décontenancée par son étrange inconvenance, puis elle éprouva de la pitié, pour lui et aussi pour sa défunte rivale. Elle ne pensa pas immédiatement à elle-même, ne relut pas le poème étonnamment morbide afin de réveiller un écho de son ancien désir pathétique. Sa vie avait continué, elle était maintenant la mère débordée de deux enfants et, posant le mince volume sur ses genoux, elle se força à demeurer tranquillement assise pour se rappeler cette époque, qui pouvait ne pas sembler si lointaine, et pourtant pensez à la différence entre être une femme de trente et un ans et une jeune fille de dix-sept. Elle se rappela la soirée de gala au profit des Italiens et le visage de María García Granados dans les ombres de sa loge vaguement éclairée au gaz, telle une lumière pâle qui ne dégage pas de chaleur (sa maladie fut-elle réellement provoquée par son chagrin d'amour ? Aurait-elle vraiment vécu si Martí n'était pas retourné au Mexique tenir sa promesse d'épouser la Cubaine ?) et les coups d'œil nerveux de Martí depuis sa loge de l'autre côté de la salle, et elle se rappela son propre malheur. Mack avait eu toutes les raisons de la détester ce soir-là. Elle avait boudé et lui en avait voulu de l'avoir donnée en spectacle, quand elle s'était penchée sur la balustrade pour couper la corde et qu'elle avait entendu ces cris avinés et ces sifflets. Elle qui avait été courtisée par un diplomate anglais blond ; qui avait gardé le secret de son baiser avec le brillant jeune Cubain qui à ce moment même, sa belle épouse assise à côté de lui, réveillait et attisait désirs et jalousies partout dans ce théâtre électrisé par les passions. Elle, qui n'avait jamais été à l'Opéra, était *gênée* de s'y trouver avec le pauvre Mack Chinchilla. À l'entracte Mr. Doveton, l'ancien représentant des Confédérés, entra dans la loge et, lui adressant un grand sourire, lui demanda d'un air royal : « Comment cette jeune beauté est-elle devenue si brune ? » puis, avec un clin d'œil à Mack, il avait déclaré : « Parce qu'elle a été trop chaleureusement admirée. » Mack émit un rire forcé et répliqua maladroitement : « Voilà bien l'esprit chevaleresque du Vieux Sud. » Elle avait été ulcérée et l'avait détesté. Ce n'est qu'une fois dans la voiture et alors que la soirée tortueuse touchait à sa fin que Mack avança : « Je suis désolé si le compliment de Mr. Doveton vous a offensée. J'aurais dû être plus sarcastique, au moins. Moi aussi je le trouve abominable, vous savez. » Comme elle ne répondait que par un léger haussement d'épaules, Mack poursuivit : « Quand je vous ai présentée on aurait dit qu'il connaissait déjà votre nom. » Et elle répondit : « Ce n'était pas qu'une impression. Il l'a prononcé avant vous. » Mack avait bafouillé : « Effectivement. Je ne comprends pas comment ça se fait. » Et elle avait répondu qu'elle l'avait vu quelques fois entrer à la légation. Après un instant, Mack avait dit : « Les Anglais ont soutenu les Confédérés pendant la guerre, ça n'est pas surprenant. » Et elle avait gardé le silence durant tout le reste du trajet, sachant qu'elle tourmentait Mack et se disant qu'elle s'en moquait.

Peu après, María García Granados était tombée malade et avait pris le lit. Mais les gens ne cessaient de tomber malades et généralement ils guérissaient. Personne ne sentit l'esprit de Sainte-Beuve planer sur son déclin, se préparant à le consigner pour l'éternité. Ne s'était-elle pas remise un moment? N'était-elle pas retournée au moins à l'école des Izaguirre? Ce n'est que des décennies plus tard, avec la première publication et la large diffusion des *Œuvres complètes* de Martí que les habitants de la Pequeña Paris comprirent qu'un poème les liait à la gloire immortelle de l'apôtre cubain – que c'était leur proximité avec les événements narrés dans ce poème, qui relevaient surtout du ragot, qui les liait, donnant aux ragots mêmes un air d'appartenir à l'extase poétique dans laquelle ils imaginaient que le poème avait été écrit, car de tels poèmes ne sont-ils pas toujours écrits en un tel état? Et ils se mirent à chercher dans leurs souvenirs affaiblis tout ce qui pouvait rappeler la tragique idylle qui s'était déroulée dans les salles de classe, les salons et les jardins qu'eux-mêmes avaient fréquentés dans leur jeunesse. *Je peux seulement dire que Martí était humain*, écrivit alors plus d'un pour la postérité avec cette sagesse rétrospective pleine de tolérance, comme s'ils avaient toujours su que l'adolescente n'était pas morte de tuberculose et que la cause de sa mort était ce que le héros martyr avait enfin avoué dans son poème. Un écrivain diplomate qui était à l'école des Izaguirre en même temps que María, bien qu'il fût plus jeune qu'elle de douze ans, écrivit dans un livre publié un demi-siècle plus tard : *Nous autres, ses condisciples, vîmes comment María García Granados languissait à vue d'œil. Ce ne fut jamais une cloche bruyante, mais un carillon de cristal tintant doucement.* En dépit de leur différence d'âge, il se rappelait : *Elle savait beaucoup de choses, qu'elle évoquait avec grâce. Elle faisait plus appel à l'exposition narrative qu'à l'analyse. Il est possible que son ingénuité et son bon cœur aient aboli son sens critique.*

Dès lors elle avait complètement changé : la petite cloche de cristal ne tintait plus. L'écolière était silencieuse et triste. À cette époque je la vis un jour, au bord d'une pila, ainsi qu'on appelait les fontaines de l'époque coloniale qu'on trouvait dans chaque maison. Avec la tige d'une rose elle remuait l'eau à la surface de laquelle étaient fixés ses grands yeux, comme si elle songeait à cet impossible océan que le bien-aimé avait mis entre eux. Un jour la cour de notre école, toujours aussi bruyante et gaie qu'une volière au lever du jour, fut froide et silencieuse. Les grands pleuraient, groupés, parlant à voix basse. Nous autres, les petits, finîmes par comprendre. Les cours furent annulés ; nous cueillîmes des fleurs pour la compañera qui ne devait jamais revenir. Un ou deux jours plus tard, Martí vint à l'école des Iza-guirre. Les muchachas les plus âgées, les condisciples de la défunte, l'entourèrent, comme elles l'avaient fait si souvent. Elles pleurèrent en l'écoutant. Il se prépara à partir ; elles essayèrent de le retenir. Lui, toujours si galant et prêt à tout pour se rendre agréable, en était maintenant incapable. Il était venu à la recherche de quelque chose qu'il n'avait pu trouver. Quand il s'en alla, il était plus pâle qu'à son arrivée et il semblait encore plus angoissé. Le foyer qu'il avait récem-ment fondé n'était pas l'endroit où se décharger de sa douleur. Au contraire, il devait la cacher et construire pour elle un petit nid dans son cœur. Il partit à la recherche de son ami Palma. Le barde de Bayamés habitait une pension appartenant aux señoras González – Palma lui récita alors l'élégie qu'il venait de composer en l'hon-neur de la morte tandis que Martí l'écoutait d'un air extatique.

À peine un mois et quelque auparavant, à l'occasion d'une séance de conférences et de récitations, une *sabatina*, donnée à l'Instituto Nacional de Señoritas, à laquelle María de las Nieves, incapable de résister à cette occasion de revoir son ancien cou-vent, avait assisté, elle avait rencontré Doña Cristina et lui avait demandé des nouvelles de sa fille aînée. «María est toujours un peu malade, la pobrecita», avait répondu Doña Cristina, dont le regard éteint et les traits tirés trahissaient l'anxiété. María de las

Nieves exprima sa surprise : elle aurait cru que María était guérie. N'était-elle pas retournée à l'école ? (Si María de las Nieves avait eu le choix entre travailler à la légation et aller à l'école, qu'aurait-elle choisi ? Elle aurait probablement répondu l'école, sans nécessairement dire la vérité.) Doña Cristina déclara : « Elle s'est effectivement remise. Mais elle est allée se baigner, et ce même petit-soir, elle est retombée malade. C'est pourquoi je tenais tant à venir ce soir, María de las Nieves, dans cet édifice qui du temps de Madre Melchora était toujours un endroit où trouver la consolation à toutes nos tribulations. À présent, l'as-tu remarqué ? même le pêcher de notre Madrecita a disparu. Et au lieu de ses villancicos, nous allons entendre une conférence sur les pierres magnétiques, et assister à l'inauguration des nouvelles toilettes accompagnée, nul doute, j'en suis désolée mais ne crains pas de le dire, d'un discours insipide de celle qui me succède… Mais comme tu le sais bien, Madrecita avait un sens de l'humour caustique. » Celle qui lui succédait ? María de las Nieves comprit que Paquita devait venir elle aussi. Devait-elle fuir ? Non ! Elle se dit qu'elle apporterait une boîte de bonbons chez les García Granados à l'intention de María dès le lendemain. Doña Cristina avait pris ses mains dans les siennes et son expression avait changé : « Mais toi, María de las Nieves, que tu es belle, il y a une si jolie lumière dans tes yeux, et tu as un teint resplendissant. J'ai six filles, comme tu sais, et quelque expertise en la matière. Mis Nievecitas, es-tu amoureuse ? » Oh oui ! Oui elle l'était ! Mais elle répondit : « Bien sûr que non, Doña Cristina ! »

Donne-moi un millier de baisers, puis une centaine ; puis encore un millier, puis encore une centaine ; après ceux-là, un millier de plus ; puis une centaine… C'est un poème de Catulle, mi amor. Demain je te verrai, Roi de mon Cœur, Roi de mon Tout. Tu niña. – Ce matin-là, elle avait envoyé María Chon porter ce mot, écrit sur une feuille de papier allemand, à Don Lico, le concierge de la légation, avant d'aller au marché.

À cette époque, on aurait dit que chacune de ses pensées faisait monter le rouge à ses joues. Qui ne pouvait remarquer l'aspect rêveur de ses yeux ; ou les éclairs de consternation et ses regards noirs pleins de nervosité, comme si elle craignait qu'on pût lire ses pensées ; ou le dessin furtif de ses lèvres où revivaient des plaisirs, de minuscules mordillements, des goûts de sel et de miel, les lèvres rentrées, cherchant à cacher ce qu'elles savaient, se fermant en bouton, comme profondément plongées dans des songes, et la trahissant d'autant plus ! María de las Nieves était une vraie femme désormais, partie exultante de la secrète multitude pécheresse, ne s'inquiétant que de ne pas se faire prendre. Que lui importait Paquita, ou son ancien couvent, ou son amie malade, ou même Pepe Martí ? Maintenant elle était là, dans cette même salle où, écolières, elle et Paquita avaient jadis passé un examen devant un public parmi lequel se trouvaient le général-président García Granados et El Anticristo, assise aujourd'hui à côté de Doña Cristina, attendant que l'actuelle Primera Dama fasse son entrée. Elle et Paquita n'avaient pas échangé une parole en cinq ans, depuis le jour où elle était passée de l'école au cloître – pendant cinq ans elle avait évité tout endroit où elle et Paquita eussent été obligées de se parler. Elle avait cessé depuis longtemps de se demander pourquoi. Sa résolution était devenue plus profonde que l'habitude, enfouie au-delà de la conviction, de la haine, ou de l'amour. Mais aujourd'hui elle était excitée à l'idée de revoir la compagne de son enfance, la jeune épouse fertile du despote. Vraiment excitée ! Comme si son bonheur et sa fierté secrète la protégeaient de quiconque entrait dans son orbite. Ou parce qu'elle imaginait que son propre péché les liait dans la dissolution et la tolérance.

La Primera Dama fit son entrée, entourée de soldats, se déplaçant telle une magnifique tempête contenue par des tissus et des bijoux splendides. Paquita semblait plus grande, et sa silhouette était étonnamment sculpturale, plus féminine mais aussi plus mince ; l'électricité grésillait dans ses yeux à la lueur sombre, à travers sa chevelure opulente, sous son teint blanchi. Elle paraissait si royale, si lointaine, si pleine de dispendieuse grandeur et cependant si aérienne, froide, fragile, cultivée ; pourtant elle irradiait une chaleur d'animal solitaire. Doña Cristina murmura, presque d'un air contrit, que le long séjour de Doña Francisca à New York semblait lui avoir profité. Pourtant sa vue perça le cœur de María de las Nieves d'une manière très inattendue. Un instant plus tôt, elle paradait sur son pré ensoleillé, et maintenant c'était comme si elle était tombée dans un trou profond et que tout ne fût que boueuse confusion. Pauvre Paquita. Ma pauvre chérie. Pourquoi pauvre Paquita ? Elle ne savait pas pourquoi. Mais elle sentit sa poitrine qui s'ouvrait de compassion. Paquita l'avait-elle vue ? Ne détournait-elle les yeux de ce coin de la salle que parce qu'elle avait déjà aperçu sa prestigieuse devancière ? À présent la Primera Dama prononçait des paroles de bienvenue. On ne pouvait nier qu'elle parlait avec un charme machinal. Elle avait préparé un petit discours sur l'esprit du temps. « Maintenant que le télégraphe a uni le monde, disait Paquita, c'est comme si nous partagions le même cerveau. Le cerveau du monde moderne. Il est bon de se souvenir que le premier message envoyé par le Señor Morse de Washington à Baltimore était *What hath God wrought…* » En un anglais parfait elle prononça ces mots qu'elle traduisit ensuite : « Qu'est-ce que Dieu a forgé ? » puis répéta : « What hath God wrought ? » Et elle laissa la question en suspens – mais allait-elle réellement tenter d'y répondre ? « What hath God wrought », répéta Paquita, comme si elle ne faisait que donner une leçon d'anglais. Imperturbable, s'exprimant avec assurance et simplicité, Paquita poursuivit : Jadis ceci avait été une école religieuse. Oui, une caverne de sombre ignorance, d'après certains. Dorénavant c'était une école où les jeunes femmes étaient initiées au monde de la modernité, de la science et du savoir pratique. Mais elle-même avait étudié ici, à l'époque où c'était une école de bonnes sœurs… La voix de Paquita trembla très légèrement. Les religieuses avaient commis leur part d'erreurs, néanmoins elle n'avait pas honte de l'éducation qu'elle avait reçue ; elle avait appris bien des choses utiles. C'est pourquoi il était bon de se rappeler la question pertinente posée par le Señor Morse, dans son introduction aux temps modernes. Il était faux de penser qu'une telle question n'était pas en accord avec l'esprit du temps. C'était une bonne question à se poser quotidiennement, leur déclara la Primera Dama d'une voix qu'enflaient la conviction et l'émotion. Doña Cristina jeta à María de las Nieves un regard de sympathie et de surprise, les sourcils levés et les lèvres pincées. Les gens sont un mystère, disait ce regard. Mais tout a une explication aussi : « Le complot l'a beaucoup affectée, je crois », murmura l'ancienne Primera Dama. L'actuelle pérorait un peu maintenant, au sujet de l'éducation exemplaire que recevaient les femmes à New York, où avait été éduquée Miss James, la directrice de l'école et c'est alors que Paquita présenta la mince, échevelée, gaie et agitée Miss James, et dans un tonnerre d'applaudissements s'assit au milieu du premier rang, deux soldats accroupis à ses pieds, deux assis juste derrière elle, d'autres postés de part et d'autre des spectateurs. Il y eut des récitals, des duos, des trios ; des récitations de poésie ; une élève lut son devoir sur Padre Las Casas et les aborigènes ; il y eut une séance de lanterne magique, avec deux élèves se relayant pour expliquer chacune des images de chacune des séquences, cartes du ciel, animaux d'Afrique, architecture londonienne, une visite du canal de Suez… María de las Nieves, se laissant glisser dans son siège, retourna à ses rêveries, et une chansonnette qu'elle s'était inventée pour accompagner son plaisir la fit sourire, et peut-être alors s'imagina-t-elle en train d'en chanter les paroles stupides et scandaleuses à l'oreille du bien-aimé et se formèrent-elles silencieusement sur ses lèvres, ou peut-être ses sourcils ne firent que monter et descendre un peu – mais elle sentit qu'elle avait attiré l'attention de Doña Cristina et elle se tourna pour la fixer un instant comme si elles partageaient quelque inquiétude, quoique probablement, seule María de las Nieves était inquiète, et finalement Doña Cristina sourit doucement, lui tapota le bras et redirigea son regard devant elle et María de las Nieves passa en revue les différents sens qu'elle avait cru discerner dans l'expression de Doña Cristina… rougissant de honte, elle se jura de cesser de penser à lui jusqu'à… jusqu'à, demain… parce que c'était comme ça qu'on devenait dépravé… la discipline mentale, qu'on apprenait dans ce bâtiment même, María de las Nieves… le Señor Gelabert de la Sociedad Económica se levait pour prononcer sa conférence, qui serait la dernière de la soirée, sur l'énergie magnétique et les récentes expériences faites avec des aimants… Dans une décennie, leur apprit le géologue amateur, l'homme utiliserait des aimants pour prédire avec précision les tremblements de terre. Nulle partie du globe ne profiterait mieux de ces progrès que la leur. Imaginez être capable de savoir une heure et quelque à l'avance qu'un tremblement de terre est imminent!

Là où auparavant au couvent de Nuestra Señora de Belén un mur et une porte verrouillée avaient séparé l'école du cloître, il y avait maintenant un large couloir. (Un autre canal de Suez! Oui, c'était un siècle de Perforations! Le mot d'esprit de María de las Nieves lui enflamma le visage.) Depuis l'école, on ne pouvait plus accéder à l'église, aux chœurs ni à la crypte. L'église était toujours debout mais on y entrait maintenant par la rue. Toutes les niches dans les couloirs avaient même été comblées, plâtrées et peintes des mêmes blanc ou vert qui recouvraient tous les murs. La chapelle mortuaire servait à présent à entreposer les livres de classe et les cahiers. Toutefois l'ancien dortoir était aussi le nouveau dortoir. Et le grand amate et les avocats de l'ancienne cour de l'école étaient restés à l'identique, leur ombre dense continuant à cacher des décennies de secrets d'écolières murmurés.

«Ces lampes brûlent toute la nuit, déclara Miss James, dont la syntaxe espagnole rappelait irrésistiblement la bien plus robuste Sor Gertrudis, alors l'obscurité n'avoir pas aspect sinistre, et sans sentir peur, petites filles vont n'importe quand.» On leur montrait les nouvelles toilettes, dans lesquelles on entrait par une magnifique porte en chêne à deux battants, haute et cintrée. «Et est bien ventilée, ainsi pas mauvaise odeur, dit Miss James, désignant les fenêtres haut sur les murs. Fenêtres au nord, sud, est et ouest, ouvertes à tous vents.» María de las Nieves avait pensé que les toilettes devaient être entièrement neuves, mais alors elle se rappela que ç'avait été la salle de classe du jour libre pour les pauvres. Radicalement rénovée, on aurait même dit que le toit avait été surélevé. Les cabines étaient alignées le long du mur nord et la directrice yankee expliquait comment un puissant courant d'eau courait le long des latrines et sortait dans un petit patio de l'autre côté du mur. Paquita, entourée de sa garde militaire, était partie juste après l'exposé du Señor Gelabert, de sorte que quand María de las Nieves, debout à côté de Doña Cristina, entendit une voix murmurer à son oreille: «C'est *ça* que Dieu a forgé», elle rit, quoique tout bas, et se tourna pour voir qui se permettait cette irrévérence envers la Primera Dama, et Paquita était là, les yeux pleins d'une lueur de bonheur.

Elles se jetèrent dans les bras l'une de l'autre, riant, échangeant des baisers, et se regardèrent avec étonnement, puis s'étreignirent de nouveau, et se regardèrent un peu plus, et María de las Nieves vit et sentit les yeux noirs de Paquita qui parcouraient son visage comme les petites mains d'une aveugle, voulant toucher chaque trait et les comparer à son souvenir, et elle sut que ses propres yeux étaient en train de faire la même chose. «Ay, Las Nievecitas, je ne pouvais pas partir sans t'avoir parlé.» Comme c'était étrangement facile après toutes ces années! «Sans avoir vu les nouvelles toilettes tu veux dire!» Mais était-ce si facile? Elle est là, pensa-t-elle. C'est *elle*. Elle vit les petites lèvres inquiètes de Paquita, les yeux volubiles, le front pâle et anxieux de celle qui dans son enfance l'avait tant crainte mais aussi tant aimée, comme une véritable sœur parfois, ou comme un animal domestique extra-ordinaire, rapporté pour elle de quelque pays lointain, un animal parlant qui ne ressemblait à celui de personne – parlant l'anglais ! – mais avec de méchantes petites-petites dents. Maintenant la voilà, pensa María de las Nieves, emprisonnée dans sa féminité fantasmagorique et me regardant comme une petite fille stupide-ment ravie d'avoir retrouvé son animal perdu. « Mon amie chérie, ma sœur chérie, à partir d'aujourd'hui nous n'allons plus nous quitter, María de las Nieves, promets-le-moi, dit Paquita, la regar-dant comme si toutes ces années n'avaient pas été et à présent c'était au tour de son animal magique de dire quelque chose, et elle promit de rire très fort même si ce n'était pas drôle… « Non, Paquita, non. – Tu pourras venir avec moi partout, mis Nieve-citas, à New York, à Paris. – Non, Paquita, je ne peux pas. – Je paierai tout, idiote » – elle craignit de ne pouvoir empêcher la fureur et la confusion de monter en elle et elle se dégagea de ses bras et déclara en un murmure glacé : « Après la manière dont toi et ta famille avez traité ma mère, comment oses-tu même me parler, Doña Francisca ! » Le caractère mélodramatique et ridicule de ces mots la frappa au moment même où elle les prononçait et elle vit Paquita, pâle, et clignant des yeux, et semblant plus blessée qu'elle n'avait jamais été et elle s'enfuit, comme ça, si vite que personne ne put la retenir ou lui dire quoi que ce soit, inspirant profondément, passant les portes splendides pour sortir dans la nuit froide, pensant : Je suis folle. Qui suis-je ? Absurde ! Pourquoi ai-je dit ça ? Je suis une horreur !

Le *Golden Rose* était entré dans les eaux territoriales américaines de la Californie et se trouvait maintenant à quatre jours seulement de San Francisco. Ce soir-là, dans le salon de sa suite, Paquita offrit à María de las Nieves un magnifique peignoir de la plus belle soie blanche, et une chemise en flanelle ornée de dentelles à porter en dessous, tous deux enveloppés dans du beau papier et enfermés dans des boîtes de maisons de couture parisiennes. Elle avait acheté un peignoir pour Mathilde aussi. Elle dit qu'elle gardait ces cadeaux pour quand elles seraient arrivées à New York, mais puisque les nuits en mer devenaient plus fraîches, elle avait décidé de les lui donner. « Un peignoir se porte chez soi dans ses appartements privés, expliqua Paquita, ou assise à sa toilette pendant que ta femme de chambre te coiffe. Parfois je ne l'enlève pas pendant plusieurs jours. »

María de las Nieves pensa : Je n'ai pas eu de femme de chambre depuis María Chon. « Essaie-le, chula », dit Paquita. Elle ôta sa petite robe noire et ses jupons, les posa sur une chaise, enfila la chemise et le peignoir, et se regarda dans la psyché ovale rivée au plancher. C'étaient certainement les vêtements les plus luxueux qu'elle ait jamais portés, et ils étaient délicieux contre sa peau. Elle remercia Paquita avec profusion et dit : « Je crois que je vais devenir très intime avec la flanelle pendant les hivers à New York. Mrs. Gastreel portait des sous-vêtements en flanelle même sous les tropiques. Sa peau était sensible mais pas très. Elle pouvait porter de la laine.

– Mrs. Gastreel, répéta Paquita d'un air énigmatique.

– Tu sais, la femme de mon ex-employeur. Elle pensait que la flanelle rouge était particulièrement bonne pour la peau et la circulation. Imagine une femme comme ça chérissant une telle superstition ?

– Oh, je ne me rappelle Mrs. Gastreel que trop bien. À l'Opéra, chaque fois qu'elle me regardait avec ses jumelles, elle faisait la grimace. Et d'autres s'étaient mises à la regarder, attendant cette grimace, qui les faisait rire, derrière leurs éventails, bien sûr. Je suppose qu'elle se moquait de mon *ostentation*. Je faisais semblant de ne rien voir.

– Je suis désolée, Paquita, je n'aurais pas dû t'en parler, dit María de las Nieves d'un air contrit. Je ne crois pas avoir prononcé son nom depuis des années, mentit-elle. Il m'est venu à l'esprit – à cause de la flanelle.

– La soie épaisse protège du froid, elle aussi, dit Paquita. Et tu peux probablement mettre des sous-vêtements en mérinos tant que tu portes du coton en dessous, comme je fais quand le temps est particulièrement froid. Cela fait bientôt dix ans que je combats les hivers new-yorkais et aujourd'hui je pourrais mener une armée de femmes des tropiques contre Moscou. Elles seraient très confortables *et* magnifiquement habillées!» Elle eut un rire faux et poursuivit: «Le dédain de ta jefa était aussi une extension de la politique de son époux contre mon Rufino, non? Ou pour elle, j'étais seulement méprisable. Et *alors*? Elle n'en était pas plus indulgente avec toi pour autant.»

Pendant un moment les deux femmes semblèrent n'écouter que le tic-tac de la pendule en bronze sur le manteau en teck, comme si soudain il était devenu plus bruyant, ce qui n'était pas le cas.

«Tu sais donc, je suppose, Paquita, déclara María de las Nieves, ce que Mrs. Gastreel disait de moi.

– Ce qu'elle disait de toi? Tu veux dire quand…» Le regard de Paquita, soudain aussi alerte et prédateur que celui d'un animal sauvage, glaça María de las Nieves.

Elle ne détourna pas les yeux, et tâcha d'adopter un ton détaché: «J'imagine qu'elle disait que j'étais une putain et tout ça. Ce n'est pas ce que tu voulais dire?» mais elle comprit qu'elle s'était exposée, et fut atterrée par sa gaffe.

«Ainsi tu veux savoir ce que disait Mrs. Gastreel», lança Paquita d'un air de grande surprise. Puis son expression se fit rêveuse.

María de las Nieves se reversa du cognac et avança: «Je pensais seulement que c'est le genre de choses que tes espions auraient pu entendre – du fait que c'était la femme de l'ambassadeur anglais, c'est tout. Mais tu as raison, il vaut mieux ne rien savoir. C'était il y a si longtemps.

– Mrs. Gastreel connaissait ton secret. C'est ça, non?

– Évidemment pas. Oh Paquita, tu es trop ridicule. Bientôt tu vas suggérer que l'ambassadeur Gastreel était mon amant.

– Mais l'ambassadeur Gastreel n'était pas le seul homme à la légation.

– C'est juste, Paquita, dit María de las Nieves.

– Et le gordito blond avait été chassé.

– C'est également juste.

– Bien sûr Mrs. Gastreel était pour quelque chose là-dedans aussi. Elle voulait que – comment s'appelait-il?

– Wellesley...

– Elle voulait qu'il soit séparé de toi. Je suis sûre que tu sais déjà cela.

– *Elle?*... Pues, no, fíjate. Je ne savais pas ça...» Apprendre cela, huit ans après? «Mais comme c'est horrible, et... C'est abominable, Paquita, la façon dont tu me sors ces choses! C'est démoniaque! Comment est-ce que tu as découvert ça?

– Dans les cercles diplomatiques, du moins, tout le monde en parlait. Je suis étonnée que tu dises que tu ne le savais pas.» Paquita s'assit dans le fauteuil face à María de las Nieves, émit un soupir de frustration, et poursuivit: «Bien sûr je suis sûre que les Anglais avaient leurs propres espions qui gardaient un œil sur toi, juste parce que tu étais une employée.»

Jetant un regard de côté, María de las Nieves se retrouva dans l'ovale du miroir: son peignoir blanc bordé de rose, le ballon doré de lumière dans sa main, elle avait presque l'air d'une femme de luxe sur une gravure ou un tableau. De se voir ainsi transformée – après avoir été durant des années vêtue comme une veuve nécessiteuse ou une bohémienne – elle eut un frisson étrangement agréable quoique mélancolique.

«Au cours d'une de nos premières soirées tu m'as dit que tu avais des espions chez les García Granados.

– Je n'avais pas d'espions, corazón, c'est mon mari qui en avait. Chez Chafandín? Bien sûr. Mais mis Nievecitas, qu'est-ce qui t'arrive? Il y a quelques jours seulement tu dédaignais tant ce genre d'informations si douteuses du point de vue moral. Et voilà que tu ne peux pas t'empêcher d'essayer de me tirer les vers du nez!

– ¿Cómo? Te tirer les vers du nez!» Elle rit malgré elle. «J'essaie de te tirer les vers du nez, Paquita?

– Je t'avais proposé d'échanger cette information, non? Et qu'est-ce que tu me donnes en échange? Rien. Alors tu n'essaies pas de me tirer les vers du nez?

– *Sancta simplicitas...* ¡Caramba!»

Le silence qui s'ensuivit ne se révéla pas être un lourd nuage d'orage après tout: Paquita saisit les deux poignets de María de las Nieves, posa un rapide baiser sur chacune de ses mains et dit: «À propos du Dr. Torrente et de la fille de Chafandín, je dois avouer que les informations provenant des domestiques étaient aussi confuses et contradictoires que les ragots de l'extérieur. Mais je ne crois pas qu'elle était enceinte quand elle est morte, pobrecita.

– Non, je n'ai jamais cru non plus à cette rumeur.»

Ce soir-là, après avoir remis sa robe, María de las Nieves alla se promener sur le pont inférieur avec Mathilde, qui voulait absolument montrer son beau peignoir. Mathilde s'accoutumait à la mer, au point qu'elle avait finalement accepté de prendre un bain chaud, son premier depuis une semaine, et pour fêter l'événement, avait été invitée à s'asseoir à côté du capitaine Grandin dans la salle à manger. L'impressionnant capitaine yankee, totalement chauve mais doté de gros sourcils broussailleux, d'une longue moustache et d'une barbe si brossée qu'on aurait dit de la coralline sèche, avait dit à Mathilde qu'ils verraient bientôt des phoques. Il fut quelque peu difficile d'expliquer ce qu'était un phoque à l'exigeante Mathilde, mais une fois que le capitaine Grandin y fut parvenu ce fut comme si l'étincelle de la vie avait pénétré la glaise qu'il avait soigneusement sculptée et maintenant on aurait dit que, de tout temps, le seul désir de Mathilde avait été de voir des phoques et elle ne cessait d'imiter l'imitation du capitaine, aboyant, battant des bras, faisant mine d'attraper avec sa bouche des poissons lancés en l'air. Ce soir-là, dans l'espoir de la divertir de cette fixation de plus en plus irritante, María de las Nieves acheta des morceaux de sucre et des carottes à Mr. Wan – « pas *Juan*, Mamá, Wan » – un cuisinier chinois avec une longue natte qui s'était lié d'amitié avec Mathilde, et elles avaient marché jusqu'au pont avant pour les donner à Relámpago, le cheval de bataille du défunt dictateur. La nuit était d'un indigo lumineux, un fort vent arrière poussant la fumée noire de la cheminée dans le ciel où elle flottait devant la quasi pleine lune d'argent comme le panache d'un train disparu. La toile en lambeaux tendue au-dessus de la stalle du cheval claquait sèchement dans les coups de vent, et les plumes des poulets enfermés dans les poulaillers virevoltaient autour d'elles tels des flocons de neige. Relámpago se tenait face à la proue, sa crinière blanche se soulevant et s'abaissant comme si elle était animée, une oreille pointée vers l'avant, l'autre vers l'arrière. María de las Nieves remarqua le jeune groom indien au garde-à-vous, ses yeux terrifiés, puis son regard se dirigea vers la proue et elle vit l'homme qui pointait tant bien que mal un pistolet en direction du cheval en se tenant de l'autre main au bastingage, et elle attrapa sa fille qu'elle fit passer derrière ses jupes. L'homme était le colonel Quesada, l'ex-vice-ministre de la Guerre, à qui elle n'avait jamais parlé jusqu'alors. Son col était ouvert, son long manteau noir flottait autour de lui, ses cheveux étaient ébouriffés, il portait des pantoufles en tapisserie, son ébriété donnait à son visage poupin et soigné un aspect encore plus mauvais que d'habitude, il avait un regard de bête sauvage et quand il se mit à parler ce fut d'une voix tonnante et rageuse: « Il est mort dans ses excréments, vos sabés!... Il est descendu de cheval pour chier... une balle parfaitement ajustée, carajo!... Juste sous le nez de son fils de pute de cheval... cette merde historique de bourrin qui n'a rien fait pour empêcher ça... Hein, c'est pas vrai? Hein?... C'est pas pour ça qu'on est sur ce bateau de merde, à cause de ce bourrin de merde... hein?... Mais maintenant je vais assassiner ce hijodelagranputa de cheval historique!

– Colonel Quesada, cria-t-elle. Calmez-vous! J'ai ma fille avec moi. Imaginez ce qu'on vous fera si vous tuez ce cheval.»

Il la fixa, sa lèvre inférieure livide retroussée montrant ses dents, l'air d'un lutin stupéfait. Puis il sourit lentement, d'un sourire presque grivois: «C'est la fille du Dr. Torrente, hein? Hein, bêcheuse de flaquita? Hein? Bêcheuse mais très appétissante, hein? Venga...» Elle poussait déjà sa fille devant elle dans le couloir quand il rugit derrière elle: «Je veux t'épouser! À New York, flaquita!» Et elle pensa: Pourquoi? Pourquoi? Toujours ces imbéciles qui croient pouvoir me parler ainsi! Qui pensent que je dois être si facile!

María de las Nieves arriva à la légation un lundi matin et il était là, assis dans la galerie, à la même table d'osier face au jardin autour de laquelle Wellesley et elle avaient si souvent passé des après-midi: un garçon à l'air indien, plus grand, un peu plus sombre que la plupart, vêtu seulement d'un pantalon et d'une chemise en coton blanc sans col, ouverte sur sa gorge, chaussé de bottes en cuir usé, sans chapeau ni manteau. Il tourna la tête et la fixa d'un regard dénué d'expression. Un visage émacié et sérieux, des yeux noirs profondément enfoncés, la peau lisse de la jeunesse, des cheveux noirs raides peignés en arrière, un front haut et oblong. Elle pensa que ce devait être un nouveau jardinier, ou plutôt une sorte de domestique. Elle ne songea pas même à lui dire bonjour. Elle entra directement dans le bureau qu'elle partageait avec Higinio Farfán, salua l'employé maussade et Chinta, la domestique qui balayait le sol avec un manque d'énergie qui correspondait à sa propre humeur flegmatique. Elle se considérait toujours, à cette époque, comme la prisonnière stoïque d'une peine de cœur et d'une défaite secrètes. L'amour malheureux lui donnait l'impression d'une sorte de vœux perpétuels. Maintenant qu'elle souffrait moins, elle s'ennuyait d'autant plus, et les récentes attentions de Mack Chinchilla – alors immergé dans ses malheureux Italiens – avaient peu fait pour alléger son état. Même Don José semblait agacé par elle dernièrement Il lui avait dit qu'il ne voulait plus entendre parler de son projet d'aller à Cuba épouser la cause des rebelles.

Elle s'étonnerait ensuite qu'il lui ait fait d'abord si peu d'impression. Elle jouerait avec ce souvenir comme avec des poupées imaginaires, en tenant une, sa première impression, puis une autre, une plus récente – comme elles étaient différentes, et pourtant c'était la même personne! On pouvait perdre bien des minutes à ce jeu silencieux.

«Qui est ce muchacho dans le couloir, Don Higinio?» Higinio Farfán répondit qu'il l'ignorait.

Un peu plus tard elle entendit Mrs. Gastreel, qui était enceinte, chantonner gaiement dans le couloir un «Bonjour, Votre Majesté», suivi d'un gloussement embarrassé. Une voix terne aux intonations américaines répondit: «Bonjour, madame.»

María de las Nieves était occupée à répondre à une lettre destinée à Henry Koch, le boucher, qui prétendait que la légation n'avait pas payé sa note des six derniers mois. L'ambassadeur Gastreel disait que la note était outrageusement gonflée, et que c'était pourquoi il refusait de payer. Cela n'avait pas de sens, bien sûr, que Mrs. Gastreel s'adresse ainsi à quelqu'un, surtout au muchacho qu'elle venait de voir. Eh bien, parfois on croit entendre des choses. Mais il avait répondu: Bonjour, madame. Ce n'était pas un Yankee Indio comme Mack Chinchilla!

«Higinio, dit-elle d'une voix calme. Oíste?» Il était à la fenêtre, regardant le parc. Mais l'employé dit qu'il n'avait rien entendu.

Quand María de las Nieves alla à la porte et scruta la galerie, le jeune homme n'y était plus. La porte du bureau et de la bibliothèque de l'ambassadeur Gastreel était fermée – également inhabituel. Mrs. Gastreel était invisible. Elle retourna à son bureau et essaya de terminer la lettre condescendante de l'ambassadeur au boucher. Elle se leva de nouveau et se rendit à la cuisine, où elle trouva Chinta parlant avec la cuisinière et l'autre servante, qui plumait une dinde bleue assise sur un tabouret. Il était assez inhabituel que María de las Nieves entre dans la cuisine et le fait qu'elle n'y soit venue que pour demander à Chinta ce qui était advenu du muchacho assis dans le couloir dut faire paraître la chose encore plus étrange. Était-il possible, demanda María de las Nieves, qu'il soit dans le bureau avec l'ambassadeur Gastreel? La Chinta l'ignorait, bien qu'elle reconnût que c'était possible. Aucune des domestiques ne put rien lui apprendre au sujet du mystérieux muchacho. Ensuite, quand María de las Nieves partit pour aller déjeuner et faire la sieste, elle s'enquit du jeune homme auprès de Don Lico et le concierge dit que quand il était revenu ce matin de son jour de congé, il était là, et était apparemment invité à la légation, mais il ne savait rien d'autre. À son retour, Higinio Farfán lui apprit que l'ambassadeur Gastreel était venu dire que la lettre au boucher était parfaite – « F*ouou*trement bien envoyée», imita Higinio d'une voix de vache morose – qu'elle n'avait plus rien à faire de l'après-midi et qu'elle pouvait partir. Ce n'était pas inhabituel, et cependant au lieu d'aller voir Don José ou J. J. Jump, ainsi qu'elle l'eût fait de coutume, elle se sentit d'humeur solitaire et rentra chez elle.

Le lendemain matin, mardi, elle ne le vit pas à son arrivée, et se dit qu'elle ne verrait peut-être ni n'entendrait plus jamais parler du mystérieux muchacho. Assise à son bureau, elle entendit des pas dans la galerie, plus légers que ceux de Mr. Gastreel. Ce n'étaient pas les siens, ni ceux d'une servante ou d'un jardinier, car ce n'était ni la foulée murmurée des sandales ni le claquement de pieds nus. Quand elle sortit pour voir, la porte du bureau de l'ambassadeur était de nouveau fermée. Cet après-midi, il l'appela dans son bureau pour lui dicter une lettre de routine sur les taxes d'importation. Alors qu'elle traversait la bibliothèque et la pièce de réception, elle ne vit nul signe du mystérieux muchacho, ni rien d'inhabituel. Plus tard dans la journée Mr. Doveton fit irruption, portant un long manteau poivre et sel, un haut chapeau de couleur jaune, un gros livre sous le bras. Il la salua en touchant son couvre-chef criard et entra dans la bibliothèque de l'ambassadeur. Le lendemain matin, pendant sa leçon d'espagnol avec Mrs. Gastreel, elle lui demanda en anglais : « Qui était ce jeune monsieur que j'ai vu assis dans la galerie avant-hier ? – Un monsieur, María de las Nieves ? » répondit la Patronne, avec ce qui paraissait être une confusion sincère. Comme elle n'osait pas dire : En fait, un Indien, à qui vous avez dit Votre Majesté, elle dit : « J'ai dû me tromper », et Mrs. Gastreel, pendant un bref instant, lui jeta un regard étrange. Plus tard, dans son bureau, l'intuition l'obligea, peut-être pour la dixième fois au cours des deux dernières heures, à se lever et aller à la porte, mais elle ne le vit pas, et cette fois-ci elle s'engagea dans la galerie pour aller aux toilettes qui se trouvaient dans le second patio à l'arrière de la maison. Dans le salon sommairement meublé qu'elle devait traverser pour atteindre le second patio, elle le vit : il sortait manifestement de ce patio, se dirigeant vers le devant de la maison. Il était vêtu comme la première fois qu'elle l'avait vu, sinon qu'il portait un feutre négligemment relevé, et il continua à se diriger vers elle, ses yeux noirs et pleins d'humour fixés sur les siens. Elle s'arrêta, confuse. Et il s'arrêta aussi, quelques centimètres face à elle. Ses lèvres étaient étonnamment charnues ; on aurait dit qu'elles étaient pressées contre une vitre. Il sourit d'un air stupéfait, levant les sourcils, mais il ne dit rien et finalement elle comprit qu'il ne le ferait pas, comme s'il jouait à un jeu étrange avec elle.

« Comment allez-vous, dit-elle en anglais, décidée à ne pas paraître déconcertée.

– Buenos días, Señorita », répondit-il, du ton chantant et obséquieux d'un domestique. Elle aperçut l'éclair de ses dents aux plombages dorés et d'un regard malicieux. Il toucha son chapeau, s'inclina de manière cérémonieuse, et reprit son chemin en direction du patio. Elle traversa le salon, entra dans le patio puis rebroussa chemin dans l'espoir de voir s'il entrait dans la bibliothèque de l'ambassadeur, et fut consternée de le trouver là, juste de l'autre côté de la porte comme s'il avait attendu qu'elle reparaisse. Il éclata d'un rire ravi, battit deux fois des mains et, avec un grand sourire satisfait, toucha de nouveau son chapeau, avant de se retourner pour sortir.

María de las Nieves était sûre de ne s'être jamais sentie aussi humiliée ou confuse de toute sa vie. Elle resta là un long moment, tâchant de retrouver son sang-froid, puis, dans un état d'hébétude, regagna son bureau, en passant devant la porte fermée de l'ambassadeur. Elle s'assit, fixa les papiers devant elle, croisa les mains sur ses cuisses, et pressa la jointure d'un pouce jusqu'à ce qu'elle ait mal.

Cet après-midi-là, au lieu de rentrer chez elle déjeuner et faire la sieste ou d'aller voir Don José, elle resta dans le parc pendant ses trois heures de liberté, à observer la légation par l'embrasure de la porte du kiosque de lecture. Elle vit Mr. Doveton partir et revenir une heure et demie après. Puis deux hommes à l'air inhabituel arrivèrent, à qui Don Lico livra passage : un grand Africain portant une veste en denim et une casquette de fourrageur sur un nuage plat de cheveux crépus aux reflets orange, et un petit homme pimpant, tout vêtu de noir, portant un pince-nez et une canne, qui à cette distance semblait lui aussi être un Indien.

Elle revint à la légation un peu avant quatre heures – les bureaux ne rouvraient pas avant quatre heures et demie – et sans même entrer dans son bureau alla se poster devant la porte de la bibliothèque à travers laquelle elle fut certaine d'entendre l'ambassadeur, dont la voix dominait celle des autres, dire qu'on allait se procurer à Spanish Town une couronne, une épée et un sceptre. Elle entendit des murmures d'approbation. Quand elle quitta la légation ce soir-là les hommes n'étaient pas encore sortis de la bibliothèque. Elle rendit compte à Don José de ce qu'elle avait vu, et du peu qu'elle avait entendu. La Jamaïque était effectivement un endroit où se procurer des insignes royaux, observa le réparateur de parapluies. Quant à ce que cela pouvait signifier, il n'en avait pas la moindre idée.

Le jeudi se passa à peu près de la même manière, l'étrange clique de nouveau séquestrée dans la bibliothèque. Osant derechef écouter à la porte, elle reconnut la voix traînante avec laquelle Mr. Doveton l'avait «complimentée» dans la loge de l'Opéra tant de semaines auparavant, déclamer: «... O, si je pouvais être un faux roi de neige pour fondre au soleil de Bolingbroke...» Chinta entra dans le patio et María de las Nieves prit la fuite, se sentant prête à pleurer de frustration. (*Roi de neige! Faux roi de neige?*)

Cet après-midi-là, elle revint un peu plus tôt et comme si, entre le patio de devant et celui de derrière, elle s'était sentie soudain fatiguée, elle s'assit sur l'une des chaises en bois à haut dossier contre le mur du salon, et attendit. Elle pouvait presque entendre sa propre impatience lui renvoyer son murmure de tous les coins de la pièce austère, de plus en plus fort. Mais peu de temps après Mr. Doveton entra, revenant du patio arrière. Elle voulut immédiatement s'enfuir, pourtant elle demeura assise, tâchant de trouver un moyen de lui demander ce qu'il signifiait par roi de neige sans se trahir. «Bonjour, Señorita Moran, dit-il galamment d'une voix doucement surprise. Nous sommes venue lire tranquillement, n'est-ce pas?» Il ne portait pas son chapeau: ses cheveux fins, mi-longs, gris-jaune, encadraient son visage couleur de pêche en étrange symétrie avec sa soyeuse moustache tombante. Elle leva les mains pour lui montrer qu'elle ne tenait pas de livre. «Oh, dit-il avec un gloussement velouté, pardonnez-moi d'avoir présumé. J'espère que je ne vous dérange pas.» Et avant qu'elle ait pu penser à quelque chose de poli à répondre, le très grand ex-diplomate confédéré, en ce qui parut un unique mouvement synchronisé de ses longs membres, avait saisi une chaise, l'avait placée tout près d'elle, et s'y était assis. Regardant droit devant lui, il glissa la main à l'intérieur de son manteau poivre et sel et en retira une enveloppe qu'il ouvrit d'un air de respect enfantin, ses doigts légèrement tremblants en retirant une sorte de carte, qu'il retourna pour la lui montrer. C'était son portrait, pris par J. J. Jump.

Après un long moment de surprise, María de las Nieves releva les yeux de sa propre image et le dévisagea : ses lèvres fortement serrées et ses yeux sinistres lui donnaient l'air très ému. « Je sais, Señorita Moran, commença-t-il, que je ne dois pas être à vos yeux le soupirant idéal, dont toute jeune femme a le droit de rêver pour elle-même. Mais peut-être avez-vous des rêves dont vous n'êtes pas encore consciente, tant vous êtes attachée à ce rêve particulier, comme quelqu'un qui ne peut voir qu'une porte dans une grande pièce qui en est pleine… » Et tandis qu'elle fixait ses mains, il poursuivit, dans un murmure passionné dont elle crut sentir qu'il chauffait désagréablement sa tempe et sa joue : il admirait tant son intelligence, la puissance et la gaieté de son esprit et de son charme, il trouvait même qu'elle était belle, oui belle, elle lui paraissait plus belle chaque jour, chaque fois qu'il sortait sa photographie pour la regarder, et il lui tendit la photo, comme un miroir. Elle avait fini par arracher à Don José l'information que Mack Chinchilla avait effectivement acheté son portrait – maintenant elle savait où avait fini l'autre et cette information était accompagné de la plus sombre des désillusions. Chaque chose qu'il disait et sa manière de la dire creusaient sa dépression, qui commençait à être intolérable. Il l'aimerait et l'honorerait, il l'emmènerait à Mexico, ferait d'elle la maîtresse d'une magnifique demeure, ou peut-être pourraient-ils fonder une plantation de café, ou bâtir une hacienda, ou peut-être aimerait-elle vivre aux Caraïbes, ou à Cuba, ou même à Paris, pourquoi pas ma chère, vous n'avez qu'un mot à dire, et elle serait un jour une veuve riche, il le lui promettait, elle était encore jeune, et il avait approximativement trente ans de plus qu'elle, et il s'était depuis longtemps juré que jamais il n'atteindrait l'âge de la décrépitude, elle pouvait être sûre de sa parole, car en tant qu'homme d'honneur... Peut-être parce qu'elle demeurait paralysée, écoutant de loin ses mots comme si c'étaient des bruits de ciseaux occupés à une tâche sans rapport avec elle, il prit sa passivité pour une chose toute différente. Elle laissa sa grosse main serrer fort la sienne et tandis qu'elle levait sur lui un regard furieux, elle se heurta à ses lèvres, pressées contre les siennes comme un fruit écrasé dont sa langue émergea tel un gros ver repoussant, sa main retenant son visage pour l'empêcher de se détourner et ses dents contre ses dents, son cri telle de la vapeur s'échappant sans bruit des commissures de ses lèvres – et elle se laissa tomber en avant sur le sol, prostrée, puis elle se leva prestement et alla à la porte les deux mains sur la bouche et lorsqu'elle l'atteignit elle sanglotait, hors d'haleine, des sanglots timides qui semblaient supplier je vous en prie non, comme si elle était plus terrifiée par quelque chose qui était sur le point d'arriver que par ce qui s'était passé, et quand elle l'entendit dans son dos qui braillait comme un adolescent : « Oh, je suis désolé ! Oh Señorita Moran, je suis tellement désolé ! Je vous en prie... », elle se mit à courir à petits pas, ralentissant dans la galerie en une marche à pas de biche qui ne lui parut pas pour autant moins interminable. Elle passa devant la porte fermée de la bibliothèque, retourna à son bureau, se rassit à sa petite table où elle pleura dans ses mains pendant qu'Higinio Farfán l'appelait, lui demandait ce qui s'était passé, et finit par se taire. Vieillard rassis et onctueux ! Était-ce vraiment son destin ? Elle préférerait encore épouser Mack Chinchilla ; il était un peu grossier, mais il était gentil, il savait ce qu'il voulait, il la regardait avec une telle adoration, et il n'était *pas vieux* ! Quelle laideur, quelle horreur, penser qu'il sortait des cabinets et qu'il l'avait touchée de ces mains ! Et qu'il avait emporté avec lui le baiser de Martí ! Maintenant ses sanglots l'étouffaient, et pourtant personne ne venait à son aide ni voir ce qu'elle avait, et elle se leva et quitta la pièce sans un mot d'explication au pathétique traducteur officiel de la légation – seul Don Lico s'écria, surpris, tandis qu'elle se glissait devant sa loge : « ¿ Las Nievecitas, qué pasó ? »

Le lendemain elle ne se rendit pas à la légation avant midi. Une des servantes, María José, lui ouvrit la porte et lui apprit que tout le monde était parti moins d'une heure auparavant passer le week-end à la campagne près d'Escuintla. Ils reviendraient, lui dit la jeune servante aux yeux expressifs, tard dans la journée de lundi, ou mardi, peut-être mercredi. Don Higinio avait été renvoyé chez lui.

« Tout le monde ? El joven, l'invité, aussi ? »

María José répondit d'un air placide que le jeune était parti lui aussi. Elle ne savait pas si les autres hommes étaient allés avec eux. Quand María de las Nieves demanda si el Señor Ministro et la Señora avaient dit quelque chose à propos du fait qu'elle n'était pas venue ce matin elle répondit qu'elle ne savait pas. « Ils m'ont seulement dit de vous donner le message que je viens de vous donner », dit María José. « Ah, bueno », dit María de las Nieves, comme si elle le comprenait seulement maintenant, et elle la remercia, puis fit demi-tour – un fol espoir la saisit alors – et alla voir dans le parc si Martí n'était pas dans le kiosque de lecture. Il n'y était pas, et elle s'en retourna chez elle. Elle passa le restant de la journée et la plus grande partie du jour suivant dans sa chambre, sur son lit, à essayer de lire, mais surtout plongée dans ses pensées et la torpeur. Le samedi soir elle se leva et annonça à María Chon qu'elles allaient elles aussi à la campagne. Elles partiraient le lendemain matin, passeraient la journée aux sources chaudes et rentreraient le soir. L'eau bouillante issue de la terre pourrait peut-être lui ôter le goût du baiser de Mr. Doveton, sinon son horrible souvenir. Il faisait encore nuit quand elles partirent pour le relais de poste de Doña Mariana Gutiérrez de Robles. Durant la première partie cahoteuse du voyage, alors qu'elles quittaient la ville qui se réveillait à peine, entassées avec sept autres passagers, María de las Nieves et María Chon, emmitouflées dans leurs châles, tâchèrent de dormir, appuyées l'une contre l'épaule de l'autre. La diligence était tirée par quatre chevaux robustes mais lents qui faisaient quasiment chaque jour le trajet de cinq heures entre la capitale et Antigua, dans la province de Sacatepéquez. L'obscurité fit lentement place au jour et María de las Nieves, somnolente, tenant dans ses bras sa servante profondément endormie regarda par la fenêtre, sa tête tressautant aux cahots monotones de la diligence, les volcans qui commençaient à se détacher du ciel à l'horizon. María Chon se réveilla et se mit à sympathiser avec les autres passagers, qui semblèrent ravis de la différence entre elle et sa compagne de voyage sombre et silencieuse. Peu à peu de chaque côté de la route apparurent d'énormes arbres à feuilles persistantes, des pommes de pin géantes gisant sur la route telles des culasses d'obus, des cyprès, des peupliers, des bosquets de chênes moussus quasi phosphorescents ; ces buissons maigres et nerveux ornés de fleurs pareilles à de minuscules flèches jaunes étaient partout, mais quel était leur nom ? Une poudre grumeleuse, le nuage perpétuel de poussière volcanique soulevée par les sabots des chevaux, l'avait couverte et s'immisçait, inexorable comme une armée innombrable de fourmis voraces, dans ses yeux, ses narines, sa bouche, ses oreilles, remontant ses manches et ses jupes et descendant le long de son col, dans ses chaussures, sous ses bas et ses sous-vêtements, se coagulant avec sa sueur à mesure que la température montait dans la diligence jusqu'à ce qu'elle se sente entièrement recouverte d'une fine couche de plâtre moite et irritant. Elle n'avait même pas envie de fumer, tant elle avait la bouche pâteuse de vase.

« Ça sera divin, dit-elle à María Chon, quand nous arriverons aux bains et que nous pourrons laver tout ça. Divin, non ?

— Et pour quoi, Doñacita, répondit-elle, si nous devons nous salir autant sur le chemin du retour ? »

Entre-temps elle sentait son esprit embourbé dans une vase qui se mouvait lentement et que la nouveauté du voyage à travers le pays n'avait rien fait pour diluer; et ces fleurs jaunes flamboyantes? María de las Nieves se tourna vers la fenêtre et demanda à María Chon: «Comment appelle-t-on ces fleurs jaunes?

– Ces fleurs jaunes? On les appelle pobrecitas, répondit la servante.

– Vraiment? Pobrecitas?

– Sí pues.

– Mais pourquoi pobrecitas? Leur couleur est si vive.

– Ah, qui sait.» (Ah, *saber*.)

Elle regarda de nouveau par la fenêtre. Un peu plus tard elle se retourna vers María Chon et dit: «Tu as inventé ça, n'est-ce pas. Toi non plus tu ne sais pas comment on appelle ces fleurs.

– Non, Doñacita. On les appelle pobrecitas.

– Je ne te crois pas, dit-elle. María Chon, je sais toujours quand tu mens. Tu prends toujours l'air un peu idiot quand tu mens. Comme si ne pas mentir et être idiot revenait au même.»

María de las Nieves se pencha en avant et, avec une politesse exagérée, demanda aux autres passagers s'ils savaient comment on appelait la fleur jaune, et ils avouèrent avec empressement qu'ils ne le savaient pas. Une femme d'âge moyen coiffée d'un bonnet noirci dit qu'elles ne fleurissaient que quelques semaines par an.

«Mais María Chon sait comment on les appelle, dit María de las Nieves aux passagers. Mariquita, dis-leur le nom de ces fleurs.»

María Chon s'exécuta avec brusquerie: «Pobrecitas, pues.

– Ja. C'est faux. Pobrecita *tu*», dit María de las Nieves.

La diligence s'arrêta par à-coups, comme si elle s'enfonçait profondément dans la terre; le cocher leur cria qu'ils étaient à l'embranchement menant aux Bains du Libre Esprit. Ils se trouvaient à une heure et demie d'Antigua et il y aurait d'autres bains sur le chemin, mais ceux-ci, leur apprit le cocher de la diligence, qui avait une moustache parfaitement frisée et incrustée de poussière, avaient été rachetés dernièrement par des Allemands, et étaient réputés pour être respectables et très propres. Les deux jeunes femmes descendirent, l'assistant aux oreilles pointues leur tendit leurs bagages depuis le toit. María de las Nieves donna au cocher une avance pour leur réserver deux sièges dans la diligence qui revenait le soir. Sur le bord de la route un panneau soigneusement écrit en espagnol et en allemand montrait le chemin des «Bains du Libre Esprit». Bien qu'elle fût une fille de la campagne, depuis longtemps déjà elle vivait uniquement dans les villes, et même si l'on n'était ni dans les montagnes ni dans la jungle, cela faisait des années qu'elle ne s'était trouvée dans un endroit si reculé, à l'entrée d'un sentier forestier. Peut-être aurait-elle dû être moins aventureuse, pensa-t-elle, et choisir des bains plus proches de la capitale. Mais nous sommes à Sacatepéquez, où Pepe et moi devions chercher ce jefe indio qui parlait français ; c'est pour cela que j'ai voulu venir. Eh bien donc, t'y voici, à Sacatepéquez, enfin. *Et ?* T'attendais-tu à retrouver la piste de ce qui aurait pu être ? À entendre les feuilles murmurer les mots qu'il aurait pu dire, son ombre apparaissant soudain à côté de la tienne sur le sentier ? C'est cela que tu attendais ? Elles marchèrent longtemps, au moins une demi-heure, plus longtemps même ; chaque fois qu'elle s'apprêtait à rebrousser chemin, elles tombaient sur un nouveau panneau indiquant le chemin des bains. Pendant un moment le sentier fut abrupt et plein de pierres, dont l'une roula si brusquement sous son pas qu'elle se tordit la cheville, et elles durent s'arrêter pour attendre que la douleur se calme. María Chon, le panier contenant leur léger bagage en équilibre sur le crâne, un cigare non allumé aux lèvres, avait le pied aussi sûr qu'un chat des montagnes. De temps à autre elles croisaient des excréments d'âne et de cheval sur le sentier ; de biche et de lapin aussi et María Chon lui montra ce qu'elle dit être des crottes de jabalí, autrement dit cochon sauvage. Si elles tombaient sur un troupeau, déclara-t-elle, il faudrait qu'elles grimpent dans un arbre aussi vite que possible, sinon elles seraient chargées et taillées en pièces. Mais peut-être María Chon mentait-elle et étaient-ce des déjections d'un autre animal, ou se trompait-elle seulement. De petits lézards traversaient leur chemin comme des éclairs. Elles devaient faire attention aux serpents venimeux aussi. Elles entendirent la cloche d'une vache toute proche ainsi qu'un bruit de buissons piétinés, en revanche elles ne virent ni vache ni autre animal domestique à travers les arbres. Le sentier s'aplanissait, devenait moins caillouteux, et de minuscules fleurs écarlates sortaient de la terre battue, leurs pétales symétriques tournés vers le ciel. Cette fois-ci María Chon reconnut qu'elle ne savait pas comment s'appelaient ces jolies fleurs. « On les appelle Chinitas », déclara María de las Nieves d'un air de défi. María Chon déclara : « Je vous crois, Doñacita las Nieves. Et je vous crois bien que votre visage soit un peu stupide lui aussi. » La forêt s'éclaircit et bientôt elles débouchèrent dans la lumière et la chaleur. L'herbe était jaunie ; il y avait des cactus, et un jeune fromager, au tronc d'un vert-jaune vif, pas plus grand qu'elles, se dressait au bord du chemin. Plus loin, dans l'ombre d'un fromager colossal, se trouvait une petite ferme au toit de chaume, une étable en planches, un four à pain, un réservoir à eau et des chiens jaunes qui aboyaient, un enclos rond en pieux renfermant deux ânes blancs, un autre des cochons, une série de ruches, et une petite mare alimentée par un cours d'eau, des canards, des oies et des arbres fruitiers, et loin sur le côté se trouvaient les deux bâtiments bas, gris-noir, des Bains du Libre Esprit, chacun agrémenté d'un portique en bois chargé de vignes en fleur.

L'un des bâtiments abritait les bains pour hommes, l'autre les bains pour femmes. Mais elles étaient les seules clientes. Les propriétaires étaient un Allemand, Don Ky, la quarantaine, et son épouse indienne, Doña Rebeca, qui avait environ dix ans de moins que lui ; c'est elle qui allait s'occuper de María Chon et de María de las Nieves. En attendant, si elles le désiraient, son mari allait leur préparer un repas de poulet rôti, de jambon fumé et de saucisses, de champignons sauvages, de pommes de terre bouillies, et d'un assortiment de salades de légumes et de fruits, accompagné de pain tout frais, de fromage maison, de pâtisseries, et arrosé d'eau de riz sucrée. Le prix de ce festin était si étonnamment bas, l'équivalent d'une douzaine d'oranges dans la capitale, que María de las Nieves réagit d'un air paniqué. Mais ce n'était pas un piège, et le doux visage et les yeux noirs de Doña Rebeca respiraient la sincérité et la bonne humeur. Elle portait un huipil et une corte brodés et ses longs cheveux noirs étaient très légèrement striés de blanc, retenus par un ruban de couleur vive juste au-dessus de ses reins. Son époux n'était plus grand que d'un ou deux centimètres, avec des cheveux bruns frisés et une barbe broussailleuse, un visage tanné aux traits grossiers et une attitude bourrue et amusée ; son ventre était pareil à celui d'une femme près d'accoucher, autrement il était musclé, avec de larges épaules et de grandes mains noueuses. Il portait un pantalon indien rayé retenu par une ceinture de tissu rouge brodé et des sandales – ainsi qu'une chemise longue et ample. Le couple avait un fils de l'âge de María de las Nieves, dix-sept ans, qui étudiait en Allemagne.

Il y avait quatre cabines de vestiaire dans les bains des dames. María de las Nieves ôta ses vêtements incrustés de poussière, revêtit le peignoir blanc que lui avait donné Doña Rebeca et entra dans la pièce où se trouvait le grand bassin carré. Quand elle entra, fixant l'eau d'un air inquiet, María Chon l'attendait déjà, vêtue de son peignoir. Une légère brume sulfureuse la recouvrait, et bien qu'en surface l'eau fût placide et qu'en profondeur elle offrît une translucidité d'un gris-vert engageant, du fond provenait une agitation perpétuelle, à croire qu'un esprit invisible était en train de s'y noyer en se débattant, et de minuscules bulles dorées s'élevaient faiblement en direction de la surface et disparaissaient avant d'éclater, comme si elles craignaient de laisser percer leur secret. Un bruit très doux et frêle montait de l'eau, avec quelque chose de tintant et mélancolique d'un air de marimba venu de loin dans les montagnes par un jour venteux. Par une ouverture haut dans le mur de pierre la lumière de midi était réfractée en direction de l'eau comme un rai de bénédiction céleste. Le bruit mélancolique, comprit-elle, n'était que le trop-plein qui s'écoulait perpétuellement par une large fente pratiquée dans l'un des bords du bain. L'eau, ainsi contemplée, possédait effectivement une qualité sinistre. Mais l'eau est la substance de la vie, pensa-t-elle. Si l'eau est sinistre, alors la vie l'est aussi. Peut-être est-ce là le secret des bulles : l'essence de la vie est sinistre, jusqu'à ce que – ¡caramba! – elle soit transformée par la lumière divine !

« C'est bon pour la peau, lâcha-t-elle.

– Vous voulez toujours entrer là-dedans ? répondit María Chon. C'est bouillant. La vérité c'est que j'ai faim, Doñacita. Pourquoi est-ce qu'on ne se contente pas de manger ? »

María de las Nieves, qui avait été aux bains d'Almolonga l'année où elle avait vécu avec sa mère et l'éleveur de moutons à Los Altos, rappela à María Chon que l'eau provenait d'une source chaude naturelle qui était profondément enfouie dans la terre et qu'elle ne bouillait pas, qu'elle était juste chaude ; pas plus chaude qu'un bain qu'elles prendraient dans le tub en zinc chez elles. « ¡Vamos! » annonça-t-elle, et elle se débarrassa de son peignoir d'un haussement d'épaules avant de le suspendre à une patère fixée au mur. María Chon hésita, les yeux furtivement fixés avec un air de surprise sur la nudité de María de las Nieves, puis elle ôta son peignoir, le pendit aussi, et les deux filles se regardèrent, étonnées de considérer si ouvertement leur nudité, mais aussi frappées par la similitude de leurs corps. Les seins de María Chon avaient l'air plus fier ; les fesses de María de las Nieves étaient plus rondes ; l'une était brun cuivré, l'autre couleur cannelle ; en revanche leurs ventres et leurs nombrils polis paraissaient interchangeables, tout comme leurs épaules et leurs avant-bras gracieux et leurs clavicules, leurs cuisses minces, le léger renflement de leurs mollets, le fin triangle noir : en tout cela, chacune était presque la copie conforme de l'autre ! María Chon fut la première à glousser, ses yeux noirs brillant de malice, puis María de las Nieves la suivit. Il est probable que toutes deux rougissaient et étaient un peu troublées et déconcertées par ce coup d'œil jeté à un miroir plaisant. María de las Nieves entra la première dans le bain, qui lui arrivait à mi-poitrine quand elle était debout. Il était effectivement chaud, mais délicieux aussi, une immersion dans une substance doucement caressante plus lourde que l'eau ordinaire, riche en arômes minéraux. Il était facile de croire qu'elle était bonne pour la santé. L'eau, leur avait appris l'Allemand, contenait du sulfate de chaux, de l'acide carbonique et du chlorure d'il ne savait trop quoi. Chacune finit par aller dans son coin pour tremper dans la solitude, avec une expression distante et absorbée pourtant, comme si elles écoutaient un opéra à peine audible exécuté par des grains de lumière. Disparais de moi, Mr. Doveton, chantait un grain, telle une diva tempétueuse, disparais de moi, horrible gringo viejo *pisgote*. María de las Nieves garda la tête sous l'eau aussi longtemps qu'elle put plusieurs fois de suite. Un air mélancolique demandait si tout son récent malheur était une punition pour avoir perdu sa crainte de Dieu. Plus tard, alors qu'elle flottait sur le dos, fixant le rayon de lumière, elle se trouva en train de contempler deux images comme si elle passait de l'une à l'autre dans un stéréoscope : le mystérieux muchacho se dirigeant vers elle, crânement coiffé de son feutre, avec son sourire effronté ; le mystérieux muchacho, assis dans la galerie dans la lumière matinale, anonyme et humble, ainsi qu'elle l'avait vu pour la première fois. Qui es-tu ? demandait-elle à l'un. Qui es-tu ? demandait-elle à l'autre.

Puis Doña Rebeca entra avec une autre jeune femme indienne aux joues rebondies, son assistante. Elles portaient des nattes de paille roulées et des paniers. Elles sortirent et rentrèrent deux ou trois fois encore, apportant des branches sèches et feuillues, et des seaux d'eau en toile. Les filles furent invitées à sortir de l'eau et les deux Indiennes épongèrent leurs peaux fumantes à l'eau glacée ; d'abord elles sentirent à peine le froid de l'eau, jusqu'à ce qu'enfin il les fasse crier. Puis elles s'allongèrent à plat ventre sur les nattes. Des branches, d'abord les nues, puis les feuillues, furent vigoureusement promenées sur leur peau, de haut en bas de leur corps. Même la plante de leurs pieds dut subir ce puissant traitement qui commençait par chatouiller pour devenir agréable ensuite. María de las Nieves se sentait si ivre de plaisir qu'elle remarqua à peine que Doña Rebeca l'enroulait dans une épaisse couverture de laine préalablement trempée dans l'eau chaude du bain. L'Indienne la massa vigoureusement du haut en bas de la colonne vertébrale, frottant et pétrissant ses bras et ses jambes à travers la couverture chaude. Bientôt sa peau fut aussi hérissée qu'un cactus, mais c'était merveilleux. Elle avait l'impression d'être un chat qui se frottait en ronronnant contre une surface rêche mais qui l'enveloppait tout entière. Les mains puissantes de l'India travaillaient son corps de haut en bas et de bas en haut, frappant ses fesses, l'intérieur de ses cuisses, pour remonter ensuite le long de sa colonne vertébrale. Les mains s'arrêtèrent, et une voix étouffée lui dit de s'endormir. Elle avait l'impression d'être en bouillie. Pouvait-elle même bouger ses doigts et ses orteils ? Oui. Lentement elle frotta ses cuisses l'une contre l'autre, se tortillant comme un ver de terre. Elle s'imagina dotée de seins généreux, qu'un homme caressait et suçait. Était-ce vraiment elle, cette fille aux seins si luxuriants, ou rêvait-elle qu'elle était quelqu'un d'autre ? Et qui était l'homme ? Il était anonyme. Lentement et presque imperceptiblement elle se tortilla dans l'enveloppe chaude et lourde de la couverture de laine trempée, jusqu'à ce que cette chaleur et cette sensation de béatitude extraordinaires la fassent frissonner de part en part, pour se poursuivre encore et encore, et elle laissa échapper un soupir chatoyant. Ses membres étaient agités de tremblements et de mouvements convulsifs, elle entendait son cœur cogner comme si son oreille était pressée contre sa poitrine, mais il finit par se calmer. Un rêve traversa brièvement son sommeil : Sor Gloria de los Ángeles, dans son habit de novice, sur la pointe des pieds, regardant par une étroite fenêtre, disait : « Ils sont contre les murs de la forteresse, ils portent des masques noirs et nous visent », alors qu'elle était assise par terre, profondément satisfaite, et d'une voix paresseuse, elle répondit : « Dites-leur qu'ils peuvent entrer, Sor Gloria. Nous avons fait assez d'arroz con leche pour tous. » Elle voulait continuer à dormir enfouie dans cette boue chaudement bourdonnante pour l'éternité. Elle se réveilla avec des gémissements d'effroi, la peau déchiquetée par des fourmis rouges, et elle appela au secours…

« Vous auriez dû me dire que vous étiez allergique à la laine, niña ! » la gronda Doña Rebeca. Elles se trouvaient maintenant sous le portique. María Chon, dans son peignoir en coton, sommeillait dans un hamac. María de las Nieves était allongée sur une natte, le corps oint d'onguents poisseux, un drap tiré jusque sous le menton, en train de regarder des colibris entrer et sortir des jasmins trompette.

« Ce n'est pas grave, Doña Rebeca, dit-elle d'une voix faible. » C'était comme le rêve d'un voyage miraculeux qui se révèle avoir été réel.

– Oui, un voyage ! répéta l'Indienne. Bien trop réel, parce que regardez dans quel état vous êtes revenue ! » Elle leva la couverture et dit : « Allez, c'est un peu mieux. Les zébrures dégonflent. » Ensuite, une fois que Doña Rebeca eut fini de la débarrasser des onguents, elle enduisit tout son corps, jusqu'au bout des pieds, de jus de citron qui ne la piqua pas du tout.

Doña Rebeca et son mari communiquaient presque exclusivement en espagnol, avec des bribes de cakchiquel. Il était tard dans l'après-midi quand elles s'assirent à la longue table sous le fromager, devant le repas exorbitant préparé par Don Ky. Plusieurs employés indiens, dont la femme qui avait massé María Chon, étaient également à table. Don Ky dit le bénédicité, en espagnol ; son accent allemand était agréable, prêtant à son discours une solennité quelque peu musicale. María de las Nieves avait cru qu'elle n'aurait pas faim, mais elle mangea avec voracité ; elle goûta tous les plats. Même les ombres qui s'allongeaient, et la pénétration rampante des nuages dans le ciel semblaient se dérouler d'une manière tendre, douce, calmement réjouissante. Les lumières et la fraîcheur de fin d'après-midi réveillaient les parfums de la nature, cela lui rappela brutalement une autre fois où elle s'était trouvée dehors, heureuse et étourdie par la vie, et elle pensa à sa promenade aventureuse avec Martí, l'évoqua, peut-être pour la première fois depuis longtemps, sans tristesse, et sentit dans son cœur la promesse rassurante de son amitié. Don Ky parla longuement du livre qu'il écrivait depuis douze ans. Le chapitre sur lequel il travaillait traitait des similitudes entre la cosmologie et les dieux indiens et l'angéologie de Swedenborg, des gnostiques et de la Kabbale. Bien que les croyances indiennes fussent particulières à leur culture, disait Don Ky, elles étaient aussi universelles pour l'esprit éclairé, qui toujours et partout cherche à comprendre et exprimer les pulsations mystérieuses et les émanations de la vie divine à l'intérieur et autour de nous. L'universalité, pour leur hôte, était pareille à un réceptacle dans lequel les Indiens pourraient préserver ce qui restait de leur culture menacée. Il écrivait son livre pour faire avancer cette cause. Chaque fois qu'il avait du temps, il parcourait les montagnes pour aller dans les villages indiens, enquêter sur leurs croyances. C'est pour cette raison qu'il avait travaillé si dur à apprendre le cakchiquel, et c'était ainsi qu'il avait rencontré Rebeca, dont le père était un sage de village qui connaissait de nombreux secrets. María de las Nieves était heureuse d'écouter et de faire semblant d'écouter les paroles de Don Ky, étant trop somnolente et repue pour en absorber beaucoup, même si le sujet l'avait intéressée, ce qui n'était définitivement pas le cas. Elle lui demanda si au cours de ses explorations il avait rencontré ou entendu parler d'un jefe indio qui parlait français, construisait des écoles, lisait les journaux, et ainsi de suite. «Ah, le parangon libéral du chef indien!» Le rire de l'Allemand était chaleureux mais moqueur. Il était résolument contre le matérialisme positiviste des libéraux, en conséquence duquel les Indiens oublieraient encore plus qui ils étaient «... à moins que quelque chose ne soit *fait*! Mais non, je n'ai pas rencontré ni même entendu parler de cet homme méritant, María de las Nieves». Don Ky, faisant le tour de la table comme un cavalier caracolant, versa un ruban argenté de schnaps dans chacune des tasses de café. La couleur du ciel virait au gris-bleu, et la lune apparaissait tel le rond vaporeux d'une meringue en cours d'évaporation. Don Ky et sa femme les pressèrent de passer la nuit sous leur toit. María Chon aurait bien voulu, mais María de las Nieves déclara qu'elles devaient partir. Si les Gastreel et leur hôte revenaient ce soir de la campagne – elle savait que c'était peu probable – il lui faudrait travailler à la légation le lendemain matin. Et ç'avait été une journée trop exceptionnelle pour la gâcher par une copie inférieure. Et elle ne pouvait pas non plus s'enrouler dans de la laine. Et elle se sentait agitée. De toute façon, elles avaient déjà payé leurs places dans la diligence. María Chon se tapota le coude et plaisanta sur la pingrerie de María de las Nieves. Don Ky et Doña Rebeca les accompagnèrent jusqu'à la route. Elles n'attendirent pas longtemps avant d'apercevoir la lanterne de la diligence qui approchait dans la pénombre. C'était la même diligence, mais pas le même cocher et María de las Nieves dut payer deux nouvelles places. Leurs adieux furent si chaleureux qu'on aurait dit des parents proches qui se quittaient. Le fils du couple, Gunter, allait bientôt revenir pour une longue visite, déclara Don Ky en pressant les mains de María de las Nieves, qu'il avait prises dans les siennes, de manière significative: elles devaient revenir faire sa connaissance. Bien sûr, dit María de las Nieves, elle serait ravie! Comme la diligence repartait, elle essaya de s'imaginer en bru de Don Ky et Doña Rebeca. Gunter voudrait-il lui aussi mener la vie d'un mystique campagnard ? Pourrait-elle se faire à ce genre d'existence ? Et s'il était très beau, avec de longs cheveux d'or ? Elle et María Chon étaient pressées contre la portière – la diligence était bondée, mais toutes deux ne prenaient pas plus de place qu'une femme de taille moyenne – et s'endormirent bientôt dans les bras l'une de l'autre. Quand María de las Nieves se réveilla, il faisait humide et glacé et une lourde pluie tambourinait contre le toit de la diligence. Craignant qu'elles n'attrapent froid, elle couvrit sa tête et celle de María Chon de leurs châles, et elles dormirent joue contre joue, à l'abri sous leur tente improvisée. Elles se réveillèrent de nouveau au bruit du tonnerre et à la lueur des éclairs. Sur la plaine entourant la capitale la pluie était plus drue et si chargée d'électricité qu'elle tombait avec une luminescence étrange, comme de longues aiguilles de verre éclairées de l'intérieur, et elles dépassèrent une file de mules et de muletiers trempés, tous resplendissant, même les bêtes, tels des archanges vêtus de lumière.

Le mercredi après-midi à la légation, Chinta vint dire à María de las Nieves que l'ambassadeur Gastreel la demandait dans la bibliothèque. La petite bande de conspirateurs était enfin revenue d'Escuintla la nuit précédente. Pensant que Mr. Doveton serait avec eux, elle frappa à la porte, les tripes nouées par la douleur et l'appréhension. Mais quand elle entra dans la bibliothèque, Mr. Doveton ne s'y trouvait pas, pas plus que les deux autres inconnus, l'Africain aux cheveux orange et l'Indio vêtu comme un fringant Londonien, et le mystérieux muchacho était assis au bout de la table en acajou, une jambe croisée sur son genou et un air d'ennui sur le visage. Comme si c'étaient des aimants qui se repoussaient, son regard lui fit rapidement détourner les yeux et les reporter sur l'ambassadeur. Avec difficulté, María de las Nieves procéda aux salutations d'usage et s'enquit de la santé de Mrs. Gastreel ainsi que de leur week-end. L'ambassadeur répondit avec enthousiasme que Mrs. Gastreel allait très bien, qu'ils avaient beaucoup apprécié leur week-end, et il fit l'éloge de l'abondance naturelle de la plantation où ils l'avaient passé près d'Escuintla, et de la merveilleuse qualité du bœuf de leur hôte. Il lui apprit également qu'ils avaient eu la bonne fortune d'attraper du poisson et les langoustines les plus remarquables, dans les vigoureux cours d'eau évocateurs d'une Écosse tropicale, avant de s'enquérir de son week-end. Elle répondit qu'elle aussi était allée à la campagne, le dimanche, aux Bains du Libre Esprit, à côté d'Antigua, qui appartenaient à un excellent couple, un Allemand et son épouse indienne, et oui, elle s'était beaucoup amusée. «Les Bains du Libre Esprit? répéta l'ambassadeur d'un ton sec et cependant jovial. Avez-vous dû manifester un esprit libre pendant que vous preniez votre bain? Et comment fait-on cela?» Elle dut se mordre la joue pour s'empêcher de rire et répondit: «C'est une allusion à une croyance mystique du propriétaire, Excellence.» Elle entendit le ricanement caustique du mystérieux muchacho, mais elle ne voulut pas le regarder. «Les Bains du Libre Esprit», railla le mystérieux muchacho, mais elle persista à l'ignorer. Enfin l'ambassadeur déclara:

«Señorita Moran, je voudrais vous présenter à notre hôte, Sa Majesté William Charles Frederick, roi de Mosquitia. Le jeune William est le souverain en exil de la nation mosquito, où il va bientôt retourner pour réclamer son trône.» Il avait prononcé Mousquitia et mousquitou. Maintenant elle ne pouvait faire autrement que de le regarder. Le mystérieux muchacho s'était levé. Il portait un gilet de soie grise sur sa chemise blanche, une cravate défaite, ses manches étaient relevées, et une redingote noire était pendue au dos de sa chaise. Mais cette fois-ci quand elle rencontra son regard elle éprouva une allégresse qui la surprit, et provoqua en elle une légère bouffée de panique. Comme s'il s'apprêtait à lâcher quelques paroles rassurantes, ses yeux s'agrandirent et ses lèvres s'ouvrirent.

« Sire, dit l'ambassadeur, voici la jeune femme dont je sais que vous avez déjà entendu parler, l'indispensable traductrice particulière et secrétaire par intérim, la Señorita María de las Nieves Moran. Elle donne aussi des leçons d'espagnol à Mrs. Gastreel.

– Comment allez-vous, dit-elle.

– Comment allez-vous, *Sire*», la corrigea l'ambassadeur. Docilement, elle répéta la formule.

« Je suis ravi de vous revoir, Miss… », répondit le mystérieux muchacho. Il sembla un instant interdit, puis il fit un large sourire qui découvrit des dents aux plombages en or, quelques-unes en bas, et au moins une en haut.

« Miss Moran, dit María de las Nieves. – Vraiment, Sire, dit l'ambassadeur Gastreel avec une nuance d'exaspération, il est crucial que vous amélioriez votre mémoire des noms.» Et il ajouta sans ambages : Vous parlez comme un Américain.» Le mystérieux muchacho, l'air penaud, jeta un regard au diplomate comme s'il attendait de nouvelles instructions. L'ambassadeur soupira et suggéra qu'ils s'asseyent.

« Sa Majesté parle comme un Américain parce qu'elle a été aux États-Unis, où elle a été, disons, éduquée, déclara-t-il, au contraire de beaucoup de ses prédécesseurs, qui ont été éduqués en Angleterre. Les anciens rois de Mosquitia, vous savez, pouvaient même lire et citer Shakespeare, Byron et cetera. C'était l'une des choses pour lesquelles ils étaient connus, particulièrement le défunt grand-oncle de William, le roi George Augustus Frederick. La légitimité royale n'est pas toujours si aisément conférée – c'est ce que nous avons appris de Mr. Doveton et de nos autres invités la semaine passée. Parmi les natifs de Mosquitia, apparemment, la capacité à citer Shakespeare est une preuve supplémentaire de royauté, car c'était l'habitude des grands rois historiques et légendaires de Mosquitia. Mais notre bon roi William sait à peine lire, Señorita Moran, et Shakespeare est tout à fait hors de sa portée. Je ne prétends pas moi-même être un littéraire. Mr. Doveton a été notre shakespearien en résidence. Voudriez-vous nous favoriser d'une citation de *Richard II*, Sire?

– La flamme ardente et furieuse de mon dérèglement ne saurait durer – mais faites gaffe, parce qu'elle pourrait durer plus longtemps que vous croyez.» Le muchacho prononça ces mots avec un enthousiasme fanfaron, et poussa un rire sincèrement jovial une fois qu'il eut terminé.

Se tournant vers María de las Nieves, l'ambassadeur remarqua: «Ça ne fait pas très shakespearien, n'est-ce pas.» Il s'amusait visiblement.

«Mais ça l'est, Monsieur, insista le mystérieux muchacho. Mr. Doveton et moi-même avons beaucoup répété. J'ai ajouté la dernière partie, c'est tout. Et Mr. Doveton a dit que c'était bien, que c'était la preuve d'un bon sens royal. Aussi il y a un moment où le roi Richard dit que les lions peuvent apprivoiser les léopards mais pas changer leurs taches, et il m'a dit que je pouvais mettre un jaguar à la place.»

María de las Nieves ne put s'empêcher de rire un peu, et le muchacho qui était à peine moins mystérieux la remercia d'un sourire.

«Et qu'avez-vous pensé de la pièce, Sire? demanda l'ambassadeur.

– Eh bien, il n'y a ni duels ni batailles. On pourrait jouer celle-là assis autour d'une table sans rien perdre, ce dont Mr. Doveton dit que ce n'est pas vrai des autres pièces que nous allons étudier.

– Sa Majesté et Mr. Doveton étaient plongés dans l'exégèse de *Richard II* la semaine dernière, dit l'ambassadeur Gastreel. Apparemment la pièce traite de sujets tels que la succession royale, et la nature des rois et, enfin, vous voyez. Connaissez-vous cette pièce, Señorita Moran?»

Quelque chose dans les dernières paroles du mystérieux muchacho concernant Mr. Doveton, répétées par l'ambassadeur, lui causa un sentiment de joie inattendue. Ils parlaient de lui comme s'il était dans le passé. Elle aventura : « C'est celle où il y a un roi de neige, n'est-ce pas ? Un roi de neige grotesque qui fond ?

— Je me rappelle ça, dit le jeune homme.

— Très remarquable, Señorita Moran, dit l'ambassadeur. Vous ne cessez d'être étonnante, pour moi du moins. Y a-t-il une leçon particulière que vous pensez que notre jeune ami monarque devrait tirer de cette pièce ? »

Maintenant elle était prise au piège : pourtant avant même qu'elle ait eu le temps de penser à ce qu'elle pourrait ajouter, les mots s'écoulaient de sa bouche comme si elle les avait appris la veille, comme s'ils avaient attendu à l'intérieur d'elle toutes ces années juste pour lui faire franchir cette passe particulière et pénétrer dans l'estime ébahie et dangereuse des deux hommes qui écoutaient à présent : « Sire, nul homme ne peut être vraiment roi qui ne se gouverne pas lui-même, qui n'a pas le contrôle et la maîtrise complète de ses désirs et de ses passions. C'est en les écrasant et en refusant d'être gouverné par eux qu'un roi remet son cœur entre les mains du Seigneur. La main de Dieu est puissante et sa poigne est forte, raison pour laquelle Dieu dit : Celui que j'aime, je le corrige. »

Les mots sortirent comme ça. Ni l'ambassadeur ni le mystérieux muchacho n'auraient pu penser que c'étaient les mots de Sor María de Agreda, écrits à son admirateur et amoureux, le roi d'Espagne, et non une paraphrase bien tournée de son quasi-contemporain, Shakespeare.

« Celui que j'aime, je le corrige, oui c'est très bien, très utile, et le ton religieux est essentiel, dit l'ambassadeur Gastreel. Notre jeune roi a certes besoin d'être corrigé. Heureusement pour nous, nous avons encore du temps, Señorita Moran… » Le « régent » du roi, Wellesley Bludyar, lui révéla alors l'ambassadeur, avait au cours des mois passés fait plusieurs voyages à Greytown et sur la côte du fleuve Wanks, préparant le terrain pour le retour du monarque de Mosquitia. Le conseil royal de Mosquitia s'y rassemblait à l'heure actuelle – il était d'ailleurs possible qu'elle en ait aperçu deux membres, Mr. Morgan et le Dr. Slam, à la légation la semaine dernière. Ils étaient partis ce matin même pour Greytown. Mr. Doveton devait également s'y rendre. Mais le régent croyait toujours le jeune monarque plus instruit qu'il ne s'était révélé l'être. «Pourtant le jeune roi William possède un air crédible de dignité royale, vous n'êtes pas d'accord, Señorita Moran?» demanda l'ambassadeur. Elle acquiesça par pure docilité. «Quant à moi j'ai toute cónfiance en son succès, dit-il avec force. Vous savez, il n'est pas obligé d'être un spécialiste de Shakespeare. Il aura des raisons plausibles pour avoir été éduqué aux États-Unis plutôt qu'en Angleterre. Mais il est essentiel que Sa Majesté apprenne à *lire*.» Il lui faudrait également en apprendre plus sur son royaume ainsi que sur les us et coutumes de ses sujets. Mr. Doveton, dit l'ambassadeur, n'étant plus libre, ce serait à María de las Nieves d'apprendre à lire au jeune roi, si elle n'y voyait pas d'inconvénient. Elle répondit que non d'un ton neutre. Pourquoi pas? Elle n'avait jamais refusé une mission.

L'espace d'un instant tous trois demeurèrent silencieux, assis à la table de la bibliothèque, comme si un très grave problème avait été enfin résolu. Puis l'ambassadeur Gastreel déclara: «Et qui sait, Señorita Moran, peut-être qu'un jour vous voudrez devenir reine de Mosquitia. Pouvez-vous imaginer pareil destin? Faire votre entrée à Mosquitia comme nouvelle reine des Mosquitos? ce serait une sacrée aventure. Très bien rémunérée. Un voyage en Europe de temps à autre et tout ce qui s'ensuit. Et votre ami Mr. Bludyar sera là-bas, en tant que régent.»

C'était peut-être les paroles les plus étranges que quiconque lui avait jamais adressées ou lui adresserait jamais. Rétrospectivement elles jetteraient une lumière à l'éclat sombre sur l'histoire encore à venir. Mais l'ambassadeur Gastreel avait parlé d'un ton exagérément pompeux, ce qui signifiait qu'il plaisantait, en partie du moins, car il parlait sérieusement aussi, lui révélant ainsi, si elle ne l'avait pas déjà deviné, le côté mascarade de cette entreprise terriblement sérieuse. L'ombre de Mr. Doveton apparemment évanouie, elle était d'humeur réceptive, et elle jugea ces paroles pas plus étranges finalement que tout autre aspect des événements en cours, et peut-être même comme une confirmation bienvenue de cette étrangeté, prenant la forme d'une plaisanterie. Elle avait confiance en l'ambassadeur, et en était même venue à le considérer comme une sorte de père, presque. Ses yeux quittèrent le diplomate, avec son sourire réprimé, le visage un peu rouge, son regard d'acier plein de vivacité, pour se poser sur le mystérieux muchacho, dont la bouche humide était grande ouverte, mais alors elle sourit timidement. Il rit, et elle rit un peu elle aussi, comme de la prétention de toute cette histoire, bien que ce rire fût pour elle plus étourdissant et profond que cela. Seul l'ambassadeur ne rit pas. Il les regardait tous deux, mais particulièrement María de las Nieves, oui, particulièrement elle, son regard gai comme des couteaux qui dansaient la découpant telle une dinde de Noël, ou une oie, ou un canard, ou un chapon ou ce qu'on voudra.

Une complicité secrète et espiègle s'était déjà formée entre elle et le toujours mystérieux muchacho. Ils se seraient même peut-être sentis prêts à se tenir discrètement la main sous la table, si sûrement ils avaient été mis sur cette voie souterraine menant à au moins quelques instants de ravissement profond, ou à bien d'autres. Déjà elle se sentait moins seule ; elle se sentait accompagnée comme jamais auparavant, quoiqu'elle ne s'en fût pas tout à fait rendu compte, et fût encore à des jours d'en identifier la cause.

María de las Nieves connaissait, bien sûr, le vieux protectorat anglais de Mosquitia, sur la côte atlantique du Nicaragua. Elle savait vaguement que les Anglais avaient exercé là leur pouvoir à travers une succession de générations de rois indiens complaisants. L'ambassadeur Gastreel lui en contait maintenant l'histoire.

Sans doute le mystérieux muchacho la connaissait-il déjà : le regard fasciné et brûlant avec lequel il la tortura tout au long de la leçon semblait indiquer qu'il ne ressentait pas le besoin d'y prêter attention. Plus tôt dans le siècle, la compétition entre la Grande-Bretagne et les États-Unis pour assurer leur influence dans l'isthme était devenue si intense qu'elle avait plus d'une fois mené les deux puissances au bord de la guerre. Après tout, la puissance émergente venait d'usurper la moitié du territoire mexicain – qu'est-ce qui pouvait l'empêcher de s'étendre à l'Amérique centrale, où l'influence britannique, particulièrement le long de la côte atlantique, était retranchée ? Ces tensions furent enfin désamorcées quand les États-Unis et l'Angleterre signèrent un traité par lequel chacun renonçait à contrôler toute voie interocéanique traversant le Nicaragua. Le mystérieux muchacho s'était rapproché de plusieurs chaises, comme pour mieux écouter l'ambassadeur, mais à présent il touchait le pied de María de las Nieves sous la table avec le sien, le touchait fermement, l'avançant et le reculant un peu, jusqu'à ce qu'elle retire son pied, comprenant avec terreur qu'elle l'avait laissé jouer avec. Mais c'était seulement parce qu'elle essayait vraiment d'écouter, et n'avait pas compris ce qu'il faisait ! Les États-Unis considérant le protectorat de Mosquitia comme une violation de l'esprit de leur traité, l'Angleterre négocia avec le Nicaragua un nouveau statut pour la région : la souveraineté du Nicaragua sur Mosquitia était reconnue, et en échange le protectorat devenait une réserve, une entité quasi autonome à laquelle les Nicaraguayens devaient payer une annuité. Mais les Nicaraguayens avaient fini par refuser de respecter les termes du traité, et même de reconnaître la monarchie mosquito. Avec la fin de la ruée vers l'or de la Californie, pour laquelle le Nicaragua avait fourni la route de transit la plus importante, suivie par la guerre de Sécession, et l'ouverture du chemin de fer transcontinental, l'intérêt des États-Unis pour le pays s'était considérablement affaibli, mais celui que portait le président Grant au canal du Nicaragua l'avait beaucoup ravivé. Le Foreign Office avait perçu que les États-Unis étaient désormais enclins à agir unilatéralement quant au canal, et à ignorer leur ancien traité. Le Nicaragua avait compris la même chose, et craignait les États-Unis. C'est ainsi que le Nicaragua s'entendit avec l'Angleterre pour mettre enfin un terme à leur désaccord sur l'ancien protectorat de Mosquitia et leur traité en demandant à l'empereur François-Joseph d'en être l'arbitre impartial. Le résultat, ainsi que le Foreign Office en avait déjà assuré l'ambassadeur Gastreel, serait l'autonomie complète des autorités de Mosquitia. Il était évident que le moment était venu de restaurer l'ancienne monarchie mosquito, et son alliance traditionnelle avec l'Angleterre, ainsi que l'autorité britannique sur cette côte convoitée.

L'ambassadeur posa devant les jeunes gens un livre intitulé *Waikna ou les Aventures sur la côte de Mosquitia*, écrit par un Américain du nom de Samuel A. Bard. Il datait de plus de vingt ans, expliqua-t-il et était très irrespectueux envers les Anglais et le dernier jeune roi de Mosquito, George William Clarence. Mais il fournissait un compte rendu détaillé de la vie et des coutumes du territoire sur lequel le mystérieux muchacho était appelé à régner, et était agrémenté de soixante illustrations évocatrices. Penché sur le couple assis, l'ambassadeur ouvrit le livre à une page illustrée : une petite silhouette escaladait l'immense tronc d'un cocotier pour aller cueillir une noix de coco ; trois hommes dans un canoë au cœur d'une épaisse mangrove, dont l'un pointait une lance, ou peut-être un genre de sarbacane, en direction de hérons qui passaient au-dessus de leurs têtes. « Vous voyez, dit l'ambassadeur, c'est une région saturée d'eau. Le Dr. Slam nous a appris comment attraper les écrevisses à la manière mosquito ce weekend à Escuintla, n'est-ce pas, Sire ? » Le mystérieux muchacho acquiesça : « Effectivement. » L'ambassadeur déclara : « Bien sûr, vous voudrez probablement commencer tout de suite. Pourquoi attendre ? »

María de las Nieves et le mystérieux jeune homme se retrouvèrent seuls dans la bibliothèque, assis à la table en acajou noir, le livre fermé devant eux. Au mur il y avait des gravures de chevaux de course anglais.

«Ainsi vous n'êtes pas vraiment le roi de Mosquitia, hasarda-t-elle après un instant de silence. C'est ça? On vous apprend à jouer son rôle pour quelque mascarade.

– Exactement, répondit gaiement le mystérieux muchacho. C'est cela.

– Suis-je autorisée à connaître votre vrai nom?

– Je suppose que non, dit-il. Quel est votre prénom, Señorita Moran?

– María de las Nieves.

– Marie des Neiges, traduisit-il avec un hochement de tête satisfait. C'est un très joli prénom. D'où vient-il?

– D'un miracle de la Sainte Vierge. Il y avait un pueblo dont les habitants étaient de grands pécheurs dans le désert, et elle a fait tomber de la neige, pour le purifier.

– Et est-ce que ça a marché?

– Bien sûr.

– Hah. Elle devrait essayer ça à San Francisco. La neige se transformerait en whisky, en jus de chique et en sang avant même d'avoir touché le sol.» Il gloussa.

«Alors vous n'êtes même pas originaire de Mosquitia?

– Non, d'ici même, je suppose, bien que mes papiers disent que je suis panaméen maintenant. En fait je n'en sais pas grand-chose.» Il lui raconta une partie de ce qu'il savait de sa propre histoire: Quand il était tout petit, sa grand-mère, dont il n'avait aucun souvenir, l'avait donné au commandant d'un bateau américain à Puerto San José, le capitaine Ernest Buford, qui l'avait élevé pour être marin, le faisant d'abord travailler comme mousse, et c'est ainsi qu'il avait appris l'anglais. Mais le capitaine mourut quand il avait onze ans, et il continua d'être marin. Il était mate-

lot à bord du *Montana,* de la Pacific Mail, une compagnie américaine, lorsque Mr. Bludyar l'avait trouvé dans un bar à marins de
Panama City et l'avait recruté pour son nouveau rôle. Mince
alors! Est-ce que ça ne promettait pas d'être une sacrée équipée?
Et s'il s'en tirait, et profitait des chances qui ne pouvaient manquer de s'offrir, il deviendrait riche. Il avait aujourd'hui seize ans.

« Vous avez un an de moins que moi, dit-elle, et elle ajouta,
avec un léger sourire en coin : Sire.

– Oui, grand-mère, et vous êtes mon prof. »

Elle ouvrit le livre et lui dit de lire à haute voix. Il lisait lentement, avec hésitation, comprenant souvent les mots de travers.
Plus d'un an auparavant, María Chon lisait ainsi, elle avait cependant fait des progrès depuis. Ce n'est pas qu'il n'est pas intelligent,
se dit-elle ; c'est juste qu'il n'a jamais appris à lire comme il faut.
Assis épaule contre épaule, ils se plongèrent dans le livre que leur
avait donné l'ambassadeur. Le jeudi, ils travaillèrent durant sept
heures ; le vendredi, un peu moins. Elle vint le samedi juste pour
lui. Il lisait, elle le corrigeait, puis ils parlaient de ce qu'il avait lu.
Le livre décrivait un monde bizarre et parfois effrayant d'Indiens
primitifs et souvent débauchés, de jungles sauvages et de marais
labyrinthiques, de pirates et de desperados meurtriers et spécula-
teurs, mais il promettait aussi toutes sortes d'aventures, dont le
mystérieux muchacho, quant à lui, semblait avide. Et ils trou-
vèrent ample matière à plaisanter et à rire. Sous son apparente
bravoure, pensait-elle, il était doux comme de la canne à sucre
verte, plein de gaieté et de charme, et elle était fascinée par sa
beauté enfantine et pourtant sévère. S'il n'était pas vraiment le roi
de Mosquitia, c'était cependant à cela que les jeunes rois devraient
ressembler, pensait-elle – Wellesley avait bien choisi, du moins
à cet égard. Tout ce dimanche elle ne pensa qu'à le revoir lundi. Si
elle avait pu voir en elle, dans son propre cœur, l'organe pompeur
accroché dans sa poitrine aurait peu ressemblé à celui qui s'y était
trouvé une semaine plus tôt. En quoi aurait-il été différent ? Il

aurait ressemblé à un fruit mystique flottant et radieux, le fruit le plus parfaitement mûr et délicieux qui fût jamais! Dans quelques mois elle se rappellerait cette jolie idée et penserait: Je n'ai pas le courage de regarder ce qu'il y a en moi aujourd'hui.

Le lundi il déclara: «On dirait que votre rire sort d'entre vos oreilles, María Nieves», et il saisit ses deux oreilles entre ses doigts, les agita de haut en bas et émit un petit bruit tintinnabulant, faisant semblant de sonner ses oreilles comme une cloche. Puis il l'embrassa sur la bouche. Elle savait qu'elle ne devait pas lui rendre son baiser, qu'elle devait résister, mais elle le laissa l'embrasser, et bientôt sa langue était dans sa bouche, et leurs langues roulaient ensemble, et elle se sentit fondre, et ses mains qui bougeaient de haut en bas de son dos et de ses côtes, et encerclaient lentement ses petits seins et se refermaient sur ses petits seins et les pressaient – c'était un muchacho très hardi, nul doute. Quand ils arrêtèrent enfin elle regarda le livre sur la table, son sous-titre: *Aventures sur la côte de Mosquitia*, et pensa: M'y voilà. Qui aurait jamais cru que je finirais reine des Mosquitos?

Au cours des six semaines suivantes, elle lui donna des cours de lecture presque chaque jour. Bientôt, la seule chose qui comptât était d'être avec lui. Presque quotidiennement maintenant venait le moment où ils regardaient par la porte de la bibliothèque s'il n'y avait personne alentour, et voyaient qu'ils étaient seuls. La légation avait fermé, parfois des heures avant qu'ils en aient fini avec la leçon et les baisers, ou les Gastreel étaient sortis. Bien sûr les domestiques comprirent vite, mais qui s'en souciait? Qui se souciait même d'Higinio Farfán? Elle se sentait mal à l'aise parfois à l'idée de ce qu'il pouvait dire d'elle à sa femme – et se sentait encore plus mal quand Don Lico semblait gêné de croiser son regard, et s'éloignait d'elle, et parfois la regardait avec un air soucieux et avait l'air de vouloir lui dire quelque chose, en se léchant nerveusement la lèvre inférieure. Mais dès qu'elle était de nouveau avec le mystérieux muchacho, qui se souciait de ce qu'on pouvait penser? Vous vous souvenez de ça, n'est-ce pas? Il y a longtemps ou pas si longtemps? Ce goût vinaigré de baisers toujours dans l'air, l'infusant comme l'odeur de la neige d'avril qui fond et de la terre qui dégèle dans les pays du nord. Et toujours à se cacher dans les coins, assise sur ses genoux pendant des heures, les bras autour de son cou, s'embrassant, gloussant, murmurant, si mouillée plus bas, si dur plus bas, oh, explosant... Restant éveillée tard, écrivant des lettres d'amour, copiant des poèmes: Donne-moi mille baisers... Demain je te verrai, Sire... Bien sûr le mystérieux muchacho avait un nom, qu'il avait fini par lui révéler, et ce n'était probablement pas un nom inventé, bien qu'on ne puisse savoir assurément, et quand elle était seule avec lui elle utilisait celui-là aussi; quant à lui, il aimait l'appeler Vieja, sa Vieille.

En ville la croyance était si répandue que les filles grandissaient dans l'ignorance des choses de la nature, que chaque année les trois religieuses les plus âgées du couvent devaient venir à l'école apprendre aux élèves des classes supérieures ce qui allait arriver quand elles seraient mariées. Et chaque année les élèves avaient écouté ce comité de vierges fanées leur déclarer, derrière leurs voiles noirs, qu'elles ne devaient forniquer que pour faire des enfants, seulement sur le dos avec leurs époux sur elles, jamais dans une autre position, car la fornication dans des positions lascives et pour le plaisir était bonne pour les animaux et les Indios païens. Et chaque année les élèves des classes terminales le racontaient à toutes les autres filles, de sorte que tout le monde à l'école recevait le même savoir secret année après année. Et qu'avaient-elles fini par faire de ce savoir? Comment l'avaient-elles emmagasiné et en quoi s'était-il changé jusqu'à ce que vienne le moment où elles devaient en faire usage? Avaient-elles vraiment toutes pensé en hochant la tête: Oui, seulement avec le mari au-dessus, seulement pour faire des enfants, et jamais dans aucune autre position, jamais comme ces animaux qui font devant tout le monde ce que les Indiens païens doivent faire cachés dans l'obscurité ou au plus profond des forêts? C'était une fille de la campagne, et elle savait comment faisaient les animaux, de toute façon. Ce qui arrivait était inévitable : elle l'avait prévu au moins une semaine avant que ça n'arrive, en ne le craignant qu'un peu. Dix-sept jours après leur premier baiser, le mystérieux muchacho, après s'être assuré que personne n'était dans les parages, avait fermé la porte à clé, l'avait allongée sur la table de la bibliothèque, l'avait déshabillée avec son aide et ils l'avaient fait sur place, avec lui au-dessus, plus ou moins, plaisanta-t-elle ensuite, ainsi que prescrit par les religieuses. Cela n'avait pas fait aussi mal qu'elle ne l'avait craint. L'amour et le plaisir n'avaient fait qu'un dès le départ pour elle, lui bougeant vigoureusement en elle, comme les animaux, mais les animaux cachaient leur plaisir, et ne faisaient rien pour le prolonger. Après qu'ils l'eurent fait cette première fois et qu'il fut allé chercher un chiffon pour essuyer la table, elle était restée seule dans la bibliothèque et en s'habillant tout en regardant le bouillon répandu et les taches nuageuses sur la surface polie de la table, elle s'était sentie honteuse et effrayée de ce qu'elle avait fait, et s'était mise à pleurer un petit peu. Mais à son retour, comme s'il avait instantanément perçu son anxiété et son humiliation et que peut-être elle le haïssait, il l'avait prise dans ses bras, l'embrassant et la mordillant jusqu'à ce qu'elle lui pardonne et lui rende ses baisers. Après qu'il eut fini de nettoyer, il mit le chiffon dans sa poche et lui dit qu'ils allaient trouver un joli endroit où l'enterrer, à l'extérieur de la ville, et qu'il ferait un arbre particulier. Quel genre d'arbre, mi amor? Il n'en connaissait pas le nom, un arbre avec de grosses fleurs rouges, plein d'oiseaux, de singes et de fruits, ça irait? En rentrant seule chez elle ce soir-là elle découvrit le calme et l'assurance de la pécheresse : elle prenait plaisir à dévisager les passants, à imaginer qu'en la regardant ils étaient incapables de voir ce qu'elle venait de faire, et à comprendre pour la première fois cette forme particulière de liberté. Bientôt il trouva même des occasions de l'emmener dans sa petite chambre donnant sur le second patio de la légation, qui était auparavant celle de Wellesley Bludyar. En empruntant chacun un chemin séparé, ils marchaient longuement dans la campagne, traversant plaines, vallées et ravins, où il n'était pas difficile de trouver des nids d'amour secrets. Elle était prudente et ne l'amenait jamais chez elle, pas même quand elle savait que María Chon et Amada Gómez n'étaient pas là. Elle avait entendu des gens décrire le monde microscopique que contenait une goutte d'eau et avait l'impression qu'ils vivaient à l'intérieur d'un tel monde merveilleux et secret, invisible à tous sauf à eux. Allongée sur son lit le soir, elle parcourait chaque centimètre de son corps en imagination, particulièrement son membre dressé, le brun poli et brillant d'argile mouillée, son apparence au cours de tous les états de sa vie en perpétuelle résurrection. Un soir, alors qu'elle passait en revue la nudité du mystérieux muchacho dans l'obscurité, elle se rappela l'histoire vieille de plusieurs siècles de Catalina de Puebla, la princesse de Malabar vendue comme esclave, achetée à Manille et convertie au catholicisme par un capitaine espagnol qui l'avait emmenée chez lui à Puebla, au Mexique, et l'avait confiée à un prêtre pour qu'il en fasse sa gouvernante. Là elle devint célèbre pour sa sainteté, sa chasteté, ses mortifications, ses miracles et la façon dont elle cousait de petits miroirs sur ses jupes et ses blouses, que les jeunes femmes de Puebla se mirent à copier, et aussi pour une vision qu'elle avait eue un jour que Jesucristo lui était apparu nu. Elle lui avait ordonné de s'en aller et de revenir habillé s'Il voulait lui parler, et Il avait obéi. Ce n'était pas moins crédible que beaucoup d'autres visions de saintes mais moins agréable aux docteurs de l'Église, raison pour laquelle la «China Poblana» n'avait jamais été sanctifiée. María de las Nieves, étendue sur son lit, imaginait un Jesucristo dont la nudité était celle du mystérieux muchacho, et pensait : Elle aussi a menti ; Catalina de Puebla ne l'a pas renvoyé, elle a seulement prétendu l'avoir fait. (Plusieurs décennies plus tard, elle avait confié une version de ce souvenir à Paquita, alors deux fois veuve, dévote, et vivant en Europe, dans une lettre où elle n'alla pas plus loin dans la révélation de l'identité du mystérieux muchacho à sa sœur, l'adversaire de toute sa vie, qui ne devait jamais rien savoir de plus sur le père de Mathilde que le fait que María de las Nieves s'était un jour vue en Catalina de Puebla visitée par un Jesucristo au corps exactement semblable à celui du père de Mathilde.) Le mystérieux muchacho savait qu'il était beau et que beaucoup le trouvaient irrésistible ; c'était un expert assoiffé d'amour qui se sentait chez lui dans les villes et les ports, et il était suffisamment précoce pour avoir déjà appris à reconnaître l'intérêt qu'il suscitait et à agir en conséquence. Quelques femmes et plusieurs filles pauvres, rien que des niñas ordinaires issues de sordides barrios des ports, pas des putains, déclarait-il avec fierté, avaient été ses initiatrices et ses premières conquêtes. Parfois il aimait faire porter à María de las Nieves les bottes en caoutchouc indien que Don José lui avait faites, et rien d'autre, quand ils faisaient l'amour. Puis il les lui enlevait et les portait à son nez pour inhaler leurs profondeurs fangeuses et lui disait que c'était son odeur intime multipliée et qu'il l'aimait plus que toute autre odeur au monde et elle protestait que c'était une odeur horrible, d'œufs pourris et pire, et qu'était-il, un semi-cochon ? un cochonito élevé par des cochons ?

Il est clair que, dès le début, les Gastreel avaient fermé les yeux. María de las Nieves était indéniablement une fille capable ; le roi de Mosquitia n'avait indéniablement pas les mêmes capacités. Couronnée ou non, elle pourrait être extrêmement utile à ses côtés. Elle pourrait le protéger mieux qu'elle ne se protégeait elle-même. Elle serait son indispensable alliée et seconde. Elle serait ses sixième, septième et huitième sens. Ils auraient derrière eux la puissance et les ressources de l'Empire britannique, toutefois si la résurrection de la monarchie mosquito devait jamais devenir question d'intelligence, de ruse et de tact, c'était sur elle qu'il faudrait sans doute compter. Mais que signifiait réellement la dévotion de María de las Nieves pour le mystérieux muchacho ? Quelle idée se faisait-il des épreuves qui l'attendaient, et du besoin qu'il aurait d'elle ? Contrairement à beaucoup des personnages qui ont défilé dans cette histoire, il n'a laissé aucune trace écrite de ses pensées, ni lettres, correspondance diplomatique, journal, peu de conversations et confessions retranscrites ou divulguées. Pouvons-nous au moins avancer que Mathilde fut conçue dans l'amour ? Il avait bien dit qu'il l'aimait lui aussi. D'ailleurs, il ne cessait de le répéter. Il y avait une petite chanson que María de las Nieves avait composée et qu'elle aimait chanter tout bas et dans quatre langues à son oreille alors qu'ils montaient vers leurs jouissances respectives, particulièrement quand il semblait qu'il allait continuer pour toujours : métélo sácalo / q'imitza' q'onka / rentre-le ressors-le / penetra extrahe id ; en espagnol, mam, anglais et latin elle la chantonnait à son oreille… *Requin-marteau, / Grand-mère, grand-mère ! / Requin-marteau, / Grand-mère !* C'était sa chanson à lui pour elle. Elle provenait du livre ; c'était une chanson mosquito.

Ils s'entraînaient même à fabriquer des pièges à écrevisses à la manière mosquito, ainsi que le luï avait appris le Dr. Slam ce week-end, à Escuintla. En les regardant tous deux à genoux dans le jardin du patio occupés à assembler les pièges compliqués, Mrs. Gastreel se rappela que ce n'étaient encore que des enfants, après tout, et eut un accès de remords prospectif, qu'elle confia à son journal en langage crypté. María de las Nieves et le mystérieux muchacho emportèrent les pièges à la rivière des Vaches, attrapèrent quelques grenouilles, et firent l'amour dans une cavité boisée sous une falaise.

Le mystérieux muchacho commençait à lire avec plus de confiance, et ils approchaient maintenant de la fin du livre. Ils en étaient à l'épisode de la *sukia,* une vieille sorcière méchante comme tout qui, d'après l'auteur, possédait plus de pouvoir sur les Indiens et les Sambos de la côte mosquito que n'importe quel roi ou chef. Le grand-père du roi actuel avait été tué sur son ordre et cependant ce rustique souverain n'avait pas osé traîner la *sukia* en justice. Seuls les Anglais, lurent-ils, faisaient peur à la *sukia*. À ce point qu'elle finit par s'enfuir, craignant qu'au cours de la visite d'un bateau de guerre anglais, elle ne fût accusée du meurtre de deux Anglais, assassinés alors qu'ils chassaient la tortue dans les petites îles au large de la côte. Une autre raison de son départ, écrivait le narrateur, fut l'arrivée d'une *sukia* plus puissante et moins mauvaise, dotée du don de prophétie, du savoir des choses passées et à venir. Elle était belle, jeune, et vivait de manière mystérieuse, très en amont sur la rivière Cape, dans les montagnes. Les flammes et les balles des fusils étaient impuissantes contre les *sukias*! Dans les quelques pages suivantes, le narrateur décrivait la rencontre avec la belle et jeune *sukia* connue sous le nom de « Mère des Tigres », qui avait moins de vingt ans, était grande et parfaitement formée, portait une peau de tigre et des anneaux d'or au front, aux bras et aux chevilles. Il y avait une gravure de la belle sorcière, torse nu, une peau de tigre autour des reins, un jaguar à ses pieds.

« Mince, ma reine, déclara l'éternellement mystérieux muchacho, que diriez-vous d'inviter cette Mère des Tigres à un banquet d'écrevisses, de crabe et de singe rôti ? » María de las Nieves ne doutait pas que des épisodes aussi terrifiants étaient maintenant promis à son destin. D'après le livre, les Mosquitos pratiquaient la polygamie et qu'allait-elle faire de cela ? « Il va falloir qu'on te trouve une petite peau de tigre », dit-il en pouffant, et il lui pinça rudement le derrière ; elle répondit d'une grimace et lui pinça la joue tout aussi fort. Le narrateur poursuivait, et le mystérieux muchacho continua de lire : « En dépit du ton de légèreté qui peut percer à travers ce compte rendu de mes aventures dans les contrées sauvages, ceux qui me connaissent pourront témoigner de mon respect pour ces choses sacrées dans leur nature, ou liées aux éléments les plus mystérieux de notre existence... » Le narrateur écrivait que, hormis la manière mélodramatique avec laquelle il avait été conduit dans la montagne par le messager de la *sukia*, et l'incident du tigre apprivoisé, il ne s'était rien passé au cours de cette visite qui sortît visiblement de l'ordinaire. Mais il avait été intrigué et impressionné par la relation, la compréhension parfaite, qui semblait exister entre son guide indien, Antonio, et la *sukia*. Le narrateur jura que le mystère de cette relation serait révélé. Il écrivait qu'il y avait toujours eu un lien mystérieux, ou une organisation secrète, parmi les classes dirigeante et sacerdotale des nations indiennes à demi civilisées d'Amérique, que tous les désastres auxquels ils avaient été soumis n'avaient pas encore détruit. *Les aborigènes du Mexique, d'Amérique centrale et du Pérou sont secrètement unis, et jusqu'à ce jour cherchent à se venger de leurs conquérants...* Ils en étaient aux dernières pages du livre et elle lisait désormais, sous la lumière de la lampe, à la table de la bibliothèque, tandis qu'il écoutait, la tête sur ses genoux. Une pluie du soir régulière tombait à grand bruit derrière les vitres. Le narrateur était sur le point de quitter le loyal Antonio, son guide ; ses aventures sur la côte mosquito touchaient à leur fin. Il faisait nuit sur la baie du Honduras, et ils se trouvaient sur une plage face à une île plongée dans l'obscurité. S'approchant dans son dos, Antonio posa doucement la main sur l'épaule du narrateur. « Je savais qui c'était, lut María de las Nieves, mais je ne dis rien, car j'hésitai à trahir mon émotion. Il respecta mon silence et attendit que ma faiblesse momentanée se fût dissipée, puis je levai la tête et rencontrai son regard droit et candide. Son visage était de nouveau illuminé par cette mystérieuse intelligence que j'avais remarquée en plusieurs occasions précédentes. Mais à présent ses lèvres étaient descellées et il prononça ces paroles : C'est un bon endroit, mon frère, pour te dire le secret de mon cœur ; car dans cette île sombre dorment les os de nos pères (comme la belle *sukia*, Antonio descendait de Baalam Votan, le Tigre-Cœur, qui avait conduit les Mayas au Yucatán) dont je descends, car ne suis-je pas Baalam et ceci n'est-il pas le Cœur du Peuple ? » Sur quoi Antonio parla avec respect et ferveur de l'âge d'or du peuple du Yucatán, dont María de las Nieves pensait elle aussi descendre, de leur guerre contre les Espagnols, de leur défaite, de la dispersion des Hommes saints, de leurs épouses, fils et filles, dans toute l'Amérique centrale, et de leurs serments de vengeance toujours brûlants. Antonio portait maintenant au cou cette même amulette magique et sacrée, le Cœur du Peuple, qui avait ordonné à son glorieux ancêtre de conduire son peuple à la guerre et tel était, María de las Nieves lut avec stupéfaction, le destin d'Antonio également. N'était-il pas vrai que vingt ans auparavant une guerre indienne avait chassé ses parents du Yucatán? Il n'y avait pas un épisode de sa vie qui ne fût encodé dans un livre, songea-t-elle. Si elle pouvait trouver tous les livres qui la concernaient, elle pourrait déchiffrer tout ce qui était écrit sur son avenir.

Pour la première fois depuis plusieurs semaines, elle pensa à Martí, et se sentit emportée par le pardon, la compassion et une sorte de peur distante, comme s'il était déjà très loin de sa vie. Elle baissa la tête et, les lèvres contre l'oreille de son jeune amant, murmura: «Nous ferons la guerre à l'Espagne aussi, mi amor. Nous aiderons mon ami Martí à libérer Cuba.» Elle vit de longs canoës, pleins d'infatigables pagayeurs indiens mosquitos et de guerriers musculeux armés de lances, filer tel un éclair vert sur la mer des Caraïbes!

Un jour une jeune Indienne aux yeux noirs, peut-être la plus jolie et la plus délurée que le mystérieux muchacho ait jamais rencontrée, avec de jolies dents blanches comme du lait, miraculeusement exemptes de taches de tabac, lui apporta un mot à la légation de la part de sa maîtresse, dans lequel elle écrivait qu'elle ne pourrait pas le voir ce jour-là ni le suivant parce qu'elle devait assister à la veillée et à l'enterrement d'une amie qui était morte, une fille de dix-sept ans tout comme elle. Imagine, mi Rey, devoir mourir avant d'avoir jamais eu l'occasion de connaître ce que je connais maintenant! (Ou la niña avait-elle eu cette occasion?) Le mystérieux muchacho se trouvait-il en train de parler avec Don Lico devant la légation quand la jolie Indita était apparue avec le mot que, comme toujours, elle donna au concierge? Vola-t-elle le cœur du muchacho du premier coup d'œil? Le fit-elle exprès? Elle était presque toujours délurée et, india ou pas, on avait peu de chances de jamais voir une fille plus jolie dans les rues de la Pequeña Paris ou même de par le monde.

María de las Nieves avait conservé ses autres fonctions à la légation, bien sûr. Parfois le mystérieux muchacho sortait tout seul. Il avait du goût pour le billard, normal chez un jeune homme, et tant qu'il promettait de ne pas boire et de ne rien révéler sur lui-même, l'ambassadeur Gastreel n'y voyait pas d'inconvénient, et alla jusqu'à lui donner un peu d'argent tiré du trésor britannique. Bien que la date exacte de leur départ pour Mosquitia semblât indéterminée, ou fût sinon un secret bien gardé, elle savait qu'elle approchait. Le Dr. Slam, un Indien Mosquito qui avait étudié la médecine à la Jamaïque, était revenu, avec son pince-nez et sa canne à pommeau d'argent, et avait pris une chambre au Gran Hotel. Le mystérieux muchacho disait que le Dr. Slam savait que María de las Nieves allait devenir reine, mais quand elle lui fut présentée à la légation, il se contenta de l'appeler Miss Moran. Ainsi qu'ils l'avaient fait tant de semaines auparavant, le trio des hommes s'enferma dans la bibliothèque. Assise à son bureau ce jour-là, les larmes lui montèrent aux yeux. Elle se dit que ce n'était rien, mais ne put réprimer son malaise. Elle était trop émotive ces derniers temps de toute façon; ses entrailles semblaient faites d'une eau immobile sur laquelle la chute du moindre grain de sable provoquait des ondes qui se propageaient de manière absurde. Le lendemain matin, alors qu'elle donnait sa leçon d'espagnol à Mrs. Gastreel, la Patronne émit un vent, et bien qu'elles fussent assises à l'extérieur, dans la galerie donnant sur le patio, l'odeur lui emplit les narines comme s'il n'y avait d'autre air au monde que cette flatulence, et une vague de nausée la propulsa hors de sa chaise avec sa main sur la bouche, et elle marcha dans le jardin en aspirant l'air à grandes goulées et quand elle revint enfin à la table, elle expliqua en manière d'excuse : « Je ne sais pas ce que j'ai dernièrement, j'ai juste senti ces roses et cela m'a fait mal au cœur. » Puis, tâchant de se calmer, elle ajouta : « Un peu comme Catherine de Médicis, non ? Elle non plus ne supportait pas l'odeur des roses – même une rose en peinture lui donnait la nausée. » Cependant le regard bleu et fixe de Mrs. Gastreel était froid et dédaigneux. « Oui, vous avez l'air un peu pâle, finit par dire la Patronne. Arrêtons-nous là. » Ce fut leur dernière leçon d'espagnol. Un matin, quelques jours plus tard, María de las Nieves apprit que le mystérieux muchacho était parti le soir précédent pour la Mosquitia avec le Dr. Slam. D'un ton laconique, mais d'une voix douce, l'ambassadeur lui dit que la date du départ avait été tenue secrète jusqu'au dernier moment même à Sa Majesté.

« Alors, hier soir, quand nous nous sommes dit au revoir, il ne savait pas encore qu'il partait ? demanda-t-elle d'un air absent.

– Il ne le savait pas encore, Señorita Moran. »

Puis elle osa rappeler à l'ambassadeur un sujet auquel il n'avait plus fait allusion depuis qu'il avait suggéré qu'elle aimerait peut-être devenir reine : « Et j'irai bientôt le rejoindre là-bas, Excellence ? »

L'ambassadeur cligna des yeux de surprise et rougit au point que les rides de son visage aux traits irréguliers semblèrent s'emplir d'ombre, mais il parla avec flegme : « Il faut d'abord que nous nous assurions que la couronne, pour ainsi dire, lui va, et que ses sujets acceptent Sa Majesté. Sinon, vous savez, tout cela pourrait être très dangereux.

– Je pourrais l'aider, dit-elle.

– Oui, Señorita Moran, je sais cela », se contenta de dire l'ambassadeur Gastreel avant de s'éloigner avec brusquerie, l'abandonnant à elle-même.

Pendant la sieste ce jour-là elle alla fumer un moment dans le kiosque de lecture, jusqu'à ce que quelqu'un entre, et elle partit marcher par les rues dans un brouillard de larmes jusqu'à ce que l'heure soit venue de retourner à la légation, où elle passa le restant de l'après-midi dans l'expectative et la tristesse, affamée du moindre bout de nouvelle, tel un chien malheureux sous la table d'un pauvre avare. Ce soir-là, quand elle rentra chez elle, María Chon n'était pas là. Amada Gómez se plaignit de ce que lorsqu'elle était rentrée de l'atelier de couture pour la sieste, María Chon n'était pas là non plus et ne lui avait pas laissé de repas. Il n'y avait nul indice dans la cuisine qu'un dîner avait été préparé pour le soir non plus. Elles attendirent jusqu'à près de onze heures, puis entrèrent dans la chambre de María Chon et découvrirent que la plupart de ses vêtements, parures et possessions diverses, même le cri-cri que Mack Chinchilla lui avait donné, avaient disparu, ainsi que sa petite valise en cuir, cadeau de María de las Nieves afin qu'elle n'ait plus à porter ses affaires dans un baluchon sur son dos telle une Indienne retardée. Ce matin-là, María Chon l'avait accompagnée à la légation comme toujours. Ainsi donc, au lieu d'aller au marché, était-elle rentrée pour faire ses bagages ?

Le lendemain matin María de las Nieves alla au Gran Hotel demander quand Mr. Slam était parti, et le réceptionniste lui dit qu'il n'y avait eu personne de ce nom, mais quand elle le décrivit, il répondit que dans ce cas, elle devait parler de Mr. Nelson, et qu'il avait quitté l'hôtel hier matin. Une voisine indiscrète avait dit un jour à María de las Nieves qu'une fin d'après-midi elle avait vu un beau jeune homme la courtiser à sa fenêtre – « manger du fer », avait été l'expression populaire qu'elle avait utilisée, évoquant la manière dont les hommes pressaient le visage contre les barreaux en fer de la fenêtre pour mordiller les lèvres qui se trouvaient de l'autre côté. María de las Nieves avait regardé la pipelette comme si elle était folle et avait répondu : « À *ma* fenêtre ? Alors il mangeait du fer tout seul, je vous assure. » Plus tard elle avait pensé que le jeune homme en question devait être Hernán

Pedroso qui rendait visite à María Chon. Elle n'aurait pas dit qu'Hernán Pedroso était beau, mais il n'était pas impensable que quelqu'un d'autre puisse le qualifier ainsi. Elle avait donc demandé à María Chon si elle avait un prétendant, et sans hésitation María Chon avait répondu, avec un grognement méprisant : «Sí pues. Hernán Pedroso. Mais non, Doñacita, je ne crois pas», et María de las Nieves avait marmonné quelques mots de sympathie. Depuis le début de leur amour elle n'avait été qu'une fois au studio de J. J. Jump, et même ses visites à Don José s'étaient espacées. Elle se rendit cependant sans tarder au studio pour demander au jeune Pedroso s'il avait parlé avec María Chon à sa fenêtre, et il jura que non. «Mais as-tu jamais fait quoi que ce soit qui puisse lui faire penser que tu t'intéressais à elle, Hernán ?» demanda-t-elle. Ces questions humiliaient visiblement l'assistant au teint cireux qui répondit toutefois : «Oui, Señorita. Ici au studio. Et nous avons fait quelques promenades. Et j'ai pensé... J'ai pensé qu'elle tenait à moi, qu'elle m'en avait donné des preuves. Mais ensuite... mais, nooon.» Il demeura silencieux et María de las Nieves insista : «Mais qu'est-ce qui s'est passé, Hernán ?» Il haussa les épaules et dit : «Elle a changé. Qu'est-ce que ça peut me faire ?» Ses yeux lançaient des éclairs de colère.

Dehors, dans la rue ensoleillée, il lui sembla que le temps lui-même s'était fracassé en une infinité de morceaux de sorte que cet instant n'aurait jamais de fin. Elle se sentait étrangement transparente et illuminée, comme si même le temps l'avait quittée, bien qu'elle fût en train de pénétrer dans la banlieue, se dirigeant vaguement vers la Sierra de Canales et la rivière des Vaches. Tout en marchant elle tâchait de passer en revue les indices, ses lèvres remuant comme si elle se parlait, ce qui était le cas, quoique silencieusement. Chez elle, elle avait été très prudente concernant son amour ; l'existence du mystérieux muchacho était un secret diplomatique important, et il était évident que ni María Chon, ni Amada Gómez ne devaient l'apprendre. Bien sûr il n'était pas possible de cacher tous les signes de la grande transformation de sa vie, pas plus d'ailleurs, qu'elle n'avait tenté de le faire. Elle était consciente des tensions que son comportement, l'évidence de son bonheur et de son secret, causaient chez elle : l'air de ressentiment et de curiosité, les rares commentaires sur l'irrégularité de son emploi du temps, et les regards de condamnation qu'Amada Gómez lui jetait de plus en plus fréquemment, lèvres pincées, et les questions pleines d'excitation et d'indiscrétion, taquines et même jalouses dont María Chon la harcelait. « Oui, j'ai un novio, avait-elle fini par avouer à sa servante et amie adorée. Il est à la légation, invité par les Gastreel. Je ne peux pas t'en dire plus pour le moment, Maricusa. Bientôt, mi corazón, bientôt je te dirai, je te le jure. » Cela ne suffisait-il pas ? N'était-il pas suffisant qu'elle ait fini par confier des messages à María Chon, adressés à Mr. W. C. F. pour qu'elle les porte à Don Lico à la légation ? Elle avait attribué sa bouderie offensée et sa méfiance hargneuse à l'immaturité et à la curiosité possessive bien pardonnables de sa servante, à qui elle avait l'intention de bientôt révéler son secret. Elle avait même évoqué avec le mystérieux muchacho la possibilité d'emmener María Chon en Moquistia. Et ne l'avait-il pas regardée dans les yeux en lui répondant : « Le faux roi ne voit pas d'inconvénient à ce que la fausse reine choisisse ses faux serviteurs, mon amour. »

Pendant des semaines elle avait eu l'impression de n'être plus qu'un flot de larmes. Même l'odeur des fleurs nocturnes dans son patio la révoltait. Elle pleurait, mangeait, vomissait, pleurait, et vomissait. Son sang n'était pas descendu à la date prévue, elle le savait, mais elle avait essayé de ne pas penser à cela non plus. Les semaines avaient passé et à présent il aurait déjà dû redescendre. Elle avait maintenant atteint la rivière des Vaches. Elle s'assit sur l'herbe de la berge et regarda l'eau qui écumait autour des pierres volcaniques noires. María Chon s'était enfuie avec le mystérieux muchacho et le Dr. Slam en Mosquitia. Elle n'en avait aucune preuve, mais elle ne doutait pas qu'un indice allait bientôt apparaître. Elle était enceinte aussi. Bien sûr. Elle avait toujours su qu'elle allait tomber enceinte. Elle demeura là à regarder la rivière jusqu'à ce qu'elle s'aperçoive que la nuit était en train d'arriver.

À la légation elle allait et venait dans un état de torpeur stoïque. Elle essayait de se réveiller : la seule façon d'en apprendre plus était de rester ici et de remplir ses fonctions de manière satisfaisante. La très enceinte Mrs. Gastreel l'ignorait, quand elle n'était pas cassante et grossière, et ne l'invitait plus à prendre le thé l'après-midi. Elle faisait mine de jouer le rôle de la femme de diplomate qui ne comprenait que maintenant que la petite métisse intrigante et maligne avait entaché l'honneur de la maison. Ainsi agissait Mrs. Gastreel, l'hypocrite ! L'ambassadeur Gastreel, quant à lui, demeurait plus ou moins égal à lui-même, bien qu'il fût rarement jovial. Il attendait lui aussi des nouvelles de Mosquitia avec nervosité. Parfois elle lui demandait : « Y a-t-il eu des nouvelles, Excellence ? » et il ne prétendait pas ignorer à quoi elle faisait allusion, mais répondait simplement : « Non, Señorita Moran. Il n'y en a pas eu. Il est encore un peu tôt. »

De cette manière cauchemardesque une autre semaine s'écoula, puis une autre, et une partie d'une autre. La seule raison pour laquelle elle se sentait encore vivante était la nouvelle vie qui croissait en elle, même si elle s'efforçait de le cacher. Un après-midi l'ambassadeur la fit appeler dans son bureau et lui tendit un télégramme ; elle lut : *WCF pendu. Doveton Slam Morgan Autres morts. Régent réfugié Jamaïque.* « On ne sait pas vraiment qui a envoyé ce télégramme, Señorita Moran, dit l'ambassadeur Gastreel, il faudra donc attendre confirmation. Je le trouve très inquiétant, cependant, parce qu'ils ont les noms, voyez-vous. Les Américains, je soupçonne. Envoyer le message le plus fort possible. Juste brutal, ils... Bien sûr, il y aura des répercussions... » L'ambassadeur fit un effort pour se reprendre, fermant les yeux ; un instant plus

tard il les rouvrit et, d'un ton lugubre d'optimisme forcé, déclara :
« Il semble que notre cher Wellesley s'en soit tiré. »

Nulle mention d'une reine en attente de couronnement, pensait-
elle. Nulle mention de la mort d'une María Chon. Autres morts.
Autres pouvait-il être un nom ? Mr. Autres ? Était-il possible que
celui qui avait envoyé le télégramme ait simplement négligé de
mentionner la novia indita du jeune imposteur ? C'était plus que
possible. Mais peut-être le télégramme ne disait-il pas la vérité,
pensa-t-elle. C'était ça. *Il mentait !* Trois jours plus tard l'ambassadeur revint d'une réunion à la légation des États-Unis où il avait été
convoqué par le colonel Williamson. Il la convoqua de nouveau
dans son bureau et l'invita à s'asseoir. Les commissures de ses lèvres
étaient tirées vers le bas et son regard avait la douceur de la myopie.

« Nos pires craintes se sont vérifiées, j'en ai peur, Señorita
Moran, lui déclara-t-il en la regardant dans les yeux. Le colonel
Williamson a reçu la même information de son consul à Greytown. Il accuse des propriétaires locaux dont les intérêts auraient
été menacés par une recrudescence de l'influence mosquito sur
l'ancien protectorat – des Nicaraguayens pour la plupart, et d'*autres*
étrangers, a-t-il dit. » L'ambassadeur US natif du Kentucky, lui
confia l'ambassadeur Gastreel, avait alors parlé avec regret de
son ancien compatriote confédéré, Mr. Doveton, dont les plaies
morales causées par la défaite n'avaient pu cicatriser et l'avaient
finalement conduit à cette triste fin traîtresse. Il poursuivit : « Le
colonel Williamson a eu alors l'effronterie de me dire : Je présume
que ce ne sont pas les Anglais qui encourageaient cette bande
hétéroclite dans ses prétentions, Sidney. J'ai répondu : Bien sûr
que non, colonel. Et il a continué en disant qu'il espérait qu'il n'en
résulterait aucune malveillance entre nous ou nos deux nations.
Pourquoi diable y en aurait-il ? ai-je répondu. Oh, Señorita Moran,
ce n'est pas une bonne période, c'est une période très triste pour
nous tous. Et, bien sûr, je me sens directement responsable. » Ses
yeux semblaient comme bordés de sang.

Elle pleurait en silence. La fierté, la honte, ou autre chose, l'empêchait de révéler la trahison de María Chon en lui demandant s'il savait quelque chose d'elle. Le lundi matin suivant Mrs. Gastreel l'attendait à la porte de la légation pour lui dire qu'elle était renvoyée à cause de sa conduite immorale. Elle était sûre, ajouta-t-elle, que María serait d'accord avec elle pour ne pas s'étendre davantage et convenir que la chose était évidente depuis un certain temps. La Patronne, enceinte jusqu'aux yeux, appuya ses dires en pointant un doigt recourbé en direction du léger mais remarquable renflement du ventre de María de las Nieves.

CHAPITRE

HUIT

Un beau matin, à bord du *Golden Rose* María de las Nieves dit à Mathilde : «À Central Park on fait monter un ballon rouge haut dans le ciel pour avertir les patineurs que l'eau du lac s'est changée en glace. Et parce qu'à New York tout le monde, et particulièrement les enfants, adore patiner, on aime ce ballon rouge.» Bien qu'à peine capable d'en avoir elle-même une idée claire, elle avait déjà fait de son mieux pour expliquer le patin à glace à Mathilde. Partout dans la ville, lui avait-elle appris, les enfants regardaient le ciel, grimpaient aux arbres, se penchaient aux fenêtres des étages les plus élevés, montaient sur les épaules de leurs parents, juste pour voir si le ballon rouge flottait dans le ciel. «Mais Mathilde, comme la maison de ta tía Paquita est juste de l'autre côté du parc, tu seras toujours la première à voir le ballon rouge.

— Comment est-ce qu'ils le font monter ?

— … Je ne sais pas.

— Comme un cerf-volant ou une montgolfière ?

— Je ne sais pas, nena.

— En quoi est fait le ballon rouge ?

— Pues, je ne sais pas.

— Mais pourquoi est-ce que tu ne sais pas, Mamá ?

— On demandera plus tard à Paquita. Elle, ou Elena, ou Luz, ou certainement Miss Pratt doivent savoir.»

Mais elle en avait assez de poser à Paquita des questions sur la vie à New York. L'éclairage électrique extérieur et intérieur, les ascenseurs, le métro aérien, le téléphone, les machines à faire la crème glacée et le beurre – Paquita éprouvait un malin plaisir à la submerger de descriptions de ces inventions, dont elle possédait même des exemplaires dans ses maisons et dont María de las Nieves ne pouvait pas parler en toute confiance, n'en ayant connaissance que par les journaux.

« J'ai lu dans le journal que bientôt il y aurait des stylographes qui enverraient des décharges électriques dans le bras pour empêcher qu'on se fatigue même si on écrit beaucoup, s'était exclamée María de las Nieves, sous l'effet du cognac, quelques jours plus tôt. Pues, sans aucun doute, j'en veux un comme ça! Et aussi – elle avait ri, car elle savait que cela au moins semblait absurde – des chapeaux électriques qui permettront aux hommes de se saluer sans l'aide des mains. *Ad majorem industriae gloriam*, non ?

– Et à quoi crois-tu qu'un tel appareil ressemblera ? s'était moquée Paquita. Voyons, Las Nievecitas. »

À la Pequeña Paris, l'éclairage à gaz avait finalement été installé dans les artères principales, remplaçant les lampes à suif qui s'y trouvaient depuis les débuts de la capitale. Puis, quelques mois plus tard seulement, les premiers lampadaires électriques apparurent, à côté des orangers sur l'esplanade devant le Théâtre national, six petits globes en verre se balançant à un fil, l'électricité dévorant les baguettes de carbone à l'intérieur, leur lumière pénétrant l'obscurité émeraude avec une clarté si régulière et une douceur si ineffable qu'il suffisait de se tenir à l'intérieur de cette douce sphère de lumière pour se sentir empli d'une radiance personnelle chargée d'espoir. Depuis il n'y avait pas eu d'autres lumières électriques, mais les six globes avaient instantanément transformé les nouveaux lampadaires à gaz en reliques lamentablement tremblotantes.

La question de Mathilde sur la manière dont on faisait monter le ballon réveilla un souvenir du mystérieux muchacho. Bien sûr

María de las Nieves ne pouvait s'empêcher de penser à lui chaque fois qu'elle voyait le jeune marin sur le pont-promenade : il semblait avoir environ le même âge que son amant à l'époque, et lui ressemblait à ce point qu'il aurait pu être son fantôme. Un matin le mystérieux muchacho avait apporté de la cuisine de la légation quatre coquilles d'œufs soigneusement vidées et, allant à un citronnier qui poussait dans le jardin du patio, avait fait tomber de la rosée de ses feuilles dans l'ouverture pratiquée au fond de chacun des œufs. Puis il avait placé les coquilles sur la margelle de la fontaine, en plein soleil. Un peu plus tard il avait appelé María de las Nieves pour lui montrer les coquilles d'œufs oscillant dans l'air comme de minuscules montgolfières. En tout cas, il y en avait trois ; la quatrième refusait de s'élever. Lorsqu'elle en toucha une du doigt, elle s'écrasa sur la pierre de la fontaine. Pourquoi de la rosée à l'intérieur, avait-elle demandé, et pas des gouttes d'eau ordinaire ? Il fallait que ce soit de la rosée, avait-il répondu, parce que ça ne marchait qu'avec de la rosée. Seulement avec de la rosée, mi amor ? Qué bonito, et s'oubliant complètement, là dans le jardin elle l'avait embrassé.

Mathilde, qui avait quatre-vingt-quinze ans à l'époque de notre entretien, aussi ingambe et lucide que sa mère, disait-on, m'apprit que María de las Nieves ne lui avait jamais de sa vie révélé le nom du mystérieux muchacho. « Pour autant que je sache, dit-elle, ou pour autant que nous sachions – moi et maintenant vous aussi – elle ne l'a même jamais écrit. » Elle l'appelait William Charles Frederick. Sa mère n'avait jamais non plus divulgué à quiconque ce qui s'était dit entre elle et José Martí lorsqu'il était allé la voir chez elle, avant de quitter le pays pour de bon, en juillet. À ce moment María de las Nieves s'était retirée dans sa petite maison ; Amada Gómez était partie, María Chon, évidemment, avait disparu ; quelques mois plus tard, alors qu'approchait la naissance de Mathilde, sa mère, Sarita Coyoy, viendrait de Los Altos habiter avec elle. María de las Nieves se contentait de dire, répéta Mathilde, que la visite de Martí lui avait sauvé la vie.

«Si vous savez quoi que ce soit sur les femmes de notre partie du monde, avait déclaré Mathilde, ses yeux noirs luisant dans son visage aux rides et au brun profonds, alors vous savez combien elles peuvent être mélodramatiques et fières. Il n'est pas surprenant qu'elle ait gardé ses secrets si secrets – un silence mélodramatique qui nous crie d'outre-tombe : Voyez comme je garde mes secrets!» Mathilde parlait avec affection, montrant des dents brillantes, légèrement jaunies. Elle portait ses cheveux gris en deux tresses enfantines qui lui tombaient sur les épaules, retenues par un ruban de velours noir. Elle était mince et élancée, de sorte qu'elle paraissait plus grande qu'elle n'était, et remarquablement leste, et je n'arrivais pas à détacher mes yeux de ses mains, dont les doigts étaient peut-être les plus longs et les plus élégamment fuselés que j'aie jamais vus et, quoique aussi ridés qu'on pouvait s'y attendre, toujours aussi agiles et expressifs qu'ils avaient dû l'être dans sa jeunesse. Elle jouait du piano, bien sûr. Trois ans après être arrivée à New York, elle avait gagné sa première compétition de patin à roulettes. Elle avait appris à faire du patin à glace également, mais devint, apparemment, un prodige du patin à roulettes.

Malgré l'habitude que j'aurais dû avoir acquise, je m'irritai un peu de la condescendance de Mathilde, car je comprenais évidemment, après tant de mois d'«études», comment peuvent être les femmes de cette partie du monde, même si je n'en suis pas moi-même originaire.

«Ils ont dû parler beaucoup, et elle doit s'être confiée à lui, dis-je. On le devine au petit poème qu'il a écrit dans son album.

– Oui. *Pourquoi le petit oiseau vole-t-il vers l'arbre à laine et non le buisson de flanelle?*» Mathilde rit doucement. «C'est un petit poème, mais il dit tout! Martí avait été le premier à écrire dans cet album. Les commères du voisinage utilisèrent ces visites pour faire courir la rumeur que José Martí était mon père. Bien sûr aucune d'elles ne savait rien du mystérieux muchacho, ni du complot secret de la perfide Albion pour faire progresser ses intérêts dans l'isthme.

— Ce sont les Américains qui semblent avoir été perfides, d'après le peu d'indices qui existent, dis-je. Sanglants et impitoyables, en tout cas. Ils voulaient le canal pour eux tout seuls.

— Évidemment! De toute façon pourquoi l'Angleterre faisait-elle semblant d'avoir un avenir dans cette partie du monde? Ils ont abandonné après ça, et ils ont bien fait. Ils sont retournés à leurs Afghans, leurs Zoulous, Hindous et Chinitos, où ils avaient encore quelque chose à offrir…

— Oui, d'accord, dis-je, me gardant bien de m'engager dans ce genre de conversation avec elle. Mathilde, vous venez de dire que Martí avait rendu visite à María de las Nieves plus d'une fois. C'est bien cela?

— Bien sûr. Il y a eu deux, peut-être même trois visites. Il était son ami et avait beaucoup de peine pour elle.

— Mais vous m'aviez toujours dit qu'il n'y avait eu qu'une visite.

— Il y a eu celle qui lui a *sauvé la vie*. À cause de ce qu'il lui a dit. C'était une visite!» Elle agita son long doigt dans ma direction. «Et une ou peut-être deux autres, au cours desquelles ce qui fut dit, joven, ne sauva *pas* sa vie, même si je ne doute pas que cela l'amusa beaucoup, et améliora son moral, et lui fit oublier sa triste situation, la pobrecita.»

Quelques mois plus tard, bien que le deuil et la douleur aient à peine relâché leur étreinte, María de las Nieves reprit l'une de ses anciennes habitudes: suivre son ventre grossissant dans les rues de la ville. Oh, mon petit bébé, s'était-elle inquiétée, tu vas avoir l'âme la plus mélancolique qui soit si ta mami ne se met pas à sortir un peu. Mais même son amie Vipulina, qui vivait toujours avec sa pieuse tante, et sombrait peu à peu dans l'amer désespoir de ne jamais trouver de mari, se comportait avec maladresse et réticence à son égard. Ce n'était pourtant pas un scandale extraordinaire pour une fille de son rang social de se retrouver dans cette position, comme le savait María de las Nieves. Mais les gens ne pouvaient s'empêcher de vouloir connaître l'identité du père : quelque humble qu'elle fût, les suspects possibles n'étaient pas des personnages anonymes : le Dr. Torrente, l'ambassadeur Gastreel, J. J. Jump, le premier secrétaire de la légation britannique, ou même ce malheureux Yankee Indio qui avait ruiné la réputation du pays en tant que destination pour les émigrants européens. María de las Nieves reprit ses visites à Don José Pryzpyz, puis à ses libraires et papetiers favoris. En revanche elle ne put se résoudre à s'arrêter à la boutique de J. J. Jump, car le souvenir de María Chon y était trop attaché, et parce que l'image que Mr. Doveton avait achetée vivait toujours là, du moins sur un négatif en verre, comme une petite mite endormie mais immortelle, pour ne rien dire des innombrables photos de María Chon. J. J. Jump avait commencé à penser que c'était la honte qui l'empêchait de venir et lui avait envoyé une gentille carte postale (« Votre vieux fidèle », avait-il signé, le nom du grand geyser du Wyoming représenté au recto) accompagnée de portraits de María de las Nieves et María Chon, côte à côte, qui avaient figuré dans son exposition *Nos 100 beautés les plus populaires*, à l'Exposition universelle de Paris. Nombre des damas et doncellas distinguées qui avaient traversé l'océan rien que pour voir leur propre image installée au milieu des merveilles modernes et des richesses naturelles du monde avaient été étonnées de trouver ces deux jeunes visages sombres exposés avec les leurs. (Comme notre Señor Jump est excentrique. Un véritable artiste, après tout !) Quant au destin de María Chon, J. J. Jump était dans l'ignorance. Était-elle allée retrouver sa famille de paysans dans les montagnes ? Cela semblait peu probable. Hernán Pedroso semblait soulagé de son départ. J. J. Jump en avait déduit que le jeune homme était mesquin et qu'il ne ferait jamais un bon photographe, en tout cas pour les portraits de femmes, et il l'avait renvoyé.

María de las Nieves n'avait révélé la raison de la disparition de María Chon à personne excepté à Don José (et peut-être, juste avant qu'il quitte le pays en juillet, à José Martí, bien qu'en ce cas il en ait préservé le secret). Après que six mois eurent passé sans signe de vie de sa part, elle écrivit à la famille Chon pour les informer que María s'était enfuie avec le roi de Mosquitia pour être sa reine – histoire d'amour qu'elle essaya de décrire sous son jour le plus favorable –, elle lui écrivit ce qui s'était passé ensuite, sans toutefois faire la moindre allusion à son propre rôle dans la tragédie, et tout en exprimant l'espoir que María Chon puisse encore revenir. Elle savait, bien sûr, que les morts réapparaissent presque toujours dans les rêves peu après leur disparition, pour rassurer leurs proches ou leur dire adieu, ou même pour charger les vivants d'une culpabilité spécifique ou générale. Le mystérieux muchacho n'apparaissait pas encore dans ses rêves, pas de cette façon – on pouvait s'attendre à ce que même dans la mort ce lâche traître demeure à distance – mais María Chon non plus, et cela la surprenait, car quels que soient les sentiments de culpabilité que pouvait éprouver la jeune fugueuse, elle savait que sa Mariquita l'aimait.

Au cours de ces mois où elle avait évité même Don José, le réparateur de parapluies avait été plongé dans une autre sorte de deuil : celui de la douleur et de l'angoisse impuissantes que causent à un père les malheurs de sa fille. Il était blessé et surpris qu'elle lui ait caché tout ce qui semblait s'être passé, et elle lui avait énormément manqué. Il pleurait aussi la perte de son ami Mack Chinchilla. Un jour Mr. Doveton était arrivé à la boutique de Don José avec deux lettres de Mack, une pour Don José, et l'autre adressée à la mère de Mack à New York, que le réparateur de parapluies devait poster s'il restait sans nouvelles de Mack pendant trois mois. De son côté Don José avait donné à Mr. Doveton une lettre pour Mack, dans laquelle il lui apprenait le peu qu'il savait de ce qui était arrivé à María de las Nieves. Une fois passé les trois mois, il avait posté la lettre à la mère de Mack, dit le kaddish et allumé une bougie pour son vieil ami.

Mack Chinchilla, avait appris Don José à María de las Nieves, était mort au combat dans la guerre des Cavernes, cette révolte des Indiens dans les montagnes dont on parlait tant en en sachant si peu, sinon qu'elle avait maintenant pris fin, entièrement écrasée, chaque rebelle enfumé dans sa grotte et abattu. En tout cas c'est ce qu'on disait et écrivait dans la capitale. Mais Don José croyait que Mr. Doveton avait péri, lui aussi dans cette guerre, et María de las Nieves savait que cela était faux ; du moins pensait-elle le savoir. Les Anglais avaient-ils aidé les Indiens dans les montagnes sans qu'elle n'en sache rien ? Mack avait-il été recruté par Mr. Doveton ou même Wellesley Bludyar ? Elle savait que les Anglais avaient soutenu les Indiens dans le soulèvement du Yucatán pendant des années, principalement par l'entremise de leur colonie de Belize, mais elle savait cela seulement parce que le Dr. Slam et Mr. Morgan l'avaient dit au mystérieux muchacho.

« Vous savez, le Señor Chinchilla est parti sans me dire au revoir », dit María de las Nieves – ce qui était un peu ingrat de sa part, tout bien considéré, pensa Don José. « Je ne savais même pas qu'il était parti. Je n'y faisais pas très attention, je dois l'avouer. » Mack avait appris la mystérieuse grossesse de María de las Nieves après avoir quitté la ville, ainsi que l'avait lu Don José dans la lettre qu'il lui avait adressée. Survenant juste après la catastrophe de sa colonie italienne, cette nouvelle l'avait amèrement déçu, et Don José craignait que Mack n'ait rejoint la rébellion dans un esprit de témérité suicidaire. Le pauvre Mack avait bien trop idéalisé María de las Nieves.

« Ce garçon ne voulait rien de plus dans la vie qu'être votre mari, María de las Nieves, déclara Don José, et être capable de vous entretenir d'une manière digne de son affection. Tels étaient ses deux seuls rêves.

– Cet homme», corrigea-t-elle avec douceur. Le mystérieux muchacho, lui, était un garçon. Elle avait eu le cœur brisé deux fois en une seule année. Quelle importance la déception amoureuse de Mack Chinchilla avait-elle à côté de cela? Au moins María de las Nieves n'était pas du genre à mourir d'un chagrin d'amour, elle savait cela. Mais si ce pauvre Mack, s'il l'aimait vraiment, était mort en pensant à elle? Que devait-elle alors à son souvenir? Elle posa les mains de chaque côté de son ventre rond, et après un instant, comme si elle recevait une communication surprenante de sa matrice à travers les paumes, elle sourit et déclara:

«María Chon l'appelait Don Cochinilla. Elle l'aimait vraiment! C'est lui qu'elle aurait dû épouser. Oh Don José, pourquoi n'ai-je jamais eu l'idée de les marier?» Elle se couvrit le visage de ses mains et se mit à pleurer.

Mack Chinchilla apparut dans un de ses rêves quelques nuits plus tard, debout sur une petite planche plate qui flottait dans le ciel nocturne, lui faisant adieu de la main, avec un grand sourire joyeux. Elle était contrariée: si Mack avait été tué des mois auparavant, ce rêve n'avait pas de sens, à moins que Mack ne tourne incessamment en rond dans la région surnaturelle des morts récents en s'amusant comme un fou. Ou encore avait-il été frappé à la tête par un boulet de canon qui l'avait expédié dans l'éternité avec un grand sourire béat sur le visage! Ce que Don José lui avait dit avait dû causer ce rêve, raisonna-t-elle, comme une conversation qu'on se rappelle soudain alors qu'on fait quelque chose qui n'a rien à voir, et donc ce n'était pas un vrai rêve.

Un beau matin une lettre fut glissée sous sa porte, qui contenait ces seuls mots: *Dieu envoie les tribulations à ceux qu'il aime le plus* – elle était signée Sor Gloria de los Ángeles. Sa première réaction fut de railler: Alors il devait avoir particulièrement aimé le mystérieux muchacho, María Chon, le Dr. Slam, Mr. Morgan et Mr. Autres. Mais ensuite elle laissa libre cours à sa surprise d'avoir reçu cette communication de son ancienne sœur novice, et l'idée

lui vint que l'une des supériorités de la vie sur les romans était
sa façon de vous envoyer des surprises totalement inattendues
sans que cela semble une faute de goût ou un effort pitoyable
pour faire aboutir une histoire sur une leçon morale ou sentimentale, ou du moins une fin crédible, et elle se rappela que Martí
se moquait des romans pour toutes ces lacunes qui, évidemment,
ne sont pas le lot de la poésie. Cette lettre de Sor Gloria de los
Ángeles ressemblait plus à un poème qui, une fois lu, continue de
se développer en vous, musique métamorphosée en pensée métamorphosée en air radieux. Qu'on croie ou non à Dieu, songea-
t-elle, c'était une bénédiction d'avoir reçu ce message de Sor Gloria,
parce que c'est vrai, il y a de la beauté dans la souffrance, et le rapport entre la beauté et la souffrance constitue l'énigme et le défi
secrets de la vie séculaire aussi! Elle s'assit ce soir-là devant un
bol de bouillon de poulet agrémenté de garbanzos, qu'elle avait
elle-même cuisinés, et écrivit à Sor Gloria une longue lettre
qu'elle apporta, avec un autre pot de haricots, à Jocotenango, car
elle avait besoin d'argent de toute façon, et Padre Lactancio en
avait encore à elle. Quand le pauvre prêtre famélique la vit arriver,
son gros ventre en avant, vêtue comme une mengala des rues de
son châle et de sa jupe flottante mais chaussée de bottes en caoutchouc indien et portant le pot en terre, il se frappa le front de la
main et s'écria: «Oh non, Sor Gloria de los Ángeles, je ne veux
rien savoir!» Pour María de las Nieves ce cri était une coïncidence
quasi miraculeuse – même s'il se reprit rapidement et dit: «María
de las Nieves je voulais dire. Et, hijita mía, je ne veux *vraiment*
rien savoir!» Au cours de sa visite elle donna la lettre au prêtre
pour qu'il la fasse tenir à Sor Gloria, pensant qu'il saurait comment s'y prendre, et c'est ainsi que commença une longue correspondance amicale même si elle n'était pas particulièrement élevée
du point de vue intellectuel ou spirituel, qui devait se poursuivre,
quoique avec quelques interruptions de plusieurs années, bien
après que la novice eut finalement quitté discrètement le pays

avec Madre Sor Gertrudis et la plupart de ses religieuses clandestines cinq ans plus tard, en mars 1883, après presque une décennie passée dans l'étable de la veuve Zazúeta.

En août, María de las Nieves eut dix-huit ans. Elle devait apprendre plus tard que Mrs. Gastreel avait été accouchée selon une nouvelle technique de césarienne par un jeune médecin tout frais émoulu de la faculté de Paris. Suite à la mort de la princesse Alice, fille de la reine Victoria, la légation britannique ouvrit ses portes au public pour ceux qui désiraient signer le registre de condoléances, et María de las Nieves s'y rendit. Personne ne remarqua son arrivée, excepté Don Lico. Ils se saluèrent et échangèrent des nouvelles avec un formalisme timide et surpris qu'aucun d'eux ne sut comment surmonter, puis elle pénétra dans l'entrée froide et familière et signa son nom dans le registre. En partant elle donna à Don Lico une lettre pour l'ambassadeur Gastreel, et Don Lico s'inclina en ôtant son chapeau. Dans sa lettre elle congratulait l'ambassadeur pour la naissance de son fils et lui demandait des nouvelles de María Chon. Deux semaines plus tard elle reçut une réponse par la poste, de la main de l'ambassadeur lui-même, la remerciant, en son nom et en celui de son épouse, et lui souhaitant une excellente année.

Le 14 janvier 1879 la fille de María de las Nieves naquit, chose surprenante, toute coiffée de soyeuses boucles noires. C'était un bébé à la beauté délicate qui ressemblait à une minuscule reine égyptienne. On l'appela Mathilde, prénom de l'héroïne ambiguë du roman dont Martí avait parlé la première fois qu'elle l'avait entendu. De toute façon, elle aimait ce nom et il n'y avait personne d'autre que Sarita Coyoy autour d'elle pour tenter de l'en dissuader. Sa mère était venue de Los Altos pour l'accoucher, ce qui ne fut pas facile. Doña Cristina, encore en deuil de sa fille et de son époux, envoya un panier plein de jolis vêtements de bébé qui avaient été portés par ses filles. Josefa, la servante aux dents cassées, arriva avec un cadeau de la Primera Dama, un lourd hochet fait de l'argent le plus fin, gravé de l'emblème de la République libérale. La première fois que Don José vint voir Mathilde, María de las Nieves resta à la porte, un regard d'extase fixé sur la petite créature empaquetée dans ses bras, parlant comme à elle-même : « Je ne peux pas m'empêcher de la toucher. J'enlève sa petite robe, je lui en remets une autre, j'enlève celle-ci pour lui en remettre une autre. Je suis si amoureuse d'elle que je ne sais pas quoi faire. » Enfin elle leva les yeux sur lui et le remercia chaleureusement d'être venu mais elle referma la porte avant même qu'il ait pu lui donner son cadeau. Le baptême eut lieu dans l'église de Padre Lactancio à Jocotenango. Don José était parrain, Vilupina Godoy était marraine. On ne posa pas de questions. Le bébé fut baptisé Gloria Mathilde Moran. Un an passa. Les Gastreel retournèrent en Angleterre. Un célibataire, William Locock, remplaça l'ambassadeur. Sarita Coyoy retourna à Los Altos et revint avec les jumeaux qu'elle avait eus de l'éleveur de moutons, Gaspar et Nazareno, que María de las Nieves trouva insupportables. Elle finit par les mettre tous trois à la porte. Peu après, Sarita Coyoy revint seule, et resta. Un soir venteux de novembre María de las Nieves entra dans la boutique de Don José et annonça que sa fille n'était définitivement pas allergique à la laine. Une autre année passa, puis une autre. María de las Nieves gagnait sa vie en donnant des cours privés et traduisait parfois des documents de l'espagnol en anglais ou vice versa pour des avocats et des marchands. Sa mère faisait de la couture à la maison, roulait des cigarritos et l'aidait à élever Mathilde, qui accompagnait souvent son abuela à l'église, bien que María de las Nieves suppliât sa mère, avec bien peu de succès, de ne pas remplir la tête de sa fille de folles superstitions religieuses, qu'elles fussent chrétiennes ou indiennes. Elles étaient pauvres, mais ne risquaient pas de mourir de faim. L'amertume, la solitude, la rage, le sarcasme, le pessimisme et la misanthropie tenaient les places d'honneur dans le panthéon des dieux personnels de María de las Nieves. Elle les connaissait intimement et respectait chacun, les craignant aussi ; et parfois ils se levaient tous ensemble pour la soumettre totalement. Parfois c'était comme si tout ce qu'elle avait jamais connu de positif l'avait quittée à jamais – fuyons ce monstre ! – la laissant seule, suspendue dans une obscurité maussade sans plafond, plancher ni murs. Mais souvent ce mystérieux domaine du positif semblait remporter la partie, comme si profondément en elle une source naturelle avait jailli et que l'eau fraîche et salvatrice montait en pétillant, coulant dans ses veines, dans son cœur, son cerveau et son esprit comme si ce flot ne devait jamais se tarir. Et pourtant il se tarissait, ou bien encore le crabe démoniaque tapi dans les abîmes roulait de nouveau le rocher noir sur la source.

Un après-midi pendant la saison des pluies, alors qu'approchait son vingt-deuxième anniversaire, vêtue de percale noire et d'une simple *bolerita* de paille ornée d'un ruban pervenche, et portant le parapluie turquoise à poignée d'argent que Don José avait fait pour elle presque cinq ans auparavant, María de las Nieves s'arrêta dans le kiosque de lecture du Parque de la Concordia et trouva, pour la première fois depuis des semaines, un journal étranger qui venait d'autre part que de Panama City : *La Opinión Nacional*, de Caracas, Venezuela. Mais il est vieux de plusieurs mois, songeat-elle tandis qu'elle s'asseyait pour le lire, son œil attrapant la date de Nueva York, 4 février 1882, avant de descendre sur la colonne où elle lut : … Les laboureurs sont contents car les froids flocons de neige, tels des papillons blancs, apportent sur leurs ailes, pour le bien de leurs récoltes, tout l'ammoniac de l'atmosphère, et ils se répandent sur la terre pour que toutes les maladies animales meurent sous eux, et l'ammoniac salubre, qui comme tout ce qui est essence aime voler, ne peut échapper au sol cultivé qui a maintenant besoin de lui… Elle leva les yeux sur le gros titre : « Lettre de Nueva York », et sur les sous-titres – *Neige, plaisirs et tristesse* – *Patins et traîneaux* – *Les pensions et les tavernes* – *Les grands bals de l'année* – *Un terrible incendie* – *Misérables travailleuses* – *Une assemblée électorale* – puis elle retourna à sa lecture : L'homme des tropiques, dont le crâne ressemble à une chambre de lumière qui embellit et colore tout, se réveille les matins neigeux comme un homme qui se nourrit de faim et de soif, tapi tel le loup piégé entre les murs phosphorescents d'une vaste tombe. Il s'imagine que ses cheveux sont devenus blancs. Il menace cet ennemi vaste et arrogant de son poing…

Par la suite María de las Nieves jurerait qu'à cet instant elle le vit, les cheveux d'un blanc de givre, debout à sa fenêtre, montrant le poing à la neige, une image qui dans les années à venir lui reviendrait chaque fois qu'elle se réveillerait dans une chambre pleine de la lumière aveuglante d'une neige matinale, et qu'elle avait alors tourné une page intérieure du journal et qu'au bas de l'article se trouvait le nom qui confirmait sa prémonition. Mais se pouvait-il que l'auteur fût un autre José Martí ? C'était loin d'être un nom aussi rare que Pryzpyz. Elle savait par le rapport de l'agence Pinkerton qu'il avait essayé de trouver du travail en écrivant pour des journaux… *à l'intérieur,* poursuivit-elle, *dans son crâne flamboyant,* perchent les aigles rebelles, glacés, ébouriffés et battant des ailes. Mais à l'extérieur tout est réjouissance et jubi- lation… de bruyants traîneaux tirés par des chevaux emplumés et de rapides luges… des enfants aux joues roses jouant dans la neige… Dans Central Park flotte le bien-aimé ballon rouge. Maintenant la prose de « José Martí » patinait avec les patineurs, tournoyant, virevoltant, poursuivant sur la glace les jeunes filles coquettes… Et ensuite ce fut une nuit de fête, une belle lune de janvier projetant sa lumière neigeuse sur la neige, et le chroni- queur explorait les tavernes pour décrire les malheureux ivrognes essayant de se réchauffer au-dessus de leurs verres, leurs visages pareils à des champignons malades dans l'atmosphère empoison- née, et les sous-sols où s'entassaient les pauvres, et il suivait un ivrogne titubant dans la masse noyée de vapeur de magnifiques chevaux devant l'académie de musique, et c'était la saison des bals de la société élégante et la prose, attirée par la lueur brûlante des chandeliers, entrait en flottant dans les salles de bal, décrivant tout ce qui était visible et puis :

… La Vie et la Mort se réveillent ensemble chaque matin ; à l'aube l'une aiguise sa faux et l'autre saisit son brin de jasmin, parfois mangé par les vers. Un autre bal, un enfer d'âmes. Un bâtiment jouxtant la poste était la proie des flammes ce jour-là. Ce fut un spectacle terrible, mais qui ne dérangeait pas les amoureux de la danse. Dans cette nuit froide, les âmes, déjà libérées de leurs corps, marchaient sur la neige silencieuse dans l'espace humide et sombre, frissonnantes et aspergées, s'enveloppant dans les étincelles. (Qui d'autre, pensa-t-elle, décrirait ainsi les âmes ?) C'était un immeuble abritant des journaux qui brûlait. Une centaine de langues rouges montaient les escaliers et couraient dans les couloirs. Les étages supérieurs, bourrés de pauvres secrétaires et de coursiers, résonnaient de cris d'horreur. Un homme debout dans les flammes à une fenêtre ; un autre, à l'intérieur d'un halo ardent. Les échelles des pompiers ne peuvent atteindre les étages supérieurs. Une pauvre femme noire se hisse en hurlant à la fenêtre d'un bureau, se recroqueville sur l'appui, tâchant de ne pas tomber, une main en feu, soudain elle se dresse, rassemble ses jupes entre ses jambes, pousse un cri, et se jette dans le vide ; son corps se brise bruyamment sur les pavés. Un Noir, un cireur dans un bar proche, sauve héroïquement et spectaculairement trois vies et, la poitrine couverte de sang, s'en va faire le bien ailleurs. Une jeune femme apparaît à la plus haute fenêtre. Ses mains sont tachées de l'encre glorieuse de son travail. Les flammes mordent ses cheveux, elle sépare les flammes de ses mains. Sa robe prend feu et elle arrache les lambeaux flambants. Elle se bat à mains nues contre le feu. Six mètres sous elle se trouve l'échelle la plus proche, au sommet de laquelle un pompier se dresse bras ouverts, et elle se laisse tomber, arrogante et sereine, elle est sauvée. On crie à un homme de faire de même, il refuse… encore la mort, encore l'horreur… Aujourd'hui tout est cendres… les héros honorés… les journaux déménageront, ils sont faits d'esprit, et ne meurent pas dans un incendie… les cadavres inhumés aux sons d'hymnes religieuses, ou enterrés dans les ruines humides. Dans ces décombres, tels des guerriers qui ont vaillamment combattu, tués en pleine bataille, se trouvent les cadres qui contenaient les boîtes des caractères en plomb, maniés, pour un salaire misérable, par de frêles femmes. En vérité cela nous emplit de tristesse, quand, arrivant des lointaines banlieues, les matins qui ressemblent à des couchants, on voit ces vaillantes travailleuses, qui revenus au soir de leur dur labeur, ont posé leurs têtes inquiètes, sans avoir le temps de rêver, sur leurs oreillers froids et durs. Les tramways et les ferries à cette heure-là ressemblent à des orphelinats. Les femmes apparaissent avec leur pâleur maladive, leurs nez rougis, leurs yeux pleins de larmes, leurs mains gonflées. Elles accomplissent le travail d'un homme, et leur salaire est une misère, bien inférieur à celui d'un homme.

María de las Nieves s'interrompit pour allumer un cigarrito et réfléchir. Elle était sûre de n'avoir jamais lu une description aussi vivante de l'horreur ; cela lui avait fouetté le sang. Et elle avait été émue par ce que Martí révélait des ouvrières. Sa vie était loin d'être aussi dure que les leurs ; elle était paresseuse en comparaison. Ces pauvres femmes de la ville vivaient comme des Indiennes des montagnes : de longs trajets à l'aube, des journées de travail interminables. Des belles patineuses et des élégantes valseuses aux filles qui mouraient dans un enfer en serrant dans leurs mains des caractères d'imprimerie chauffés au rouge, c'était beaucoup à absorber en une seule lecture, et il y en avait encore : les impressionnantes damas vêtues de noir du congrès des suffragettes : C'est une chose surprenante, écrivait Martí, que la grâce, la raison et l'élégance soient venues soutenir cette cause. Cette réunion donne l'impression d'un éclair qui à la fois brille, réchauffe le cœur, séduit et illumine. Ces femmes sont pareilles à des Cupidon malicieux, le carquois plein, visant d'une main délicate leurs ennemis déroutés et anxieux, incapables de se protéger, détournant le visage et levant les bras pour échapper aux flèches implacables. Quelle légèreté de l'exposition! Quel brio du sentiment! Quelle habileté au combat! Quelle grâce dans les coups de leurs critiques : «Vous ne nous laissez le choix qu'entre une vie d'esclavage ou une vie d'hypocrisie! Si nous sommes riches, vous prenez notre héritage! Si nous sommes pauvres, vous nous payez un salaire de misère! Si nous sommes célibataires, vous nous abandonnez tels des jouets cassés! Si nous sommes mariées, vous nous dupez brutalement! Vous nous fuyez, après nous avoir perverties, parce que vous êtes pervertis! Maintenant que vous nous avez laissées seules, donnez-nous les moyens de vivre seules. Donnez-nous le droit de vote.» Et à ce moment, écrivait Martí, comme si c'était une loi de ce pays que puissance et puérilité soient toujours unies, une belle dame annonça que le George Washington de leur cause était arrivé : une femme célèbre qui parle ce langage qu'aiment les Américains parce qu'il les fait rire et abonde de la rapidité et de la brutalité du boxeur. Susan Anthony, chaussée de lourds souliers de marche, qui ce jour-là, plutôt que de faire un discours, exhorta le public à acheter son livre… Dans le Wyoming, les femmes votent et se présentent aux élections; là-bas un mari républicain s'était présenté contre sa femme démocrate. Cela, Martí ne l'approuvait pas. Chez nous partager nos vies signifie en jouir ensemble. María de las Nieves eut une bouffée de rancœur : Ah, c'est comme ça que c'est dans notre doux pays, hein? Alors Mathilde et moi nous irons vivre dans le Wyoming, chaussées de lourds souliers de marche.

Elle avait atteint le dernier paragraphe : … À côté de ces voix féminines s'élèvent, robustes et magnanimes, celles des grands hommes de New York, assemblés ailleurs pour dénoncer le traitement barbare dont les pauvres juifs sont aujourd'hui victimes en Russie – et cetera et cetera – le cœur de tous les hommes et femmes sur terre répond aux cris angoissés des hommes et femmes de Moïse.

C'était comme si Martí, se rendant compte qu'il était en retard à un rendez-vous, avait passé la plume à Mack Chinchilla pour qu'il termine sa chronique. C'était le jour des revenants inattendus. À croire que les amis lointains, disparus et morts avaient tous décidé de lui rendre visite dans le kiosque de lecture via un journal, qui est fait d'esprit, et ne peut donc périr dans un incendie. Elle feuilleta le reste du journal comme si les esprits de María Chon ou du mystérieux muchacho ou même de Wellesley Bludyar pouvaient s'élever de ses pages.

À partir de ce jour, chaque fois que María de las Nieves se dirigeait vers le kiosque de lecture, elle sentait monter en elle une excitation qui lui rappelait l'époque lointaine où elle espérait toujours y trouver Martí. Jour après jour elle s'attendit à trouver un nouveau numéro de *La Opinión Nacional* avec un article de lui, mais cela n'arriva jamais.

Il semble assez plausible que María de las Nieves, en lisant le passage où l'habitant des tropiques montre le poing à la neige, ait eu la prémonition que l'auteur était José Martí. Et peut-être avait-elle réellement pensé qu'elle n'avait jamais lu une prose aussi poétique et hardie dans un journal, et même reconnu ses qualités révolutionnaires. Toutefois ce n'est un secret pour personne que la sagesse rétrospective, quelque bien intentionnée qu'elle fût, particulièrement parmi ceux qui avaient eu un contact personnel avec El Apóstol, était un lieu commun des premiers éléments de la littérature savante et hagiographique consacrée à Martí. Publiées dans de nombreux journaux partout dans les Amériques (mais pas à la Pequeña Paris), les *crónicas* de José Martí finiraient par occuper plus de trois mille pages de ses *Œuvres complètes* posthumes. Sinon en 1882, du moins quelques années plus tard, les littérateurs les plus importants des Amériques hispanophones réagiraient à ces crónicas de la même manière que María de las Nieves l'avait fait ce jour-là dans le kiosque de lecture. Car la forme cró-nica, telle qu'elle était pratiquée et développée par certains jeunes écrivains dans les journaux d'Amérique latine à l'époque, était le *laboratoire du style moderniste poétique*. L'enfant prodige nica-raguayen Rubén Darío, qui devait devenir le plus grand poète de langue espagnole de son époque, dirait que c'était en écrivant pour *La Nación* de Buenos Aires, où Martí était un *cronista* célèbre, qu'il avait appris à maîtriser le style littéraire. *Les États-Unis de Martí sont un diorama stupéfiant et enchanteur*, écrivit-il. *Je dirais presque qu'il rehausse les couleurs de la vision naturelle... Un pont de Brooklyn littéraire égal au pont en acier ; des Indiens Sioux qui parlent la langue de Martí ; des tempêtes de neige qui vous font frissonner de froid.*

María de las Nieves déchira la crónica de Martí, la plia et la fourra dans sa longue manche avant de quitter le kiosque. Comme à l'accoutumée, elle la relut pendant des semaines de manière obsessive.

Et un beau matin il était là, dans une chemise en plastique trans-parent, son papier ramolli et à peine froissé avec ses caractères pas-sés et l'air poudré, posé pour moi sur la table à laquelle je travaillais : ce même article vieux d'un siècle, déchiré par María de las Nieves et rapporté chez elle dans sa manche. Je fus touché de le tenir entre mes mains. C'était la chose la plus émouvante que Mathilde m'avait montrée jusqu'alors, et il me fallut un moment pour me reprendre et me rappeler de quoi nous parlions auparavant.

« Elle n'a plus jamais eu de nouvelles de Wellesley Bludyar, Mathilde ? » demandai-je, là dans la bibliothèque de la maison légendaire – légendaire, du moins pour ceux de nous qui ont grandi à Wagnum, Massachusetts, dans l'ombre de cette famille déroutante, qui ne cessait d'apparaître et de disparaître, avec ses innombrables prénoms, qui avait fondé la Cody Rubber Com-pany si longtemps auparavant, qui continue de la posséder et de la diriger, qui pendant tant d'années a employé tant de familles de Wagnum, qui a construit des écoles, des églises, des terrains de base-ball et des parcs, qui est omniprésente dans notre ville comme les ballons en caoutchouc qu'elle fut la première à fabriquer, et mystérieuse comme seule une histoire perdue ou étouffée peut l'être, que ce soit celle d'une famille, d'un empire industriel, ou d'un épisode lointain dans une intrigue politique.

« Je crois que ce que Mr. Bludyar a vu ou vécu en Mosquitia l'a détruit. Ou peut-être ce que lui-même *a fait* là-bas, vous savez ? Comment est-il arrivé à s'échapper lui et pas les autres ? Eh bien, vous pouvez enquêter, si vous voulez – les mains de Mathilde s'ouvrirent et voltigèrent dans l'air devant moi comme deux énormes mites – mais vous ne trouverez pas grand-chose. Après la mort de l'ambassadeur Gastreel, il semble que Mr. Bludyar a été proche de la veuve un certain temps. Il est pourtant mort seul, dans le Norfolk. Il n'a écrit qu'une seule fois à ma mère, bien des années trop tard.

– Est-ce que María Chon a été tuée avec les autres ?

– Même Wellesley Bludyar n'en a jamais été sûr. Je présume que oui, parce qu'on n'en a jamais plus entendu parler. Peut-être est-elle devenue une *sukia*. En tout cas, c'est ce qu'aimait croire ma pauvre mère. »

Inutile de dire qu'une énorme quantité de documents me fut accessible à Wagnum. Je trouvai même les paquets de cartes de vœux anglaises de Mrs. Gastreel au milieu du trésor apparemment inépuisable de papiers et d'objets laissé par María de las Nieves. Là je trouvai également un bref article découpé dans un numéro du *Figaro* de 1933, concernant les débuts d'un certain Señor López au Lido de Paris, où il montrait pour la première fois son numéro de magie qui consistait à donner des formes d'animaux à des ballons en caoutchouc. L'article était accompagné d'une photographie montrant le Señor López en frac noir, tenant un lapin composé de ballons blancs sur un chapeau claque retourné. Ce numéro qu'on voit aujourd'hui partout, qui consiste à faire des animaux avec des ballons n'avait jamais été vu en public ni en Europe ni aux États-Unis. Sur la photographie le Señor López a l'air d'une version âgée, bien que plus sombre de peau et affublée d'une barbiche, du José Martí de quarante-trois ans qui, le 19 mai 1895, à Dos Ríos, dans l'île de Cuba, galopa – dans certaines versions sur un cheval emballé, dans d'autres, sur un cheval résolument éperonné – à la rencontre d'une grêle de balles espagnoles, de la gloire éternelle et du martyre. Pour moi, la ressemblance est très grande. L'article dans *Le Figaro* affirme que le Señor López est mexicain, mais cela n'est pas vrai. Qui est le « Señor Carlos López » ?

Après tout, j'étais seulement censé éclaircir le mystère de la paternité de Mathilde Moran, et conter cette histoire telle qu'elle eut lieu, et maintenant ma tâche a été plus ou moins accomplie. Certes, je serai en retard de presque trente ans, mais ce travail se révéla beaucoup plus important qu'aucun de nous ne l'avait prévu. Je me rends bien compte, évidemment, qu'il reste des questions qu'il faut encore poser.

À bord du *Golden Rose*, après avoir emporté son verre de cognac du salon de Paquita à sa propre cabine, et allumé la chandelle à l'intérieur de sa boîte en verre sablé, María de las Nieves s'assit, pour la dernière fois de la traversée, devant le rapport de l'agence Pinkerton. La pension de famille, dirigée par les Mantilla dans un immeuble de quatre étages loué sur la Trente-neuvième Rue Est, était, d'après l'agent E. S., quoique peu meublée et dépourvue de chauffage central, très bien tenue et confortable. Mais la petite chambre d'E. S., au bout du couloir sur lequel donnaient le salon et la chambre des Martí, était sombre et sans air, avec une fenêtre face à un mur en brique et une rangée de pigeons étrangement casaniers toujours alignés sur le rebord, tels de lugubres ramasseurs de pommes de terre. Parce que E. S. n'avait pas vue sur la rue, l'agence louait d'autres pièces dans ce pâté de maisons depuis lesquelles les agents pouvaient surveiller les allées et venues de Martí.

Évidemment, il n'eût pas été prudent qu'E. S. coure après Martí chaque fois qu'il sortait. Bien qu'il utilisât généralement la porte principale quand il rentrait, il lui arrivait souvent d'emprunter, surtout quand il était tard, la porte de service. Les autres agents qui le surveillaient depuis leurs chambres louées remarquèrent-ils jamais que l'objet de leur surveillance arrivait dans un état particulièrement agité? Furent-ils capables de dire si une mauvaise santé et un complexe nerfs-cœur-esprit stressé s'étaient combinés pour faire apparaître à cette porte un jeune exilé d'une pâleur maladive, tremblant, et dont les tourments étaient visibles dans les yeux comme sur une sorte de fleur qui ne s'ouvre qu'à la nuit tombée? Est-ce que les poignées de *cent poignards* sortaient de sa poitrine? Aucun de ces agents vit-il la lueur vacillante d'une chandelle de l'autre côté de cette porte? Était-ce sa logeuse qui la tenait? Posa-t-elle la chandelle par terre, libérant ses bras pour l'enlacer? Cela eût été pratique, même si, évidemment, rien de ce genre ne fut rapporté. María Mantilla, la fille de la logeuse de Martí, naîtrait fin novembre de cette même année, ce qui fait qu'elle avait été conçue approximativement six semaines avant que les détectives de Pinkerton commencent leur surveillance en avril; c'est-à-dire, après que Martí se fut installé à la pension en janvier, et avant que sa femme et son bébé ne le rejoignent en mars. En octobre, un mois avant l'accouchement de María Mantilla, l'épouse et le fils de Martí repartiraient sans lui pour Cuba.

À l'époque où je commençai à fréquenter Mathilde à Wagnum, peu de gens au monde connaissaient l'existence du rapport sur la première année de Martí à New York rédigé par l'agence Pinkerton. Il est possible que Mathilde, puis moi, fussions les seules personnes encore vivantes qui l'aient jamais lu (et elle ne l'a jamais lu en entier). Quelques années plus tard, en 1978, l'institut Martí à La Havane publia dans son journal l'étude d'un chercheur français qui avait découvert dans des archives à Madrid les factures envoyées par l'agence Pinkerton à l'ambassade d'Espagne à

Washington en 1880. Les agents, uniquement identifiés par leurs initiales, devaient tenir un compte méticuleux de leurs dépenses afin de se les faire rembourser par le gouvernement espagnol. Ces notes de frais fournissent une carte et un itinéraire fantomatiques de cette opération de surveillance, à laquelle participèrent sept agents. Le 21 avril, par exemple, l'agent J. P. écrit : *Pour le loyer hebdomadaire d'une chambre depuis laquelle observer la résidence de José Martí : $ 4.00. Dépenses dans un magasin de cigares au n° 411 de la Quatrième Avenue afin de pouvoir surveiller Martí : 0.20. Dépenses pour pouvoir rester à l'intérieur d'une taverne dans Nassau Street et Maiden Lane à surveiller Martí et Cirilo Pouble : 0.10. Le 23 avril, petit-déjeuner chez Delmonico en surveillant Martí et un ami, nécessaire du fait que ce restaurant a deux sorties...*, et ainsi de suite, jour après jour, pendant quatre mois. Les restaurants et les tavernes à deux sorties fournissaient toujours aux agents une excuse pour boire un verre, ou faire un repas aux frais de l'Espagne. E. S. rapportait régulièrement l'achat de bonbons et autres cadeaux pour les trois enfants des Mantilla et le petit garçon de Martí, Pepito. Il avait engagé Miss Paral pour prendre des leçons d'espagnol. Quand Martí, prétextant le besoin de repos et d'air marin, alla à Cape May, sur la côte du New Jersey, d'où, plusieurs mois auparavant le général Calixto García et ses hommes s'étaient discrètement embarqués pour Cuba à bord d'un schooner de location, le dévoué E. S. s'était débrouillé pour qu'on livre les journaux de New York là où habitait Martí, et des agents faisaient la navette dans le train avec Martí. À vingt-six reprises, E. S. note avoir acheté une bouteille de vin pour Messrs. Martí et Mantilla.

Cette découverte des notes de frais des agents de Pinkerton provoqua une recherche effrénée du rapport qui avait certainement été soumis aux clients espagnols à la fin de l'enquête. Officiellement, du moins, on n'en trouva pas un seul exemplaire. María de las Nieves ne révéla qu'elle en possédait un qu'à la fin de sa vie, et Mathilde l'imita, n'ayant trahi son secret qu'en ma faveur. Je ne sais même pas lequel de ses nombreux héritiers le possède aujourd'hui. Bien sûr il est possible, probable même, que d'autres exemplaires existent ailleurs, gardés aussi secrets que celui de Wagnum.

... Mrs. Carmita Mantilla est une femme qui travaille exceptionnellement dur, écrivit E. S. dans son rapport sur la logeuse. Ses jours sont occupés par une myriade de travaux domestiques, le soin de ses pensionnaires, cubains pour la plupart, et l'éducation de ses trois enfants. Ce pourrait être une brave et robuste bonne irlandaise au large derrière, sans ses traits et manières latins et la cadence de son pas, dont je reconnais qu'ils font d'elle une femme totalement différente. Pourtant il doit y avoir une raison qui expliquerait pourquoi je n'ai pas pu résister à faire cette comparaison. Je veux seulement, Monsieur le Superintendant, attirer votre attention sur certaines qualités de Mrs. Mantilla que d'autres, aveuglés par les tristes conditions de sa vie, pourraient ignorer. Mrs. Mantilla m'encourage à tenter de me lier d'amitié avec Miss Susan Paral. «Meester E. S., c'est oun charmante señorita, et je vois comment vous la souivez des yeux», m'a dit hier Mrs. Mantilla, quelques instants seulement après que notre charmante belle du Sud se fut de nouveau engagée dans l'escalier menant au petit salon où elle prend ses leçons d'espagnol avec les Martí. «Pourquoi moi pas inviter pour vous deux une bonne tasse de café ou de chocolat après, nous restons ensemble et vous pouvez faire connaissance, oui?» Vous imaginez, Monsieur, à quel point je désirais empêcher que cela arrive. Mes lèvres, peut-être, tâchèrent de trouver une manière spirituelle de la remercier de vouloir me faire connaître cette bonne tasse de café, mais... Mrs. Mantilla se saisit de ma manche: «Mais pourquoi, Señor E. S., les jeunes hommes intelligents dans ce pays ont tant peur des femmes, alors que les stupides si hardis. Señor E. S., votre front est beau et pâle, les veines bleues comme des rivières sous la glace, vos yeux bleus ont l'air rêver seulement du ciel. Oh Señor E. S., vous avez besoin une tête chaude se pose à côté de votre ! Je vous promets que vous ne serez pas toujours mon pensionnaire célibataire solitaire. » Les yeux noirs de Mrs. Carmita Mantilla sont vifs et expressifs comme ceux d'une gitane... Alors, pensa María de las Nieves, toi aussi tu es tombé amoureux d'elle, traître d'E. S.

Manuel Mantilla, qui avait quelques années de plus que son épouse, possédait également une petite société d'importation de tabac, qui lui fournissait un revenu de plus en plus faible, avec un petit bureau près des quais auquel il n'allait plus tous les jours, surtout pour des raisons de santé, mais aussi, pensait E. S., parce qu'il était démoralisé et qu'il était un peu paresseux. Manuel Mantilla avait le cœur faible ; son médecin lui avait ordonné d'éviter toute activité vigoureuse, ses mouvements et sa respiration étaient laborieux, et il se fatiguait même à marcher. Au lit la nuit, avait confié Carmita Miyares de Mantilla à certains locataires, son mari devait dormir presque assis, appuyé contre des oreillers, car sinon il se réveillait en étouffant comme s'il se noyait. E. S. écrivait : Peut-être Mr. Mantilla n'est plus que l'ombre de l'homme qu'il fut, et même s'il se peut que cet homme ait jamais été débordant d'énergie, je sens qu'il possédait une dignité et une virilité solides du genre tropical et espagnol. Ses rares sourires contrastent tant avec ses traits affaissés et son teint bilieux qu'ils semblent imprimer à son visage une horrible expression de surprise, à laquelle on s'habitue, comme si on partageait avec lui cette impossible poussée de bonne volonté et de vigueur, généralement provoquée par quelques verres de vin et une conversation animée à table, ou une marque d'affection de son épouse, Carmita. Ainsi, l'autre jour, se penchant sur lui alors qu'il était à table, elle entoura de ses bras sa pauvre poitrine et nous dit que son mari était *un véritable coq.* Elle tapota fièrement son ventre légèrement proéminent. « Mrs. Mantilla est enceinte », m'apprit Martí, l'air radieux. Nouvelle miraculeuse, certes ! Les Cubanos levèrent leur verre tour à tour, portant des toasts et même récitant des poèmes, et les yeux s'embuèrent quand on en vint à parler des enfants nés loin de leur patrie, qui risquent de s'habituer à parler et à écrire l'anglais plus que l'espagnol, ainsi que, même les trois enfants des Mantilla, deux garçons et une fille, semblent en prendre le chemin. Maintenant un autre petit Mantilla est attendu! On parla ensuite, comme si souvent, des dernières nouvelles de la patrie reçues par courrier, qu'il m'est difficile de suivre, bien que ce bavardage contrapuntique semble procéder par cercles prévisibles autour de la table, débutant généralement par l'annonce faite par une pensionnaire des fiançailles d'une señorita avec un jeune *fulanito* qui, *tú sabes*, intervient une autre, est le frère de *fulanita*, qui s'est mariée à *fulano*, qui est le cousin de *fulana*, qui a épousé *fulanito* de Camagüey, dont le père possédait une – sur quoi les hommes ajoutent leur rude et emphatique commentaire concernant cet apparent vaurien, fils de *fulano* – et ainsi de suite, Monsieur, comme si à Cuba on n'épousait jamais que le cousin de quelqu'un et que chacun connaissait l'histoire secrète de chaque *fulano* et *fulana* mieux que sa poche, *fulano* signifiant, je ne doute pas que vous l'avez compris, *untel*. Pourquoi donc la vie de tous les *fulanos* et *fulanas* de l'île de Cuba est apparemment un livre ouvert, tandis qu'ici sur l'île de Manhattan certains de nos *fulanos* exilés mènent une vie qui trompe non seulement les meilleurs détectives au monde, mais les compatriotes même avec lesquels ils partagent leur vie?

Parfois à table et dans notre petit salon le soir, je crois voir les autres pensionnaires, surtout les femmes, mais aussi les hommes, échanger des regards de détresse. Je ne sais pas ce qu'ils communiquent ainsi, ni ce qu'ils pensent. Je n'ai pu percer que les pensées de Mr. Martí, grâce aux magnifiques traductions de ses écrits personnels dues à Mrs. Dominga Hurley. À l'image de son mari, Mrs. Martí est d'humeur joyeuse. Pourtant on jurerait que Mr. Martí l'aime désespérément, qu'il est ensorcelé par cette jeune femme mince, à la peau ambrée, aux yeux noisette, indéniable-

ment sensuelle, et qu'il recherche son affection. Néanmoins les
péroraisons exaltées de Mr. Martí sont parfois suivies d'un bref
éclat de rire moqueur de sa femme, comme si elle ne le jugeait
pas crédible et ne se souciait pas que les autres s'en aperçoivent.
J'entends souvent des voix énervées et exaspérées derrière leurs
portes. Ces Cubains sont capables de passer du ton le plus suave
au ton le plus explosif d'un instant à l'autre. Ils sont fiers, même
dans les circonstances humiliantes de la pauvreté et de l'exil. Ils
sont intérieurement habités par l'orgueil comme un vieil esclave
plein de sagesse qui attend que son interminable vie prenne fin.
Monsieur le Superintendant, je me demande qui est le père de
l'enfant de Mrs. Mantilla. Elle a dû le concevoir quelques mois
avant mon arrivée. Bien sûr, on ne peut écarter l'hypothèse que
«Señor Coq» soit le fier et même héroïque géniteur. Et si, il y a
cinq mois et quelque, pendant les vacances d'hiver, après quelques
verres de vin, peut-être un petit gin ou un punch, il s'était senti
fringant tel un criquet en juillet…?

C'était la partie du rapport, songea María de las Nieves,
à laquelle Paquita avait fait allusion, suggérant que Martí était
le père de l'enfant de Carmita Miyares de Mantilla. C'était tout.
Paquita avait aussi dû être influencée par ce que E. S. avait recopié
des carnets de notes; et aussi, bien sûr, par les ragots de son ami le
consul général d'Espagne. Tout à coup María de las Nieves entendit le mugissement suppliant de la corne d'un navire qui passait
au loin dans la nuit. Demain le *Golden Rose* accosterait à San
Francisco, et elle ressentit un mélange d'excitation et de crainte,
comme si on lui avait promis que ce bateau pourrait être son
domicile permanent, et qu'on lui apprenait soudain qu'elle devait
partir. Elle sauta quelques pages du rapport d'E. S.; Martí était
en train de devenir un expert en *cocktails* new-yorkais. Certains
exilés cubains étaient riches, et offraient volontiers à boire à leurs
compatriotes plus pauvres qu'eux. Dans les tavernes Martí préférait boire du gin. Il évoluait parmi les jeunes hommes qui

aimaient fréquenter l'élégant bar Hoffman House, ce somptueux palace des alcools, qui ne servait même pas de bière, et où Martí, au moins une fois – l'opiniâtre E. S. était présent –, laissa tomber cérémonieusement une rose au pied du fameux tableau de Bouguereau représentant de splendides nymphes nues se précipitant dans un étang, poursuivies par un satyre qui à l'évidence n'aimait pas l'eau. Il y avait toujours une foule d'hommes qui contemplaient bouche bée le tableau, protégé par un cordon de soie des effets d'une admiration trop tactile. D'un œil vif et étonné, Martí observait le spectacle de banquiers et d'agents de change ivres et suants montant sur les tables dans la chaleur de juillet, se saluant à grands cris en agitant leurs cigares.

E. S. écrivait : Nous attendions l'arrivée de ses camarades cubains, et parlions du président Garfield, quand Mr. Martí remarqua que bien que tout le monde semblât ignorer les autres tableaux qui couvraient les murs, il s'y trouvait de nombreuses pièces de valeur. « Il y a un Faust par un peintre espagnol, dit-il, désignant du doigt un portrait dans un cadre doré. Faust dort, pendant que Méphistophélès le regarde en nous tournant le dos, parce que même lui ne peut supporter l'idée de se retourner pour voir combien de jeunes femmes mauvaises viennent ici, E. S. » Les mauvaises femmes de Martí viennent effectivement ici, se frayant avec adresse, vivacité et élégance un chemin à travers la presse des épaules masculines. Beaucoup sont très attirantes, minces et grandes, avec le teint livide et les cheveux quelque peu décoiffés, des mèches humides collées aux joues et au cou, certaines portant sur leur visage une expression franchement satirique ou artificielle contrairement à d'autres qui savent comment paraître pures et un peu confuses ou étonnées de se retrouver ici. « De si belles femmes, déclara Martí d'un ton de regret sincère. Comment donc elles finissent si abandonnées ? Pourquoi peuvent pas trouver un bon homme pour les aimer, E. S., et faire un bon foyer ? Où sont leurs frères, qui les ont laissées tomber ? » De manière absurde, et pas pour la première fois, Monsieur, les paroles de l'objet de notre surveillance m'avaient serré la gorge. Un instant plus tard il attirait mon attention sur un plat en porcelaine accroché au mur, qui représentait une jeune femme nue de couleur ocre qu'un monstre maladroit emportait sur son dos. « Mais regardez – c'est un Christ », déclarat-il. En quoi était-elle pareille à Notre Sauveur ? demandai-je. La fille représentée sur le plat, dit-il, lui rappelait les merveilleuses descriptions d'un Christ peint jadis par un artiste d'Amérique centrale, à cause de sa longue et fine silhouette et de son expression de ravissement sauvage, dans laquelle défi et soumission se mêlaient en un sentiment unique et sublime. « Mais, en fin de compte, que pensez-vous de la religion, Mr. Martí ? lui demandai-je, avec peutêtre une note d'exaspération. – Il est bon d'étudier la religion pour la beauté et la sagesse qu'elle peut nous apporter, dit Mr. Martí, en revanche nous ne devons jamais la laisser nous emplir de crainte ou de fanatisme. – Alors vous la considérez comme une sorte de mythologie ? proposai-je. – La mythologie est pour les symboles, répondit-il, et la religion pour les aspirations. – Mais n'est-ce pas la même chose que la foi ? demandai-je. – Aspirer est plus nécessaire et plus douloureux que croire, E. S., et c'est aujourd'hui la tâche de tout homme libre et sincère », dit-il. Dans un coin, sous un petit lustre en cristal, perché à l'intérieur d'un arc de bronze rutilant, se trouvait un perroquet. « Lui aussi s'appelle Pepe, dit Mr. Martí. Un autre homme des tropiques, mon petit frère. Peut-être il vient de la jungle et aime parler seulement quand il pleut. Je lui demande. » Il s'approcha de l'oiseau et récita d'une voix émouvante un poème espagnol, une ballade d'amour, m'expliqua-t-il, chantée par les soldats rebelles à Cuba. Le perroquet parla, et Mr. Martí répondit : « Non, non, arrogant oiseau ! Tu es en Amérique ! – Mais qu'a dit l'oiseau, demandai-je, étonné. – Il a dit : *Je suis anarchiste**, répondit Mr. Martí d'un air solennel. Ce n'est pas un oiseau américain et il doit encore apprendre l'anglais, mais il porte la violence et la haine de l'Ancien Monde cachées en lui, empoisonnant ses plumes vertes et ses yeux jaunes.» Se moquait-il de moi, Monsieur? Je ne sais pas. Dans l'angle opposé, vêtu d'une robe de soie criarde, un singe dansait au bout d'une laisse dorée. «Et cette misérable créature, dit Mr. Martí, est un espion de l'Espagne.» Je me sentis très soulagé quand, peu après, arrivèrent enfin les *fulanos* cubains... Oh oui, pensa María de las Nieves, je me rappelle cette partie. Voyons ce qui va se passer, se dit-elle, tirant une bouffée de son cigarrito et se penchant sur la page. À mesure qu'on buvait et que le ton de la conversation montait, seul Martí pensait à traduire en anglais ce qui se disait en espagnol pour le jeune agent de Pinkerton. Martí dissertait sur *Hamlet*: Les pensées et les émotions qui consumaient un homme dans sa vie intérieure étaient-elles aussi *réelles* que les actions de sa vie extérieure? Chacune n'était-elle pas une épreuve aussi cruciale, et idéalement dépendante de toutes les autres? Pourquoi tant de gens croient-ils que seul ce qui se passe à l'extérieur est réel, et pas ce qui se passe à l'intérieur? La vie intérieure devrait elle aussi être héroïque! Martí rencontrait une forte résistance. Quelques-uns des hommes assemblés autour de lui étaient des vétérans de la guerre de Dix Ans, fiers et arrogants. Ils se rapprochèrent de Martí, se redressant, élevant le ton, parlant d'une voix plus grave, se frappant la poitrine et faisant de grands gestes, comme pour rappeler au poète frêle et nerveux ce qu'il fallait de masse vibrante de muscle et de sang pour faire un vrai soldat. Au milieu de tout cela, Martí n'oublia pas, avec sa générosité coutumière, de se tourner vers E. S. pour lui fournir une traduction sommaire de ce qui s'était dit.

Et je répondis, écrivait E. S., par cette exclamation flagorneuse: «Mais comme vous le disiez l'autre jour, Mr. Martí, seuls ceux qui se sont vu refuser le privilège d'une personnalité élevée ne reconnaissent pas la réalité du personnel, et n'est-ce pas là que naît notre sensibilité à l'extrêmement beau? N'avons-nous pas appris à aimer l'héroïsme de ceux qui savent comment aimer la beauté?» Alors ce fut comme si on avait abaissé un interrupteur: l'expression de Martí ressemblait à un énorme globe d'électricité blanche explosant en silence, à travers lequel sa moustache et ses sourcils brillaient de noir. Je pensai : Je me demande s'il ne va pas falloir que je quitte la pension dès demain matin. Monsieur, j'avais commis une bourde extraordinaire. Mr. Martí n'avait rien dit de tel l'autre jour ; j'avais copié quelque chose de très approchant des semaines auparavant dans l'un de ses carnets, mais je n'avais lu que récemment la traduction de Mrs. Hurley. Mr. Martí semblait scruter profondément ma vie intérieure, que je ne considère pas comme insensible à la beauté ou à l'héroïsme. Je lançai : «Et je médite vos mots avec profit depuis lors, Mr. Martí», et je souris comme un petit vendeur dans un magasin de meubles, emploi qui menace peut-être mon proche avenir. Pendant un autre instant plein de suspense, ses yeux vrillèrent les miens, bien que je réussisse à conserver ma contenance, jusqu'à ce que son visage exprime, pendant une très brève seconde, une perplexité résignée, et il se retourna vers ses amis, les camarades virils… Enfin l'heure arriva, ainsi qu'elle arrive inévitablement en pareilles soirées, où les hommes ont du mal à détourner les yeux des mauvaises femmes. C'était le cas pour Mr. Martí, qui ne quittait pas du regard une rousse en robe jaune, aux épaules d'une pâleur de lait taché de son, aux cils tranchants et aux yeux d'un vert boueux de ressac, d'une séduction mélancolique et indubitablement ensorceleuse. Il dit quelque chose qui fit rire ses camarades. Le rire s'amplifia, comme si les mots de Mr. Martí étaient à multiple détente, mais Mr. Martí se laissa à peine aller à sourire, tandis que ses yeux suivaient pensivement la tentatrice aux cheveux roux à travers une foule presque toujours aussi dense. Je demandai d'un ton négligent : «Et qu'est-ce qui a provoqué une telle hilarité ?» La mauvaise mais belle rousse regarda de nouveau par-dessus son épaule nue, et Mr. Martí, sans me regarder, traduisit gracieusement bien que sombrement : «Combien de nobles choses pourrions-nous accomplir dans nos vies, Señor E. S., si nous ne devions pas nourrir nos estomacs. Mais que dire de cet autre estomac qui pend plus bas, et a un si terrible appétit?» Ses amis partirent d'un rire rauque, comme si ces mots étaient encore plus stupéfiants en anglais qu'en espagnol.

María de las Nieves, plutôt que d'être choquée, fut amusée par ce qu'elle venait de lire, et qui constituait un des rares accès de vulgarité de son vieil ami. Les gens ne croiraient jamais que je sois capable d'une telle pensée, songea-t-elle – mais c'est pourtant vrai. C'est juste que je ne l'ai jamais exprimée à haute voix. Je peux être des années à penser que je ne satisferai plus jamais cet appétit, qu'il est facile de satisfaire, et dont tout le monde se moque bien que je le satisfasse ou pas, sans compter que cela ne me rend pas heureuse, puisque la solitude m'entoure comme de l'eau dans laquelle je me suis noyée sans mourir. Au moins j'ai joué à être une mauvaise femme, surtout pendant le petit-petit moment où j'ai été amie avec Lola Montenegro. La poétesse bohème, unique femme membre de la Société littéraire de l'avenir, était également perceptrice. Jolie métisse au doux visage, aux yeux orientaux et à la petite bouche narquoise, Lola habitait un appartement qui consistait en une pièce étroite donnant sur la place où devait être construite la gare, près des arènes, qui était devenue un quartier de cantinas, de cafés et d'établissements de plaisirs, une sorte de Pequeño Quartier latin, où une nouvelle race de femmes, dont certaines venaient même des meilleures familles, pouvaient s'adonner au sport nocturne et dangereux que Lola avait été la première à pratiquer, qui consistait à boire et fumer en public et savoir comment tomber amoureuse d'un torero, d'un chanteur d'opéra italien, d'un jeune diplomate, d'un officier de marine dissipé ou d'un marchand itinérant ou d'un acrobate de cirque ou d'un escroc en fuite, de passage et sur le point de repartir. Avec le temps ces épisodes semblaient presque n'avoir pas eu lieu, ne laissant pas plus qu'une tache d'ombre sur nos os, où personne ne peut les voir. Elle et Lola avaient fini par se brouiller à cause d'un adorable jeune poète qui ne s'intéressait ni à l'une ni à l'autre. Et elle était revenue chez elle avec sa fille et sa mère, et y était plus ou moins restée, noyée dans la tristesse et la honte ; bien que la honte, sinon la tristesse, se soit rapidement dissipée. Pourtant ni les souvenirs ni l'appétit ne disparaissent. Ils nous suivent à la trace dans notre sang, se perdent sous notre peau et dans nos veines en essayant de trouver le chemin de nos cœurs, mais leurs cartes sont fausses – non, Lola ?

De temps à autre au cours de ces années Paquita lui avait envoyé de l'argent, que María de las Nieves lui avait toujours renvoyé ; des paniers de victuailles, qu'elle avait acceptés. Elle avait fini par prendre l'habitude de celles qui ont fauté tristement mais résolument : elle allait s'asseoir de temps à autre dans les églises, particulièrement Santo Domingo, où les funérailles de la pauvre María García Granados avaient eu lieu et où il y avait une statue d'une jeune Vierge indienne si brune, si jolie et vive qu'elle ne pouvait s'empêcher de penser à María Chon chaque fois qu'elle la voyait. Elle se mit à inclure des livres de religion dans ses lectures, particulièrement des *vidas* de saintes et des traités de théologie. Après tout, c'étaient les livres les plus faciles à trouver, de loin les moins chers, et ils lui plaisaient beaucoup. Elle était mondaine, sensuelle et pratique ; elle aimait les boutiques. Mais elle avait décidé qu'il y avait des aspects de la vie monastique qu'elle appréciait également, et une petite partie d'elle y était retournée, trouvant la vérité et la paix dans l'austérité et les entreprises solitaires. De temps à autre elle reconnaissait quelques anciennes sœurs en religion qui passaient dans la rue, cachées sous leurs châles, traînant les pieds, entrant et sortant d'une église, et parfois elle leur souriait, un léger sourire en passant qui disait : Je comprends pourquoi vous vivez ainsi. Une fois elle avait même reconnu Madre Sor Gertrudis qui marchait loin devant elle dans une longue avenue, en manteau et capuchon, la silhouette même qu'elle avait si souvent suivie dans les couloirs du couvent.

Vous allez peut-être trouver cela incroyable – je sais, ça m'est arrivé à moi aussi, un peu – mais la table sur laquelle je travaillais dans la maison à Wagnum était la même vieille table en chêne à laquelle, un siècle auparavant, Sor San Jorge lisait la vie de Sor María de Agreda et se chatouillait le nez dans la salle d'étude des novices. Les pieds étaient neufs, me dit-on, bien que cela ne se vît pas vraiment, et même refaite, la surface de la table, sous son lustre poli, était balafrée et mangée aux vers. Avec la fermeture de Nuestra Señora de Belén, la table, ainsi qu'une grande partie des œuvres d'art religieux qui décorent aujourd'hui la bibliothèque de Wagnum, et les livres reliés en vélin qui tapissent ses rayonnages, étaient échus au majordome du couvent, Don Valentín Lechuga, ou à ses sœurs jumelles, et avaient été transmis à leurs descendants. Bien sûr, il fallut de l'argent mais encore plus de temps, et une dévotion et un amour quasi fanatiques, pour retrouver tous ces objets dans les maisons des différents Lechuga et les persuader de les vendre, pour ensuite transporter les pièces récupérées du passé de María de las Nieves jusqu'à Wagnum. Le chasseur de trésors plein d'adoration n'était pas, devrais-je ajouter, même si je suppose que cela doit être évident, María de las Nieves elle-même.

Les légers dessins tracés par les gouttes séchées sur les pages des livres que María de las Nieves avait étudiés au couvent sont comme des traces fossiles marquant les années de laine dans le nez et d'éternuements. La virginité relative des livres qu'elle lut plus tard – même Sainte-Beuve – prouve à quel point elle conquit cette addiction. Des marques faites au crayon trahissent les pages de son édition des *Œuvres complètes* de Martí qui avaient attiré son attention. Plus tard dans sa vie, en tant que spécialiste amateur de Martí, María de las Nieves se vouerait à l'écriture d'essais explorant et célébrant la moralité, les croyances et l'influence politiques de son sujet, sous des titres tels que: «José Martí: la possibilité infinie». Mais le bout de son crayon était plus occupé par ses poésies, ses lettres, ses carnets, ses écrits fragmentaires, ses tentatives dispersées vers le théâtre et même la fiction, tout ce qui touchait l'amour ou laissait entrevoir sa vie intime. Combien de fois, et de combien de façons, Martí déclara ou écrivit-il que la poésie devait s'enraciner dans la vie personnelle, et être écrite avec son propre sang ?

C'est ainsi que la joie passe dans la vie : comme une coupe de neige qui fond à mesure qu'elle touche le sol.

… Carmen : rien pour mon plaisir – tout pour mon devoir.

… Rien ne pèse plus lourd qu'un amour mort.

… J'écris avec calme aujourd'hui. J'écris bien. Trop bien ! Rester calme. C'est la mort.

… Je crains de ne pas souffrir assez avant de mourir.

… Ces femmes sont comme des bonbons qu'on suce, elles fondent. Mais elles laissent un parfum sur tes lèvres. Celles qui ne laissent pas d'amertume.

Ce sont quelques citations tirées de carnets tenus par Martí durant la période où les agents de Pinkerton avaient infiltré sa pension. Parfois on dirait une religieuse et parfois un libertin, bien qu'en général il soit plutôt du genre repentant. *La plume doit être pure telle une* vierge ! L'homme personnel et intérieur doit être pur et honorable tout autant que l'homme extérieur et politique. Dans ses carnets, Martí s'inquiétait comme s'il pensait que chacun de ses échecs privés entachait également Cuba. À la fin, sa mort au champ d'honneur en fit un idéal impossible plus qu'une possibilité infinie, sous lequel ses luttes et doutes furent tous submergés, et même oubliés.

Sainte Thérèse d'Ávila, le jour de son mariage, se vit offrir un clou de la Croix en guise d'anneau par son Divin Époux. À New York, Martí portait un anneau fait avec un chaînon de la chaîne qu'il portait en prison, *Cuba* gravé à l'intérieur. Il n'est pas difficile de comprendre que certaines personnes aient du mal à accepter que José Martí puisse avoir été le père de María Mantilla, la mère de l'homme qui joua le Joker dans *Batman*, et les circonstances dans lesquelles cela avait pu se passer.

Après l'échec de leur première réunion, Carmen Zayas essaya encore deux fois de renouer sa relation avec Martí à New York. La seconde tentative dura un peu plus d'un an : les Martí s'établirent à Brooklyn cette fois-ci, mais en mars 1885 – six semaines seulement avant l'arrivée à New York de María de las Nieves et de Mathilde – son épouse et le petit garçon retournèrent de nouveau à Cuba, et Martí revint à la pension Mantilla, qui se trouvait désormais elle aussi à Brooklyn. Le mari de Carmita, Manuel, était mort de sa maladie de cœur en février. Personne ne conteste que Carmita Miyares de Mantilla ait été la compagne de Martí durant ses dernières années et qu'il l'aida à élever ses enfants comme si c'étaient les siens, particulièrement la petite María. Mais Carmita descendit dans la tombe sans avoir jamais prononcé ou écrit un mot au sujet de la paternité de sa fille. Quoi que sût María de las Nieves, elle le garda aussi pour elle ; après tout, elle avait elle aussi été l'objet de telles rumeurs, et pourrait l'être à nouveau. Ce n'est qu'en 1959, dernière année de la longue vie de María de las Nieves, que María Mantilla, qui avait alors près de quatre-vingts ans et vivait à Los Angeles, aborda le sujet pour la première fois dans un échange de lettres confidentielles avec Gonzalo de Quesada y Miranda, le fils de l'ami intime et exécuteur testamentaire de Martí. Un homme avait fait son apparition à Cuba, qui prétendait être le petit-fils de Martí. *Qui est cet homme ?* écrivit-elle d'une plume indignée. *Je suis, comme vous le savez bien, la fille de Martí et mes enfants sont les seuls petits-enfants de José Martí. Je vous assure que cette affaire m'a causé une grande angoisse, et sachant que je n'ai plus beaucoup d'années à vivre, je veux que le monde connaisse le secret que j'ai gardé dans mon cœur avec tant de fierté et de satisfaction.* Gonzalo de Quesada répondit que si les Quesada n'avaient jamais confirmé publiquement son identité, c'était seulement parce que jusqu'à maintenant elle ne les avait jamais autorisés à le faire. Quesada lui proposa d'écrire un article sur ce sujet pour le magazine *Bohemia*. Mais quand la nouvelle révolution cubaine fit de Martí le dieu suprême de la cause, il devint inconcevable qu'un tel article parût. Le fils de María Mantilla, l'acteur Cesar Romero, qui n'était pas connu pour dédaigner la publicité, avait déjà, évidemment, revendiqué Martí comme grand-père. Mais ce n'est qu'en 1990, au cours d'un débat sur la controverse provoquée par plusieurs numéros du supplément littéraire d'un journal mexicain, qu'une lettre de María Mantilla à son fils, dans laquelle elle lui confiait que José Martí était son père, fut enfin révélée. Le journal publia des photographies de la page la plus importante de la lettre ainsi que de l'enveloppe, portant la date du 9 février 1935, postée à Asbury Park, New Jersey, et adressée à Mr. Cesar Romero au club athlétique de Hollywood à Los Angeles, Californie. *Il était très connu et admiré dans tous les pays de l'Amérique centrale et du Sud*, avait écrit María Mantilla. *Je veux que tu saches, mon chéri, que c'était mon père, et je veux que tu sois fier de cela. Un jour nous en parlerons longuement, mais bien sûr, je te demande de le garder pour toi. C'est mon secret.*

En 1895, au cours du dernier mois de sa vie, quand Martí quitta New York pour rejoindre à Cuba les rebelles qui le reçurent comme leur futur président, il écrivait ce qui devait être son chef-d'œuvre : le journal de son retour dans l'île qu'il n'avait pas vue depuis seize années, et dans lequel il réalisait enfin ses ambitions de fusionner poésie et action dans une langue qui incarne ce qu'elle décrit. Le journal était dédié à la petite María Mantilla et à sa sœur, Carmita. Au cours de ces derniers mois de sa vie il écrivit aussi une série de lettres exprimant un amour extravagant aux deux petites filles, qui sont souvent réimprimées et citées dans tout le monde hispanophone jusqu'à ce jour, particulièrement celles destinées à María. Dans l'une de ces lettres, Martí disait à María qu'il portait sa photographie sur son cœur. Mais dans la lettre dans laquelle elle révélait l'identité de son père à son fils,

María Mantilla était encore plus explicite : à Cuba, Martí portait sa photographie sur son cœur *pour le protéger des balles.* Cette enjolivure était-elle l'indice que la vieille dame avait une tendance à l'invention ? Quoi qu'il en soit, on ne trouva pas une telle photographie sur le corps de Martí après sa mort.

Juste comme je terminais enfin ce travail commandé par Mathilde Moran tant d'années auparavant à Wagnum, on découvrit dans des archives militaires en Espagne, un pays apparemment criblé d'archives, les papiers que Martí portait dans la poche intérieure de sa veste quand il fut frappé à Dos Ríos par la balle qui le renversa de son cheval emballé ou lancé à la charge. Ils avaient été trouvés par des officiers espagnols puis perdus pendant plus d'un siècle. Le paquet comprenait des lettres qu'il avait reçues des filles Mantilla, une de leur mère, un petit carnet rustique plein de notes érudites et personnelles telles que celles qu'il avait prises toute sa vie, plus cette photographie de María Mantilla.

Dans l'une de ces dernières lettres à María, comme les autres évidemment écrite avec un pressentiment de sa mort et pleine de conseils et d'instructions pour le reste de la vie qu'elle passerait sans lui, Martí écrivait : *Ton âme est ta soie. Enveloppes-en ta mère, et choie-la, car c'est un grand honneur d'être venue au monde par cette femme. De sorte que quand tu regarderas en toi, et ce que tu as fait, tu te trouveras comme la terre le matin, baignée de lumière.* Dans aucune de ces lettres Martí n'évoque la mémoire de Manuel Mantilla, le « père » décédé de María. Pas plus qu'aucun des Mantilla dans leur correspondance avec Martí.

Au baptême de María Mantilla à l'église Saint-Patrick à Brooklyn peu après sa naissance, « Joseph Marti » – tel était le nom inscrit dans le registre de l'église – serait le parrain, deux jours plus tard il embarquait pour le Venezuela (à bord, il composa la plus grande partie de *Ismaelillo,* un recueil de poèmes à propos de son fils et de la paternité ; une tentative pour transformer cet échec, son petit garçon perdu, en quelque chose d'idéal et de durable : la poésie devenue père, un père devenu poésie), où il devait rester presque sept mois, jusqu'à son expulsion par le dictateur libéral qui était à la tête du pays.

L'homme sincère, obligé de cacher son amour, est converti en hypocrite, rapporta Martí dans l'une des nombreuses méditations angoissées sur l'adultère, confiées à son carnet. *L'homme digne, afin d'éviter les scandales et de causer aux réputations un tort qu'il ne pourra réparer, devient un homme indigne. Il y a une règle immuable du bonheur: ne fais pas dans l'ombre ce qui ne serait pas applaudi au soleil.* Pourquoi ne pas penser que Martí écrivait d'expérience personnelle et douloureuse? Combien souvent il avait avoué, dans ses écrits intimes et sa poésie, son malheur?

Miss Susan Paral était enfin parvenue à attirer Martí dans un hôtel de Broadway. Ils commandèrent et burent la plus grande partie d'une bouteille de champagne, et s'embrassèrent. C'est ce que Miss Paral rapporta à E. S. À bord du *Golden Rose*, María de las Nieves accompagnait Miss Paral au cours de cette troublante séduction. Bien sûr il lui fallait lire entre les lignes des confidences de Miss Susan Paral à E. S., son maître. Se pouvait-il que tout ne soit que mensonges? Ou Miss Paral connut-elle là son heure de gloire, durant laquelle enfin, espionne, étudiante, actrice et amante ne firent plus qu'une? Jusqu'alors elle n'avait fourni à E. S. que quelques ragots redondants sur la désintégration du couple Martí. C'était sa dernière chance de se racheter en tant qu'agent. Elle devait interroger Martí comme une amante passionnée qui veut tout partager avec son adoré: Comment les rebelles de New York pouvaient-ils communiquer avec leurs compatriotes à Cuba? Tu ne crois pas que je pourrais t'aider, Pepe? Qui pourrait jamais me soupçonner? Elle réussissait plutôt bien, car ils se trouvaient là, ensemble dans un hôtel. «L'anglais est une langue si difficile, disait un Martí excédé. Le chinois est pareil. Comment faire la différence entre les mots? – Oh, Pepe, tu es bête... – Franklin Street. Fraynklan Straight. Frinklin Strit. Frunkln Strut.

Je ne sais jamais ce que disent les receveurs des tramways, Susana! Est-ce que c'est le même arrêt? Il n'y en a pas deux qui prononcent de la même façon. – Pepe, pourquoi es-tu si nerveux ce soir? Tiens, un autre verre de champagne, mon chéri. Tu m'as promis de m'écrire un poème, Pepe. Oh, tu peux m'en réciter un…?» «Mais que se passa-t-il *ensuite*, Miss Paral? avait demandé E. S. après que Miss Paral se fut tue. – Nous nous sommes embrassés, dit Miss Paral, mais il tremblait, et il s'est dégagé, et je voyais qu'il n'était pas heureux, et il a dit qu'il y avait trop de lumière, qu'il avait besoin d'obscurité complète et j'ai dit: Eh bien, tu veux que j'éteigne les lumières? Et il a dit: Non. Il a dit: Je ne peux pas aller au lit avec vous, Miss Paral.»

María de las Nieves a accompagné E. S. pendant quatre mois de surveillance rapprochée, de poésie et de confessions dérobées. Elle connaît bien le cœur de Martí. Elle le connaît mieux aujourd'hui qu'E. S. ou Miss Paral ou même María García Granados ou Carmen Zayas ou Carmita Mantilla l'ont *jamais* connu. La douleur et le tourment de cet homme la rapprochent tant des siens propres que les larmes lui montent aux yeux quand Martí prend la main de la séductrice (saisissant également la main nerveuse de María de las Nieves dans son étreinte délicate, presque immatérielle), lui dit que Darwin a écrit qu'une fois une espèce éteinte, elle ne peut jamais réapparaître et lui demande:

«Est-ce la même chose avec les émotions? Quand le bonheur est éteint en nous, peut-il reparaître? Si l'amour est éteint, peut-il revenir?

– Un feu peut être éteint, lui avait-elle répondu après un moment de silence, puis il peut être rallumé.

– Mais alors ce n'est pas le même feu, avait dit Martí. Il est aussi différent du premier feu que si c'était Victor Hugo qui était maintenant assis sur ce lit avec vous, après que je me suis levé.

– Alors nous utilisons le langage de la science et de la raison quand nous ne le devrions pas, Pepe, dit-elle. Le savant dit que nous sommes faits principalement d'eau. Mais Origène a dit que nous ressemblons plus à une rivière parce que nous ne cessons de couler et changeons tous les jours.

– Origène a aussi été condamné par le second concile de Constantinople pour avoir suggéré que l'homme est ressuscité sous forme de sphère.

– Mais une sphère qui contient tout ce que nous avons été, répondit-elle sans hésitation, même nos cicatrices. »

María de las Nieves prit une grande gorgée de cognac. Elle était surprise que sa main tremble à ce point, et par l'excitation qui grandissait en elle. Elle regardait si fort dans les yeux de Martí qu'elle voyait ses pupilles se dilater encore, devenir plus noires, débordant de sincérité et de tendre tristesse au point qu'elle fut gênée par son indiscrétion, sans pour autant pouvoir se retirer. Elle leva une main vers la boucle de cheveux qui se tenait droite sur la tête de Pepe comme pour calmer un chat nerveux…

« Ce n'est pas que tu ne puisses pas aimer ni être heureux, poursuivit-elle. C'est que tu as laissé ton âme se séparer de ton corps. Tu t'inquiètes trop de ton âme, Pepe, et tu oublies que c'est le corps qui ressent du désir, et aspire à Dieu, ce qui est la raison pour laquelle le corps et l'âme ne peuvent être sacrés qu'ensemble. L'âme peut être immortelle, mais le corps est le foyer de la nostalgie et de l'amour. Il y a des saints et des religieuses qui ont expliqué cela mieux que je ne le peux. Mais je pense qu'il y a là de la sagesse.

– Comment se fait-il que vous en sachiez autant, Miss Paral ?

– J'ai été novice dans un couvent, pues, répondit-elle. Cette année-là j'ai lu assez pour toute une vie. Et il semble que j'aie une bonne mémoire. Dernièrement, je suis retournée un peu à ces livres. »

Là sur le lit dans la chambre de l'hôtel, il l'embrassa de nouveau. C'était donc vrai : elle était Miss Paral et cependant elle était encore elle-même, aussi. Elle dit : « Si tu veux, Pepe, je vais éteindre les lumières.» Il dit: «Non. Je ne peux pas faire ça, je ne peux pas aller au lit avec vous. Je vous en prie. J'ai honte. Vous avez parlé de cicatrices. Je dois vous dire, j'ai une blessure.» Il fouilla gauchement dans sa poche et en sortit quelques anneaux de fer, qu'il fit sonner dans sa main. «Ils proviennent de la chaîne que je portais en prison quand j'avais seize ans. Elle m'a blessé dans ma virilité.» Sur son visage se lisaient indignation et douleur. «Je l'emporte partout avec moi.

— L'amour est une résurrection, Pepe, dit-elle, incapable de croire que de tels mots puissent sortir de ces lèvres fardées. Acceptons cela comme une métaphore du moins. Les cicatrices de Jesucristo ont été changées en pétales de rose quand il fut ressuscité par l'amour de Dieu, mais aussi par celui de sa mère.

— San Bernardo a dit que nul homme, une fois ressuscité, ne peut demeurer pur, parce que dès qu'il voit une femme, la corruption pénètre en lui», dit Martí, mais, alors même qu'il parlait, une lueur taquine brillait dans ses yeux, suscitant dans le corps de son interlocutrice une vague de chaleur pleine d'excitation.

«Oh Pepe, mi amor, s'il te plaît, murmura-t-elle. San Bernardo a aussi dit: Il est juste de dire que ce sont les plus chers, ceux qui sont enivrés d'amour. Et en ce moment je suis enivrée d'amour, et de cognac, et tu es enivré, de toute façon, de champagne.

— Moi, un franc-maçon, je suis ramené à la vie par une monjita. Nous ne nous vengeons jamais mieux ni plus durement que de nous-mêmes.

— Tu as toujours aimé les monjitas, Pepe, et tu le sais.»

Il rit, et ils s'embrassèrent de nouveau. Elle le prit dans ses bras et le repoussa sur le lit, comme si elle était l'homme. Elle défit ses cheveux, ses longues boucles blondes tombèrent, et les yeux de Martí luirent dans l'obscurité. Puis elle déboutonna sa robe, la faisant glisser de ses épaules, et serra dans ses bras sa tête bouclée tandis qu'il collait la bouche à ses seins doux et plantureux. Quand María de las Nieves rouvrit de nouveau les yeux, elle n'était plus dans la chambre d'hôtel et elle n'était plus Miss Paral : elle scrutait, au-delà de la courbe de la chaloupe de sauvetage, un ciel aussi plein et brillant d'étoiles que son propre corps l'était de plaisir satisfait. Son marin n'était plus José Martí, mais il continuait à bouger en elle. Doucement elle chanta une bribe d'une vieille chanson, rit tout bas, l'embrassa de nouveau et fit monter et descendre ses mains sous sa chemise. Son derrière et ses reins lui faisaient mal. Comme sa peau était douce, comme son corps était dur, chaud et souple, si tendrement jeune. Il était aussi jeune qu'ils l'étaient tous deux à l'époque, elle et le mystérieux muchacho. C'était son fantôme ; mais il était déjà son propre fantôme aussi. Son petit marin ne devait pas signifier plus que cela pour elle. Elle n'allait même pas pleurer. Un beau fantôme adolescent pour une femme seule qui, après avoir bu trop de cognac et trop lu, a trouvé autre chose à faire. Elle n'avait pas été aussi heureuse depuis très longtemps. Il en avait terminé maintenant, et ils haletaient comme un seul corps. Allongée sur le dos, son jeune marin sur elle, entre ses jambes écartées, elle tourna la tête de côté et contempla le pont-promenade plongé dans l'obscurité. Il faisait frais. L'aube pointait. On voyait les lumières de la côte de Californie. Ils étaient presque seuls sur le pont, invisibles sous les chaloupes, où elle s'était décidée à l'entraîner dès qu'elle l'avait vu, quand elle était montée sur le pont pour jeter l'ignoble rapport d'E. S. à la mer. À présent il était là, dans sa chemise en carton, juste hors de sa portée, et elle tendit le bras et se tourna afin d'attirer le manuscrit à elle. Elle écoutait avec plaisir le bruit de l'océan et du bateau qui s'y déplaçait, le grondement sourd du moteur, les drapeaux qui claquaient et les drisses qui vibraient contre les mâts et elle releva le regard sur les étoiles et se dit qu'elle flottait là-haut elle aussi, avec toutes les autres héroïnes célestes…

Depuis qu'elle avait lu Sor María de Agreda lorsqu'elle était novice, María de las Nieves rêvait de faire l'expérience de l'ubiquité mystique. Eh bien, peut-être que c'était ce qui venait de se passer. Peut-être qu'elle s'était trouvée dans *trois endroits* à la fois, et était ainsi la première dans toute l'histoire à avoir accompli un tel exploit : Martí, le mystérieux muchacho, le jeune marin, elle-même se manifestant corporellement avec les trois à la fois ! C'est ainsi – d'après Mathilde, comme le lui aurait confié sa mère – que son deuxième enfant, Charles / Carlos alias Señor Carlos López le Mexicain, avait été conçu. Ce jeune marin anonyme qui ressemblait tant au mystérieux muchacho qu'il était comme son fantôme était le géniteur physique, et Martí le spirituel, d'où la ressemblance physique de son fils avec El Apóstol.

« Si vous croyez que je vais gober ça, dis-je, vous êtes folle, Mathilde. » Ses yeux noirs s'agrandirent avec indignation devant tant de grossièreté, et je m'excusai. Bien que je n'aie pas osé le dire, il me semblait évident que c'était une ruse grotesque destinée à cacher le fait que Martí était le véritable père de cet enfant, demi-frère de María Mantilla et de l'unique fils légitime de Martí, José Francisco (que les Cubains appellent « le fils de la statue »). Avec une telle histoire « pour père », pensai-je, pas étonnant que Charlie soit devenu l'espèce d'ermite inventeur de l'art du ballon.

Mathilde me demanda si je voulais voir l'acte de naissance. Je dis : « Avec les relations que Paquita avait à New York, elles ont pu lui faire dire ce qu'elles ont voulu. Est-il né à l'hôpital ?

– Non, à la maison. Lucy Turner est venue l'accoucher de Staten Island. Elle avait épousé, vous savez, un ostréiculteur, un Noir.

– Oh je vois, dis-je d'un air sarcastique. Combien de temps après son arrivée à New York María de las Nieves a-t-elle retrouvé Martí ?

– Pas longtemps. C'est vrai.

– Et est-ce l'histoire qu'on a racontée à Charlie Junior ou croyait-il que Mr. Charles Tree était son père biologique ?

– On lui a dit la vérité, mais quand il a été plus grand, dit Mathilde. Pour autant que je sache, c'est la seule explication que ma mère m'ait jamais donnée. Quoi qu'il en soit, Paquito – c'était le surnom dont elle m'avait affublé – ça ne vous regarde pas du tout.» Elle ne m'avait engagé, il est vrai, que pour compiler et narrer l'histoire de sa propre paternité, pas celle de son demi-frère; son tiers de frère, si c'était une trilocation. Bien sûr, comme sa mère à la fin de sa vie, Mathilde avait généralement une citation de Martí sur le bout de la langue pour soutenir ou expliquer tout. Dans l'un de ses carnets, il avait écrit: *Stimuler l'imagination. L'imagination, outre qu'elle est une source de consolation, est le pouvoir de l'ordre dans l'invisible.* «Eh bien, peut-être que cela vous aidera à comprendre», lâcha Mathilde après avoir cité ces mots. Je dis, bêtement, sinon malhonnêtement, que je n'avais aucune idée de ce que cela signifiait, et Mathilde sembla réellement s'inquiéter pour moi et gloussa doucement: «Vous ne comprenez pas?» puis elle haussa ses élégantes épaules.

«Alors voilà pourquoi le rapport d'E. S. s'arrête là, dis-je enfin. Avec la séduction de Miss Paral. Parce que votre mère a arraché les pages restantes?

– Oui, je pense. C'est arrivé en août, juste à la fin.

– Mais elle se rappelait tout. Elle se rappelait ce qu'elle lisait tous les soirs à bord, et ce qu'elle pensait tout en lisant, et tout ce qui était dans les pages manquantes, et plus tard elle a été capable de tout recréer – juste comme Sor María de Agreda qui a réécrit l'autobiographie de la Vierge après l'avoir détruite.

– Ma mère avait une mémoire extraordinaire, jusqu'à la fin.

– Alors comment est-ce que E. S. a été démasqué?

– Eh bien, ça n'est pas dans le rapport, évidemment, mais l'histoire se termine brusquement, comme s'il avait déménagé en hâte. Martí n'en a jamais parlé non plus, pour autant que je sache. Pourquoi l'eût-il fait? Quoi que lui et les autres aient su, ils ne voulaient pas qu'on découvre à quel point ils avaient été infiltrés. Comme vous savez, le général Calixto García s'était rendu aux Espagnols à Cuba, et Martí avait démissionné de son poste de président par intérim du CRC. Puis dix ans plus tard et ensuite, alors qu'il organisait la révolution cubaine pratiquement tout seul, ne cessant de voyager entre New York, Washington, la Floride et les Keys, puis de retour au Mexique, au Costa Rica et à la Jamaïque en gardant tous ces secrets là-haut dans son coco – Mathilde se tapota le front de deux doigts – il croyait voir des espions et des détectives partout. Mais il avait appris à employer ses agents secrets à lui.»

Dans une autre chemise en plastique était préservé le numéro même du *New York Herald Tribune* du 7 avril 1885, que María de las Nieves lisait, alors qu'il était déjà vieux de dix jours, dans sa chambre d'hôtel au cours de sa première soirée à San Francisco, un peu plus de douze heures après l'épisode du pont-promenade durant lequel son fils, en accord avec la puissance de l'ordre de l'invisible, avait été conçu. Le journal contenait un article sur le fils illégitime d'El Anticristo, Antonio, qui était entré à West Point mais se trouvait maintenant à New York, à l'hôtel Windsor, attendant des nouvelles de son père, dont il avait lu qu'il était mort sur le champ de bataille dans les journaux. Aucun membre de la famille ni du gouvernement ne lui avait envoyé de télé-gramme pour lui confirmer la nouvelle. Ainsi s'accrochait-il à l'espoir que c'était une invention des ennemis de son père. Les autres nouvelles concernaient le voisin et ami new-yorkais de Paquita, l'ex-président des États-Unis, le général Grant, qui habi-tait au coin de sa rue, la Soixante-sixième: il était sur son lit de mort et ses médecins le soutenaient à la cocaïne. Le héros de la guerre de Sécession avait signé un contrat avec El Anticristo pour prolonger la ligne du chemin de fer du sud du Mexique, dont il était président, jusqu'en Amérique centrale. En lisant ces articles, María de las Nieves sentait poindre l'appréhension: comment se faisait-il que le premier journal de New York qu'elle lisait contînt tant de nouvelles liées personnellement à Paquita? Comme si c'était le personnage le plus important de la terre. Le compte rendu d'un mariage entre le comte Primo Magri, connu sous le nom de comte Bouton de rose, et de Mme la Générale Tom Pouce dans l'église de la Sainte-Trinité, auquel n'étaient conviées *que* deux mille personnes, la mit également en rage. L'exquise robe de Mrs. Pouce était décrite avec ravissement, jusqu'à la dernière perle brodée, mais il était aussi écrit qu'elle portait des gants et des pantoufles lavande taille fillette, et que l'époux ne mesurait pas plus d'un mètre. Le mari apportait un château en Italie dans la corbeille et parmi les invités on comptait le maire et Mrs. Grace, Mrs. Astor, et Mr. Cornelius Vanderbilt, des gens appartenant à la bonne société dont elle savait qu'ils étaient des amis de Paquita. Quel genre de comte était-ce pour qu'il se laisse appeler Bouton de rose, et le jour de son mariage en plus? Et pourquoi cela la gênait-elle? Elle brûlait de demander à Paquita des explications sur cette aristocratie apparemment naine, mais craignait de provoquer une remarque condescendante. Lorsque ensuite elle tendit le journal à Paquita, elle se contenta de dire: «Peut-être devrais-tu lire ça. Cela concerne Antonio, ton beau-fils. Il semble croire que son père est vivant.»

Plus tard dans la soirée, la veuve du dictateur annonça que sur leur chemin elles s'arrêteraient une journée dans l'Utah pour voir les bigames, chose qu'elle avait toujours voulu faire – elle avait réservé tous les sleepings de première du train ainsi que les wagons-salons pour son entourage, c'est pourquoi cet arrêt non prévu avait été facile à arranger.

«Quand María de las Nieves arriva à New York, dis-je, les temps étaient de nouveau rudes pour Martí, n'est-ce pas? Sa femme et son fils venaient de le quitter pour la deuxième fois. Il se retrouvait dans cet état d'esprit ambivalent, où il se flagellait et cherchait à se faire consoler en même temps – mais pas juste par l'entremise de son imagination, haha.»

Mathilde renversa la tête en arrière et rit comme si ma plaisanterie légèrement risquée était la chose la plus drôle qu'elle avait jamais entendue – puis elle s'arrêta, me regarda et me lança : « Oh, je ne sais pas, Paquito. Tu le penses vraiment ? »

Les cils de Martí faisaient contre son oreiller la nuit un bruit qu'il comparait à celui de branches agitées par un vent puissant, et qui l'empêchait de dormir. Parfois l'insomnie était moins sévère, et produisait des arabesques dorées de pensées qui lui rappelaient la lumière de la lune miroitant sur la baie de La Havane obscurcie par le crépuscule. Il écrivait qu'il savait ce que ressentait une marguerite mangée par un cheval. Au cours d'une rencontre qui eut lieu à l'hôtel de Mme Griffou sur la Neuvième Rue Est avec le commandant en chef des rebelles, le général Máximo Gómez et le général noir Antonio Maceo, Martí n'approuva pas leur projet de subordonner tous les aspects de la révolution à la règle militaire. « On ne fonde pas un pays comme on commande un camp », leur déclara-t-il. Les partisans des généraux le traitèrent de déserteur, mais devant une foule houleuse de Cubains rassemblée à Clarendon Hall, Martí se défendit et imposa silence à ses accusateurs. Pendant les deux années qui suivirent, il fut mis au ban de la révolution, sans savoir s'il serait jamais réintégré en son sein. Il travailla comme commis et comme copiste dans des maisons de commerce et d'édition. Quand le journal *El Latino Americano* demanda à son amie Adelaida Baralt d'écrire un court récit romantique, Martí lui écrivit en quelques jours un obscur roman à clés inspiré par María García Granados et son année passée en Amérique centrale qui fut publié sous le pseudonyme d'Adelaida Ral. Il lui laissa tous les droits bien qu'il ait alors deux foyers à entretenir, à Cuba et à New York. Dans ses carnets, Martí continuait à se débattre avec des problèmes d'amour, de fidélité, et de désir. La vue de palmiers, qui revêtaient pour lui une signification mystique et symbolisaient soit Cuba soit María García Granados, provoquait en lui des rêveries sans fin. Il se remontait en buvant constamment du vin mariani – un mélange de bordeaux et de coca du Pérou. À l'époque, le « divin nectar » était très consommé par les bourreaux de travail et les gens surmenés parmi lesquels Thomas Edison, Émile Zola, Sarah Bernhardt, la reine Victoria et trois papes successifs. Sa femme, Carmen, méprisée par sa famille pro-Espagnols pour avoir été abandonnée, lui demandait dans ses lettres d'augmenter son aide financière et de lui dire la vérité plutôt que de la bercer d'illusions ainsi que d'écrire plus souvent à son fils. Il écrivait ses crónicas ; tard le soir, sa poésie. Il enseignait l'espagnol à l'école du soir et exerçait d'autres métiers encore. Des Cubains le voyaient traverser à grands pas, l'air absent, les rames du métro, son manteau râpé voletant autour de lui comme s'il avait à peine un corps, les bras pleins de livres et de journaux. Le soir, il n'était qu'un commis de plus, coiffé d'un chapeau noir dans la multitude anonyme de ses semblables, prenant le ferry qui le ramenait à Brooklyn. *Tout m'attache à New York, du moins pendant quelques années de ma vie : tout m'attache à cette coupe de venin*, écrivait-il à son meilleur ami à Mexico. *Tu ne le sais pas vraiment, parce que tu ne t'es pas battu ici comme je l'ai fait ; mais en vérité, chaque fois que le soir tombe, je me sens dévoré de l'intérieur par un poison qui me force à poursuivre. Tout ce que je suis s'anéantit… Le jour où je pourrai écrire ce poème ! – Eh bien, quoi qu'il en soit, tout m'attache à New York.*

On était à la mi-avril quand María de las Nieves et Mathilde arrivèrent, et même si Central Park était encore parsemé de plaques de neige, et que les matins étaient aussi froids que les matins les plus froids de Los Altos, lorsqu'une légère couche de glace se formait sur les flaques d'eau, Mathilde devrait attendre l'hiver suivant pour voir le ballon rouge s'élever au-dessus du parc, signalant que l'étang était gelé. Elle se rattrapa en apprenant à monter Relámpago en un temps record. Bien que Paquita ait exigé que tous ses enfants apprennent à monter l'étalon de leur défunt père, Mathilde se révéla être une cavalière très précoce, elle et le cheval historique étant unis par des liens particuliers. Dès sa deuxième semaine à New York, Mathilde, qui était souvent raillée ou ignorée par les enfants de Paquita, avait pris l'habitude de passer autant de temps que possible dans la remise au coin de la rue, où Relámpago avait une grande stalle dans laquelle le jeune groom Pablo Quej dormait à côté de lui sur la paille, quoiqu'il disposât maintenant, contrairement à naguère, de couvertures et d'un oreiller. Un après-midi, elles allèrent se promener à cheval dans le parc, Mathilde montée sur Relámpago, assise sur une magnifique selle d'amazone lavande et beige, galbée afin que même une petite cavalière puisse être confortablement équilibrée sur son fessier droit. María de las Nieves montait la bonne grosse jument de la famille, Quetzál, et Pablo était sur l'un des chevaux de trait, un bai nommé Homero. «Tiens-toi droite, Mami, les hanches décontractées», l'intimait Mathilde, déjà experte et impérieuse. Quiconque les voyait aurait pu penser qu'elles appartenaient à la famille royale, prédatrice mais civilisée, de quelque coin primitif et peu connu de l'Empire britannique, tant elles étaient élégantes dans les costumes fournis par Paquita, dont la richesse et l'ardeur à la dépenser semblaient illimitées. C'était la première semaine de mai, toutes les femmes avaient sorti leur nouveau chapeau de printemps, l'air était délicieux, les cours d'eau dans le parc aussi écumants que des torrents de montagne, tout n'était que verdeur et fleurs exubérantes et fraîches, et le sol était marécageux. Ils s'étaient aventurés jusqu'aux limites ouest et nord du parc, les plus sauvages, où Mathilde avait terrifié sa mère en lançant le puissant cheval blanc dans un galop de charge. Elles se dirigeaient à présent vers la sortie est du parc, au pas. Elle vit un homme qui pénétrait dans le parc et qui, malgré sa stricte redingote noire, paraissait aussi menu que la petite fille qu'il tenait par la main – chapeau noir, cravate noire, moustache noire...

«Pepe! Maestro! Señor Martí! Quel miracle! Ayyeee...!» Entouré de trois chevaux énormes, dont l'un était monté par une femme qui hurlait, le mince moustachu jetait autour et au-dessus de lui des regards pleins de confusion, serrant la petite fille contre lui. Sans attendre que Pablo l'aide à mettre pied à terre, María de las Nieves sauta légèrement à bas de son cheval pour se retrouver à genoux dans la boue. Martí lui tendit les mains et l'aida à se relever. Elle regarda son visage pâle et stupéfait, lui demandant :

« Pepe ? Vous ne vous souvenez pas de moi ? »

Il lâcha ses mains et dit : « Bien sûr que si Señorita Moran. » Pour une fois dans sa vie le Dr. Torrente semblait vraiment sans voix.

Comme elle brûlait de le prendre dans ses bras ! « C'est votre fille ? » demanda-t-elle d'une voix chantante et rendue plus aiguë par l'excitation ; puis elle aspira l'air, comme faisait María Chon, pour s'exclamer : « Elle est si jolie, elle ressemble à son papi ! Et regardez, voici ma fille, Mathilde. Mathilde, comme l'héroïne du roman de Stendhal, vous vous rappelez ?

– Qui tient la tête de son amant sur ses genoux ! annonça Mathilde, qui avait l'air d'un minuscule écureuil conquérant au sommet de son destrier.

– Voici la Señorita María Mantilla, dit Martí, la main sur l'épaule de la petite fille. La fille d'amis chers. » La petite fille, qui était plus intéressée par les chevaux, sourit sans se démonter.

María de las Nieves s'excusa et dit : « Mais vous êtes vraiment très belle, Señorita María Mantilla… Mathilde, le Maestro Martí était mon professeur de composition littéraire. Je sais que tu m'as entendue parler de lui bien des fois. » Elle pria pour que sa fille ne dise pas quelque chose de grossier ou de bizarre.

Cependant Mathilde se comporta magnifiquement, et sourit d'un air entendu, non pas à Martí ou à sa mère, mais à la petite fille, comme si elles partageaient un savoir ironique qui échappait à la compréhension des adultes, puis elle lui dit, en espagnol : « C'est le cheval que le Señor président-général montait quand il a été tué pendant la bataille. Maintenant il est à moi, ve ? Et nous habitons dans cette maison. » Elle désigna, de l'autre côté de la rue, un toit mansardé et des fenêtres pentues qui dépassaient les arbres.

« C'est vrai, croyez-le ou pas, pour le cheval, dit María de las Nieves.

– C'est la meilleure chose qui ait pu arriver à ce cheval, dit Martí, d'être monté dans le parc par une niña qui aime la littérature française. » Il est un peu plus pâle, pensa-t-elle (qu'il n'était il y a quelques semaines, quand j'étais Miss Paral), plus maigre même, fatigué autour des yeux, sa moustache est plus fournie, il a perdu des cheveux. Dès qu'il se met à parler, il devient l'homme le plus beau et le plus viril qui soit.

« Qui fait semblant, dit en riant María de las Nieves, avant d'ajouter : Oui, je crois que ce cheval a trouvé son destin lui aussi. Croyez-vous qu'il y ait une loi de la nature et de l'histoire à tirer de cela ? » Mais avant même d'avoir terminé cette phrase prétentieuse, elle éprouva de la honte. Ne lui devait-elle pas une explication pour son ascension frauduleuse dans le monde du luxe ? Que serait cette explication : qu'elle avait vendu son âme à Paquita ? Ce n'était pas comme si elle ne s'était pas accusée de cela assez souvent, mais le simple fait de cette action avait conservé l'accusation à une distance indolore. C'était pour l'amour de sa fille. Elle l'avait emmenée dans la capitale de la modernité, où elle aurait l'occasion de vivre une vie dont elle n'aurait pas pu rêver dans son pays. Il voit ma terrible frivolité, la négligence dont je fais preuve en n'allant pas beaucoup plus profondément dans tout cela. Je n'ai pas droit au bonheur, encore moins à l'autosatisfaction. Attends qu'il apprenne que Paquita est entourée d'aristocrates espagnols !

« Et comment va Carmen ? demanda-t-elle.

– Elle est à Cuba, avec notre fils... qui a environ l'âge de Mathilde, dit Martí.

– Pour une visite ?

– Non, répondit-il. Peut-être pas. » Elle le vit presser la main de la petite fille.

«Je crois qu'il faut que je vous explique – dit María de las Nieves, comprenant qu'elle était en train de se lancer dans un discours dont elle voulait désespérément qu'il fît sens, bien consciente pourtant de s'engager sur un vague chemin qui la conduisait à un terrifiant vertige – que Mathilde et moi sommes loin, je veux dire… loin de l'image idéale de la mère et de sa fille à cheval.» Martí semblait intrigué mais intéressé. «Dans le train qui nous amenait ici, dans le Wyoming, poursuivit-elle, puis elle s'interrompit et répéta: dans le Wyoming… le train s'arrêta quelque part, comme font les trains, au milieu de nulle part. Alors, loin sur la plaine verte, j'ai vu un cheval qui galopait vers nous. Il n'y avait qu'un seul cheval, c'est pourquoi nous n'avions pas peur que ce soit une attaque d'Indiens ou de bandits. Mais juste comme ça, il continua de se diriger vers nous, Pepe, jusqu'à ce qu'il arrive sous notre fenêtre. Ce n'est pas vrai, Mathilde? Je sais que cela paraît bizarre, mais j'avais le sentiment que ce cheval nous avait repérées de très loin dans cette plaine, ou même depuis les collines au-delà, et savait qu'il devait nous apporter un message. Sur le cheval, il y avait deux petites filles, juste un peu plus âgées que Mathilde. Deux filles de l'Ouest, Pepe, de ces vastes espaces vides dont nous entendons dire tant de choses terrifiantes. Toutes les deux avaient de longues nattes qui leur tombaient sur les épaules, et elles étaient habillées de manière très rustique, sans même de chapeau, et elles montaient comme des hommes. L'une, un peu plus grande que l'autre, était indienne, avec de bonnes joues roses, et les yeux et le sourire les plus gais et les plus frais que vous puissiez imaginer. L'autre, assise devant elle, presque sur ses genoux, était une blonde maigre, aux yeux bleus, qui avait l'air tout aussi heureuse et en bonne santé. Nous nous sommes regardées toutes quatre. Mathilde a dit qu'elle voulait être l'une de ces filles. Et le cheval s'est cabré, a fait demi-tour et elles se sont éloignées au galop.»

À présent elle était gênée, bien que Martí, s'exprimant avec soin, eût déclaré qu'il pouvait comprendre pourquoi un incident aussi intéressant – sa «Visitation de l'Ouest sauvage», ainsi qu'il l'appela avec sympathie – parlerait à ses aspirations pour sa fille, et pour elle-même également, à leur arrivée dans ce nouveau pays. Pablo et Mathilde poursuivirent jusqu'aux écuries, avec la jument. Martí accepta l'invitation de María de las Nieves de venir à la maison avec María Mantilla. Mais quelle chance, qu'ils se soient trouvés dans le parc à ce moment! Ils étaient venus voir la relève de la garde devant la maison du général Grant, où la foule venait rendre un dernier hommage au guerrier victorieux. Martí avait souvent écrit des articles sur le général Grant, et le ferait encore: la description qu'il devait composer, un an plus tard, de la céré-monie solennelle mais excessivement somptueuse célébrant le premier anniversaire de sa mort se terminerait par une image de la tombe couronnée d'une colombe empaillée, les ailes déployées, un rameau d'olivier dans le bec, présent de la veuve d'un autre général-président, Rufino le Juste. María de las Nieves était en train de faire compliment à Martí des chroniques qu'elle avait lues dans le kiosque de lecture, si élogieux qu'il ne cessait de mur-murer: «Merci, Señorita Moran. Vous êtes si aimable et si bonne. Non, je vous en prie, c'est trop.» Puis il déclara: «Vous pourriez faire de même. Je suis sûr que vous pourriez écrire une excellente crónica à propos de votre voyage dans l'Ouest.»

Après que María de las Nieves, dans sa robe d'amazone couleur de boue, eut fait traverser à ses invités l'entrée ornée d'armures et de palmiers, ils pénétrèrent dans le grand salon où chacun s'assit sur un fauteuil colossal. La pièce était décorée dans un mélange à la mode, de style Louis XVI, Renaissance et mauresque et inutile de dire qu'il n'y avait pas un centimètre qui n'était pas occupé par quelque élément décoratif: portières en velours, rideaux en soie à glands, tapisseries en brocart doré, lustres en cristal, tableaux, statuettes en cuivre, et luxueux tapis d'Orient couvrant les plan-chers en chêne. Il y avait aussi quelques touches rappelant le pays natal, telles qu'une vitrine contenant une scène tropicale: un oiseau quetzal, un toucan, un iguane, un bébé tigrillo, parmi les fougères et les mousses de la jungle. En haut des murs courait une frise représentant des scènes historiques tirées des vies d'Alexandre le Grand, Jules César, Cortés, Bolívar, Napoléon, Washington, Grant, la victoire des Afghans sur les Anglais dans la passe de Khyber, et Rufino le Juste conduisant les rebelles libéraux à la bataille de Patzicía.

«Le but d'une telle décoration est de s'assurer que les hôtes ne manquent pas de sujets de conversation», dit María de las Nieves, après qu'ils eurent parlé un certain temps de la pièce où ils se trouvaient. Martí était transporté par le café, fraîchement importé des plantations de la famille, déclarant qu'il n'en avait pas bu d'aussi fort et parfumé depuis des années. Et il apprécia particulièrement une statue en bronze, montée sur un socle rectangulaire, figurant un bédouin vêtu d'une tunique flottante, en train de nettoyer son long fusil. (J'ai vu cette pièce dans la maison de Wagnum.) Il était plein de curiosité pour l'Ouest. Son histoire, dit-il, lui avait donné une image merveilleuse sur quoi ruminer. Il avait fréquemment écrit sur cette partie du pays dans ses crónicas, quoiqu'il n'y soit jamais allé – à propos des persécutions des Chinois, du terrible Jesse James – et avait décidé de faire une épopée en vers sur Buffalo Bill et les Indiens, pas dans le style léger dans lequel de tels sujets sont généralement traités, mais dans un style sérieux et étudié.

Ils convinrent de se retrouver trois jours plus tard, à Madison Square. Il l'emmènerait dans un *salón de lunch*, et à une exposition. Avec tant de retard à rattraper, une semaine de conversation ininterrompue ne suffirait pas! Quand Paquita rentra ce soir-là et apprit que María de las Nieves avait rencontré le remarquable «Dr. Torrente», elle exigea que María de las Nieves l'invite au dîner qu'elle donnait pour le Dr. Matías Romero, le ministre des Affaires étrangères du Mexique, qui venait à New York voir un bon ami et associé dans la société de chemin de fer, le président

Grant. Quelques jours plus tard un des amis espagnols de Paquita lui apporta un article de *La Nación* de Buenos Aires dans lequel Martí avait comparé l'avidité criminelle et méprisante de son défunt mari à celle de Cornelius Vanderbilt, dont la nouvelle maison, qui n'était qu'à une rue de là, avait été qualifiée par lui de *boîte noire*. Paquita annula son invitation, ajoutant que Martí serait toujours le bienvenu pour prendre le café ou le thé.

Ce que voulait María de las Nieves, c'était que Martí l'emmène dans le Bowery, pour qu'elle voie le quartier où son père était né. Elle arriva à Madison Square avec plus d'une heure de retard. Elle ne connaissait toujours pas New York. Ici une femme pouvait marcher seule dans la rue, mais ne pouvait pas fumer n'importe où sans qu'il s'ensuive de sinistres conséquences. Bien qu'elle se fût habillée de manière aussi neutre que possible, de la robe noire la plus simple qu'elle avait, déterminée à inaugurer une vie d'austérité, le voyage qui la mena jusqu'à son rendez-vous fut désagréable. Trop de New-Yorkais avaient des regards perçants et durs, des voix effrayantes, et il y en avait qui disaient des choses grossières. Les boutiques étaient des palais, et Paquita était heureuse de payer même les achats les plus compulsifs, cependant, où trouverait-elle un homme pareil à son cher réparateur de parapluies dans cette ville ? Mais il n'est pas besoin de faire la liste de toutes les façons dont New York peut être accablant. Il y avait autant de chevaux que de gens dans cette île, ils renversaient les faibles, les vieux, les infirmes, les distraits, les égarés et les étrangers dans les rues. Rien qu'en descendant jusqu'à Madison Square, elle avait vu plusieurs fois des chevaux se heurter violemment. Pas étonnant que Relámpago veuille rester dans le parc à jouer avec des niñas ! Elle découvrit qu'elle s'était trompée de ligne de tramway. Martí lui apprit que c'était une de celles sur lesquelles une dame ne devait pas voyager. Il lisait le journal sur un banc au bord du parc feuillu à l'intersection de bruyants courants de circulation. Il était d'humeur gaie : il méprisait et adorait Gotham, lui dit-il, utilisant cependant bien plus de mots. Il lui promit qu'elle ressentirait la même chose. «Regardez seulement ce merveilleux journal, lui dit-il. Chaque numéro du *New York Herald Tribune* est un sublime poème – quoique pas vraiment aujourd'hui.» Il fit courir son doigt sur les nombreux gros titres et sous-titres de la première page aux petits caractères serrés, qui traitait de tant de sujets, du monde entier, avec tant d'originalité et de verve! «Le sublime existe dans la relation secrète entre toutes choses, María de las Nieves, poursuivit-il, tel est le langage secret de la poésie moderne, qui permet à la poésie de parler pour l'âme universelle aussi bien que pour l'individuelle, et c'est aussi le langage de la conscience moderne, que ce journal incarne au plus haut point, bien que pas aujourd'hui, parce qu'on y parle trop de la marche marathon, cette épreuve rétrograde et sauvage.» Quelle joie c'était de l'écouter de nouveau! Qui aurait pu croire qu'ici à New York, elle se retrouverait dans le kiosque de lecture? Qu'est-ce que c'était qu'une marche marathon?

«Nous allons dans un *salón de lunch*, María de las Nieves, où vous pourrez peut-être remarquer que notre serveur, alors même qu'il nous verse nos cocktails, parle par-dessus son épaule des nouveaux tarifs maritimes avec un autre client, parce que tout dans cette ville va de l'avant, et que même les serveurs sont avocats, mais tout retourne en arrière aussi, comme si plus un peuple devenait éduqué et moderne, plus il se trouvait rivé au brutal et au primitif. Aujourd'hui les journaux sont pleins de nouvelles à propos du marathon qui se déroule dans l'hippodrome de Madison Square, dont c'est aujourd'hui le dernier jour, et qu'un certain Pérez est en train de gagner, un pauvre Indien de nos contrées. Même s'il gagne, il restera pauvre, car il est sûrement endetté auprès de ses entraîneurs, de ses commanditaires et des bookmakers, qui l'ont piégé et roulé. Mais cela réjouit le cœur des gens d'assister à ces luttes inhumaines et inutiles.» Même devant l'hôtel au coin du parc, lui montra Martí, il y avait des toiles et des panneaux

géants sur lesquels les derniers résultats de la marche étaient inscrits. Le gagnant était le premier qui couvrait la distance de mille
kilomètres en six jours. Les malheureux candidats marchaient
trente heures d'affilée, dormaient une demi-heure puis reprenaient, comme s'ils jouaient un éternel chemin de croix, à la
différence que chacun de leurs faux pas et chacune de leurs chutes
étaient décrits dans le journal. Elle n'écoutait qu'à moitié ; une
nouvelle peur était en train de s'infiltrer en elle : que se passerait-il
si elle retombait amoureuse de Martí et se retrouvait aussi malheureuse que la dernière fois ? Et si ce malheur la jetait dans les
bras d'un nouveau mystérieux muchacho ? Et comment ne pas
tomber amoureuse, s'ils renouaient amitié de cette manière séduisante ? Ils allaient déjeuner, avait-il dit, et puis ils iraient regarder
de l'art. Mais ne pouvait-il pas l'emmener au Bowery voir le
lieu de naissance de son père ? demanda-t-elle. Je vous en prie,
Pepe ? Non, il ne voulait pas l'emmener dans le Bowery. Ce n'était
pas un endroit pour une jeune dame délicate. Si elle voulait voir
des Irlandais, dit Martí, ils feraient mieux d'aller au colisée de
Madison voir le marathon, dans lequel la moitié des concurrents
seraient irlandais, ainsi qu'un grand nombre de voyous sur les
gradins. Au moins la police serait là, composée d'Irlandais, pour
la plupart, ainsi que des spectateurs de tout genre, même de belles
dames raffinées, quoique maintenant, dans l'après-midi, ce ne
serait pas l'enfer que ce serait la nuit, auquel il n'oserait jamais
l'exposer. Il avait écrit un article sur la marche marathon l'année
passée et ne pensait pas le refaire mais peut-être pouvaient-ils passer voir ce Pérez. «Après tout, c'est l'un des nôtres, María de las
Nieves, et s'il gagne nous pourrons être fiers, même si ce spectacle
révoltant nous fait éprouver de la honte pour tous les hommes.»
   Martí paya l'entrée. Il l'obligea à lui tenir le bras tandis qu'ils se
frayaient un chemin à travers la multitude en direction d'un siège
d'où ils pourraient voir la piste en bois incurvée. Il lui dit qu'il ne
fallait pas qu'ils s'asseyent trop près, car sinon, il le savait d'expé-

rience, ce qu'ils verraient leur donnerait la nausée et des cauchemars. Le spectacle qu'elle avait devant les yeux ne ressemblait en
rien à ce qu'elle avait vu jusqu'alors : une telle foule, suffisante
pour peupler une ville entière, aussi pressée et agitée qu'un épais
ragoût de haricots blancs et de lard en train de bouillir dans une
grande marmite noire de suie. Et au-dessus d'eux, c'était si spa-
cieux et enfumé, et l'air était si empuanti ! Une fanfare jouait des
airs militaires, et là, sur une plateforme surélevée, dans un nuage
de fumée de cigare éclairé au gaz, reporters et télégraphistes de
tous les journaux rendaient compte de la course, et sur une autre
estrade étaient perchés les juges, qui comptabilisaient les tours
effectués par chacun à l'aide de chiffres en porcelaine blanche sur
un grand tableau noir. Pendant les six jours et six nuits que durait
le marathon, lui expliqua Martí, les lampes, qui, en majorité,
étaient encore à gaz dans ce bâtiment, ne s'éteindraient jamais.
À quatre heures du matin, sous les yeux des ivrognes, des vagabonds, des parieurs et des criminels, les marcheurs tourneraient
autour de la piste couverte de sciure comme des âmes en peine se
déplaçant dans une immense tombe scellée, mais demain matin le
vainqueur serait célébré dans les journaux comme seul l'était celui
d'une course à la présidence ou à la mairie. « Pérez mène de loin,
dit Martí. À moins d'une blessure ou d'un effondrement, il est
sûr de la victoire ! » En fin de compte, ainsi que l'avait dit Martí,
le marathon était barbare, pathétique et fascinant. Au moins deux
des marcheurs étaient allongés sur la piste et n'avaient pas bougé
d'un pouce depuis que María de las Nieves et Martí étaient
arrivés. Ils auraient pu être endormis, ou même morts. Certains
étaient à quatre pattes, déterminés, ainsi que le lui apprit Martí, à
continuer à ramper, car s'ils ne finissaient pas, ils ne gagneraient
même pas la minuscule portion des entrées qui leur était due. Un
de ces hommes, affublé d'une barbe pointue, avançait par bonds
mous, comme une otarie. Un Noir marchait tout voûté, à tout
petits pas, comme s'il suivait une longue ligne de fourmis, les

écrasant une à une, et délirait visiblement. Un autre traînait ses pieds enveloppés de chiffons sanglants; ceux d'un autre coureur étaient si sales et gonflés qu'on aurait dit des porcelets noircis tout juste tirés du feu. Certains suçaient des éponges tout en marchant, ou rongeaient des os de mouton. L'un d'eux, grand et si émacié qu'on aurait dit un squelette ambulant, portait un fez, et son long cou était marqué par l'estafilade rose d'un coup de couteau. Et là, cet homme carré, aux cheveux noirs, à la peau cuivrée, qui avançait régulièrement, les coudes près du corps mais bougeant les poings presque comme s'il ramait, en chaussons de cuir noir, ce devait être l'Inca Pérez. Les autres concurrents portaient des écharpes, des médaillons et des cocardes que les femmes, se penchant par-dessus la barrière, leur passaient au cou ou épinglaient au tissu trempé qui leur couvrait la poitrine, mais la tenue de Pérez, collant et maillot verts, étaient sans ornements, bien que son nom fût crié plus que tout autre; et elle voyait des femmes vêtues de robes voyantes et même des femmes portant soie et fourrures lui tendre les bras, balançant leurs offrandes tandis qu'elles criaient son nom. À une extrémité de la piste se trouvait le vestiaire en planches de chacun des coureurs, et Martí lui expliqua que c'était là qu'entraîneurs, parieurs, médecins et autres parasites humains attachés à chaque participant se rassemblaient; cette brute porcine au crâne rasé était le portrait craché d'un des gardiens espagnols les plus sadiques d'une prison cubaine... «Mais vous vouliez voir des Irlandais, María de las Nieves. Ce roux aux genoux sanglants, qui n'arrête pas de tomber parce qu'il est plus endormi qu'éveillé, il est sûrement irlandais. Est-ce que votre père était un Irlandais brun ou roux?» Elle fut surprise d'avoir à réfléchir avant de répondre: castaño, ou châtain, et Martí dit: «Les roux ont tendance à être les plus durs.» Elle jeta un rapide coup d'œil aux vestiaires et en repéra un qui semblait plus propre que les autres, occupé seulement par deux jeunes hommes à la peau brune, vêtus de costumes sombres propres et coiffés de canotiers, assis sur des tabourets, un panier de bananes et d'oranges à leurs pieds, et comme elle regardait Pérez l'Inca prendre le virage et s'approcher d'eux, elle dit : « Revoilà Pérez, Pepe », et Martí répondit : « Oui, il va gagner. La course vous plaît, María de las Nieves ! » et elle répondit presque calmement : « Mais je le connais. C'est Mack Chinchilla. C'est mon ami Mack, Pepe. Vous vous rappelez ? Le premier secrétaire de la Société d'immigration ? » Cette déclaration absurde sembla les désorienter tous deux, comme si elle avait été proférée dans leur dos par un inconnu, et ils demeurèrent un instant paralysés, puis elle se leva et déclara : « Il faut que j'aille avec lui. » Avec José Martí à sa suite, María de las Nieves se fraya impatiemment un chemin à travers la foule, essuyant au passage de nombreux commentaires grossiers, jusqu'à ce qu'elle atteigne enfin la balustrade et elle attendit là, tandis que Martí se tenait stupéfait derrière elle, répétant à son oreille : « Vous êtes sûre ? Il s'appelle Pérez, et on dit que c'est un Indien péruvien », jusqu'à ce qu'il repasse et soudain elle cria de toutes ses forces : « Mack ! Mack ! C'est María de las Nieves ! » Il ne sembla pas l'avoir entendue alors qu'il passait devant elle. Il fit un nouveau tour, puis un second. Il était évident qu'il était en transe. Il était pareil à une idole surnaturelle, une figure de terre dans laquelle une force indestructible avait été insufflée. Ses yeux où se lisait l'épuisement semblaient deux grosses cerises écrasées. Il arborait un sourire étrangement extatique, qui ressemblait beaucoup à celui du rêve qu'elle avait fait jadis, où il faisait le tour du monde entre la vie et la mort sur sa petite planche.

« Mack ! Mack ! » criait-elle, d'un ton plus désespéré à chacun de ses passages. Les gens se moquaient d'elle, et Martí commençait à être mal à l'aise. « María de las Nieves, êtes-vous sûre ? C'est Pérez l'Inca, qui s'est entraîné en traversant les Andes à pied. Peut-être qu'il ressemble à votre ami.

– Mack ! Mack ! C'est moi, María de las Nieves ! » hurla-t-elle comme il repassait. Elle regarda Martí avec des larmes de frustration dans les yeux. «Oh, je ne sais pas. Peut-être suis-je folle. Il ne regarde même pas dans ma direction. Peut-être qu'il me déteste!»

Ils quittèrent le colisée peu après. Cinq jours plus tard Mack Chinchilla, qui sous le nom de l'Inca Pérez avait gagné la marche avec une avance jamais vue dans les annales de ce sport à New York, prit le métro aérien en direction du nord de la ville, vêtu d'un costume à carreaux vert et noir, cravaté d'un cordonnet, chaussé de bottes de cow-boy faites main et coiffé d'un Stetson noir. Il avait aussi gagné la bourse la plus importante dans l'histoire de ce sport, et il avait peu de dettes car il avait été son propre entraîneur. Ses assistants étaient les deux garçons qui avaient échappé à la guerre des Cavernes avec lui – marchant à travers montagne et jungle pendant plus de six jours –, des muchachos appartenant à l'excentrique tribu des Indiens Pipil-Nahón de Cuyopilín, qui habitaient à présent avec lui et sa mère dans une petite ferme à Brooklyn, où ils gagnaient modestement mais régulièrement leur vie en entraînant des chevaux et en élevant des mules. Mack possédait également une affaire en Amérique centrale. Voilà ce qu'était Mack à présent, si on excepte un instant l'univers de projets qui occupait son esprit. Rubén Abensur avait péri dans cette guerre, ainsi que le *chuchkajawib* Juan Diego Paclom, et même les pauvres monjitas au cœur de la montagne sacrée, la défaite des rebelles ayant été aussi absolue et cruelle que la réalisation d'une prophétie apocalyptique. Jusqu'à sa mort, Mack ne parlerait que rarement, et jamais en présence de María de las Nieves ni des enfants, des scènes terribles dont il avait été témoin.

Mack avait réfléchi. Ses gars lui avaient parlé de la femme maigre qui l'appelait. Il prétendrait ensuite l'avoir entendue, mais ne pas avoir pu distinguer sa voix de celle qui, dans sa transe, le poussait en avant. Quoi qu'il en soit, il avait la langue bien trop gonflée pour parler. Francisca Aparicio était dans l'annuaire, et il trouva la maison sans peine. Elle saurait au moins où était María de las Nieves. Les troupes d'El Anticristo avaient massacré rebelles et innocents sans distinction, il n'allait pas pour autant se permettre de mépriser Paquita pour les crimes de son défunt époux. Seule María de las Nieves l'intéressait. Mack lui rendit visite tous les après-midi pendant deux semaines et, le mois suivant, presque aussi fréquemment. Il n'aurait pas pu être plus direct, ni plus décidé ni plus persistant. Ses gains étaient leur avenir. Oui, leur avenir ensemble était écrit, et noir sur blanc. Si elle avait pu regarder à l'intérieur de son vestiaire dans l'hippodrome, elle aurait vu le portrait que J. J. Jump avait fait d'elle, un peu abîmé par tout ce qu'il avait enduré, punaisé au mur, et exactement ainsi que l'avait fait Mr. Doveton des années auparavant, Mack tira de son enveloppe qu'il avait apportée dans la poche intérieure de sa veste la précieuse épreuve froissée et cornée. Tout cela n'était-il pas écrit, après tout ? Il était plein d'idées et d'arguments touchant ce qu'ils seraient capables d'accomplir ensemble, les raisons pour lesquelles ils devraient être unis, ce qu'il pouvait lui offrir, et ce qu'il savait qu'elle pouvait lui offrir. Comme d'habitude, l'exhaustivité stratégique de la présentation de Mack pouvait devenir étouffante et ennuyeuse et cependant elle l'écoutait avec un sérieux et une affection neufs. Elle aimait l'entendre exposer ses plans ; ils étaient juste stimulants comme il faut, à la fois tirés par les cheveux et réalisables, de sorte qu'elle se trouvait occupée à les ruminer comme si elle en était déjà en partie responsable. Et elle se rendit bientôt compte qu'elle pouvait imaginer une place pour elle et ses enfants dans l'avenir qu'il décrivait. Elle lui faisait confiance. Sa confiance était une minuscule plante en train de sortir de terre, mais qui avait déjà des racines profondes. Elle savait encore que personne ne l'écoutait avec plus de dévotion que lui. Mack l'empêchait de penser à Martí, et plus elle passait de temps avec Mack, plus il lui devenait facile de ne pas craindre l'amitié renouvelée de Martí. Quoi qu'il en soit, Mack n'avait pas besoin d'entendre *oui* ou *pas encore*. Le mois prochain il lui faudrait retourner en

Amérique centrale ; il exportait déjà aux États-Unis du latex, récolté par ses muchachos sur des arbres qui poussaient tout seuls dans la forêt. C'était l'industrie de l'avenir. Il avait une vision, que ses gains rendaient maintenant possible : sa propre plantation d'arbres à caoutchouc là-bas et, plus tard, une sorte d'usine pour produire des articles en caoutchouc ici. Mack voulait aussi faire entrer Don José Pryzpyz dans l'affaire. Certainement le réparateur de parapluies, qui habitait toujours la capitale, se révélerait indispensable. Et il allait embaucher autant d'habitants de Cuyopilín que possible, particulièrement ceux avec qui il avait survécu à la guerre.

«Pérez l'Inca» était, pour le moment, une célébrité extraordinaire parmi la population latino-américaine de New York. Martí apprit à María de las Nieves que même les petites Mantilla psalmodiaient son nom. Pérez, lui confia-t-il, lui avait révélé un nouveau genre de beauté et de puissance américaines en transcendant si noblement une entreprise et un environnement si sordides. Les deux hommes finirent par se rencontrer, allèrent ensemble dans une taverne, et parlèrent jusque tard dans la nuit de caoutchouc, des Indiens d'Amérique centrale, des juifs, et de la guerre. Même Paquita avait envie de rencontrer Mack, et l'invita à dîner pour le Dr. Matías Romero qui, en plus d'être le ministre des Affaires étrangères du Mexique, était en train de fonder la première plantation de caoutchouc de son pays à Soconusco, près de la frontière sud, et avait écrit sur le sujet un traité réputé. Les deux hommes décidèrent de collaborer, et le distingué Mexicain promit toute l'aide et l'expertise qu'il pourrait offrir.

Mack partit pour l'Amérique centrale sans avoir même embrassé María de las Nieves, et quand il revint trois mois plus tard, le ventre de celle-ci ne laissait pas de doute sur son état. Elle était consumée par le remords et l'inquiétude, craignant que sa grossesse ne soit plus que Mack puisse supporter. En vérité, elle faisait seulement semblant d'être à bout, parce qu'elle savait que les convenances et le respect exigeaient d'elle qu'elle joue au moins la comédie. Mais elle connaissait aussi Mack. «Maintenant que j'ai décidé que je le voulais, il va me dédaigner pour toujours», avoua-t-elle en pleurant à Paquita, qui percevait également ce que Mack avait dans le cœur, et avait passé onze années dans un monde où les enfants illégitimes étaient presque la norme. «Oui, tu as probablement raison, répondit Paquita. L'homme qui acceptera cela d'une femme n'est pas encore né, et c'est probablement une bonne chose.» María de las Nieves n'avait pas d'autre choix que de dire la vérité à Mack.

«Quelle version? demandai-je à Mathilde. Vous voulez parler de la trilocation en mer?

– Elle lui a dit la vérité», répéta Mathilde d'un air buté.

Mack dit: «Vous pourriez avoir dix enfants, María de las Nieves, que je voudrais toujours être votre mari.» Ce n'étaient pas exactement ses mots, mais il les dit avec encore plus de conviction que le jeune homme malheureux qui les avait prononcés le premier.

«Dix enfants! dit-elle, avec un petit sursaut. Et si j'en avais onze?

– Eh bien, tant que le onzième est de moi, c'est OK.»

ÉPILOGUE

« Maintenant, Paquito, dit Mathilde, vous pouvez aller chercher Mr. Cesar Romero en Floride, si vous voulez, et lui demander vous-même si c'est vrai, puisque je sais que vous avez décidé de vous méfier de tout ce que je vous dis. Il joue le rôle de Rex Harrison dans *My Fair Lady* dans un théâtre d'une de ces villes de retraités – d'après ce que m'a écrit une amie. Romero a appris l'histoire des filles du Wyoming sur leur cheval de la bouche de sa mère, María Mantilla, qui l'a entendue ce jour-là, à Central Park, racontée par ma mère, et ne l'a jamais oubliée. Ensuite, je crois qu'il l'a replacée dans l'un de ses films de cow-boys de la série Cisco Kid. Butch Romero, un bandit, vous imaginez ça ? » Elle haussa les sourcils. « C'est une folle, vous savez. Pas besoin de le cacher, et mon pauvre frère l'était aussi, qu'il repose en paix. Deux fils à leur maman. Eh bien, à quoi s'attendre de la part d'un homme qui voue sa vie à faire des poupées en ballons ? »

Il y avait une étude historique que j'avais apportée la première fois que j'avais rencontré Mathilde dans sa maison de Wagnum, et qui m'avait d'abord mis sur cette voie : cette photographie du « Señor Carlos López », le Mexicain, parue en 1933 dans *Le Figaro*, où il tenait un lapin en ballons au-dessus d'un chapeau haut de forme, avait été reproduite dans le *Wagnum Chronicle* la même année. Je l'avais trouvée en faisant des recherches sur l'histoire de la ville lors de ma première année d'université. L'article publié avec la photo dans le journal local révélait que le Señor López était en réalité natif de Wagnum, et qu'il s'appelait de son vrai nom Charles Tree Jr., fils de Mr. et Mrs. Charles Tree, également originaires de Wagnum, et que le défunt Mr. Tree (Mack Chinchilla) était le fondateur et propriétaire de la Cody Rubber Company de Wagnum, aussi bien que l'inventeur, en même temps qu'un chercheur d'une ville voisine, de la production industrielle de ballons, qui, dans le cas de Mr. Tree, consistait en un ballon en forme de tête de chat (le ballon de l'autre inventeur avait également la forme d'une tête de chat, mais avec des oreilles pointues). Le «Señor López» déclarait dans l'article que c'était sa mère qui lui avait appris à donner à des ballons des formes d'animaux, truc qu'elle-même avait appris enfant, sur la plantation de café de son père dans la jungle en Amérique du Sud. Le jeune Charlie Tree avait lentement maîtrisé et perfectionné son passe-temps au long de nombreuses années, durant lesquelles il avait pris la place de son père à la tête de leurs diverses affaires de caoutchouc; par la suite il fut cependant remplacé par le fils plus capable de Mathilde, Leo Nahon, fils de son second mari, Max Nahon, qui était, en fait, le fils moitié indien de l'ami de Mack, assassiné si longtemps auparavant, Salomón Nahón (les actuels Nahon américains avaient abandonné l'accent). Mathilde s'était mariée trois fois, et avait neuf enfants, dont six filles. À l'époque où je fis sa connaissance, Mathilde avait presque quarante petits-enfants, sans parler des arrière-petits-enfants. D'après l'article du *Wagnum Chronicle*, le «Señor López» avait désormais l'intention de se consacrer à l'expansion de son nouvel art dans le monde entier en fondant des «académies de l'art du ballon», car plus cet art serait connu mieux ce serait pour les fabricants de ballons. J'en fis une photocopie que je montrai à mon professeur d'espagnol, Miss Sommers, encore étudiante en fait, une jolie hippie rousse dont j'étais terriblement amoureux, et qui me fit remarquer l'étonnante ressemblance entre le Señor Carlos López-Charles Tree Jr. et le grand héros et martyr cubain José Martí. Je n'avais jamais entendu parler de José Martí. J'effectuais des recherches sur l'histoire de ma ville à cause d'une rumeur qui m'intéressait depuis longtemps à propos des premiers habitants, particulièrement les premiers employés de la Cody Rubber Company, dont la plupart vivaient dans des maisons construites pour eux dans une partie de la forêt qui appartient maintenant à la banlieue – derrière l'usine, au-delà du marais, et que les habitants de la ville appelaient la «jungle aztèque». Certains membres de ma propre famille descendent peut-être en partie de ces ouvriers, quoique ma mère, dont ce n'est pas le cas, n'en sache rien, et que mon père, sergent dans les marines, ait été tué au Vietnam en 1965 alors que j'avais dix ans. Si vous explorez les archives de la ville, et parcourez des numéros du *Chronicle* défunt depuis longtemps, et même si vous regardez certaines des photographies les plus anciennes de l'équipe d'athlétisme exposées dans les vitrines avec les trophées, à l'entrée du gymnase du lycée, vous serez frappé par ceci : un grand nombre de jeunes n'ont pas du tout le genre de la vieille Nouvelle-Angleterre. Ils sont plutôt sombres, ont les yeux noirs, des sourcils noirs très dessinés, le visage large ; et bien que certains aient les cheveux bouclés et que d'autres les aient raides, ils ont tous l'air un peu maya, c'est-à-dire, Indiens d'Amérique centrale, malgré la légende officielle de la Cody Rubber Company qui veut que ses premiers ouvriers aient été des juifs du Moyen-Orient, amenés de Turquie et de Syrie par Charles Tree, qui, bien sûr, n'était que le dernier pseudonyme adopté par cet industriel pionnier de la Nouvelle-Angleterre, Marco Aurelio Chinchilla. Ce que Mack, apparemment, avait eu en tête, était une greffe symbolique et même superstitieuse, sur ce nom aux respectables accents américains, de l'arbre de la connaissance des juifs et de l'arbre de la création des Mayas. Il avait pris Cody comme nom d'entreprise à cause de l'attrait commercial naturel de ce nom qui rappelle tant l'Ouest aux Américains. (Son épouse, María de las Nieves, était une fanatique de l'Ouest de toute façon, et ne cessait de le menacer de s'installer dans le Wyoming; Mack finit d'ailleurs par lui acheter un petit ranch où elle allait tous les étés, y restant parfois jusqu'à l'hiver.) On appelait la forêt derrière l'usine Cody la jungle aztèque, et il y avait aussi une vague sorte de folklore, que seuls quelques très vieux habitants de Wagnum pourraient se rappeler aujourd'hui, à propos d'Aztèques juifs. Pourquoi des Aztèques, vous demandez-vous? Ces mystérieux ouvriers étrangers originaires de Cuyopilín savaient qui ils étaient et ne se seraient pas qualifiés d'Aztèques. Le nom devait leur avoir été donné par des étrangers, peut-être par la génération suivante des ouvriers, qui habitaient les nouveaux quartiers populaires de la ville plutôt que les premiers bâtiments construits pour eux. Et aujourd'hui Wagnum n'est qu'une de ces villes à l'histoire mystérieuse et presque oubliée, comme cette ville de Cape Cod qui est, dit-on, peuplée de descendants d'habitants des îles Fidji, bien qu'apparemment personne ne se souvienne comment ils ont atterri là-bas. Quand on abattit la forêt pour construire de nouveaux quartiers dans les années quarante et cinquante, on découvrit d'étranges objets à l'endroit où s'étaient trouvés les logements des ouvriers dans la jungle aztèque: des idoles païennes, des cercles de cendres noires, des brûle-encens, de petits cristaux, des haricots pétrifiés et autres objets rituels indiens, abandonnés un demi-siècle plus tôt par les ouvriers immigrés de Cuyopilín. Où se trouvent les descendants de ces ouvriers à présent? Comment une histoire locale aussi unique et riche a pu être oubliée si rapidement? Cela me rappelle ce dont se plaignent certains spécialistes de Martí lorsqu'on en vient à parler de Cesar Romero: Pourquoi les histoires et les souvenirs familiaux qu'il raconte sont-ils si banals? Comment les souvenirs de la coexistence intime de sa famille avec l'immortel Cubain ont-ils pu s'évaporer d'une génération à l'autre? Pourquoi Cesar Romero ne parle-t-il même pas l'espagnol? La sœur de Cesar Romero, dans une interview accordée peu après la mort de leur mère, avança l'explication suivante : les Romero avaient grandi principalement dans les banlieues du New Jersey. « Tout ça est très loin de nous qui sommes nés et avons été élevés aux États-Unis, comme de vrais Américains », dit-elle. Dans les Mémoires écrits par le président Theodore Roosevelt sur son rôle héroïque dans la libération de Cuba du joug espagnol, il ne cite pas une fois le nom de José Martí, qui a rendu possible cette révolution armée. Alors pourquoi s'étonner que Cesar Romero ne parle pas espagnol, ou que les descendants des premiers Mr. et Mrs. Tree et cette première génération d'ouvriers indio-juifs venus de Cuyopilín sachent si peu, et finalement même rien du tout, de leur propre histoire ?

J'étais au collège avec Daisy Nahon et sa sœur jumelle, Margarita, arrière-petites-filles de Mathilde, de véritables meneuses. Aucune des deux n'avait probablement conscience de mon existence, pourtant quelques années auparavant, quand j'étais en camp de vacances, j'avais reçu une courte lettre amicale de Daisy, postée de Nantucket. Je me revois assis en tailleur sur mon lit superposé tandis que derrière l'écran antimoustique une douce pluie d'été tombait sur les pins, tenant cette enveloppe lilas, avec son écriture nettement arrondie et féminine tracée à l'encre verte, et j'entends encore comme mon cœur battre tandis que je la portais à mon nez pour respirer ce parfum d'un avenir enchanteur. J'étais assis derrière elle en classe d'anglais de cinquième. Elle me trouvait drôle. À la fin de l'année scolaire, nous avions échangé nos adresses de vacances. Peut-être que je lui avais écrit le premier, je ne me rappelle pas. Peut-être que ses parents l'avaient obligée à écrire à tous ses camarades de classe, comme si c'était la Saint-Valentin à l'école et que la princesse de Wagnum devait montrer qu'elle aimait également tous ses sujets. Sa peau est cannelle, ses yeux d'un gris boueux vous transpercent, ses cheveux sont noirs, soyeux et bouclés, elle a les longs membres d'une ballerine – je suppose qu'elle a effectivement suivi des cours de danse –, des mains d'une beauté quasi monstrueuse comme son arrière-grand-mère, et bien sûr je sais que chaque fois que je la vois, ou sa jumelle, je suis aussi peu loin qu'on peut l'être d'admirer la jeune María de las Nieves. Au collège Daisy avait des jupes courtes et les yeux très maquillés. C'était la mauvaise jumelle, et elle est sortie quelque temps avec mon ami Robbie Donnelly, le président des petites classes, seulement, ainsi qu'il s'avéra, ou c'est du moins ce dont il se plaignit plus tard, pour blanchir sa réputation. Margarita n'eut jamais de tels problèmes. Les descendants des fondateurs de la Cody Rubber Company possédaient des fortunes qui leur auraient facilement permis d'envoyer leurs enfants dans des écoles privées, mais ceux qui vivaient toujours à Wagnum se faisaient un point de vertu civique d'inscrire leurs enfants dans les écoles publiques, dont beaucoup, après tout, portaient le nom de membres de leur famille. Il y avait même une Chinchilla Road dans notre ville, et un complexe sportif Chinchilla. Ils possédaient le club de tennis et de natation (titre modeste et utilitaire). C'était un genre de club pour classe moyenne, sans golf ni prétention, auquel les gens de la ville, à l'origine des employés de l'usine, pouvaient aisément appartenir.

L'usine de la Cody Rubber Company, énorme bâtiment hideux et croulant, percé de sinistres fenêtres aux vitres poussiéreuses ou brisées et surmonté des immenses cheminées de l'enfer industriel du dix-neuvième siècle, était le trait dominant du paysage de mon enfance, avec la forêt marécageuse derrière l'usine, et l'étang devant. L'usine n'était qu'à deux cents mètres de ma maison, au bout d'Abensur Road (qui de l'autre côté devient Pryzpyz Circle). L'usine fabriquait des ballons, mais aussi des gants, des poupées en caoutchouc, etc. Nous trouvions les essieux en fer rouillé sur lesquels étaient alignés des moules noirs – des rangées de moules de ballons noirs, de poupées noires, de mains noires – jetés au fond du marais, où en hiver nous patinions sur de la glace aux nuances roses, jaunes, vertes et bleues à cause des teintures des ballons qui avaient fui. Ce n'est pas avant les années soixante, une décennie avant sa fermeture, que l'usine se mécanisa entièrement. Avant cela, les ouvriers devaient hisser les pesants moules à bout de bras tels des haltérophiles, les plonger dans des cuves de solution de latex et les mettre à sécher, et ainsi de suite. Nous jouions sur le terrain noir entouré de grillages de l'usine, un pays des merveilles de misère industrielle : flaques boueuses de teintures multicolores, cabanons remplis de ballons au rancart. Avant d'aller danser, au cours de ma deuxième année d'université, nous allions tremper nos baskets dans les teintures pour leur donner un côté psychédélique. Nous grimpions sur les toits recouverts de toile goudronnée et, assis sous les cheminées, fumions de la marijuana, les yeux fixés sur l'étang Moran. Enfants, nous nous y baignions, jusqu'à ce que tout le monde commence à attraper des infections oculaires et dermiques, après quoi la baignade fut interdite et le demeure aujourd'hui – malgré les innombrables drainages, traitements et remplissages qu'il a subis – tant d'années après la fermeture de l'usine et son remplacement par des immeubles d'habitation, alors que j'étais en troisième année d'université. La société n'était pourtant pas en faillite, loin de là. Elle possédait des usines dans le monde entier. Elle continuait à fabriquer des ballons, et se spécialisait aussi en équipements médicaux, du genre gants en latex et choses similaires. Elle possédait toujours ses plantations de caoutchouc dans toute l'Amérique centrale. (Plus tard l'apparition du SIDA provoquerait un fantastique boom de la culture du caoutchouc et de la production de latex naturel.) Tout cela commença avec Mack Chinchilla, le « père de l'art du ballon ».

Un beau jour, alors que nous étions dans la bibliothèque, Mathilde demanda à son arrière-petite-fille, Daisy, rentrée, pour Thanksgiving, de son université dans le nord de New York, d'installer un projecteur. Nous avions parlé de Cesar Romero, le fils de la fille illégitime de Martí, María Mantilla. Maintenant Mathilde voulait me montrer un épisode de la série télé *Batman*, où Cesar

Romero jouait le Joker. Le scénario original, m'apprit-elle, était signé par Romero et le « Señor Carlos López ». Ils s'étaient enfin rencontrés. C'est le jeune Charlie Tree Jr. qui, en dépit de sa timidité, était à l'origine de cette amitié. L'épisode racontait un combat pour l'âme d'une statue.

Daisy était aussi belle, sensuelle et distante que toujours. Elle me regardait à peine. Je suppose qu'elle se souvenait de moi comme d'un des amis stupides de Robbie Donnelly, et pas comme du gosse « marrant » qui était assis derrière elle en cours d'anglais de sa classe de cinquième. Cependant elle adorait visiblement Mathilde, et cela suffisait pour qu'elle me soit sympathique. Elle aurait pu aller à Paris ou n'importe où ailleurs pour les vacances, mais elle était venue les passer avec son arrière-grand-mère. Margarita, qui étudiait à Princeton, passait ce semestre à la Sorbonne.

Mack et María de las Nieves s'étaient mariés en 1888. Néanmoins plus d'un an auparavant elle était allée s'installer dans sa ferme à Brooklyn. Il se rendait souvent en Amérique centrale pour surveiller ses premières plantations, qui ne produisaient pas encore de latex en quantité utilisable. Sarita Coyoy avait vendu la maison de la Pequeña Paris et était partie rejoindre sa fille et ses petits-enfants à Brooklyn et enfin, quand Mack fut prêt à fonder la première de ses petites usines, Don José Pryzpyz avait finalement fermé sa boutique et avait lui aussi pris le chemin de New York. Ils obtinrent leur premier succès avec la fabrication de timbres en caoutchouc, mais ils fabriquaient déjà d'autres produits, comme des couvertures pour cheval en caoutchouc. La nuit, et souvent aussi de jour, Don José, Mack et même María de las Nieves poursuivaient leur obsession quasi alchimique : mettre au point une solution de caoutchouc liquide qui adhérerait à un moule qui y serait plongé, puis la refroidir et la durcir afin qu'elle forme une membrane élastique et résistante qui, remplie d'air, se gonflerait pour devenir une sphère brillante et flottante, à la manière d'une vessie ou d'un intestin d'animal. Ils dévoileraient leurs premiers globes gonflables à l'Exposition universelle de Paris en 1896 – une année après la mort héroïque de José Martí à Dos Ríos dans l'île de Cuba.

À cette époque, ils s'étaient déjà établis à Wagnum. Lorsque Mack avait découvert la ville durant l'une de ses missions d'exploration en Nouvelle-Angleterre, où étaient situées la plupart des premières usines de caoutchouc, elle ressemblait à un vieux village anglais abandonné dans une forêt hantée. Et certes, la ville était marquée du sceau du destin : les fermiers écossais qui l'avaient fondée avaient envoyé une milice à la bataille de Lewington, mais ils s'étaient arrêtés dans une taverne en chemin, s'étaient soûlés, et avaient été capturés par les Anglais qui les avaient obligés à tendre une embuscade à la milice de la ville voisine, de retour du champ de bataille, fière de sa victoire. Plus d'un siècle plus tard, Wagnum semblait toujours souffrir du châtiment qui lui infligeait honte et pauvreté. Mack Chinchilla avait trouvé exactement ce qu'il cherchait : de la terre bon marché avec un étang alimenté par un cours d'eau, isolé par la forêt, et relativement protégé de l'indiscrétion et des préjugés, car comment les descendants démoralisés de lâches et de traîtres écossais pourraient-ils oser se dresser contre une colonie quasi clandestine d'ouvriers étrangers venus redonner vie à leur ville ? (Ils le firent cependant, mais sans succès.)

Mack et María de las Nieves, avec les enfants, s'étaient installés à Wagnum en 1890. Ils étaient cependant restés proches de Martí. Elle apparaît dans quelques mémoires de ces années comme la femme qui vint à la Liga, l'école du soir que Martí avait fondée pour les ouvriers cubains et portoricains, noirs pour la plupart, qui travaillaient dans les fabriques de cigares et autres usines, pour leur parler des coutumes et de l'histoire des Indiens de l'Amérique centrale. Elle avait passé des semaines dans diverses bibliothèques de New York à se préparer pour cette causerie. Parfois elle et Martí partaient pour de longues promenades avec les enfants, et les emmenaient au musée, faire du patin à glace, ou à roulettes et dans d'autres lieux d'amusement. L'été, elle allait voir Martí à Bath Beach, Brooklyn, où Carmita Miyares avait sa pension d'été.

Cet été 1890, Martí, qui avait été nommé consul d'Uruguay, avait assisté à la Conférence américaine internationale à Washington, qui était pour lui un stratagème des États-Unis destiné à étendre leur contrôle économique sur tous les États d'Amérique accommodants. En contrepartie, ils organisaient le consensus de tout l'hémisphère en faveur de l'indépendance de Cuba. La tension qui régnait lors de la conférence l'épuisa, sa santé s'effondra, et son médecin lui ordonna d'aller se reposer dans les Catskill. C'est là que Martí écrivit le cycle autobiographique des *versos sencillos* – des octosyllabes inspirés des chansons populaires des Caraïbes et même des villancicos des couvents – parmi lesquels se trouvaient plusieurs poèmes d'amour, tels que celui de la niña morte d'amour, dont il avait aimé le visage plus qu'aucun autre, et le poème où il voit son âme la quitter par la bouche au moment où il lui dit adieu. L'épouse et le fils de Martí revinrent à New York, dans une dernière tentative de renouer les liens maritaux, mais le rapprochement ne dura pas trois mois. Carmen Zayas lut ces *vers simples*, qu'il avait l'intention de publier. Peu après, sans le consentement de Martí et à son insu, elle emmena son fils au consulat espagnol pour organiser leur retour à Cuba. « Et penser, déclara Martí à un ami, que j'ai sacrifié la pauvre María à Carmen, qui a monté les marches du consulat d'Espagne pour demander protection contre moi. » Mais tout le monde connaît cette histoire.

C'est ainsi que María de las Nieves ne fut pas présente durant les cinq dernières années de l'œuvre la plus héroïque de Martí. Bien sûr, il n'aurait pas eu beaucoup de temps pour elle. C'était devenu une sorte de derviche, qui dormait à peine, faisait d'incessants allers-retours en train entre New York et la Floride, discourant, publiant son journal, écrivant, complotant, conspirant, organisant, levant des fonds pour acheter des armes et des navires, se remontant, souvent jusqu'à l'aube, en sirotant du vin mariani. María de las Nieves allait le voir dans son petit bureau au quatrième étage d'un immeuble de Front Street chaque fois qu'elle venait à New York, et dès qu'elle et Mack eurent de l'argent en trop, elle le donna à la cause cubaine.

Elle ne réalisa jamais vraiment son rêve de devenir reporter, d'écrire des crónicas comme Martí. Elle n'avait pas le temps de toute façon, avec deux enfants à élever, et une telle maisonnée à surveiller. Le journal new-yorkais avec lequel Martí travaillait le plus, le *Sun*, n'engageait pas de femmes, et n'avait pas de rubrique féminine. Elle trouva cependant un petit travail au *World*. Lorsqu'elle habitait avec Paquita, María de las Nieves en avait appris un peu sur la société et la mode. Elle fut chargée de faire le compte rendu des grandes soirées new-yorkaises. Elle apprit à faire de la bicyclette et allait de soirée en soirée avant de rendre ses rapports au *World*, à la dame célèbre qui écrivait la rubrique société. Elle aimait rouler à bicyclette, mais pas vraiment son travail, et après quelques mois, elle donna sa démission.

Au printemps 1891, au cours d'un bal donné à l'ambassade d'Autriche à Madrid, le puissant Premier ministre espagnol, Cánova de Castillo, présenta à Francisca Aparicio un jeune aristocrate espagnol, sénateur appartenant à la droite la plus conservatrice et monarchiste. Il était andalou mais avait fait ses études chez les jésuites à Barcelone et en tout, depuis ses beaux traits sombres et sensuels et son strict maintien martial, jusqu'à sa générosité passionnée et ses idées réactionnaires, il semblait incarner les traits de ces deux régions censément opposées. Ils se marièrent un an plus tard dans la maison de Paquita à New York, avec une dispense spéciale du pape. La reine Isabelle d'Espagne était la marraine du mariage, *in absentia*, et son cadeau consista à nommer le couple Marqués et Marquesa de Vistabella. Ils allèrent s'installer à Madrid, où pendant plusieurs années Paquita fut plus heureuse qu'elle ne l'avait jamais été. Son salon était le plus prestigieux de la capitale, les invitations à ses dîners et à ses bals les plus convoitées. Pourtant son bonheur se révéla être l'habituelle coupe de neige fondante. Ses deux fils, internes dans la fameuse école jésuite de Chamartín de la Rosa, y moururent, l'un juste après l'autre, d'une maladie soudaine. Bouleversée, craignant pour la vie de ses autres enfants, Paquita emmena sa famille à Paris. Son frère aîné, Juanito, fut exécuté à Los Altos par le dernier tyran du pays. Puis son père mourut à New York, et en 1899, le sénateur Marqués de Vistabella, encore jeune et beau, se rendait de Madrid à Paris pour passer Noël en famille quand, dans son wagon-lit, il mourut d'une crise cardiaque. Antonio, le fils naturel de Rufino le Juste, l'ancien cadet de West Point, mourut d'une absorption excessive d'alcool dans un petit hôtel à Paris. Se pensant maudite par un Dieu juste mais impitoyable la punissant pour avoir été l'épouse d'un persécuteur de religieuses et de prêtres, excommunié qui plus est, elle n'osa jamais se remarier, bien qu'elle ait eu de nombreux soupirants. Paquita devint extrêmement religieuse, malgré son caractère indomptable et peu enclin aux longues pénitences. Deux de ses filles qu'elle avait eues d'El Anticristo épousèrent des marquis espagnols. Les guerres européennes successives la chassèrent de Paris pour Madrid, puis enfin pour la Suisse. Elle ne revint jamais dans son pays natal, bien que ses plantations de café continuassent à accroître sa fortune. Durant les quarante dernières années de sa vie, jusqu'à sa mort à Lucerne en 1943, Paquita écrivit au moins une lettre par semaine à María de las Nieves, qui lui répondait presque aussi fréquemment. Grâce à Mathilde, je pus lire cette correspondance.

María de las Nieves racontait que Wagnum était devenue pareille à l'une de ces villes indiennes dans les montagnes où tout le monde travaillait à teindre des couvertures de laine. Mack Chinchilla préférait la comparer à cette ville suisse où chacun, depuis l'enfance, étudiait la production d'une pièce, roue dentée, ressort, aiguille, chiffre, avant de vouer sa vie à sa production pour la meilleure fabrique de montres au monde. Les «Tree» devinrent riches. Ils quittèrent la proximité des habitations des ouvriers dans la forêt pour les abords de la ville où Mathilde habitait encore, quand je la rencontrai, une sorte de château en pierre et stuc, volontairement un peu rustique, avec de larges vérandas et de grands patios, entouré de prés en pente qu'occupent toujours les ruines effondrées d'obstacles de concours hippique et une forêt de pins. Malgré sa fortune «Charles Tree» ne put être admis aux clubs fréquentés par les hommes influents de Boston car on le croyait juif. Mack ne fit pas d'effort pour le nier; en fait il joua le jeu à fond, gardant son chapeau à l'intérieur, déjeunant seul à Parker House quand il était à New York, se faisant servir son thé dans un verre, enveloppant son filet de morue dans une serviette en papier de sous laquelle il tirait sa fourchette et son couteau. Tout ce qui l'intéressait c'était María de las Nieves, son affaire et, bien sûr, leurs enfants, puis leurs petits-enfants et, franchement, d'essayer d'accroître l'énergie inépuisable qui semblait couler à travers ses muscles et ses veines comme si son corps avait sa façon à lui de générer de l'électricité à partir de l'air ambiant, ce qui lui rendait très difficile ne fût-ce que de s'endormir. María de las Nieves fut enceinte de Mack une fois, mais elle fit une fausse couche. Quelques années plus tard, sans faire allusion à ce malheureux événement, elle écrivit à Paquita que bien qu'ils n'aient pas d'enfants, Mack était aussi infatigable au lit qu'il l'était en tout. Plus les années passaient et plus ils s'enrichissaient, plus María de las Nieves se dévouait à la mémoire de José Martí, et surtout à ses idées politiques et morales. Elle sentait que sa santé mentale en dépendait. Elle essayait vraiment de faire le bien, ainsi qu'il l'aurait voulu. Mais le développement de l'affaire et le nombre croissant des postes de pouvoir dans les usines, les bureaux, les entrepôts, les plantations, empêchèrent ses efforts d'aboutir. Surtout après la mort de Mack, dans un hôpital de Boston, d'une infection de l'estomac incurable qu'il avait contractée lors d'une tournée d'inspection de ses plantations en 1927. Ensuite la famille fixa secrètement un plafond aux dépenses charitables de María de las Nieves. Alors que s'affirmait le caractère de Mathilde, mère et fille devinrent une sorte de Pénélope, l'une tâchant constamment de défaire ce que l'autre avait commencé. María de las Nieves donnait à ses institutions charitables le nom de ses proches disparus, ainsi qu'ils firent tous, un par un, à mesure que les années passaient, bien qu'elle n'ait donné à aucune institution le nom de María Chon, persistant à dire qu'il n'y avait aucune preuve qu'elle ne fût pas toujours en vie. Elle avait créé un fonds de retraite à la Pequeña Paris pour les femmes chassées des couvents par la fermeture des cloîtres en 1874, et continuait à l'alimenter au profit de deux femmes, une ancienne récollette et une carmélite, qui étaient encore plus vieilles qu'elle quand elle mourut. Elle était devenue une ardente *Panamericanista*. Même dans sa façon de s'habiller elle était une sorte de devancière de ces femmes que l'on voit de nos jours (tous ces épigones et copies de Frida Kahlo), quoique plus sombre – elle évitait les couleurs vives –, une de ces grandes dames latino-américaines, irrévérencieuse reine du monde, avec une touche de la sévérité et de la manie des couventines. María de las Nieves était connue dans le monde de ceux qui s'intéressaient à Martí. Érudits et historiens venaient la voir à Wagnum, mais elle ne parlait que de ses idées et de ses œuvres, jamais de sa vie personnelle, repoussant toutes les questions qui y avaient trait par des citations de Martí destinées à souligner la petitesse et la médiocrité de ses interlocuteurs. Elle resta en contact avec le cercle toujours plus restreint de Cubains et autres Latino-Américains qui l'avaient connu eux aussi, qu'elle avait rencontrés dans ses premières années à New York. Comme je l'ai déjà dit, elle faisait partie de ceux qui avaient érigé la statue. Elle écrivait essai après essai, dont certains furent même publiés, jamais dans aucun journal significatif ou prestigieux, même si quelques-uns eussent mérité mieux tandis que d'autres contenaient des passages lumineux. Mais je ne suis pas objectif.

Je pense à cet après-midi de novembre où Mathilde et la sublime Daisy me montrèrent cet épisode de *Batman*. Bien sûr, à l'époque il n'y avait pas de cassettes vidéo – même le Betamax n'avait pas encore été commercialisé – et elles n'avaient pas de copie du film. Quelqu'un, peut-être Salomón, le fils de Mathilde, avait filmé le show, coécrit par Cesar Romero et le « Señor Carlos López », sur l'écran de télévision. Il était projeté sur un petit écran amateur et synchronisé, pas trop mal, avec un magnétophone à bobines. On ne voyait pas vraiment très bien, les personnages étaient flous derrière une lumière éblouissante, on discernait vaguement quelque chose. Le son était excellent, cependant. L'épisode commençait dans le manoir du milliardaire Bruce Wayne, avec Robin / Dick, portant pull et cravate, jouant du tuba, et la chanson qu'il jouait, mal mais de manière reconnaissable, était « Guantanamera ». C'est la chanson que le chanteur folk Pete Seeger a rendue célèbre en mettant un des *vers simples* de Martí en musique sur une mélodie qui avait été apportée en Amérique par les conquistadors : *Soy un hombre sincero / De donde crece la palma.* Évidemment aujourd'hui on l'entend dans tous les bars à margarita des centres commerciaux. Donc Robin / Dick joue cela, et Alfred le majordome arrive avec du lait et des petits gâteaux sur un plateau et dit : « Votre en-cas, monsieur Dick, puis il ajoute : C'est une chanson pleine d'entrain que vous jouez là, monsieur » et Robin / Dick répond : « C'est une chanson de José Martí, Alfred » et le majordome demande qui est-ce et le jeune prodige explique : c'était le grand blablabla, connu et respecté dans tous les pays d'Amérique centrale et du Sud. « Une de ses idées, Dick, était que nul pays ne peut se dire libre si sa liberté dépend de l'asservissement d'un autre. » (« Vraiment, grogna Mathilde, qu'est-ce que ça signifie ? ») Comme vous le savez tous, *Batman* était une série très années soixante Bref, un appel sur le Batphone, la Batmobile sort de la Batcave, tous pneus hurlant, s'arrête devant le poste de police de Gotham City. Une statue de José Martí a été volée dans le parc de l'Esprit-Libre. Sur le bureau du chef se trouve un buste de José Martí, envoyé avec une carte signée par le Joker. Quel est le sens de cet indice provocateur? Il se révèle que l'âme de José Martí est emprisonnée à l'intérieur de l'une des millions de statues de José Martí qui se trouvent sur terre. Qui sera capable de la libérer et de l'*aspirer* avant qu'elle ne s'échappe dans l'air héritera du génie du héros cubain et de ses pouvoirs oratoires et charismatiques sans pareils, une force que l'apôtre cubain utilisa pour le bien, mais pour laquelle le Joker a d'autres projets. Le Joker ressemble un peu à son grand-père putatif, avec ses cheveux plaqués en arrière dégageant son front haut. Peut-être que le rire hennissant fait lui aussi partie de l'héritage. Les longues basques de son habit battant derrière lui, propulsé par son corset magique, le Joker s'envole pour Cuba, l'Afrique, la Russie, Miami, New York et Los Angeles, arrachant les statues de Martí de leurs piédestaux en pleine nuit à l'aide d'un aimant géant, confondant les polices impuissantes, les vagabonds, les putains et les hippies drogués de toutes ethnies, et emportant les statues dans son énorme entrepôt secret. Batman doit l'arrêter, car, ainsi que le dit Martí: *Tout homme devrait devenir un orateur, afin de ne pas se laisser berner par les orateurs*. À partir de là l'histoire se poursuit en une sorte de parabole de la guerre froide assez prévisible. Pendant la scène du combat, bien qu'elle eût été à peine visible, Mathilde avait gloussé: «C'est vraiment une bande de tantes, non?»

Mais je pensais savoir où le fils de María de las Nieves, Charlie Tree Jr., le «Señor Carlos López», avait trouvé l'inspiration pour cet épisode. Je me rappelais quelque chose que j'avais lu dans l'un des essais inachevés de María de las Nieves, qui m'avait frappé sans que je l'enregistre vraiment, et à présent je voulais le relire et je m'excusai avant de me rendre dans la bibliothèque. C'est une histoire très américaine, me dis-je parfois. Mack et María de las

Nieves avaient pratiquement inventé l'industrie du ballon, et ils étaient devenus riches. Mais à quel point cette histoire est-elle américaine? Par exemple, si Martí avait fait un enfant à cette Vénus indienne qu'il avait trouvée jadis se baignant dans le cours d'eau tropical, et si j'avais consacré toutes ces années à révéler l'histoire de cet enfant oublié et anonyme? Ne serait-ce pas là une histoire plus véritablement américaine?

Qu'y a-t-il de plus américain que les ballons? Et qu'y a-t-il de plus bizarre et de plus effrayant? ai-je alors pensé. Le caucho, le «sang» des arbres d'Amérique, était une substance sacrée pour les Indiens du Mexique au Brésil, qui fabriquaient aussi des ballons sacrés, et des animaux sacrés en ballons, à l'aide d'intestins et de vessies. Et quoi de plus répandu aujourd'hui que les ballons? Au cours des rassemblements politiques, des anniversaires et des fêtes de bureau, des mariages ou toute autre sorte de célébrations obligées ou sentimentales, partout les ballons symbolisent notre allégresse. Dans chaque centre commercial il y a un clown qui fait des animaux en ballons, exactement comme les Indiens méso-américains le faisaient avec des intestins de jaguar il y a mille ans de cela. Mack Chinchilla disait: «On ne doit gonfler des ballons que quand on est heureux», et vous savez qu'il était sincère. Le premier slogan de la compagnie était: *Les ballons Cody conservent votre bonheur et ne fuient jamais.* Il s'inspirait de cette vieille idée qu'il avait apprise de Juan Diego Paclom, que c'était le souffle mystique qui avait été insufflé dans la figurine qui la rendait divine. Mais c'était jadis, à l'époque où l'industrie du ballon était toute jeune, l'époque de l'innocence des ballons. Si vous vous laissez aller à y penser d'une certaine manière, les ballons sont devenus depuis une des choses les plus déprimantes et désespérées qui soient, bien qu'on puisse se féliciter de ce que ceux qui sont en latex naturel soient biodégradables (ainsi que vous l'apprendra tout paquet de ballons Cody). Les statues de Martí elles aussi sont partout maintenant, elles aussi assez déprimantes, et généralement pas biodégradables. Dans l'essai inachevé que je cherchais, María de las Nieves tâchait de développer sa théorie sur la mort de Martí à Dos Ríos, le 19 mai 1895. Fut-ce une folle charge héroïque ou un suicide, ou est-ce que son cheval ne s'était pas simplement emballé, ou autre chose encore ? On ne saura jamais la vérité, même si on n'a jamais cessé de spéculer et de se disputer à ce propos. Les journaux de Martí montrent qu'il était en désaccord avec les généraux qui pensaient que les militaires devaient prendre le pas sur les civils dans la révolution. Au cours d'une réunion dans un petit champ devant une raffinerie de sucre nommée La Mejorana, le général Maceo, qui n'avait jamais complètement accepté que l'intellectuel volubile à l'air fragile puisse être considéré comme aussi digne de respect qu'un véritable soldat, combattit amèrement Martí et alla jusqu'à déclarer : *Je ne t'aime plus comme avant.* Martí écrivit dans son journal : *Je comprends que je dois me débarrasser de ce rôle qui me colle à la peau, du civil favorable aux restrictions des libertés des militaires. Je résiste, plus ou moins.* Il pouvait être dur, quand il le fallait. Après sa mort et lorsque son journal fut découvert parmi ses effets dans le camp des rebelles, quelqu'un, probablement le général Gómez, déchira les six pages suivantes du journal dans lesquelles il avait sûrement rédigé un compte rendu de cette dispute. (Dans sa bibliothèque, comme pour honorer à jamais ces six pages manquantes qui sont également une prophétie, María de las Nieves conservait un *culantrillo*, plante qu'une amie cubaine lui avait rapportée du champ de La Mejorana. Ces pages manquantes rappellent aussi celles que María de las Nieves avait arrachées au rapport d'E. S. à bord du *Golden Rose*, et avec elles le compte rendu par Miss Paral de sa séduction, sans doute par désir de protéger la vie privée de Martí plus que de la censurer. Mais ces pages manquantes ouvraient, peut-être, par un désir similaire, un espace au moins symbolique dans le monde pour la conception trilocalisée de Charles Tree Jr.) D'autres pages du journal relatent le pressentiment de Martí concernant la

volonté farouche, qui animait les combattants rebelles Mambí,
de faire de lui leur président. Il leur rappelle qu'il n'y a pas eu
d'élection, et qu'il n'est que leur délégué. Son aine était tellement
gonflée par son ancienne blessure que le simple fait de défiler avec
les troupes constituait pour lui une terrible épreuve, même s'il
tâchait de n'en rien laisser paraître, car sa douleur n'était rien en
comparaison de sa joie. Cependant le général Gómez avait décidé
qu'il était temps de mettre fin à cette remarquable aventure et que
Martí serait plus utile en tant que leader civil de la révolution à
l'étranger. Martí déclara qu'il ne quitterait pas Cuba avant d'avoir
été au moins deux fois au combat. Le 19 mai, sur les terres d'un
ranch appelé Dos Ríos, au bord de la rivière Contramaestre, le
général Gómez monta une embuscade contre une colonne espagnole. Il ordonna à Martí de demeurer loin en retrait de la ligne
de feu, et désigna un jeune soldat nommé Ángel de la Guardia
pour veiller sur lui. Mais Martí voulut absolument avancer,
peut-être au début avec prudence. Puis son cheval s'élança vers les
troupes espagnoles. Il était suivi par Ángel de la Guardia, dont le
cheval reçut vingt-six balles. Martí fut touché au cou, et tomba.
Un éclaireur espagnol apparut, qui se trouvait être un mulâtre
cubain. « Que faites-vous ici, Don Martí ? » demanda l'éclaireur,
puis il épaula sa carabine Remington et tua Martí.

Dans le dernier paragraphe de son essai inachevé, María de
las Nieves écrivait :

Certains disent que José Martí était déjà devenu une statue.
Pourtant, saint Jean Chrysostome ne nous rappelle-t-il pas que les
statues et les images des saints ne sont pas des dieux, mais ressemblent plus à des livres, dont les pages sont ouvertes à tous ? Je me
retrouve souvent à lire Martí comme si ses écrits constituaient une
langue à part, que j'avais passé des années à étudier afin de pouvoir
m'exprimer d'une manière qui n'aurait pas tout à fait le même
sens ou la même saveur dans toute autre langue que le « Martí ».
Dans l'une de ses crónicas, par exemple, je lis : *Les phrases ont leur*

luxe comme nous nos vêtements ; certaines portent de la laine, d'autres de la soie. À cause de ma propre histoire, le mot *laine* se détachait telle une question secrète, posée à moi seul, et à laquelle je cherchai à répondre en faisant de nouveau appel aux paroles du Maestro : *Les mots ont une enveloppe extérieure,* écrivait-il, *qui est leur usage. Il est nécessaire d'aller au corps des mots. Il faudrait utiliser les mots dans leur sens le plus profond, dans leur signification réelle, étymologique et primitive.* Je passai toute la journée à méditer la signification de la laine dans ma vie, et en arrivai à de nombreuses révélations. Souvent je me demande : Qu'a pensé Martí quand ce jeune soldat rebelle s'est présenté comme s'appelant Ángel de la Guardia ? Il avait écrit que les anges sont la plus belle de toutes les créations humaines. Mais il y a toutes sortes d'anges. Les mystiques juifs croient qu'il est possible de créer des anges en prononçant des paroles sacrées. Quel était pour Martí le sens le plus profond du mot *ange* ? Qu'était le corps de ce mot pour lui ? Certains croient que votre ange gardien n'est pas un esprit extérieur à vous mais que c'est en réalité votre Moi parfait, celui qui ressuscite et va au paradis. Dans l'Évangile selon saint Luc Jésus dit que dans la résurrection nous sommes égaux aux anges. Le jeune soldat dit à Pepe qu'il s'appelait Ángel de la Guardia. Quand il comprit *le corps de ce mot,* il éperonna son cheval et galopa à la rencontre de son Moi parfait, qui ressuscita tel un ange : l'infinité des mots qu'il nous a laissés, leurs possibilités infinies. Quels mots choisirez-vous ? Certains portent de la soie, d'autres de la laine.

Remerciements

Les magnifiques traductions et les notes de Clark Colahan dans ses *Visions de Sor María de Agreda* furent indispensables au chapitre dans lequel María de las Nieves découvre les écrits de cette religieuse du dix-septième siècle. Mr. Colahan est le véritable « Fray Labarde » de ce livre. Le livre de T. D. Hendrick sur Sor María fut également essentiel pour ce chapitre, ainsi que *La Santidad controvertida,* d'Antonio Rubiale García. Merci aussi au Pr. Dolores Bravo, de l'UNAM.

Je remercie pour leur généreux soutien le Cullman Center for Scholars de la New York Public Library, la Guggenheim Foundation, Beatrice Monti della Corte et la Santa Maddalena Foundation. Je suis particulièrement redevable à Sharon Dynak et Elizabeth Guheen, grâce à qui j'ai pu résider deux fois à la merveilleuse Ucross Foundation, à Ucross, Wyoming.

Au cours de mes recherches sur José Martí, j'ai profité du travail, des écrits et de l'enseignement d'un grand nombre de chercheurs et écrivains, mais je désire remercier tout particulièrement Cintio Vitier, Carlos Ripoll, José Miguel Oviedo, Julio Ramos, Luis García Pascual, Roberto Fernández Retamar, Antoni José Ponte, Mario Montefiore Toledo, Nydia Sabaria, Doris Sommer, Rafael Rojas, Paul Estrade et Guillermo Cabrera Infante, particulièrement pour son introduction aux *Diarios*. Le travail fondamental de Susana Rotker sur les crónicas new-yorkaises de Martí doit être mentionné à part. Je désire également remercier l'équipe du Centro de Estudios Martíanos de La Havane – particulièrement Javier et Minorkis. Presque toutes les traductions de Martí qui se trouvent dans *L'Époux Divin* sont de moi, mais l'exemple et l'amitié de la plus grande traductrice de Martí en langue anglaise, Esther Allen, m'ont été immensément profitables.

Je voudrais également remercier Jaime Abello et Oswald Loewy, président de Sempertex SA, à Baranquilla, qui m'a guidé dans les arcanes de la fabrication des ballons, le Pr. Barbara Benedict, mes collègues du département d'anglais du Trinity College et la familia Jauregui.

Pour son soutien indéfectible, je ne pourrai jamais assez remercier mon éditeur et ami, Morgan Entrekin ; de même tous mes amis à Grove / Atlantic, et Amanda Urban.